言語と意味と記憶

深井　了

翔雲社

目次

序章

序

言語は記憶によって成り立っている。記憶がなければ言語は存在しえない。しかし、不勉強かもしれないが、言語と記憶の関係をそれほど深く考察した書物には出会ったことはない。言語学というものが存在するが、記憶との関係を中心に扱った論文はお目にかかれない。言語学は言語の構造、文法、そして、その変遷を軸に研究が進んでいるとしていいであろう。

一方、記憶のとても多くが言語によっている。記憶は出会った現象を固定したまま、保存する機能を持っているが、このとても多くを言語によって行っている。昨日海へ行った時、海という言葉とともに、昨日見た海がよみがえってくる。そして、メモや日記というものが存在する。これらは記憶を固定する道具であると言っていいが、これは、言語をまた固定する道具である文字によっている。

メモや日記は高度な記憶固定の道具である。もっと原点には、〝りんご〟や〝みかん〟のような日常会話で使われている言葉が存在する。これらは、世の中に無数に存在するりんごやみかんという果物を一個の言葉で代表し、また、人々もりんごやみかんに無数と言っていいほど出会って記憶しているが、その記憶をただ一個の言葉で記憶している。この無数に近い記憶と一個の言葉の関係はかなり複雑なもののはずである。これは本論でゆっくり見なければならないはずである。ここには言語と記憶、そしてそれらが指し示しているもの、個物とのとても深い関係が存在するはずなのである。みかんやりんごは名詞であるが、動詞や形容詞というものも存在する。ここまで見ると、そのむこうに言語活動そのものに必要な助詞や助動詞、前置詞などの役割が見えてくるのではないだろうか。
いや、それ以上に、人間は考える動物であるが、この考えること、思考は、ほとんどが言語によっている。哲学の原点であるデカルトの「我思う故に我在り」（コギト、エルゴスム）も言語によって達成されたのである。しかも、言語と結びついた以外の記憶も見えてくるのである。〝我〟や〝思う〟や〝在り〟、そして〝故に〟という言語と結びついた記憶がデカルトの中に存在したのであるが、それ以上に、世界の中で絶対に疑いえないものはほんとうに在るのだろうかと考えている「我」の存在にデカルトは気づいたのである。気づいたのはデカルトの脳の中に疑い続けている自分の記憶が存在したからである。この疑い続ける自分の記憶はそれほど簡単に言葉では表せない。少なくとも一つの言葉によっては表せない、この記憶の存在、そして考え、疑い続ける「我」の存在をまさしく的確にデカルトは「我思う故に我在り」と表現したのである。

早くもとても難しいところへ来てしまったが、言語と記憶の関係を見ていく時、思考（思う）はなかなか複雑な、難しい、そこへ到達するにはなかなか遠い存在であるということである。幼い子供も思考するのにである。本論としては、この遠い存在への道を一歩一歩進んでみたいと思っているところである。

この一歩一歩の最初の一歩は、次のような考察から始まるのではないだろうか。また〝りんご〟で考えてみよう。りんごはとても多くの種類がある。しかし、子供はそのどれもをりんごと認識できる。
このとても多くの種類のりんごを一つの言葉、〝りんご〟で記憶しているのである。このあたりに言語と記憶とものの複雑な関係が見えているのである。しかも大きなりんご、小さなりんご、赤いりんご、青いりんごだけでなく、それを皮をむいて半分や食べやすく切ったりんごも、幼い子供も〝りんご〟と認識できるのである。

そして、この〝りんご〟に〝赤いりんご〟〝青いりんご〟〝甘いりんご〟〝酸っぱいりんご〟と形容詞がついたり、〝りんごをむく〟や〝りんごを食べる〟という動詞がくっついてきて、そして、もう少しすると、〝昨日、おいしいりんご食べたよね〟と文章になってくるのである。これらの道のりをゆっくりと見て、進みたいものである。

ここまで見てきて言えることは、言語の傍らに記憶を置いただけで、様々な細かなことに目が行く、見えてくるようになる、ということなのである。

いや、これは細かなことではなく、大きなことで見落としてはならないことであろう。言語と欲望の関係である。例えば、〝ライスカレー〟とか、〝すき焼き〟と聴いただけで、おなかが空いた気持ちになったり、唾が出てきたのは、昔の子供達だけだろうか。現代の子供達も、様々な料理のメニューによって食欲が湧いてくるのではないだろうか。また、遊びに関する様々な言葉や、アニメの題名、主人公の名前は子供達の心、いや時には大人達の心さえも惹きつけ湧きたたせるのだ。しかし、惹きつける、湧きたたせる、は、なんと言っても、性に関する言葉だろう。昔なら、隠語とか猥談というものがあり、これらはあまりにも大きな欲望を呼び起こすので、公の場では禁じられていたのである。いや、まだまだあるだろう。コマーシャルで繰り返される多くの言葉は、欲望をかきたてているのである。

いや、欲望だけではない。〝人は右、車は左〟〝青は進め、黄色は注意、赤は止まれ〟などの交通ルールの標語は大きな力で人を動かしている。いや、交通ルールだけではない。憲法や法律はかなり難しい文章で書かれているが、国民全体を力を持って支配しているのだ。こう見てくると、言語に縛られている人間の生活、生き方が見えてくる。憲法や法律の以前に、人類は王の言葉や宗教の言葉が大きく、生活のすみずみまで支配していた歴史を持っているのだ。それ以上に、人々は、「なむあみだぶつ」や「アーメン」と呟くことによって、自分の全てをその言葉に投げ入れるように生きてきたのだ。

つまり、言葉、言語は、それに伴う記憶の力を借りて、人間に大きな力を与え、支配してきていたのだ。言語のとても大きな機能、言語の存在の人間に対する関係の大きさ、強さ、いや、恐ろしさとまで言っていいようなものなのだ。

言語にはまた、コミュニケーションという大きな、人間にとって大切な機能がある。この機能があるから人間は社会を作り、国家を作り出したとしていいであろう。いや、社会の前に家族がある。毎日一緒に生活していても、その生活の大きな部分は言語によって作り出されている。

このコミュニケーションは基本的には、二人の人間の間の言語のやりとりに還元できるであろう。このやりとりは、二人の間で、言語が同じ意味を持って理解されているということによる。ここに記憶を入れて考えると、言語の中の無数の単語や文法が一人一人の人間の中に記憶として存在していることになる。いや、その前に、Aが発した音が、その音を聴いたBがほとんど同じ意味に理解したということが存在する。ここにも記憶を入れて考えると、Aは誰かから、その時発した音と同じ音を、今彼が伝えたいと思った意味で聞いたことがあり、それをBに向かって同じ音で、しかも、Bが同じ意味で理解することができるとして発したのである。つまり、Aも

Bもその音を記憶に保存していたのであり、その音に伴う意味をも保存していたのである。こう見ただけで、単語一つ一つに付着した音とその意味の記憶のとんでもない量が見えてくるのだ。

しかも、ここには文法というものが存在するのだ。同じ社会、いや少なくとも同じ地域に住む人間の動詞や形容詞の活用を同じ形でなしとげているのだ。いや、助詞や助動詞の使い方、主語述語の関係など、そして、これらをほとんどまちがいなく使う人々のほとんどは、学校で文法など習ったことがないのに、なのだ。ここに言語の大きな不思議が存在しているのである。習ったことのない文法を多くの人々はほとんどまちがいなく使いこなしているのだ。これは何によるのだろう。習ったことがないということは理解さえもしていないのでは? となってくる。これは何によるのか? 耳から入ってきた音の記憶? そのくり返し? これらはやはり追求してみたいところである。

言語はまさしく不思議な存在なのだ。コミュニケーションの原点、赤ちゃんと母親の会話からたどってみたい。言語のとんでもないと言っていい構造を一歩一歩進んでいくということだろう。

その前に、言語とそれを使う人間と、その人間が住む世界との関係を考察しておくべきだろう。例えば、日常生活で、

「りんご、とって!」

という会話が存在する。これだけでは、子供が木になるりんごを見て、お父さんに、採ってよ! とねだっているのかとも思える。しかし、実は、家の中で、テーブルに坐っている子供が、テーブルのむかいに坐っている母親の前の皿の皮のむかれたりんごを取ってほしいと言っているのかもしれないのだ。時には、子供は「りん

ご！」とだけ言うかもしれない。それで通じるからだ。

ここに見えてくるのは、母親と子供が同じ家庭のリビングのテーブルに坐っていて、その世界を共有しているという事実なのだ。テーブルの上には今、食事が終わって、その終わった食器が置いたままで、子供は今、食事のあとの果物を食べようとしていることを母親は理解しているし、子供もそのりんごを食べたいと思っているが、少し遠い、母親の前に置かれているのだ。これらは理解されたもの、了解されたものとして会話がなされ、だから、「りんごとって！」なのだ。そして、母親は子供が少し成長していると、次のように言う。

「おいしいわよ。これは、長野のりんごよ、今が一番おいしい季節なの」

こう言った時、母親は子供が長野という地名を知っていて、彼の頭の中には、日本地図の長野の場所も入っていて、そして、また〝今が〟が現在十二月、年末にあたることを子供が知っていると思っている。ここには地理的な理解、了解、時間的な理解とその了解が存在するのだ。

これらのことは近所の友達どうし、学校のクラスメイト、大人になっても同じ会社の同僚でもおこる。会話する二人は、互いに共通した世界を持ち、それを理解し、了解しているのだ。だから、このような会話は名詞にほんの少し、単語一個か二個と文章になっていないことが多い。つまり、会話が進む背景には、世界の共有、そしてその理解、了解が存在するのだ。このような理解、了解を本論では世界の了解性、あるいはただ了解性として進んでいきたい。

基本的には、コミュニケーション、会話というものは、この了解性の上に成り立っているとしていいであろう。つまり、会話をしている二人は、共有している世界だけでなく、その上に了解性が成立しているものとして話を進めていることになる。ただ、時にはこの了解性が成り立ちえない、存在しないこともあり、一方が他方に〝教える〟ということをなすのである。教えることは多々あるが、この了解性を新しく増やすということもあるのである。

二人だけの会話だけでなく、近所や教室で遊ぶ子供達、工場や事務所で働く大人達も互いにこの了解性の上で、遊び、働いているのである。そして、時々、誰かがわからなかった時は、教えあって、了解性を増加させているのである。

また、先生は教室で教えているが、子供達に新しい世界についての了解性を増やすために教えていることにもなる。ただ、学年が進むにつれて、数学などはその背景の世界から離れてしまっているし、理科などは、顕微鏡の世界など、やはり日常性として住んでいる世界から離れてしまっているような世界へ進んでいく。ここへ了解性を無理に押しはめると、人間はこんなところまで、ということにもなる。もちろん、ここには了解性という言葉だけでは理解できない要素も、多く入ってきているのである。

了解性についてもう少し面白いことを付け加えておけば、多くの詩や歌は、了解性の上に詠まれ、歌われているのではないだろうか。つまり、互いに共有世界を土台として、ある程度、了解性が存在するものとして歌われているのでは、ということである。

一方、小説や物語というものはその主人公の住む世界をまず描き出すことから始めているのではないだろうか。その主人公の住む世界は、基本的には読者は知らないものとして、その世界の説明から入るのでは、ということである。かなり荒っぽい話であるが、議論していただけたら嬉しいことである。

そして、ここで確認しておくべきは、人間は自分を中心とした世界に住んでいるということである。自分の眼で見、自分の耳で聴き、五感を通じて、この世界に向き合っているということである。この五感を通じて向き合っている世界は、自分だけのもの、「我」だけのもので、他人の目や、耳や五感で「我」はこれに向き合えないのである。本論では、この世界に自分の五感で向き合っている「我」の在り方を世界＝意識として、議論を進めていきたい。意識というのは、五感だけでそれを感じているだけでなく、人間の場合は、その世界の中の一つ一つの事物に向き合っていることを知っているからである。今、テーブルのむこうに、おかあさんの前の皿に乗っかっているりんごを見ている自分を知っているのである。りんごだけでなく、テーブルの上の皿の上にそれがあり、その皿がおかあさんの前に在り、そして、このテーブルはこの部屋の中に在り、この部屋は自分の家の部屋で、自分の家は、…つまり、世界の中に存在していることを知っているのである。このことをハイデガーは〝世界＝内＝存在〟としたが、本論では、そこに、無限と言っていい記憶と、それに伴う言語が存在し、埋まっているということ、つまり、世界を世界として、その中の事物の一つ一つを、そしてそれらの在り方を知っている、という意味で世界＝意識としたのである。念を押しておけば、その知っていることは記憶とそれに伴う言語に大きな部分を頼っているということである。そして、その知っていることを了解性としたのである。

人間はそれぞれに自分の世界＝意識として存在し、生きている。そして、この世界＝意識の外に出て、他の人の世界＝意識の中の様々な事物を確認しあったり、伝えあったり、教えあったり、それだけでなく一緒に仕事をしたり、遊んだりする時、互いの世界＝意識の中身を伝え合う最も大切な道具が言語であるということである。

もっと正確に言っておけば、今程、世界＝意識を「我」は記憶と言語で埋め尽くしているとしたが、この言語のほとんどは伝え合う道具として、「我」の世界＝意識の外から入ってきているということである。この外から入ってきた道具で、「我」は「我」の世界＝意識を埋め尽くしているということである。ただ、この入ってくる様子は言語にとって、そしてそれを受け入れる世界にとってとても重要なことであり、そのあたりは本論でゆっくり見ていかねばならないところである。

ただ、この外から入ってきた言語であるが、それらは、「我」が自分の住む世界を理解し、了解するために役に立ち、かつ、それは記憶として残り、大人になる頃にはその世界のすみずみまで、その言語によって理解し、了解するようになっているということである。このような意味で、世界は、そして世界＝意識は言語とそれを成り立たせる記憶で埋め尽くされているということである。

そして、外から入ってきた言語がほとんどすぐに、「我」の世界＝意識に解けこみ、そこにある事物や出来事を説明し、理解するのに役立っているのは、その言語が、それを伝えた人の、やはり、世界＝意識を説明し、理解するのに役立っていたからである。そして、伝えた人の世界＝意識も言語とそれに伴う記憶で埋め尽くされているのである。人々はこのような自らの世界を埋め尽くす言語と記憶によってコミュニケーションしているということである。このことの背景にはもう一つ、言語を伝え合っている人々は共通する世界に向き合っているということである。家庭は少人数の小さな世界で互いに向き合い、その外に近所という世界があり、また、学校や会社が存在するのである。そして、また、もっと広くは社会と言われる世界があり、そこは市や県や国という形で区分されているのである。これらの幾層にも広がっていると言っていい世界、その中の共通する世界で言語が行き交っているのである。

ここでもう少し、念を押しておけば、この共通する世界を人々は眺めている、五感で感じているだけでなく、そこで働き、勉強し、遊んでいるのである。この働いていることや勉強していること、また遊んでいることの中には、そこでだけのたいへんな言語が存在するのである。この中で、特に勉強は、共通する世界を理解し、了解するためになされているとしていいことなのである。これを見ただけでも、人間はたいへんな努力を重ねて、自らの世界＝意識を形成しているということである。

もちろん、これらの理解、了解には言語と記憶だけではなく、思考というものも入り込み、また、その上に、支配するように、信仰や思想というものも存在する。また一方、言語と記憶には様々な感情がつきまとっていることも多いのである。ここまで見ると、気が遠くなるほどになってくるが、一つずつ、進んでいってみたい。

そして、もう一つ、この「我」の世界＝意識に入ってくる様子を見ると、ほとんどが耳から入ってきてそのまま、発音も意味も、それ程困難なく入り込み、それをまた「我」は同じように発音することができるし、それをほぼまちがいのない意味で人に伝えることができるのである。しかも、一度入ってきた言語は記憶によって保存されるということである。

このことは単語のレベルではほぼ完全に近くできる。これを見ると、人間には耳から入った言葉を記憶をとおして、そのまま発音する能力が備わっているかのように思えてくる。言語学には音韻論の分野があり、一音一音に関しての細かな分析が描き出されているが、そのような知識が皆無でも、同じ地域に住む人々、おなじ国語を話す人々はほとんど正確にこの発音をなし続けている。こう見てくると、人間には生まれながらにして、このような能力が存在しているのでは、と思えてくる。しかし、外国語を勉強しはじめると、このような思いはふっとんでしまう。それでは、子供の頃からの学習の積み重ね…確かにそうであろうが、親が子供に一つずつの音の発音の仕方、舌の使い方や唇の開き方について教えていることはほとんどないのではないだろうか。子供はほとんど、耳で聴いた音を正確に繰り返すことができるのだ。それでは、外国語の時はなぜ？ 幼児期の記憶の在り方…これらは見ていきたいものである。

そして、また、前にも少し触れたが、ほとんどの人々は、文法の知識はほとんどなくても、ほぼ正確に文法にのっとって会話を進めているのだ。これはどのような能力によるのか。もちろん、記憶がこれに大きく力を貸しているにしても、その記憶とどのような能力、また、他にどのような能力が、…となってくる。

そして、ここに見えてくるのは、〝真似る〟ということである。人々は他人や、時には動物などの動きや様子を真似るが、言語ではこの〝真似る〟が大きな役割を果たしているのではないか、ということが見えてきているのだ。このあたりは、かなり難しい分析が必要になるはずである。

ただ、これらのことは基本的に、そうであることであり、そう簡単ではないことも多々あるのである。言語活動も、子供の頃は単語、特に名詞とそれに伴う動詞や形容詞、形容動詞ぐらいになるが、それが年齢が増すごとに、文章として長くなり、その中身の意味も難しくなってくる。人間の記憶能力が、困難なく、とらえることができるのは、やはり、幼児の時の名詞とそれに伴う動詞、形容詞、形容動詞の結びつくものまでであるということである。文章が長くなったり、中身の意味が難しくなってくると、これはそう簡単ではなくなってくる。伝えられる言語が、いくつもの文の連続になると、それを記憶はそのまま保存できなくて、その長い文の連続の持つ意味だけをとらえ、理解し、それだけを保存するようになる。

ここまで来ると、記憶の容量の限界と、それにプラスアルファされる思考とか、理解力というものが問題になっていることが見えてくる。そして、この思考、理解の骨格を言語が担っているのである。ここに、言語が記憶を超え出ていっている姿が見えてくる。とはいえ、思考の一つ一つ、理解の一つ一つは、一歩一歩は、大きく記憶にも頼っているのである。なぜなら、少なくとも思考に使われる言語の一つ一つは記憶に頼っていることはまちがいのないことである。思考や理解が言語とそれに伴う記憶とどのような関係を持ち、また、それに他にどのような能力が加わり、思考や理解が成立していくかをトライアルしてみたいところである。

ここに見えてきているのは、カントの『純粋理性批判』である。ここには人間の思考判断能力として、先天的(apriori)、先験的、あるいは超越論的（trantzendental）という概念がでてくる。これらは天から生まれながらに与えられた、経験の先にある、つまり記憶より先にあるものとして存在しているのである。このあたりを検討してみたいが、ここまではなかなかたいへんな道のりである。

こう見てくると、言語というものの広がり、奥深さが見えてくる。言語は人間の活動全般、というより社会の活動全般、そして地球上の人間活動の全般に渡っている。そして、この人間活動には、文学という芸術活動も存在する。いや、その前に、テレビドラマや映画などというものも存在する。そして、テレビではドラマの他に、ニュース、天気予報、コマーシャル、様々な教養番組も存在する。いや、それだけではない。歴史というものが存在する。人間は自らが生きてきた道程を文字によって表現し、残してきたのだ。これには様々な遺跡も入るだろう。そして、まだまだ忘れてはならない、宗教というものがある。これは、全世界、全宇宙、そして全歴史をもかかえ込んでいると言ってもいい。

こう見てくると、人間活動の広さ、奥深さがもう一度見えてくる。そして、これらの活動のとても大きな部分を言語が担っているのも見えてくる。

言語学が自らを記号学として進もうとする時、このような広がり、奥深さは消えている。それでいいのだろう。言語学は、この広がり、奥深さの道具になっている言語の構造の不思議を見せてくれるのである。そして、それらが見せてくれる不思議を人間はほとんどその知識を持たないで言語活動を行い、日々生活し、時にはとても奥深い、難しい思考も進めているのである。

本論としては、このほとんど知識のない、また知っていてもほとんど無意識に進む過程、しかも、ほとんど支障なく進む過程を記憶というものを見る中で、解きあかすことにアタックしたいと考えるものである。

ただ、このように進もうとすると、すぐに突き当たるのが記憶の限界なのである。人間の記憶はそれほど容量を持たないのだ。そして、それを補うべく人間は文字という言語を用いるのだ。今ほど見ていた人間活動の多くは、文字言語によっているのだ。文学などのほとんどは文字言語によっている。とはいえ、この文学でも、一冊の長い小説を読み終えた時、人間が大切にするのは、その記憶に残ったもの、しかもけっして簡単な言葉で表せそうにないもの、印象とか感情としかいいようのないものを残しているのだ。これに近いことは日常生活でも、様々な伝達においても起きているのではないだろうか、いや、ここは慎重に進んでいかねばならないだろう。

とても、大きな風呂敷を広げてしまったが、一歩一歩、少しずつ進むしかないだろう。

ここで、本論の出版にあたり、大きなお世話になった翔雲社の飛山様に心からの感謝の念を伝えて、序章を終えたい。本当にありがとうございました。

第一章

言語と意味

一、世界と言語

1．世界は言語で満ちている

言語は意味を持っている。しかも、いくつもの意味を持っている。辞書には、同じ単語にいくつかの意味が書かれている。それらの単語が並べられ、文になり、文が並べられ、文章になり、一冊の本になり、とても大きな意味になっている。そんな本が世の中には無限にあると言っていい。世の中は無限の莫大な意味で埋まっている。そして、それらは、これも無限のと言っていい言語によって表されている。

本だけではない。世の中には、無限の事物、商品、道具、機械、建物が存在し、動物や植物、人間がいるのだ。これらは全て名前を持っているのだ。人間には固有名詞もある。つまり、無限の言語と意味、そしてそれが指し示す事物が存在しているのだ。そして、それだけでなく、それらの名前を持った事物には、中身、内容、性格、使い方、など、細かな説明や案内、使用書などがついてまわっているのだ。

この世の中、世界に存在する言語、それに伴う意味を生み出したのは人間である。地球上で言語を使うのは人間だけである。人間は自分の住む世界の事物に一つ一つ名前を与え、世界を言語で埋めていったのである。人々は、今まで見たこともない事物に出会った時、それが何であるかを人に尋ねたり、様々な本を調べたりすると同時に、この名前を確認していくのである。現代ではスマホやパソコンがこれらの大きな役に立っている。人間は自らの世界を言語で埋め尽くしているとも言っていいのである。

この自らの世界を埋め尽くしている言語は、しかしながら、世界を埋め尽くしている言語の極一部分である。外国語というのもある。それでなくても、同じ共通言語の世界においても、人々が個人個人で知っている言語はやはりその共通言語の一部なのである。

人間が生まれた時、言語をまったく知らない、それを一つ一つ覚えていくのが成長であり、また教育である。教育は言語とともに始まると言ってもいい。パパ、ママからはじまって家族の名前、オッパイ、ミルク、それに伴って、お腹空いた？ オッパイ欲しいの？ 泣かないで！ と呼びかけられて、子供は育っていくのである。

近所で子供どうしで遊ぶ時、幼稚園、学校と言語を学びとっていくのである。子供達は言語を学びとり、それを使った教育を受け、成長していくのである。

そして、大人になった時、自分の住む言語圏の言語をおおよそ、不自由なく使えるようになっている。それでも、新聞やテレビのニュースで知らない言葉に出会ったり、本を読んだり、ドラマを見ていたりすると、新しい言語にぶつかり、辞書やスマホに頼ることになる。また、旅行に行けば新しい地名に出会うし、はじめての動植物に出会う。また期がかわり、クラス替えや部署替え、転勤などになれば新しい固有名詞に出会う。それでも、職種が違った企業、同じ職種でも違った企業では違った言語、単語、文章が使われていて、友達どうしで食事などをしていて話が進むと、「おお？」とか「ふうん、なるほど」という具合になる。人間はほとんど自分の世界、つまり職場や家族、仲間の世界で住んでおり、その世界の中のことはおおよそ知ってはいるが、その外の世界は共通していることも多くあるが、違っていることも多くあり、その違っていることは知らない、つまり、それを表す言語と意味を持っていないことが多いということなのだ。そして、同じ家族でも、子供が成長すると、親は子供の世界を知らない、そしてそこで使われている言語も知らないことが多い。そして、年頃になると心配になってくるのである。それ以上に、夫婦では、主婦は夫の会社のことはほとんど知らないし、その職場で使われている特殊な言語は聴いても理解できないことが多いのである。また、夫も、昔ならば、家のことをほとんど知らないで過ごしたのである。現代の共働きの夫婦では…まあ、まあ……。

世界の中に無限に言語は存在し、埋め尽くされているとしてよい。しかし、個人として「我」が知っているのは、自分の住む世界、つまり、無限に広い世界の極一部で、言語もその世界に必要なものだけがほとんどであると言ってよいのである。このことは、ここに意味というものを見ていくと納得がいくのである。意味ということを、人間が生きていくための意味、生活に必要な知識というぐらいに理解すれば、この意味の分だけ、言語が存在するということになる。そして、多くの人々は、自分の世界の中の生活に必要な分だけの意味、それに伴う言語を使って生きているということになるだろう。だから、多くの人々は自分の住む世界の言語だけでおおよそ、生活しているということで、その住む世界が世界の極一部の分、言語も一部だけということになる。

ここまで言うと、「ええ?!」と声が上がるのが聞こえてきそうになる。言語とはコミュニケーションのもので、社会で共通のもので、同じ社会に住む人々は共通の言語を持っているのではないのか、ということである。まさしく、その通りである。

言語とは人と人をつなぐ大切な道具であり、人と人を結びつけているのは言語であるとも言ってよいのである。しかし、一方、言語が自分の住む世界をかなり細かく説明して、「我」もその言語で理解して納得して生きていることも事実なのである。ただ、この自分の世界に住む「我」どうしを結びつけているのも言語なのである。これらのことは言語のとても大切な部分であり、これは後に見ていかねばならないのである。

ここでは人間は自分の住む小さな世界を、おおよそ、言語を使って理解し、そこにはやはり、無限と言っていい言語が存在するが、また、この小さな世界に住む「我」どうしを結びつけているのも言語であり、この結びつけている言語も「我」は理解して生きているということは確認しておかねばならないのである。

ただ、この結びつけている言語も「我」にとって、小さな世界に住む「我」にとって大切な、必要なものであり、小さな世界とはいえ、この結びつけているものを含んでいると考えれば、矛盾はそれなりに消えるはずである。


今まで述べてきた、「我」の小さな世界を、世間では生活空間と言っているとしていいであろう。生活空間とは、そのまま人間が生きていく、生活していくという意味で満たされた空間で、その満たしている意味を、人々は言語に替えて理解しているのである。そして、この生活空間は、それだけで成り立っているのではなくて、そのまわりの多くの人々の生活空間と並んで、そして、それらを包み込む社会が存在してはじめて成り立っているのである。そして、この社会の中に共通の言語が存在するのである。そして、各人の生活空間はそれだけでは成立せず、食料や道具を考えただけでも生活空間の外から入ってきているし、また働きに出る時はそして勉強する時は、会社や学校という社会の中に出ていっているのである。これらは当たり前、当然のことである。

ただ、少し難しそうな話になっていたとすれば、それは「我」と言語、そして、この「我」が住む世界という形で見たことによるであろう。そして、言語を見ていく時、この世界との関係、「我」が住む世界との関係はとても大切なものなのではないか、ということなのである。そして、今程、生活空間と社会ということで「我」の世界を見たが、「我」はまた、この生活空間と社会を含めた「我」の大きな世界、宇宙と言っていいものの中に住んでもいるのである。この大きな世界、全体の意味を「我」はほとんど、少なくともとても多く言語化しているのである。実際、「我」は自分が住んでいるのは地球という星の上であり、それは太陽系の中にあり、その太陽系の外側には、無数の星が存在し、星雲などが存在することを知りながら生きているのである。そして、自分が住む地球をも、世界地図や地球儀で理解し、それぞれの地方の海や川や山や都市などを理解し、また、自分が住む日本に関しても地図を頭の中に入れて、県や市や山や海や川を理解して生きているのである。そして、この大きな宇宙の中のどこに自分が住み、そして自分の家があり、その家の中の生活空間、これも細かな家具や道具やその場所を理解して、その多くを言語でもって理解しながら生き続けていることになる。

そして、それだけでなく、テレビや新聞では毎日、自分の知らないことが様々に入ってくるのである。

テレビや新聞で新しい事実、ニュースがほぼ毎日のように入ってくることは、「我」の世界、つまり、生活空間、そして社会として住んでいる世界全体の外の世界が存在していることを示しているであろう。その外の世界から、新しい事実、ニュースが入ってきているのである。今日、東京でこんな事件があった、アメリカの大統領がこんなことを言った。東京もアメリカも外部の世界である。ただ、「我」は東京もアメリカもどこにあるかは地図や地球儀の上では理解はしている。東京もアメリカも、「我」は先程見た無限の宇宙の中の地球の上に存在することを知っている。それだけでなく、東京は日本の首都で、大都会で、一千万人の人口があり、…いや、いや、それだけでなく、東京へは何度も行ったことがあり、思い浮かべようと思えば、銀座や新宿や原宿などの街並みが浮かんでくるのである。アメリカは行ったことがなくても、地球上の最も大きな力を持った超大国で、その中の幾つかの都市の風景は写真や映画でも見たことがあり、それよりも初代大統領ワシントンや、その後に南北戦争があり、リンカーンが奴隷解放をしたことは知識として知っているのである。これらの知識の上に、新しい事実やニュースが入ってきているのである。

また、ややこしい話になったが、これも、もう少し、細かく見ておかねばならない。つまり、外部の世界と「我」の世界の境界をである。

「我」は確かに無限の広がりを持った宇宙の中に生きている。そして、これは晴れた日の夜空を見れば確かめることができる。何光年、何万光年の遠くからの星を見ることができるのである。実際、無限の広がりを持った宇宙、そのような自分の生きる無限の世界を自分の目で確かめることができるのである。これに近いのが、晴れた日の海、その水平線を見る時や、夕焼けに輝く西の山を見る時であろう。しかし、一方、「我」は隣の家の中が見えないのである。最近では、都会でなくても、隣の家の中に入ったことのない「我」は多くいるのだ。それでも、道で顔を合わせれば、挨拶をし、声をかけあい、お天気の話をしたり、相手の顔を見て、時には「お元気そうで」と声をかけあったり、互いの平穏であることを確かめあうのである。つまり、情報交換である。それ以上に、母親は、「勉強するよ」と言って自分の部屋に入った子供が、勉強しているのか、スマホをのぞいているのかは見えないのだ。こう見ると、「我」はほんとうに狭い世界に住んでいることになる。それでも、車に乗って街を走れば、広い街、国道などでは道の遠くまで見える。しかし、一方、信号が赤で停車した時、横に並んだ右折ラインの車の中はほとんど見えないのだ。それ以上に道路に面した家々は誰が住んでいるのか、どんな生活をしているのかは知りようがないのだ。

こう見ると、「我」はほんとうに狭い世界に住んでいるのだ。しかし、一方、無限の宇宙空間の中に住んでいるのだ。ただし、この無限の宇宙空間には「我」の知らない外の世界が無限に存在するのだ。この外の世界については新聞やテレビのニュース、また様々な人間どうしの会話からの情報などによって確かめ、後は推測で「まあ、大丈夫だろう」とか、「なんとかなるやろ」と知らないことを埋めていることになる。そして、入ってくる情報のとても多くは言語によっていることは確かめておきたい。そして、推測の多くも、「我」は自分に言語で問いかけたり、安心させたりしているとしていいであろう。

つまり、「我」は無限の広がりを持った、しかし狭い世界に住んでいて、大きな、自分の知らない外の世界に囲まれて暮らしているのである。その狭い世界と外の世界とを言語はつなぐ大きな役目を持っているのである。

それ以上に、外の世界には同じように狭い世界に住む「我」が無限に存在しているのである。この中で家族や友達など、また学校や職場などでの仲間とは、狭い世界どうしの情報交換、コミュニケーションをしているのである。

いやいや、まだまだある。人間には心、感情、思考、魂、精神などというものがあるのだ。これはお互いに毎日、顔を見合わせている、つまり、狭い世界を共有している間柄でも見えないのだ。もっと言えば、子供を愛する親が、子供の心の中を、その顔を見ているだけで読み取れるのは、せいぜい小学生、それも低学年のうちなのではないだろうか。多くは幼稚園までなのだ。まだもっとたいへんなのは、恋人どうしである。毎日デートを繰り返していても、相手の心が読めない、分からない、恋する人々がとても多いはずなのだ。相手の心が分からないから、恋だとも言えるのだ。そして、恋する者が一番に欲しいのは相手の言葉なのだ。「愛してるよ」「愛してます」これを待っているのだ。それだけでなく、二人だけでずっと話していたいのだ。互いの心を打ち明けたいのだ。子供の心を知りたい母親も、子供から、「ママ大好き…」と言われただけで、幸せが体の中に満ちてくるのだ。そして、幼稚園や保育園での出来事、もっと大きくなって小学校、中学校での出来事や、また、いろいろな友達とのことや、心の内を伝えてくれたら、つまり言語でもって伝えてくれたら、親達は安心できるのだ。

つまり、人間は無限の世界には生きているが、自分だけの世界にしか生きていけないとも言っていいのである。自分だけの世界の外に無限の世界が存在するのだ。そして、かつ、人間はこの自分だけの無限の世界から外へは出れないのだ。自分の外の世界に出れないことが狭い世界にしているのだ。

いや、これで終わることはできない。人間と言語の関係はまだまだ奥深いのだ。人間という動物は、知能が発達しているだけでなく、今ほども見た、心、感情、思考、魂、精神などというものを持っているが、これらを自分自身でしっかり掴むことはなかなか難しいのだ。自分の心、精神状態をしっかりと理解している人間はかなり少ないのだ。しっかり掴んでいてもまだその底に、無意識という自分の知らない部分が存在することを見せてくれたのが、フロイトやユングの精神分析である。これほどまではいかなくても、自分の心、精神をしっかりと掴むことはなかなか難しいのだ。これを掴むために、人々は日記をつけたり、様々にノートに書き込んだりしているのではないだろうか。いや、書くだけでなく、友人どうし、そして尊敬する先生、そして何よりも恋人どうし、話していることによって自分の心を、自分でもまだよくわからなかった、ぼんやりしていた心が、相手と話すことによって自分にも分かることが多いのではないだろうか。そして、こんな時、ほとんどの人々にとって唯一、自分の心を表現し、理解できるのは、言語という手段によるのではないだろうか。

以上見たように、人間は無限の世界に住みながら、一方では隣の家をはじめとする無限の外の世界を持ち、また一方では友人や家族、恋人などの心を読めない、自分だけの世界、それだけでなく、自分の心、感情などもしっかりとは理解できないまま生き続けているのである。つまり、無限の広がりを持ち、かつ、限界を持つ狭い世界を人間は生きているのだ。このような無限と限界が共存していることは、物質の世界ではありえないことなのだ。これは物質とは違った存在、これは人間が一人一人持っている意識という、物質とはまったく違った、物質とは絶対に同じには考えることができない存在の故なのだ。存在とは言ったが、これは物質とは違い、目に見えないのだ。意識を見ようとして、目を見開いて見渡せば、目に入ってくるのは物質の世界だけなのだ。その物質に届くまで何もない空間が存在し、それが意識のように思えそうだが、そこには目には見えない空気が存在しているだけなのだ。とはいえ、今まで見てきたように、このような無限の広がりを持った、かつ狭い限界を持った意識の世界を、その存在を確かめることはできるのだ。これは、人間が持っているすばらしい記憶という能力によるとしていいであろう。人間は世界の中に、無限の、かつ狭い世界に生きているが、この生きているのは現在だけであるが、この生きていた現在を記憶しているのだ。そして、このある瞬間の現在を記憶していて、それを振り返って見た時、その世界がもう一度再現されるのだ。この再現された時、その全体を見渡した時、無限の世界として、また一方、狭い世界として、見えて確認できるのである。これを確認できるのは記憶として存在しているからであるが、一方、その記憶を振り返って、記憶を対象として見る能力、反省の能力とでも言っていいものが存在していることも忘れてはいけないだろう。

人間は無限の、かつ狭い、自分だけの意識という世界に住んでいるのである。これを、これから、この論文では世界＝意識という言葉で、議論を進めていこう。世界＝意識とは無限の、かつ狭い意識の世界である。＝はこの意識の世界が人間である「我」にとって全てであり、つまり世界であり、この外へ出ることができない、それを世界として受け止めて生きていくしかないという意味であるとしていいはずである。人間という「我」は無限の世界を見ているが、それは「我」だけの世界で、それが全てであるということなのである。その意味での＝であり、かつ世界＝意識ということなのだ。

もっと言っておけば、この＝もやはり物質の存在とはまったく違った存在を示していることになる。世界と意識が等しいことを示しているのである。物質の世界からすれば、意識とは「我」という人間のたった一人の存在の中のものだ。とても世界のものではないのだ。しかし、これは物質の世界と同じ見方をしたからなのだ。これを意識という物質とは違った存在であると見た時、目を開いて見ている世界は、「我」が自分で見ている世界であるし、音や様々な感覚が受け止めたものは、「我」の世界の中のものとして、「我」の意識の世界のものなのである。もっとわかり易く言えば、目を閉じれば、世界は見えなくなるし、耳を閉じれば音は聴こえなくなる。この間に、同じ世界や音は、隣に存在している人間には見えていて、聴こえているのにである。いや、一番わかり易いのは死であろう。「我」が死んだ時、この世界＝意識は完全な無になってしまうのだ。死と同時に、意識も世界も無になってしまうのだ。「我」が見ている世界としての世界がである。このような完全な無は物質の世界ではあり得ないのだ。物質には質量保存の法則が働いていて、それは変化するだけなのにである。

人間は「我」の世界＝意識を自分だけのものとして、自分の外へ出られないものとして、しかも無限の広がりを持ったものとして生きているということなのだ。

この世界＝意識を、先にも見たように言語で、いやその前に意味で埋め尽くしているのだ。ただ、この意味に関してはほとんどこれまで見てきていないのである。これを見てみなければならない。世界の中の、いや、世界

＝意識の中の意味である。もしかしたら、もっと先に意味を見ておかねばならなかったのである。言語の先に意味が存在するはずだからである。

2. 世界と意味

先に、世界と言語の関係を見てしまったが、言語の先に意味が存在すると考えることが正当であろう。もちろん、言語と意味は一体化していて、言語で表されてはじめて意味であるとも考えることはできる。しかし、とても美しい、すばらしい風景を見た時、言葉にならない、つまり、「美しい」とか「すばらしい」とかという言葉しか出てこない時もある。とても大きく心を動かされているのにである。心を動かされすぎて、言葉にならない、言葉を忘れてしまったとも言える。もちろん、ここでも、「美しい」や「すばらしい」はそれだけ大きな意味を持っているとも考えられる。一方、「言語を絶する」という言葉もあるのである。このあたり、言語と意味の関係は後に、また詳しく見ていかねばならない。ここでは、意味というものを、それに焦点を当てて見ていこう。

世界が言語で満ちていれば、言語と意味が一体化している、いや、言葉にならない意味も存在するとすれば、世界は言語以上に意味で満ちていることになる。しかし、その満ちている意味を探そうと、世界に向かってみれば、その満ちているはずの意味がなかなか見当たらないのではないだろうか。部屋で坐っていて、テーブルの上のりんごを見ていたとしても、〝りんご〟そして、その下の皿、そしてテーブル、部屋などと言語にはすぐに出会うが、〝意味〟ともなると、なかなか出てこないし、すぐには見当たらないとも言える。ここにも、とても難しい問題が存在しているのではないだろうか。

そもそも、意味とは何か？と、ここでは？が出てきていることになる。意味の定義…？でも、ここでそんなことを持ち出してしまえば、大切なことを見失ってしまうのでは…？

でも、意味とは何だろう。それを決めないでは議論にならない、それも確かである。それでは意味…？なかなかすぐには出てこないのではないだろうか。

今見てみた、テーブルの上のりんごを見てみよう。意味はすぐに見つからなかった。では、意味はどこへ行っていたのであろう。でも、この見ていた時は、ぼんやりとりんごを見ていた、そして、なおぼんやりと、このりんごの意味とは…と思っていたのである。しかし、この「我」の中では、〝意味〟そのものの意味がはっきりしていなかったのではないだろうか。そして、りんごを見ていれば、その意味というものが見えてくるのでは？と思いながら見ていたが…りんごが、少し赤みがかったりんご特有の縞紋様と形をしていることが見えてきているだけである。これを意味とはなかなか考えられないな、とも少しは思ったりもしているのである。それ以上に、〝りんご〟という言葉、名詞が頭の中に何回か浮かんでくるだけなのである。そして、ぼんやりとしたまま、「このりんご、誰がここに置いたのかな、やはりおふくろかな」とか弱い力で考えたりするのである。このおふくろが置いたかな、は、りんごそのものの意味ではなく、りんごがそこに置かれたことの意味だ、とも考えたりもするのである。しかし、もう少しぼんやりと見ていると、「このりんご、え？今、六月だろ、夏のりんごかよ、冷凍されていたんだろうな。そのような顔をしているわい。いくらやったんやろ」と思考が動き出したりする。これは、りんごそのものではないが、目の前のりんごについて考えていることになる。その色や形から、その元気のなさそうな様子から、その在り方について、なぜそのような形や色になったかについて、その意味について思考していることになる。そして、その原因について、「六月だろ、夏のりんごかよ、冷蔵されていたんだろうな」と思考が進んでいたのである。ものごとの原因も意味だとすれば、これは確かに意味になる。しかも、目の前のりんごについての意味ということになる。そして、もう少しすると、「これ、ここに置いたのは、確かにおふくろだよ。明日のジュースに入れるんやろ。毎朝、野菜とか、いろんな果物を入れてジュースをつくってくれるからな」と、先に見た、ここにりんごが置かれた意味をもつきつめることになる。そして、もう少しすると、「いったい、いくらやったんやろ? 高いのかよ、安いのかよ」と値段について考える。値段もやはり、意味としていいであろう。りんごだけでなく、また果物だけでなく、ほとんどの事物は値段を持っている。『資本論』は、これらの事物の値段がそれを造り出すのに必要な労働時間の蓄積されたものであることを証明して見せてくれる。そして、マルクスはこの必要労働時間=価値が資本主義社会の価値単位であると説く。もちろん、「我」はこんなことまでは考えない。しかし、いくらであったのかは少しは興味がある。けっしておいしそうではない、しかし、季節はずれであるため、かえって値段が高そうに思えるからである。

ここまで見ただけで、一個のりんごについてかなり多くの意味が見えてきた。しかし、りんごそのものの意味ではなく、この目の前のりんごの存在についての意味である。

りんごそのものに近い意味は次のような場合でないだろうか。

少し喉が渇いている時である。目の前のりんごを見て、そのりんごの皮をむいた姿が浮かび、同時に、口の中に少し酸っぱい、甘い、りんご独特の味が舌の先に感じられたように浮かんでくる時である。ここには、言葉はほとんど現れてこない。しかし、この皮をむいた姿が浮かび、舌の先にりんごの味を感じたように思えることは、やはり意味であるとしていいであろう。そして、これは、多くの人々が、喉が渇いていたり、なにか果物が食べたいな、と思っている時、りんごを見た時に共通する反応であり、りんごが持っている意味、りんごに共通する意味、これまで何回か使った〝りんごそのもの〟の意味ということになるだろう。もちろん、これは学問的でも、科学的意味でもない。いわゆる、通常の人間、多くの人間にとっての、りんごを食べたいと思う時の意味ということになる。

そして、ここでもう一つ見ておかねばならないのは、この時、この時点では、この先に見た、目の前のりんごについての意味は消えているということである。つまり、喉が渇いていたので、テーブルの上にりんごがあることを見て、りんごという種類に共通の意味が浮かんできてしまったのである。だから、この時は、「我」の中では〝りんご〟という種、もっと言えば、言葉が持っている意味が浮かんできているのである。しかし、もう少しして、「このりんご、食べてやろうかな」と思いはじめると、前と同じ、「誰がここに置いたんかな」となって、「おふくろが、明日の朝、ジュースにするためやろ」と推測が働き、しかし、「喉が渇いているし、半分くらい食べていいやろ、どうせおふくろは毎朝半分ずつしかミキサーに入れてないはずだから」となり、りんごを見て、「ええ?　でもあんまり元気そうでないりんごやな」となり、はじめて、目の前のりんごに目がいって、先程述べたと同じ「今六月だろ、りんごかよ、冷蔵もんかな、まあ、食べてもうまくないやろ」と推測が続くことになるはずである。これらは、目の前の個物としてのりんごについての意味、推測ということになるだろう。これを食べるかどうかは、喉の渇き方、また、お腹が空いているかなど、またもう少し、冷蔵庫にジュースや他の果物があるかどうかの推測とのすりあわせになるだろう。

以上見ただけでも、しかも、〝りんご〟についてだけでも、とんでもなく多くの意味が浮かんでくるのである。ここには、りんごに共通の意味、もっと言えばりんごという言葉が持っている意味、そして、また、目の前の個物としての、それだけの持っている意味、また、そこに置かれてあることの意味などが浮かんできているのである。ただ、ほとんどの人々は、これらを区別することもなく、自分の必要に応じて、その時々にどれかを一つか二つ浮かべて、意味だとも感じることもなく、次のこと、しなければならないこと、もし食べようと思えば、自然と台所へ行ってナイフを探してとか、忙しければ、「ああ、そうだ、こんなことをしてる場合かよ」ともなるのである。

しかし、これだけでも、かなり多くの意味であるが、世の中にはりんごに関しては植物学的分類の意味があり、また、栄養という観点からは、どのようなビタミンが入っていてとか、また、これもりんごそのものの意味ではないかもしれないが、りんごに関しては、いや、多くの食物に関しては、産地は、りんごの場合は、青森産、長野産、地元産、などは大きな意味を持っている。そして、それ以上に、先にも少しは見たが、価格や季節はたいへん大きな意味になっている。価格では、〝大特売〟また季節では旬が大きな意味でやってくる。

そして、りんごという種類に関しては、今見たような意味であろうが、先に少し見た一個一個のりんごに関してはまた違った意味が見えてくる。色や大きさや形、そしてそれが示す味への推測、その推測のもとに食べた時の味、ここには季節や産地も大きく意味を持って表れる。そして、産地だけでなく、どの店で買ったか、しかし、何と言っても価格は問題になる。その価格を聞いた上でまた、味は問題にされるし、大きさや、何個でいくらで？と問い直されたりもする。その上で買った店の評価も、「あの店はいい」、「あそこのスーパーで買ったらあかんわ」とかともなる。

これだけでもたいへんな意味になる。しかし、今見たのは食べる側、消費者からの意味である。これが栽培している生産農家の人間にはもっと大きな、しかも、生活がかかっている大きな重い意味が存在しているはずである。しかし、一方、これらのりんご園に面した道を、学校に通う生徒や、仕事に向かう人々にはまた違った意味に見えてくる。りんごの味だけでなく、「花が咲いた」「小さな実ができた」「色づいてきた」「ああ、おいしそう」などはどこか心が休まるものとしても見ていることになる。

以上、りんごだけを見ても、とんでもないくらいの意味が見えてきたのである。まさしく、世界は意味で満ちあふれているのである。そして、その都度、意味が違ってきているのである。りんごだけでも、ただ、ぼんやり見ている時、喉が渇いて食べたい時、ジュースにしたい時、お店で買う時など、その置かれた状況によって大きく違っているのである。そしてまた、生産者や、りんご園のりんごを見る者にとっては大きく違った意味が見えているのである。

同じことは、りんごだけでなく、果物、食物だけでなく、自動車や機械、道具や家具、また家やアパート、マンション、そして、町や市や国と、まだ忘れてはいけない、動物、そして人間は、それぞれに、数え切れない、その都度、その時々に意味を持ち、それぞれに数え切れない意味を持っているのである。

最後に挙げた人間に至っては、その一人一人がつきあい方によって、そして、親しくつきあっている者、毎日顔を合わせる者にとっては、その時々の顔の表情、動作や仕事、そして、その時々の言葉はとても大きな意味を、その時、その時で持っているのである。毎日、顔を合わせる先生や上司の怒った顔は、夜、眠れなくもさせるのである。

まさしく、この世は意味で満ちているのである。

これらの満ちた、無数の意味を、人々は言語に…少し先走っている。ここにはかなり難しい問題、この論文がここで取り組まなければならない問題が存在するのである。意味も様々であるが、言語にする仕方も様々なのである。ここには先に見た、無限の狭い世界、世界＝意識が大きく問題として出てくることを見ていかねばならないのである。

ただ、ここでおさえておくべきことは、まず、意味は同じ対象であっても、その時々、「我」の事情によって様々に違ってくるということである。このことは、常識の世界でも、多くの人々が認めることである。ただ、ここではその仕組みをできるだけ見ていく必要があるはずである。

りんごに戻ろう。

最初にぼんやりとテーブルの上にりんごがあるのを見た時、意味らしいものが見えてこなかった。ただ、〝りんご〟であることを見ただけであった。この〝ぼんやり〟ということは、ただ、部屋を眺めまわして、そこになんとなく、見まわしていた、そこでりんごがあることに気づいたのであった。この時、りんごに関しては、偶然そこにあったことに気づいた、ということは、りんごを求めていなかった、ということが言えるのである。求めていないものには、意味を認められない、ということになる。

一方、喉が渇いていた時は、そこにたまたまりんごが見つかっただけであったとしても、そこに意味が湧いてくるように、生じているのである。偶然に出会ったとしても、こちらに求めるもの、その要素、ここでは喉の渇きが、意味を引き出してきている、生じさせていることになる。ここに、すぐに〝欲望〟という言葉が生じてきそうである。しかも、とても大きな姿で、他のものが見えないような、いや、他のものがないかのような、そんな見え方、姿で現れ出てきそうである。

確かに、そうである。多くの事物、それに意味を与えているのは、確かに欲望なのである。しかも、欲望の在り方によって事物は違った意味を帯びてくるのである。

最初にぼんやりと見ていた時、意味が見えなかったのは、そこに欲望が働いていなかったからであるとしていいのである。そこで、喉が渇いた時、りんごを見た時、まさしく、意味を持ったものとして、その喉の渇きに応じた形での、つまり、少し酸っぱい、しかし、甘い、喉をうるおす、喉の渇きをいやすものとして、感じられるのである。また、一方、お母さんがジュースを作る時に、りんごを手に持って皮をむいている時に、それを飲ませる子供達の栄養バランスを考えて、時には昨晩のメニューの中身を考え、りんごをどれだけ入れるかは大きな問題になっているのである。ここでおかあさんの中に働いている欲望は、自分の体から出てきているものではなく、その体以上にいとしい子供達が元気に育ってほしい、そのためには、栄養のバランスをきちんと考えてやりたいという形であるとしていいであろう。だから、この時の意味は、りんごの持っているビタミン、これはお母さんが過去にどこかで仕入れた知識が主になっていて、その次に味、いや、この皮をむいている段階では、そのむかれた皮の色と、皮がむかれて出てくる中身の肌の色からの推測であるが、それが二番めになるのである。ということは、おかあさんの中には、ビタミンのバランスがとれれば、それを子供達においしい、おいしいと言って飲んでもらいたいという欲望も存在しているからである。

同じおかあさんが、スーパーでりんごを買う時はまた違っているであろう。買い物では、まずは値段である。そして、その上で、りんごの質と量、おいしいか、どれだけ熟しているか、傷はついていないか、そして、それを見ながらも、時々、家計簿がちらついたりする時がある。買い物をする時、値段、そして家計簿が気になるのは、一か月に決まったお金でやりくりしなければならないからだが、この〝やりくり〟とは決まったお金のうちで、なるべく、家族がおいしい食物を食べて、買わねばならない衣服や様々な道具なども買って、家族の生活が少しでもいい方に、という欲望のもとでの、工夫、努力、計算であるとも言える。

一方、生産者となるとがらりと変わってしまう。ほとんど一年中、自分の育てている木のこと、それが健康に育ってくれて、おいしい実をつけてくれるように見守り、願っているが、その背後には、それらのりんごが売れた時の収益がたえずちらついているのである。この収益のための、すばらしいりんごなのである。そしてまた、そのための、農薬や肥料への支出も気になるし、それらを使っても、それ以上に気になるのは天候なのだ。晴れと雨の日の比率、雨の降ってほしい日々、晴れが続いてほしい日々、それらに伴う気温は大きく気になるのだ。それらを気にしながら、一本一本の木が青葉の季節、そして花、それらが小さな実になり…とほんとうに目が離せないのである。そうしていながら、やはり今年の収穫はずっと気になっているのである。これらはずっと、とても大きな意味をもって生産者を引きつけているのである。そして、その意味のむこうには収益という根本的な意味があり、この収益の根底には、家族全員がより良い生活ができて、できたら貯金もできて、という欲望が存在していることになる。

こうして見てくると、欲望が大きく意味を作り出してくることが見えてくる。そして、この欲望の中身によって、同じりんごも様々な、それぞれに違った意味を持っているのだ。まさしく、意味とは欲望が作り出しているのだ、とも言いたくなってくる。確かにそうである。そして、欲望とは関係のない、切り離された意味を見つけ出そうとすると、なかなかである。

とはいえ、「人は右、車は左」、これは確かに、日本に住むほとんどの人々には大きな意味を持っている。しかし、これはどんな欲望とからんでいるの？となる。それ以上に、スピード標識は、多くのドライバーが、気持ちよくスピードを出して、できるだけ早く目的地へという欲望を抑え込んでいるのだ。そして、ルールというもののとても多くは、欲望を抑え込んでいるはずなのだ。

学校や職場では、食事の時間と場所はしっかりと決められている。これも、食欲を抑圧するルールである。それ以上に、この世の中には性欲を抑圧するとても多くのルールがあるのだ。「恥ずかしい」はこの抑圧のための、社会の隅にいきわたった、大きな力の言葉であるとしていいであろう。しかも、欲望からのストレートな意味を大きく歪め、ねじ曲げているのである。人間は、四、五才になる頃に、いや、それよりもずっと前に、つまりもの心ついたと同時に、裸を人に見せないこと、性器を隠すことを、あたり前のこと、常識として育てられるのである。そして、社会全体で、大きく性欲を抑圧し続けるのである。だから、人々は、性欲からの意味を、この社会全体からの抑圧によって歪められたもの、ねじ曲げられたものとして感じて、それが性欲であると思ってしまっているのである。「こっそりと」「人の目を忍んで」「二人だけの秘密」として感じ、それがすばらしい、時には美しいものと受け止めているのである。

こう見てくると、欲望の他に社会にはとても多く意味を形造る要素が存在しているのが見えてくるのである。性欲に関しては、〝タブー〟はこの抑圧の根源を表す大切な言葉であるということになる。そして、人々は、このタブーによって歪められ、ねじ曲げられたものを、性欲からの意味として受け止めているとしていいであろう。

そして、この抑圧の背後に見えてくるのは、法律や憲法、また、それを支えている国家権力である。先に見た、「人は右、車は左」や「青は進め、赤は止まれ、黄色は注意」などに代表される交通ルールの全てはここから来ているのである。交通ルールだけでなく、社会全般を大きく支配するルール、秩序は、この法律や憲法、そして国家権力からその力の多くが来ているのである。もちろんこれにはそこに住む人々が自分達の生活のためにはこれらのルールや秩序が欠かせないものとしている認識が大きく力を持っているのである。つまり、現代の民主主義社会では、国家権力は基本的には、そこに住む人々を支配するよりも、その自由を保証された上での人々の判断が大きく意味を形造っているとしていいのである。

ということは、民主主義が確立していなかった封建時代や古代王朝では、これらの権力、そして、それからの意味は全て、王や君主からのものと考えられ、人々の思考を支配していたことになる。いや、それ以上に、神が大きな力を持っていた時代があったのである。いや、現代においても、神を信ずる人にとっては、全ての意味は神からのものとされた、されているのである。

神は全ての意味の根源であったのである。全ての意味は神から来ていたのである。全ての出来事も神の意図であり、神からの意味であったのである。いや、全ての存在は神の意図、神からの意味だったのである。そして、生活のすみずみまで、つまり、ハシの上げ下ろしに至るまで、神からの意味と解釈されたのである。ただ、最初に見た欲望だけは「我」のものとして、時には神の意図に反するものとして、これをもう一度神の意図に順ずるように抑圧することは、信仰の大きな部分を形造っていたのではないだろうか。

ただ、現代は、ニーチェの「神は死んだ」の言葉のとおり、神の力は大きく退き、全てに行き渡っていた神からの意味も大きく見えなくなり、人々は全ての意味を自分で考えなければならなくなっているのである。〝全ての意味〟とは言ったが、多くの人々は、全世界、全宇宙の意味など考えている暇、また必要もないのである。多くの人々は生活に追われ、自分と家族がどうしたらうまく生活ができるかを考えながら、できるだけうまく進むように、考え、工夫しながら、時には悩み、時にはうまくいって喜び、そして喜怒哀楽を感じながら生きているのである。多くの人々は生活の中のこの喜怒哀楽から、意味を見つけて生きているとしていいのである。いや、とても多くの人々は、「意味？…そんなものいちいち考えて生活ができるかい！」と言うはずなのだ。意味を考える前に、少しでも、うまく生活できるように、時には楽もして、そして、時には楽しく、しかし、その前に三度の食事、いや、もっと広く、衣食住をなんとかして、その上で、できることなら、いざという時のための蓄えを、…。

これが多くの人々の生活なのである。意味はこの生活の中からの意味なのである。そして、生活は仕事や勉強を中心に動いているのである。仕事や勉強では、欲望は大きく抑圧されたままなのである。もちろん、仕事も勉強も、仕事は生活のために必要な資金を稼ぐために、勉強はその資金を稼ぐためのよりよい仕事を得るための準備のためのものであり、この資金は食欲を満たすため、また性欲から生まれた子供、家族がよりよい生活ができるため、つまり欲望を満たすためのものである、手段であるとも考えられるのである。しかし、仕事中、勉強中は食欲も性欲も大きく抑圧され続けているのである。そして、仕事も勉強もそれらの欲望から切り離された意味で満ちているのである。仕事では、工場で働いていれば、機械の扱い方、操作の仕方、その前に図面の見方、そして、それらの機械を使ってその図面の中の商品を作り出していく、この過程は一つ一つ意味に満ちているのである。営業ならば、自分が売らなければならない商品の名前、使い道、そして何よりも価格、これにはその商品を作り出すのに必要な価格、原価、それの計算、見積もり、そして売り値、これもお客さんによっての価格の変動、その巾、そして何よりもお客さんの名前と顔、その顔色、性格…きりがない。仕事は意味で満ちているのである。勉強はこのような仕事に役立つ知識を、いや、それ以上に、これから大人になって生きていくための、その生きていく社会、世界を知るため、つまり、そこに存在する意味を獲得する場であるのである。

いや、仕事や勉強だけでなく、家事、また通勤、通学、ここにも様々な意味が満ちているし、その意味を知らなければ家事では食事も、いや生活全体ができないし、通勤や通学ではとんでもないこと、事故につながってしまう。

そして、仕事や勉強、家事という生活のため、必要な労働、努力の他に、それらで疲れた心や体を休めるため、遊びやスポーツに時間を費やすのである。この遊びやスポーツにも、ルールや技、コツ、様々な楽しみ方、努力の仕方などきりがないのである。

これらが、つまり、仕事や勉強、家事、スポーツ、遊びが生活を形造っているのである。そして、それらは意味で満ちあふれているのである。つまり生活は意味で満ちあふれているのである。そして、それらの意味は、多くは欲望からは、少なくとも直接的には切り離されて、独立したものとして存在しているのである。

そして、ここでの議論として、見ておかねばならないのは、これらの意味のとても多くを、いや、ほとんどは言語で表されて、伝えられ、人々はこの言語によって意味を共有しながら生きているのである。

その中の、一番広い、大きな、力強いものは憲法、そしてこの下の法律であろう。これらは言語で、そして、変わることのない文字で表されているのである。社会には様々なルールが存在することを先に少しは見たが、この様々なルールの根本にこれらが存在しているのである。憲法や法律に反すれば、これらの様々なルールは存在を許されないのである。憲法と法律は社会の、国家の大きな一番外側の枠組を造りあげているのである。

ただ、人々は、この枠組みを一つずつ、まさしく言語として知っているかと言えば、けっしてそうではないのである。人々は、この枠組みの中で、枠組みに触れないように、その中で生活しているのである。まさしく、生活そのものを、この枠組みの中で、枠組みに触れないように、築き上げているのである。ただ、多くの人々は、せいぜい、この枠組みに触れるようになるのは、スピード違反、駐車違反、信号無視などで、「しまった!」と思った時なのである。つまり、枠組みの外に出てしまったのである。

それでも、多くの人々は、憲法や法律を自分の言葉で、必要なだけ、理解しながら生活を続けているとしていいのである。「人のものを盗ってはいけない!」「暴れたらあかん!」「人の家に勝手に入ってはいけない!」などの言葉で、理解して生活しているのである。これらの言葉は交通ルールも含めればかなりの数があり、これらの言葉によって人々は、この枠組みに触れないようにして生きているのである。また、自由、平等や人権などはそれなりに理解しているのである。

そして、憲法や法律だけでなく、世の中には社則や校則があり、まだまだ、とても多くのルール、きまり、規則と言われるものが存在するのだ。いや、その前に、礼儀、マナーと言われるものが存在するのだ。これらは憲法や法律へ行くまでの、細かな枠組みとして存在しているとしていいであろう。人々は、これらの細かな枠組みにも触れないように、少なくとも、それにぶつかったり、壊したりしないようにしながら、生活を続けているとしていいであろう。
　ここでも言語に触れておけば、礼儀やマナーは、言語に表せない、かなり難しい、その時その時、状況に応じたものを多く含んでいることも確認しておこう。そして、こんなところにも、言語と意味の難しい関係が見えてきていることも確認しておこう。

　意味と言語の関係を見ようとしたら、すぐ目につく憲法や法律にいってしまい、そして社則や校則、また、礼儀やマナーを見てしまった。これらは大きく見れば、やはり、ルール、規則としてまとめることができるだろう。ただ、意味とは、このような規則やルールだけではない。意味とはとても広い言葉なのだ。辞典はこの意味で詰まっている。しかも、言語の意味である。そして、礼儀やマナーのところでも少し見えてきたが、言語にならない意味も存在するはずである。すばらしい風景や芸術に出会った時、人々は「言葉に言い尽くせぬ」と言うのである。このような言葉と意味の関係はとても複雑で難しいものを含んでいるはずなのである。これらは後にゆっくり見なければならないし、本論のテーマそのものなのである。

　少し、方向を見失ってしまっている。それは意味というものの広さに免じて許してもらおう。ここでは、無限の広さを持つ狭い「我」の世界、その日常生活の意味を中心に見ようとしていたはずである。そして、言語との関係を見ようとしたら、憲法や法律が出てきて、ルールや規則に行ってしまったのである。
　無限の広がりを持つ、狭い「我」の世界に、そして、その中での日常生活の意味、その言語の関係に戻ろう。「我」の無限の狭い世界は、意味で満ちているが、けっしてその意味はルールや規則だけではない。そしてまた、その先に見たように欲望は大きく抑圧されているのである。抑圧しているものの主人公はやはり、ルールや規則であるとしていいであろう。ここで見ておかねばならないのは、これらの欲望とそれを抑圧する規則やルールの他の意味である。しかし、ええ？ ともなりかねない。生物学的には、人間の行動を決めているのは欲望であるし、それを社会生活を進めるために、抑圧するルールや規則の他に何があるの？ とまでなりそうである。

いや、ある、毎日の天気、晴れか曇りか雨かは、大きな意味を持っている。そして、台風や大雨、雪はとんでもない大きな意味になる。これらも欲望とはかなりつながっている。遊びに行こうと思っているところへ雨ともなれば、また、仕事、農業や漁業は大きく天候に左右される。仕事が、人間の欲望を満たすための金銭を得るためだと考えれば…ということにもなるが、やはり、天気は天気として独立した意味を持っているとしていいであろう。そして、ここで言語との関係を確認しておけば、確かに、〝晴れ〟〝曇り〟〝雨〟そして、〝台風〟〝猛暑〟などは言葉になっている。とはいえ、お天気そのものに向かい合った時、このような言葉はそれほど出てこないのではないだろうか。「おお、すばらしい天気や」とか「チキショウ、暑い」「おお、寒い寒い」とか、形容詞が中心になる。これは形容詞が感情を表現しているということであり、感情とは人間にとってとても大きな意味であるということである。

この他、美しい花、鳥の声、いやいや、花鳥風月なのだ。

いやいや、まだまだ、仕事や勉強が難しい、その反対に簡単だった、早く終わった、これらは働く者、勉強する者にとても大きな意味を持っている。いや、それよりも仕事や勉強は意味、意味、意味なのだ。工場でまわってくる図面一枚の中にも、意味が満ちている。図面の存在そのものが多くの意味を持っている。単なる紙切れではないのだ。仕事の上での図面というものの重要性、どこの課からまわってきて、どこへ渡すか、それよりも、この図面はどこの会社の誰が書いたか、そして出来上がった品物はどこへ納めるか。納期、個数。そして、図面の表しているもの。この課ではどことどこを加工するのか…その前に図面の書き方、読み方の約束事、…きりがない。勉強も同じだ。一つの問題だけでもたいへんだ。問題を提示している文字一個一個が意味を持っているのだ。数学の計算なら、数字、計算の仕方、その前に十進法、桁、その繰り上げ、いやいや、その前に、たし算、引き算、掛け算、割り算、…きりがない。

世の中はほんとうに意味で満ちている。いや、意味だらけなのだ。しかも、こうして見てくると、〝その前に〟を何回か使ったが、そこから見えてくるのは意味は層をなしていることだ。しかも固まって、からみあってやってくるということだ。そして様々な約束事がその塊にまたからみついているということだ。そして、層と言えば、仕事で図面に向かって仕事をしているのも、働いて給料をもらうためだ。その給料をもらうのも、自分が、そして家族が生きていくため、と層が広がっている。

仕事や勉強だけでなく、世の中にはもっともっと大切なものがある。お金？…ノー、ノー、恋人の眼や可愛い子供の眼、その眼が意味するもの、ここにもとても大きな、大切な、しかも、とても多くの意味が存在する。これらの眼が曇っていればぐっと心配が体の中に広がる。輝いていれば、喜びが満ちてくる、…

ほんとうに、世の中は意味でいっぱい、あふれているのだ。

そして、ここで忘れていけないのは、先にりんごで見たように、この時々、状況次第で、同じりんごも様々な意味を持っている、現れるということだ。意味が見えないこともあるのだ。

もっと言えば、「我」の必要な時に、「我」はその必要に応じた意味を引き出して生活を続けているということだ。そして、この必要の多くは、毎日の生活から来ているということだ。仕事、勉強、家事に必要な分を「我」は引き出して、生活しているということになる。

だから、世の中に、世界に意味が満ちあふれているとしても、それは、必要な時に必要な分だけ引き出されていて、その他の意味はまるで存在しないかのように静まり返っているということなのだ。ということは、逆の見方をすれば、「我」はこの世界に、世の中に満ちている意味を知っている、「我」の中に蓄えている、記憶しているということにもなる。だから、「我」は先に見た無限の広がりを持った狭い世界に住み、その世界には、やはり無限と言っていい意味が存在しているが、その意味を「我」は自分の脳の中に、つまり記憶の中に保存しているということである。ということは、「我」の脳の中には無限のと言っていい意味が、記憶として保存されていることになる。そして、ここまで見てくると、ええ？となる。そんな無限の意味が自分の脳の中に保存されているの？ともなる。確かにそうなのだ。そんな無限の意味が保存されていたら、頭が重くなって、たいへんで、それこそ生活どころでは…？ともなりそうである。

もちろん、意味は必要な時だけ引き出されている。しかし、この意味の引き出し方も、…多くの人々は、意味をけっして辞書に書かれているように、また、パンフレットや使用書に書かれているとおりに引き出しているわけではないのだ。それこそ、必要な分だけ、引き出して、そしてまた、必要な分だけ記憶している…

ここはしっかり腰を落ち着けて見ていかねばならないだろう。ここには、かなりややこしい、やっかいなことが見えてきているのだ。意味をずっと見てきたが、そして、その意味は世界に満ちあふれていることも見てきたが、それは、確かに「我」にとっては、記憶の中に保存されているはずなのだ。しかし、その保存のされ方は、けっして辞書に書かれた通り、様々な文章に書かれたとおりではないのだ。それではどのように保存され、そしてまた、この保存されたものの中から、どのように引き出されているのか、このあたりはかなり謎めいているのではないだろうか。

辞書のとおり、文章のとおりに保存されていないとすれば、どのように保存されているのか、ここには記憶と、そしてそのむこうに存在している思考と意味、また言語の関係がかなりあいまいな、はっきりしない、ぼんやりとしたものとして見えてきているのである。

3. 意味と記憶と言語

もう少し、意味に焦点を当てて、そして今度は記憶との関係で見ていこう。

意味は確かに記憶の中に入っている。意味と記憶は一体化していて、人々は、必要な時に、その意味の記憶を引き出して、生活を続けている。しかし、そんなに単純ではなさそうである。

今まで見てきたように、世界は意味で満ちあふれている。この満ちあふれている意味の全てを「我」が記憶している、…このことは絶対にありえない。そうなると「我」は神様である。天才と言われる人々も、この意味の一部を、多くは自分の専門分野の意味を、それは完全なほどに記憶しているとしていいであろう。

もう少し丁寧に見れば、「我」は無限の広がりを持つ狭い世界に住み、その無限の広がりを持つ狭い世界の中で必要な分だけ、いや、それもけっして完全ではなく、たえず、その完全でないことを、勉強や、様々な出会い、そしてまた努力によって完全に近づけようとしながら生きている、生活を続けているとしていいのである。そのために、人々は毎朝新聞を読み、ニュースを見て、それだけでなく、本を読み、ドラマを見、また、色々な人々と話しながら、自分の無限の広がりを持った狭い世界を完全にするだけでなく、その狭さを少しでも広げること、つまり自分の世界の外から意味を受け入れながら生活を続けているのである。このことは哲学で言う人間という有限な存在、（本論ではこれを今まで何度も述べてきたように、無限の広がりを持った狭い世界と言ってきたのであるが…）と無限の世界との関係、あるいは言語の上では有限な存在どうしのコミュニケーションという形での無限の世界への広がりという形でとらえられるであろう。そして、この論文でも「我」が住む無限の広がりを持った狭い世界、それが「我」の他に無限に存在し、この狭い世界どうしで、言語がどのようになっているかをも、この少し前で見てきたのである。それを見れば、「我」の記憶の中に存在する意味はその外の世界に存在する意味と比較すればとても少ないものであるということになる。

そして、もう一つ言えることは、外の世界に存在する意味よりもとても少ない「我」の狭い世界の意味を「我」はけっして全て記憶しているわけではないということなのである。つまり、世界に存在する無限の意味の極一部を「我」は、「我」の世界、無限の広がりを持った狭い世界の中に持っているが、少なくなった意味の全てを記憶の中に保存はしていないのではないか、ということなのである。

でも、記憶の中に保存していなかったら、どこに保存しているの？となるはずである。まさしく、そうである。記憶こそは、脳の機能の中の、唯一の保存機能のはずであるからである。もっと言えば、本論でも、この唯一の保存機能を記憶と呼んでここまで来ているはずだからである。

とはいえ、ここには意味というものの、やはりとても不思議な存在の在り方があるのである。先に、意識という存在の、無限の広がりを持つとても狭い世界を見た時、その世界＝意識は物質存在と違った在り方をする存在であることを見たが、意味も物質存在から離れた、物質存在とはまったく違った種類の存在なのである。意味も物質存在の中には存在しない存在なのである。それはどこにあるのか、やはり、無限の広がりを持った、とても狭い世界、つまり「我」の意識の中の存在なのである。

このあたりを落ち着いて見ていく必要があるのである。本論もこれまでに何度も、「世界は意味で満ちあふれている」と繰り返してきたのである。そして、確かに、その意味が満ちあふれている世界とは、無限の広がりを持った狭い「我」の世界だったに違いないのである。とはいえ、この無限の広がりを持った狭い世界が、というよりもその世界を持っている、その世界に生きている他の「我」がたくさん、それも無限に存在していることを「我」も知っているのである。そして、その無限に存在する、無限の広がりを持った狭い世界を持つ他の「我」も、同じ教室や同じ仕事場、そして同じ町内、そしてまた同じ地方、同じ国の中では互いに同じ物質を、様々なものを見て、おおよそ同じ意味としてとらえていることを「我」は知っているのである。だから、多くの「我」は自分が自分だけの世界、他人の世界に入り込めない意識という世界に住んでいることも忘れてしまって、ただ、自分は無限の広がりを持った世界に住んでいて、そこに他の多くの人々も住んでいると思い込んでしまっているのである。そして、その同じ世界の中で、同じ物質、事物、それらの動く様子も見、それらがまた、他のみんなも同じ意味としてとらえていると思っている、思い込んでいるのである。実際、このようなみんなが一緒な物体、事物、その動きを見、一緒の意味を共有している世界を、〝世の中〟とか〝世間〟とか多くの人々は呼んでいるのではないだろうか。そして、この〝世の中〟〝世間〟また世界には様々な意味を訴え、書きつづった標語、案内書、パンフレット、説明書があふれているのである。まさしく、世界は意味で満ちあふれているのである。そして、最近ではパソコンやスマホはこれらの意味の扉になっているのである。

少し、横へそれてしまったが、以上見たことは「我」と世界と意味の関係だとしていいであろう。ここに記憶というものを入れて見るとかなり複雑なややこしい、姿、様子、としか今のところ言いようのないものが見えてくるのである。

また、繰り返すが、世界は意味で満ちあふれている。そして、今も見たとおり、「我」の無限の広がりを持った狭い世界の中も意味が満ちあふれている。ところで、この満ちあふれた意味を「我」が知っている、それを自分のものとして保存しているとすれば、それは記憶としてである。「我」はこの満ちあふれた意味を自分の記憶の中に保存していることになる。

また、りんごと自動車を持ち出せば、りんごを見れば、それが甘い独特の味のするもの、皮をむいて食べるもの、収穫は秋で、しかし、最近はスーパーでは一年中…などと、これらはその時々、必要に応じて引き出されるとしていいであろう。自動車では、それは人を乗せて走るもの、エンジンがついていて、それはガソリンや軽油で動かし、かなりのスピードが出て、大きなものとしては、トラックやバスがあり…などとなるであろう。

このように見れば、「我」は世界に目を向ければ、目に入ってくるほとんどの事物の意味を知っている、記憶しているということになる。自動車に乗って、道路に出れば、信号機、中央の白線、いや黄色の線はもっと意味を持っている、…という具合に意味が分かっているのである。自然現象に対しても、太陽、星、西の空の夕陽、夕陽がなぜ赤いか全て意味を知っているのである。

そして、ここまで来れば、意味とはとても広い意味に使われていて、りんごなどでは、その味、食べ方、またそれが秋に木に実るものとして生まれてくる仕方、スーパーなどでの売られ方、価格など、いや、まだある、含んでいる栄養素、ビタミンなどとなるのである。自動車ともなると、生活にとっての便利さ、その必要性、運転の仕方、車種、メーカーなど、とんでもない多くのものが出てくる。信号機などはもっとすっきりしている。交差点にあって、交通整理のため、それは多くは柱に取り付けられ…などは記憶の中では消えてしまっていて、赤は止まれ、青は進め、黄色は注意、これがほとんど全てであるかのようにドライバーには感じられているということである。いや、それだけでなく、自然現象や自然の摂理なども意味として、大切な意味として考えられている。いや、まだまだ、それぞれの人間の意図や目的などもそうである。そしてまた、宗教を持ち出せば、昔は神意というものが存在したのである。

つまり、意味とは言ったが、とても広い意味、使われ方をしているということである。これらを厳密に分類して、そのそれぞれを見ていけば、人間の生活や生き方の様々な在り方、〝意味〟も見えてきそうである。しかし、多くの人々はそのような分類をせず、混乱したまま、整理することはなく、意味という言葉を使っているとしていいであろう。そして、ここでは、この多くの人々の意味の在り方を見ていきたいのである。

つまり、意味とは何か？を問わないまま見ていきたいのである。そして、これらの広い意味での意味が、記憶にどのように保存されているかを見たいのである。意味の多くは、人々は辞書をくったりせず、スマホを使わずに、自分で答えるのである。ということは、記憶に保存されているはずのことになるのである…

今まで、りんごとか自動車、信号機や道路に書かれた白線や黄色の線というすぐに分かる意味を見てきたが、世の中には少し難しい、そしてかなり難しい、とても難しい意味というものも存在する。

少し難しい意味から見ていこう。子供達は勉強をしている時や、話をしている時、今まで見たことのない、聴いたことのない言葉に出会う。これらの意味を子供達は辞書でくったり、それを話した人に質問したり、時には家に帰って、親達に尋ねて、その意味を自分のものにする。

これらは難しいのではなくて、知らなかったのであり、子供達は一つずつ学んで、自分の知識を広げていく。少し難しいと言えば、言葉でも、四文字熟語などとなるであろう。これも分からなければ、先生に質問したり、漢和辞典をくって調べればわかる。ただ、漢和辞典をくると、「ふーん」とか「なるほど…」とか心が少し動いて、時には、「うーん…？…」となることもある。ここには深い意味が存在するということなのだ。そして、この深いということは、四文字熟語の多くは、中国の長い歴史の中で生まれたもので、その背景には、現代の我々が住んでいる世界とは違った世界、先に見た無限の広がりを持つ狭い現代の「我」の世界とは重なり合いをほとんど持たない、しかも、そのような世界の中で、現代の我々にも訴えかけてくる深い意味を持っている、ということなのだ。〝深い〟とはここでは日常生活ではなかなか触れられない、しかし、やはり人間の奥底に存在するということと解釈しておこう。

これらの四文字熟語を学生達や、時には大人になってからも人々は辞書でくったり、現代ではスマホで調べたりして「なるほど」と理解し、自分のものにしている。ということは、記憶の中に入っていることになる。しかし、ほんとうに？　となるのである。人々は、この四文字熟語の意味を理解しているが、少なくとも辞書やスマホに書いてあるとおり、つまり文字どおりに記憶しているわけではないのである。逆に言葉をそのまま暗記していても、理解にはならないことも多々あるのである。

ここには、なかなか難しい問題が存在しているはずである。

世の中では、意味とは言葉で表すことであるという考え、そして、そのような考えを持っている人々も多くいる。実際、辞書も全て言語で埋まっているし、スマホを見れば、言葉でその意味を伝えてくる。それでは、人間の記憶機能の中に、どれだけこの辞書やスマホの中に存在する言語による意味が存在するかとなると、なかなか難しい話になってくる。今見た四文字熟語の意味を、言葉として記憶している人々はとても少ないのではないか、ということなのだ。逆に世の中では、その言葉そのものを記憶していることを暗記と言い、時には空暗記と言い、中身を、つまり意味を理解していないことを言う場合が存在する。つまり、四文字熟語だけでなく、様々なものの意味、ここで見る少し難しい意味を、言葉としてそのまま記憶することと、理解することは違ったことだとされているのである。

ここに大きな問題が存在するのだ。

意味の多くは言語で書き表わされているのだ。その言葉を読んで人々はその意味を理解している。しかし、その言葉そのものと、理解とは別物だ、ということなのだ。

ここに思考というものが入り込んでいるのだ。理解する時、人々は辞書やスマホに書かれている言葉を思考を使って理解しているということなのだ。

それでは、この思考とは何なのか？…とても難しい問題になってくる。思考と言えば、すぐに、数学や物理学が思い浮かんできて、そしてまた、多くの哲学書の中に書かれている純粋な論理を積み重ねていく思考が思い浮かんでくる。しかし、ここで見えてきた思考はそのような、純粋な論理的思考からは遠いもののような気がする。数学や物理学、そしてカントの『純粋理性批判』やヘーゲルの『大論理学』、そして古いところではアリストテレスの『形而上学』に扱われている思考は純粋なのである。そして、〝純粋〟を本論のこの段階で簡単に説明すれば、人間の日々の生活の中での経験や体験と言われるものの記憶を全て取り払った、この中の理論の骨子だけを取り上げたものとしていいであろう。しかし、ここに見ている思考とは、それとは反対の多くの記憶に取り囲まれたものなのだ。しかし、一方、ここに見えていることは、その記憶と思考の違いである。言葉そのものを記憶することと、意味を理解することとは違っていて、そこに思考が入り込んでいるのでは、ということなのだ。

簡単な四文字熟語から見てみよう。四文字熟語は四つの漢字で書かれた熟語である。これを見ようとすると、まず、漢字というものが一字一字、意味を持っていることが見えてしまう。例えば、日常会話によく出てくる（これは過去形で書くべきかもしれない。最近はどうなのだろう）真実一路や広大無辺を見ようとすると、真や実や無が目に入ってくる。これらの文字はそれ自身とても多くの大きな大切な意味を持つ漢字であるということだ。そしてまた、真実や無辺などの熟語も大きな深い意味を持っている。それが一路や広大と重なって四文字熟語を作っているのである。

真実一路は小学校の校長先生の、一か月に一度の朝礼の時、特に高学年だけの朝礼の時によく出てきたのではないだろうか。「みなさんは、真実一路という言葉を知っておられますか。真実とはご存知のように嘘のない本当のことです。そして一路とはまっすぐに続く道のことです。今日はこの真実一路を生き続けた人のお話をしましょう…」

となるのではないだろうか。ここで注目すべきは、校長先生は真実と一路の言葉の意味をほんの少しだけ話しただけで、真実一路そのものについては話していないということである。そして、そのまま、真実一路を生きた人物の話に移っていることである。校長先生によってはかならずしもそうではないかもしれないが、これで通じる、大丈夫だということである。考えようによっては、この後に話される人物の話の内容そのものが、真実一路の意味であるということになる。話を聴いている生徒達も、校長先生の言葉につれて、真実に関しては「ああ、ほんとうのことか。嘘のないことか」と簡単に受け止め、いや、それ以上に、「ああ、真実は知っているよ」とこの言葉を知っていることを確認するだけで、ただし、その時〝真実〟の響きとともに何かまっ黒い塊のようなものを浮かべる生徒もいるだろう。一路については、「へえ、まっすぐの道か、一路っていうのか、はじめて聞くな」などと受け止める子が多いのではないだろうか。そして、まっすぐに、遠くまで続く道のイメージを思い浮かべることも多いはずである。そして、真実一路の言葉の意味を考えることもなく、校長先生の人物の話を聞き続けていくことになる。

この時点では、生徒達の頭の中では、せいぜい、真実のまっ黒い、しかし、はっきりとしない塊と、一路のまっすぐな道のイメージが同時に頭の中にあるだけで、それで話が進んでいるということである。真実一路そのものの意味は、その人物の話の中身ということである。この話は十分か二十分続き、その人物の生き方が真実一路の説明になっているということなのである。そして、生徒達は、これが真実一路の意味で、その意味を理解したと思っているのである。また、校長先生も、生徒達に理解させたと思っているのである。ここには辞書に載っている意味はほとんど登場していないのである。生徒達の頭の中には、真実の黒々とした塊と一路のまっすぐに続く道、そして、ある人物の生き方、人生がこれもぼんやりとしたイメージで浮かんでいるだけである。ただ、ある人物の生き方についてでは、その中身をよく覚えていて、もちろん言葉どおりではないが、校長先生が話したその人物の人生の様々な場面、出来事、その時の判断、その上での生き方などをそれなりに覚えているということである。そして、この後、これと同じような人生を生きた人物の話を聞いた時、「真実一路だね」と言う時もあるのである。この時、類似という思考が働いているということである。類似とは、人間の思考の原初的なものの一つのはずである。数学や哲学や物理学などの理論的思考からはほど遠いが、多くの人々が、そして学者さん達も使って生活しているとしていいのである。そして、この類似について、人間の認識機能として向かい合った書物には、不勉強かもしれないが、なかなか出会ったことがない。この論文ではこの類似にしっかり向かい合わねばならないはずである。類似はやはり〝意味〟、かなり大きな〝意味〟を持っているはずだからである。

広大無辺について少し見てみよう。広大無辺も広大のイメージが、そして無辺のイメージが現れるはずである。そして、広大のイメージではとても広い野原、時には砂漠などのイメージがぼんやり浮かんでくるはずである。しかし、一方、無辺の方は、「無辺？…辺がない…つまり…」と暗闇の中にぼんやりと、これも黒いはっきりと見えない紙がまわりが暗闇の中で見えなくなっていくイメージなどが浮かんでくるのではないだろうか。その前に辺そのものに思考がいって、こちらは堅い金属の板で、そのまわりが少し盛り上がっているものが浮かび、それが消えて、この消えたのは〝無〟のせいで、つまり否定されて暗闇の中の、今度は黒い紙が、しかもぼんやりと浮かんできているのである。〝ぼんやり〟というのは、やはり、はっきりと断定できないで、そうなのかな、という程度であるということである。

ついでに言っておけば、このぼんやりを少し肯定的に見れば、幅の広さ、許容の広さを言っているとしていいであろう。そこに具体的な現実のものが現れた時、そして、このようなものがいくつか現れる可能性がある時、そのいくつかを受け入れる広さであるということである。そして、ぼんやりとした広さは、具体的なものが現れた時、その具体的なものを受け入れる、同じものとして、同一性として受け止める広さであるということである。このぼんやりとした広さも、認識の基礎としてかなり重要なもののはずである。同一性直観が働く時にである。それだけでなく、このぼんやりとした広さは、この先で見た類似性にも働いているということである。そして、また、このぼんやりとした広さは想像力を働かせる時のためにも、つまり、想像力を多くは表象、あるいはイメージを変形させていくのであるが、このぼんやりとした広さは、この想像力を受け入れていく基盤になっているのでは、ということなのだ。もちろん、ここでは単なる暗示的なものであって、これらのことについてもまだまだ議論が必要なことである。

広大無辺を聞いた時、多くの生徒達は、このぼんやりとした、はっきりとしないずっと広がる野原、荒野を思い浮かべるであろう。もちろん、この時に、最近旅行に行って見てきた、とても広い土地の光景を思い浮かべる生徒もいるだろう。しかし、本論としては、このような生徒も、最初は、ぼんやりとした、とりとめのない、どこのものともわからない広い土地を思い浮かべていて、ふと思いつくことが多いのでは、とも言っておきたい。

また、日本人の多くは、日本の光景ではなく、モンゴルや中央アジア、そしてアフリカなどの大平原を思い浮かべてしまうのではないか、ということもあるはずである。

そして、ここで議論を戻せば、広大無辺の理解は、多くはこれらのイメージの作成で完了してしまうのでは、ということなのだ。ここには、言葉そのものによる理解はほとんど入ってこないのである。そして、また、真実一路の時見たような人生物語からの思考も入ってこないのである。ただ、この広大無辺も比喩的に使われ、広大無辺の内容などと使われた時、ぐっと暗いイメージが目の前に広がり、その中に何百枚も重ねられた紙の束が、誰かの手でペラペラとそのすみっこをめくられているものが見えてきたりするのではないだろうか。そして、こんな時、多くの人々はこのイメージのまま、この内容そのものへと思考を移していって、広大無辺そのものについてはもう考えないのでは、ということも考えられるのである。

同じような熟語には一朝一夕や豪華絢爛などもあるであろう。これらはやはり、多くの人々はイメージを少し思い浮かべるだけで理解したとするのではないだろうか。

同じようではあるが、もう少し難しそうな四文字熟語、…ああ、臥薪嘗胆を見てみよう。これは広辞苑によると、「(春秋時代、呉王夫差が越王勾践を討って父の仇を報じようと志し、常に薪の中に臥して身を苦しめ、また、勾践が呉を討って会稽の恥をそそごうと期し、胆を時々なめて報復を忘れまいとした故事)復仇の志を抱いて長い間苦心、苦労を重ねること。転じて、将来の成功を期して長い間辛苦艱難すること」となっている。現代ではあまり使われなくなったが、一昔前はかなり使われていた故事からの四文字熟語である。内容から、特に男達に人気があった熟語としていいであろう。そして、男どうしの会話では、このような故事からの熟語としてはかなりよく飛び出していたとしていいはずである。

このように飛び出すということは、それなりに人々の脳の中にはこの熟語の意味が理解され、記憶として残っているということである。しかし、このような時、夫差や勾践の固有名詞はほとんど消えてしまっているはずである。記憶の中にもほとんど残っていなくて、誰か、どこかの国の王や大将だったかぐらいにしか残っていないのである。どこかの国ということは、春秋時代や呉や越も消えてしまっていることになる。ただ、これは人によりけりで、漢文が好きだとか、このような故事が好きだという人々は、春秋時代や呉や越を記憶していることもあるだろう。特に呉と越は仲が悪かったことの代名詞で、それにからんで呉越同舟という四文字熟語をからめて覚えている人々もいるはずである。しかし、これらはほとんど会話には出てこないはずである。会話は限られた時間の中でなされることもあり、そして、それらの故事の話をしていれば、この臥薪嘗胆を使って話そうとした話の内容から話の筋がずれていってしまうからである。そして、会話の流れは、とてもくやしい思いをした、そのくやしい思いをはねかえすべく、たいへんな努力、苦労をしたこと、そして、その努力、苦労の内容が話の主題になっているのである。また、多くの男達の頭の中には、とてもたいへんな努力をして、苦労したという時に、この言葉を使うことができるし、この苦労の、努力の内容を自分の気持ちのままに伝えることができることを知っているのである。

このような会話の中で、記憶と思考がどのようになっているかをもう少しみていかねばならない。臥薪嘗胆という四文字熟語に関してのである。

会話をしている者にとっては、夫差も勾践も、そして春秋時代も、また、呉も越も消えてしまっていることが多いであろう。それ以上に、「復仇の志を抱いて」なども消え、…いや、瞬時にはふと思いをそこに向けることもあるが、というのは、やはりこの故事は、一度聴いたり読んだりしたものには印象強く心に残っているのである。そして、時には、その戦国時代の武将の恐ろしい、少し疲れた顔も浮かぶ時もあろう。しかし、それはやはり一瞬にして消え、それは自分の体験のくやしかったことに変わり、その中身に、つまり、その時の記憶に思考が向かい、それをどう話すかになるであろう。そして、苦労して努力したことに話が及べば、その内容、その時の記憶に思考が移り、それを多くは時間の経過の順番に、時には、たいへんだったことの順番に話していこうと、思考を働かせるであろう。そして、この時、話している多くの者達の脳のどこかに、並べられたげつごつとした薪や、今にも食べられそうな口からの距離に胆の切れ端のイメージが浮かんでいるのではないだろうか。

こう見てくると、臥薪嘗胆はかなり強い意味を持った、心に残る故事、四文字熟語であることが見えてくる。しかし、その強い意味は会話の流れの中では、故事の中の物語の部分や仇のことなども消えてしまい、それは話す者のくやしかったこととそれをはねかえすための努力と苦労の意味に転移していっているということであろう。この転移も先に見た類似に近いが、もう少し離れた、やはり〝転移〟と言っていいような形になっているはずである。この転移も、類似とともに、思考の形として見ていかねばならないはずである。そして、臥薪嘗胆そのもの、その中身に関してはほとんど思考らしきものは働いていない、向かっていないとしていいであろう。その意味、内容はわかったものとして、自分のくやしかったこととそれをはねかえすための努力と苦労を話そうとする時、ふと思いついて浮かんできて、この言語を使いはじめたことになる。この浮かんでくる時、ふと薪や胆が最初に浮かんだのではないだろうか。これらは強い力を持って心に残っているこの四文字熟語の記憶が持っている力のはずである。思考についての定義もさることながらであろうが、ここではこれは記憶の力としてやはり思考とは見ないでおこう。そして、くやしかったことを話している時、戦国時代の武将の面影が現れたとすれば、これは記憶の力によるだろうし、努力や苦労の話の時、薪や胆が浮かんできたとしても、これも記憶の力ということになる。

つまり、ここでは思考は四文字熟語、臥薪嘗胆にはほとんど働かず、自分の体験の内容の方に行っているのである。

ただ、これがこのような「臥薪嘗胆」などをほとんど使うことのない現代の若者ともなれば、やはり、思考がはじまるとしていいであろう。

現代の若者の中では、この四文字熟語を耳にすることは稀で、祖父や少し変わった先生や先輩の話ではじめて知るのではないだろうか。いや、ひょっとしたら調べてはいないが、高校の漢文の教科書にはまだ載っているかもしれない。しかし、多くの高校生も、それを読んだ時、「へえ?!」となるだろうが、それほど心に残ることもなく、多くの者は忘れてしまっているのではないだろうか。ということは、時代が変化してしまい、このような四文字熟語の内容を受け入れる、一致した、あるいは類似した、苦しい辛い、くやしい思いを起こす状況が少なくなっているとも言えるだろう。せいぜい、スポーツでとんでもない負け方をした時ぐらいなのではないだろうか。

そして、このような現代の若者達が一度耳にして、あるいは学んで、これをもう一度、その中身、内容、意味を問われた場合は、えー？となって思考がはじまるはずなのである。この故事の歴史的な話に思考が行き、おそらく、戦乱の時代、…春秋時代、そんな昔だったかな…　ええと、二人の武将、名前は覚えていない、…ここで呉と越が出てくる若者はなかなかの秀才？記憶のすぐれた？…まあまあ、しかし、その前に、臥薪と嘗胆の意味が出てきて、薪と胆のイメージが湧き、二人の武将の影がちらりと、…そして、ああ、そうか、仇か、そして、たいへんな努力、苦心をすることだったよな…と浮かんでくる者もいるはずである。しかし、そこまでであって、自分の人生のどこかに、それと同じ、または類似の意味は見つけることなく、思考は四文字熟語の意味を考えるだけで終わってしまうことが多いはずである。

しかし、ここには四文字熟語の意味への思考が見えているのである。

このような思考は、読んだ本や見た映画の中身、内容、意味を伝えようとする時起きるのではないだろうか。自分が読んだ本や見た映画の感動、面白かったことを伝えようという気持ちは誰にでも起こる。感動したり、面白かったりしたことはそれなりに本や映画の内容、その意味を理解したということである。しかし、それを伝えるともなると、なかなか難しいことになる。だから、「すばらしかった！」や「すごかった！」はすぐに出てくるが、なかなかその本や映画の言わんとしているところ、大意、意味、内容ともなると難しい。そうでなく、それを伝えようとする者は、次から次へと面白かった場面、感動した言葉、出だしや結果、映画では役者のかっこよさ、美しさ、演技のうまさ、表情などが次から次へと出てきて、なかなか、その本や映画の言わんとするところ、大意は出てこないことが多いのである。それでいいのだろう。本や映画が伝えようとする意味は、とても大きな意味のことが多いのだ。それらを少なくとも簡単な言葉では伝えることはできないのだ。「読んでみて！」「見てきて！」が一番正確な心を伝える言語ということになるだろう。ということは、ここでも、なかなか思考がはじまらない。

ああ、夏休みの宿題に出された読書感想文では思考ははじまるはずである。先生が指定した本の読書感想文の方がいい例になるはずである。子供達は仕方なく、夏休みの終わり頃になってようやく読みはじめ、そして、最後に近い日に感想文を書く。先生に指定された本でも、それなりに面白かったし、それなりに理解できた。感動する場面もあった。しかし、それを文に、原稿用紙に書こうとするとなかなか難しい。「何から書こうかな?」となる。つまり思考がはじまるのである。本の内容はそれを伝える、文章になるとなかなかたいへんなのだ。数十頁、時に百頁、二百頁の本の、そこに詰まっていた言葉、それが表していた内容を、そして、それに感動した自分の心を書くとなると、…それらはぼんやりとした大きな塊でしかないのだ。それを文章に、…確かに文章で書かれていたことの中身なのだが、時々主人公や登場人物の、それを思い浮かべながら読み進んだ時の顔や姿がちらつくが…

ここでは、大きなぼんやりとした塊、意味の塊に向けた思考が始まったことだけを確認するだけにしよう。そして、世の中にはとても大きな塊の意味、なかなか言語にできない意味が多く存在することも確認しておこう。その代表的なものが、芸術であるということである。小説もストーリーとして言語で書かれているが、その中身、感動はなかなか自分の言葉、文章では表せない。だから、小説であり、芸術なのである。そして、音楽、絵画、彫刻ともなると、最初から言語は登場しない。しかし、とても大きな強い力の意味がやってくる。

××　　××

これまで見てきたことをここでまとめておけば、世の中に意味というものはとても多く、無数と言っていいほどあるが、それらのほとんどを人々はけっして記憶の中に保存して生活しているわけではないということなのである。しかし、それでも生活は続いているということである。平常目の前に存在する食物や道具について言えば、それらは意味をほとんど問われることなく、わかったものとして、そして使えればよい、食べられればよいものとして使われ続けて、生活は続いているということである。それでも、時には、それらの意味、ここで見たのは四文字熟語であるが、特にこのような、いわゆる難しい言語にぶつかった時、人々は意味を問うこともあるということである。問うというのはすぐにその意味が出てこないということである。つまり、ここで言う、記憶に保存されていないのである。こんな時、すぐに辞書やスマホをくる人も、そして、そんな時もある。しかし、そんな時、その言語をどこかで聴いて、その時理解していたと思った人々は、この意味を考えはじめるのでは、ということなのである。その意味についての思考がはじまるのである。

つまり、人々は多くのものの、特に大きな、また難しい意味について、理解したとしても、その意味について、言語として記憶していることはないということである。理解とは、言語で記憶することではなく、いざとなったら思考によって引き出せることを言っているということなのである。分厚な本や、また、偉いとか優れていると言われている人の講演、また、使用書やパンフレットは理解されるのである。「理解した」と人々が言うことは、これについて聴いたり読んだりして、疑問なく最後まで聴いたり、読んだりできたということなのだ。そして、その中身、意味となると、それを引き出す時、思考によって引き出しているということなのだ。この思考によって引き出せることを人々は理解したと言っているのである。

ここまで見てしまえば、あたり前のことである。しかし、このことは、言語というものを見る時、とても大切なことなのではないのだろうか、ということなのである。

言語は意味を持っているのである。しかし、その意味を人々は記憶の中に、ほとんど持たないで生活が続いているということなのである。そして、多くの意味は、ほとんど引き出されることなく、わかったものとして、生活が続いていているということなのである。特に、言語に関しては、会話や読書ではそうであるということだ。読書の場合は、わからない言語に出会えば、辞書をくることになる。会話の場合は、これを話した相手に尋ねることになる。尋ねられた相手は、この言語の意味を考えて、思考によって引き出して、相手に説明するということである。

ここに見えてきているのは、記憶と意味の大きな問題、その関係はそんなに簡単ではなさそうであるということである。これを次に見ていこう。

いや、その前に、ここで見落としてはいけないのは、ここにも言（パロール、parole）と言語（ラング、langue）の境界と言っていいものが見えてきているのではないか、ということなのである。日常会話の場合、人々は、様々な意味の中で、記憶の中に存在するもの、あるいは簡単な思考ですぐに引き出せるものだけで話を進めているのではないか、ということなのだ。そうして、その場合、簡単に引き出せる意味、そしてそれを表す単語、そしてその修飾語だけで話を進めるのではないか、ということなのだ。

一番簡単に引き出せるのは、日常生活の中に存在する個物と、その名詞である。りんごやみかん、自動車や自転車、ベッドや座布団などである。これらの意味はほとんど、この名詞で充分で、充分通じて、それだけで会話が成り立っているのである。そして、それらの変化を表す形容詞、そして動きを表す動詞は、単語そのものの意味なのである。それらの単語が中心となって、会話が進むのである。そして、先に見た、無限の広がりを持つ狭い世界どうしのずれと重なりを確かめあう会話が進むのである。これだけの情報交換には、言語の意味だけで充分なのである。そして、それだけでなく、各自の欲望、これは動詞と欲望を示す補助語、多くは助動詞、また互いに知っている人物の最近の状況、噂話などが飛び交うのである。また、会話をする者達を囲む外界の世界、まずはお天気、これは、暑い寒いなどの形容詞や、晴れている、降っているの動詞の現在進行形で表される。それ以上は、主語は要らないのだ。何が暑いのか、寒いのか、よくわかっているし、空が晴れているや雨が降ってるはいわずもがななのだ。そして、時には社会情勢にも及ぶが、「ひどいな!」「やってられんわ!」とか「まあまあやわ」とか「少しだけ良くなったのかな」とか、と社会状況が与える力、影響を適確に短い言葉で表現する言語で充分なのである。このような言語だけで、充分に、自分達が感じている社会状況を、その意味を表現できるのである。それ以上の、それらの言語の表す意味以上の分析は、新聞やテレビの中の解説者の仕事なのだ。そのような分析に入らないのが庶民の会話のルールであるとも言える。

日常会話では難しいことを言ってはいけないのだ。つまり、奥深い、大きな、説明に多くの言語を必要とする意味を持ち出してはいけないのだ。こんな意味を持ち出しては、仕事や遊びにならないのだ。仕事や遊びが進まないだけでなく、その奥深い、強い力を持った意味が人々を襲って、雰囲気を乱して、混乱を招いてしまうのだ。持ち出さないのがルールなのだ。これらの大きな意味、力を持った、奥深い意味を話したがる人間は「変わっとるからな」と変人扱いされてしまうのだ。

このような会話では単語が中心で、それがせいぜい三つほど続いているのが飛び交うのだ。主語は多く省略され、述語も出ない時がある。名詞、形容詞、動詞までで、時には助動詞も飛び出すが、助詞はなかなか出てこないのではないだろうか。日本語の助詞は、単語と単語の正確なつながりを示す役割を担っているからである。そして、文までにはなかなか至らないで会話が進んでいくのである。

これらは記憶の中からすぐに出てくる意味、単語だけで表す意味が中心になって会話が進んでいるとしていいのではないだろうか。つまり、日常会話では性に関する、性を意味する言語を禁止、抑圧しているが、それと同じように重い、大きな意味が話されることをも禁止しているところがあるのである。

これらの表面だけと言っていい会話を打ち破って、ゆっくりと重い、奥深い、大きな意味を話せるのが、恋人どうし、親友ということになるのではないだろうか。ここでは、日常会話ではできない、そのような日常会話の光のあたらない、隠された重い意味も話されることが多い。特に恋人どうしではそうである。恋人どうしでは特に日常生活がタブーや性の抑圧で禁止しているところへまで及ぶことも多々あるはずである。それだから、恋なのである。とはいえ、ここでも、日常会話ほどではないが、やはり、文や文章にはなかなかならない、そして単語が中心ではけっしてないが、やはり独特の言語が使われていることが多いのではないだろうか。それらは自分自身への呟きに近く、ほんとうの心の奥底を打ちあけあった言語であるとしていいであろう。恋人どうし、そして親友どうしも心の真実を互いに伝えあいたいのだ。ただ、その中身はやはり少し違うのである。相手に求めているものが違うのである。とはいえ、これを先に見た、無限の広がりを持った狭い世界どうしの会話と見ると、その世界を共有していたい、互いに理解していたいということになるだろう。恋人どうしの場合は、互いの世界が一つになりたいという願望であろうし、親友の場合はお互いの立場、つまり、互いの世界の在り方を認めながら、この違っていることを理解しあうというのではないだろうか。

日常会話の世界、それが広がった世間や世の中と言われている世界では、ここまで見てきたように、性の抑圧やタブーと言われるものと同じように、重い意味、大きな意味、そしてまた、真実と言われるものまでをも、表に出さない、互いに見せない、言わないというマナー、慣習というものが存在するのではないだろうか。そこでは人々は重い意味、大きな意味を隠しながら、表面の軽い、明るい世界を追求しているとしていいのである。重い、大きな意味、時には暗い意味は人々に大きな力を与え、人々を縛りつけ、仕事や勉強、そして家庭生活、近所づきあいというものを縛りつけてしまい、スムーズに進行しなくしてしまうことを人々は暗黙のうちに知っているのである。そして、このようなマナー、習慣が、言語にも力を与え、重い大きな意味、それを引き出すためには思考を必要とするような言語を禁じ、記憶からすぐに出てくるような言語だけで会話が進むようにし、そしてこのような構造が言と言語の分離を生み出しているのではないだろうか、議論して欲しいところである。

ただ、これらの重い大きな意味の方は、性欲のように社会全体で禁止、抑圧されているのではなく、偉い人の、校長先生や社長、町長、市長さん達や、議員さん達の講演や演説で、また、テレビなどでも様々な解説番組、また様々な書物の中ではしっかりと、文、文章として登場してきているのである。

二、意味の概観

意味は記憶に保存されている。しかし、これまで見てきたように、けっして言語としてではないのだ。言語として取り出す時、人々は多くは思考によって取り出し、時には時間をかけ、考えながら言葉を引き出して説明する。けっして、意味は、言語としては記憶されていないのだ。それでは、どのように記憶されているのか、記憶の中に保存されているのか。これは見ていかねばならない。

やはり、簡単なりんごから見ていこう。〝りんご〟の記憶には、様々なりんごの、今まで見てきたりんごの幾つかの表象が残っているはずである。一方には、りんごの意味も残っているのだ。日常会話の中では、「りんごの意味？ そんなものあるんかよ？」と言われそうであるが、りんごの味、おいしさ、皮をむいて芯を取って食べること、ビタミンが多く入っていること、秋に収穫されて、スーパーで買うといくらほどで、…というのが意味ということになるだろう。もちろん、りんごそのものの意味とは、…となると、難しい話ではあるが、ここで見たものでは、りんごの味、おいしさだけに…、いやいや、植物学的分類というのもあり、…つまり、意味もその時々、必要なものが取り出されているということになるだろう。もっと言えば、ここで意味と記憶について議論する前に、意味そのものについて議論しなければならないのでは、となってくるが、これはまた後にとして先へ進もう。

ここで確認しておかねばならないのは、りんごには様々な意味が付着していて、しかし、人々は、必要な時に必要な分だけ引き出して、生活しているということである。そして、それらはほとんど記憶の中に、わかったものとして、理解しているものとして、保存されているということである。とはいえ、植物学的分類ともなると、ええ?…となるのが多くの人々のはずである。つまり、植物学的分類はほとんどの人々の生活には影響していないということなのだ。人々は生活に必要な分だけ、記憶の中に保存しているとしていいであろう。

少し具体的に見てみよう。りんごを買ってきて食べようとする時、まずは皮のまま洗って、そして皮をむいて、その皮のむき方も子供の頃から習ったとおりに、そして、割って、切って、四つに切るか八つに切るか、その大きさ、食べる者達、子供の場合はもっと細く切ってあげて、…いや、その前に、芯も取って、…これらがりんごの持っている意味、〝持っている〟が気になるなら、付属する意味ということになるだろう。

スーパーで買う時はもっと違った意味が見えてくる。まずは値段、品質、だから、この色、大きさ、つやを見て、そしてもう一度値段を見直して、そしてまた、「ええ、家にまだりんごあったかな、待てよ、柿もみかんもあるぞ…でも、まあ、安いし、…だから…」と他の果物の存在も気にかかる。これも、やはり、りんごに付属する意味のうちに入るだろう。なぜなら、りんごを買うか、買わないかを決定する要因の一つになっているからである。しかし、スーパーで買う時は、何よりも値段と、そのおいしさである。全ての商品に価格という、とても大きな意味が付属しているのが、資本主義社会、市場経済ということになる。

これらは、りんごそのものの意味ではないにしろ、りんごが持っている、りんごに付属した意味である。これらのほとんどはすぐに出てくる。〝何も考えないで〟というよりも、「我」は考えているとも思わないでその意味に従って行動する。せいぜい、家に残っている他の果物は? の時は少しは家の冷蔵庫や棚を思い出してみるかもしれない。しかし、これもすぐに出てきて、次の決断、〝目の前のりんごを買うか買わないか〟に移ってしまう。

逆に、「りんごの意味とは?」とか、「りんごそのものの意味は?」となると、「ええ?」とか「うーん?……」となる。頑固おやじなら、「なんじゃそれ?!」と拒否してしまう。拒否したのは考えること、思考をである。

このように見てくると、りんごの持っている意味、りんごに付属する意味はほとんど記憶に存在していて、そのまま使える、思考なく取り出せることが見えてくる。これらの意味はほとんどが生活に必要な意味なのである。そして、りんごそのものの意味などは生活に必要のない意味で、記憶にはそのまま保存されていないのである。

そしてもう一つ見ておかねばならないのは、これらの記憶の中に存在する、保存されている生活に必要な意味のほとんどは言語としては存在していないのでは、ということだ。いや、ここは少し丁寧に見ていかねばならない。

りんごが赤いとか甘いとか甘酸っぱいとかは、言語で記憶されていると言うよりも表象として記憶されているとしていいであろう。りんごを思い浮かべた時、それが浮かんでくる姿は赤いのである。その形と色とともに浮かんできているのである。甘いとか甘酸っぱいも、味覚の記憶が最初に来ているとしていいであろう。味覚表象と言えば、表象の意味が問題になりそうであるが、ここはそれで進もう。

また、皮をむいて、芯を切り取って、となると、ここにも少なくとも言語の記憶はほとんど存在していない。確かに、幼い頃、おかあさんに教えられた時、「こんなふうに皮をむいて…芯はこんなにして…」と言われた覚えがあるが、〝こんなふうに〟ということは、おかあさんの皮をむく様子、その現象をまねる、受け入れて、自分の体で技として覚えるということを意味するであろう。これも言葉としてではなく、表象として残っているということになる。

ビタミンはやはり、〝ビタミン〟として、言語として保存されているであろう。そもそもビタミンは、ほとんどの人々は見たこともないし、味わったこともないのだから、これは仕方がないであろう。ただ、これも〝ビタミン〟とカタカナの文字の表象が先に浮かんでくることが多いのではないだろうか。

〝秋に収穫される〟ともなると、なかなか表象は出てこない。〝秋〟という季節の表象そのものが、やはりなかなか出てこないのだ。収穫が表象として、りんごつみの風景、これも人によりけりで、そんな経験のある人に限るだろう。また、人によっては、まだ赤くなっていないりんご、そして、かなり赤くなったりんご、そしてまっ赤なりんごを浮かべ、そのどこかに、これも目に見えないが秋の空気のようなものを…いや、こちらはもっと稀であろう。表象やイメージはこの〝秋に収穫される〟にはなかなか伴わないのである。りんごは秋に収穫されるのは当たり前のことで、りんごに秋はついてまわっていて、記憶の中よりも、りんごが店先に並んでいるのは秋なのだから、そんなことを考える、記憶する必要もなかったのである。もちろん、最近ではスーパーでは年中りんごは並んでいる。それを見て、「どうして保存されているのかな、秋に獲っているはずなのに…」と思考が働くこともあるだろう。また、りんごを見ただけで、〝秋〟と短くされた言語がぱっと浮かんでくる時もあるだろう。

スーパーでりんごの価格を見る時は、これは現実であり、記憶の中にはまだ入っていない。しかし、この値札を見ていると、一週間前に買った時の値札や、単なる数字、これもまだ数字にはなっていなくて、ぼんやりしたままで、しかし、どこかにりんごの値段、通常の、平均の値段というものが、とはいえ、けっしてそれは数字では浮かんでくることもなく、まして音としては浮かんでくることもなく、それでも目の前の値札を見て、「高い」や「安い」が出てくるのではないだろうか。

そしてまた、この時に思い浮かべる自分の家の台所の棚や冷蔵庫の中の様子、これはもちろん記憶の中の表象であろう。

以上見てくると、なかなか言語の意味は出てこない。今見たりんごでは〝ビタミン〟と〝秋〟だけになっている。言語に代わって、表象、映像が多く出てきている。こう見てくると、人間は言語が苦手なのだろうか、とまで思えてくる。まして、思考などは…となってしまう。

つまり、人々は意味を言語でほとんど記憶の中に保存していないのでは、ということなのだ。そして、意味のとても多くを、表象で、映像で保存しているということだ。そして、言語で保存されているとしても、〝ビタミン〟とか〝秋〟とかと、とても軽く、すぐに出てくるように保存しているということなのである。

この、〝すぐに出てくること〟は、意味を記憶に保存する上で、少なくとも日常生活の中ではとても大切なことなのではないだろうか。つまり、日常生活はスピードや時間の効率がとても大切だったのである。「話なんかしとらんと、仕事しろよ！」だったのである。

そして、言語による意味の記憶への保存は、短いもの、単語一個からそれに近いものに限られていたのだ。このことは、日常生活のスムーズ化、効率化にもよるだろうが、一方では記憶と単語の関係も関わっているはずである。先にも見たとおり、記憶は文や文章で言語を保存することは苦手なのだ。そして、多くの人々は文や文章を読んで理解する、つまり意味を獲得したとしても、その意味を文や文章のままで保存することはしないのだ。記憶も文や文章で保存することは苦手なのだ。いや、それ以上に、文や文章をそのまま保存したとしても、それは意味を保存したことにはならないのだ。いわゆる〝ガメ暗記〟になってしまうのだ。文や文章で書かれた意味をもう一度取り出す時、「我」は理解した意味をもう一度、思考によって自分の文や文章として取り出さねばならないのだ。このことは時間がかかるのである。忙しい日常生活では嫌われるのである。このような文や文章になっている意味は大きな意味、大切な意味であることが多いのだ。このような意味に対しては、人々は、自分だけ、独りになった時、理解して保存した意味の中から、それは文や文章にはなっていなくて、意味の塊と言っていいものになってしまっているが、それに向かい合い、それを思考力によって言語として引き出して、いわゆる〝自分に言い聞かせる〟ことをしているのではないだろうか。いや、それだけでなく、その意味をノートに書き写して、何度も見直したり、それが書かれているパンフレットや新聞や雑誌の記事、書物を何度も読み直して、確かめ、自分のものとしているということになるのではないだろうか。

この〝自分のものにする〟もやはりここでは大きな意味を持っている。一度や二度ではその意味を完全に理解したことになっていなくて、この努力をする過程が浮かんできているのである。意味というものは先に見た日常会話で飛び交う、言語にもならない表象だけの、そしてまた言語でも一語だけのものもあるが、理解するのになかなかつかめない、難しい、大きな、奥深い意味も存在しているということになるだろう。

このことは先にも少し見て、先送りした意味そのものを見ていく必要を示しているはずである。

ここではりんごについての意味しか例にとらなかったが、他の様々な意味も存在する。一つの物体、個物だとしても、機械や自動車はその複雑さを見ただけでも、とても大きな多くの意味を持っていそうである。人々はその全ては知らないで生活もしているはずである。これらについても次に見てみよう。

1. 意味の段階

以上、記憶との関係で見てきて、意味には大小様々な意味が存在するのではないか、ということである。一方では、りんごで見たように、言語にもならない、表象だけの、言語になっても一語だけの意味も存在するが、また、それほどは見ていないが、ほんの少しだけ見えてきている大きな意味、多くは書物に書かれている意味が存在するのではないか、ということになるのである。

一口に書物と言ってしまったが、これにも様々な段階があり、案内書やパンフレットから始まり、物語や小説という大きな意味もありそうである。そして、物語や小説にも様々な段階があり、童話や短編小説というのもあるが、長いものでは『源氏物語』や『過ぎ去りし日々を求めて』など、読むのに数年かかってしまうものもある。童話は人生の入り口で、人生の中の大切な意味を暗示する形で、短編小説は人生のひとこまを、そして、『源氏物語』や『過ぎ去りし日々を求めて』はある人物のほぼ全体像では、…となってくる。いやいや、ジョイスの『ユリシーズ』はあれだけ大部でも、人生のひとこま、二十四時間を書いただけ、いやいや、その二十四時間を通してブルームという男の一生がそれなりに見えてきている。そして、まだまだある。カフカやフォークナーのような、とても難解な小説もある、…。いやいや、ここは小説を論じる場所ではないはずだ…

とはいえ、ここに見えてきていることは、人生というものがとても大きな意味、いや、人生を生きている一人一人の人間にとっては人生こそが一番大きな意味なのでは、ということだ。そして、一方、先のところで見たように、日常生活というものは、大きな意味をいれようとはしないで進んでいるのだ。ここにはとても大きなギャップが存在する。このギャップの中をつなぐ何段階もの意味の大きさの順番が存在しそうである。そう考えると…レジャー、スポーツ、旅行…　などが浮かんでくる。それだけ？…となる。レジャー、スポーツ、旅行では埋まらない。…そんな気がする。日常生活とは仕事や勉強、家事、いやいや食事、食卓、通勤通学、…つまり衣食住である。人生とは、人間が自分が生きる全体である。衣食住も、このためである。しかし、大きなギャップが存在する。

疎外？…こんな言葉が浮かんでくる。確かに、昔の職人、仕事人達は仕事をすることが人生の目標であった。自分が作り出したものが、世の中でこんなふうに使われて、大切な…となっていた時代もある。現代の資本主義では、労働者諸君は、自分が作っているものが、何のどんなところで使われているのかも…例えそれと知っていても、それらの図面を描いたのは技術部、開発の極一部の人間で…となっている。

これが大きなギャップ、現代のギャップ…確かに。

とはいえ、やはり、この中間にあたるものは現代にも存在しているはずなのだ。大きな人生の目標をたてて、それに邁進している人ばかりではない。それを、スポーツや遊び、時にはギャンブル、旅行で埋めている人々は確かに多い。それらも見ていかねばならないだろう。しかし、それだけでなく、この中間点において、つまり、日常生活と人生の大きな意味の中間に、それにつながるような、いや、けっしてそれを意識していることはなくても、なんとなく、意味を見つけている人々が多い、それなりにいるのではないだろうか。ただ、このあたりは、少なくともこの時点ではなかなか見えてこないのが、現代社会なのではないだろうか。

やはり、疎外は大きな問題なのだ。これは、ま正面に見ていかねばならない問題なのだ。

そもそも、現代人から、日常生活、特にこの仕事の意味を奪ってしまっているのが疎外なのだ。つまり、日常生活の労働、働くことから、人生の意味を断ち切ってしまっているのが疎外なのだ。

多くの昔の人々は、農業や漁業、商業や工業、いや、物造りにたずさわっているだけで、しかも、それが一日の、目を覚ましている時間のとても多くを費やしていて、それが人生の意味につながることを感じていたというのだろうか。確かに、自分達が造り上げたものが、どのように流通して、世の中でどのように役に立ち、そして、その見返りに家族がなんとか生きていくことができる、…そんなことは見えていたろう。だからと言って、それが人生の意味として…なかなか難しい。いや、そんなに簡単な問題ではない。ここに見えてくるのは宗教の存在である。

宗教は確かに、人生の隅々に至るまで、つまり、箸の上げ下ろしまで、意味を見つけ、人生の意味、いや、神への天国への意味をしっかりと教えていたはずなのだ。それでは現代人の疎外とは宗教の問題、宗教が力を弱めた、つまり「神は死んだ」というニーチェの言葉が表している事態がもたらしたのか…

このあたりは、とても大きな問題であるはずである。この大きな問題にも、少しだけ、正面から見てみたいものである。

このような大きな問題が目の前におどり出てきたのは、意味、その一番大きな意味、人生の意味を見てしまったからだろう。

ここで言えることは、少なくとも昔のほとんどの人々は、人生の、そして生活の隅々まで、この宗教の教える意味で理解していたということだ。いや、理解だけでなく、とても大きな力を感じて、それに従って生きていたということだ。それに従わなければ罰が、地獄に堕ちる恐ろしい罰が待っていたのだ。

そして、現代人、「神は死んだ」の世界で生きる現代人、意味？人生の意味？…？？？が続くのが人生…

このあたりも、やはり見ていかねばならないだろう。しかし、あまりにも大きな問題なのだ。

2. 人生の意味

人間が無限の広がりを持つ狭い世界に住んでいると考え、そしてそこに焦点を当てると、人生というものの持つ意味は、人間にとっては確かに一番大きな意味に見えてきてしまう。しかし、人間はそのような無限の広がりを持つ狭い世界に住んでいながら、そのような同じ無限の広がりを持った人間達が、その無限の広がりを持った狭い世界に無限に存在していることを知っている。ただ、その自分の無限の広がりを持った狭い世界に多く存在する、同じ構造を持った無限の広がりの狭い世界を、自分の他の人々も持っていることを知っているのだ。しかし、「我」はその同じ構造を持った他人の世界へは入っていけないのだ。そして、ここでの問題に戻れば、それらの他人達、同じ無限の広がりを持った狭い世界に住む他人達にとっても、人生はやはり一番大きな意味のはずなのである。

しかし、過去には、これらの無限に広がる狭い世界に住む人間達が、同じ人生の意味を持っていたかに見えた時代もあったのである。すぐに思い浮かぶのは、日本の第二次世界大戦の時代である。あの時代、日本人のほとんどの人々は、自分の人生を「お国のため」と考えていたのではないだろうか。ということは、一人が自分の人生に対して持つ意味よりももっと大きな意味が、国家を支配する意味が存在したとも考えられるのである。同じことは、同じ時代のドイツにもイタリアにも存在したと考えられるのである。もちろん、そこには、反戦、反ファシズムの運動もそれなりに存在したのであるが…

そこまで見れば、反ファシズムだけでなく、様々な市民運動、そして、やはり過去のものになりつつあるマルクス主義、共産主義の運動も、個人の人生を超えたとても大きな意味を持っていたことがあるのだ。いやいや、様々な宗教、そして、思想と言われるものは、全て、個人の人生の意味を超えたとても大きな意味を持っていたのだ。宗教ももちろんそうであるが、思想というものは、そもそも、とても多くの人間に同じ意味を与える、しかもその人間達に、自分の人生の意味として入り込むものなのだ。

ただ、ここでは、そのようなとても大きな意味の存在を確認しただけにして、無限の広がりを持つ狭い世界に住む人間達にとって、やはり一番大きな意味に思える、人生の意味を見ていこう。この時、まずは先に見た、その巨大なとても多くの人々、国民、民族を動かした大きな意味、宗教、思想などの影響がない状態において人生の意味を考えてみよう。

とは言っても、人々は、育つ過程で自分の親から、そして外で遊ぶようになれば、近所の友達、そして、その親達から、また、学校に入れば先生や先輩達から、様々なことを習って、学んで育つのではある。つまり、他の無限の広がりを持つ狭い世界から、習い、学んで育っていくのである。そして、それだけでなく、幼い時は絵本や童話を読み、もう少し大きくなればマンガに入り込み、それ以上にテレビに惹きつけられ、そしてまた、それより成長すれば、読書や映画に惹きつけられて育っていくのである。このような様々なところから、他の無限の広がりを持つ狭い世界からだけでなく、「我」の世界に入ってくる様々な他の人生についての意味を受け入れながら育っていくのである。そんな影響を受けた「我」が自分の人生の意味を受け入れる、あるいは考える時、他人、外界からの影響は避けられないのである。

そうではあるが、現代社会では、日本をはじめ、欧米などの少なくとも先進国と言われる国々では、とても強い宗教や思想はそれほど力を持っていなくて、多くの人々は自分の人生の意味をそれなりに自分で受け止める、受け入れる、選択する、考え出していけるとしていいのではないだろうか。とはいえ、これはもちろん、おおよその話には違いないのであるが、…

ほぼ自由な選択のできる世界に現代人は住んでいるとしていいのである。それでも、いや、だからこそ、青春時代にとても大きな出会いがあり、それが人物であったり、映画であったり、本であったりだが、大きく人生の意味を決める、決定することもあるのである。このような出会いを経験した人々は、自分の人生を大きくその出会いからの意味で形造っていくのである。まさに人生であり、人生様々なのである。

ここでは、まず、そのような大きな出会いや大きな力を持つ宗教や思想の影響のほとんどない人々の人生の意味を考えてみよう。

「人生の意味？…ええ？…うーん」多くの大人達の会話の中では、このように人生の意味は出てくるのではないだろうか。そして、まだ、「へえ、それ、自分の人生の意味ですか？…あんた、そんなことを考えて生きとるの？やっぱり少し違うと思うとったわ。あんたは、やはりすごい…」と続いて、感心して見せられ、変人扱いされてしまうこともある。先にも見たとおり、日常会話は大きな意味を受け付けないのだ。そして、多くの大人達は、日常性の中で生き、また生きようとしているのだ。

とはいえ、こんなふうに語る多くの大人達も、自分の人生について考えてみたことがないことはないのだ。やはり、生きている限り、人生のどこかで、多くは若い頃、青春時代、それなりに自分の人生を考えてみるはずだ。中には、それを求めようと必死に、書物を読みふける者もいるのである。しかし、なかなか答えは出ないのだ。時には書物の中にうずもれ、逆に世界が見えなくなって…このような若者達を惹きつけるのは、難解で、人生否定的な小説や哲学書なのだ。そこへはまりこんでいってしまう人間も多くはないがいるのだ。

ただ、多くの若者達は、「なかなかわからないな」「そのうちわかるやろ」「こんなこと真剣に考えとったらおかしくなるわ」と思考を停止して、日々の生活、受験勉強や部活に励んでいくのである。というよりも、受験勉強や部活に真剣になっていると、こんなことなど考えていられないのである。こんなことを考えていれば、勉強もスポーツもできない、邪魔になってしまうのである。

そして、多くの若者達は、受験勉強の結果による進路に従い、また、部活による推薦や選択で人生を歩みはじめるのである。受験勉強を好きだとか楽しいという若者はほとんどいないが、部活は楽しくてならないのである。時にはとても苦しい練習もあるが、それも楽しみのうち、それを乗り越えて、新しい技術、フォームを獲得した時の喜び…なのである。ただ、部活の延長で人生を生きていける人間達はごく稀なのだ。そのようなごく稀な人々こそは、うらやましい限り、すばらしい人生を歩んでいる人々だとしていいであろう。自分の楽しい、面白い、しかも真剣になれることで生きていっているのである。ここに確かにすばらしい意味が存在するとしていいであろう。

かと言って、このような人々が自分の人生の意味、すばらしさを言葉にしている、言語にしているかと言えば、やはりノーに近いのではないだろうか。もちろん、インタビューに答えてとか、自叙伝というのもあるが、そして、「すばらしい人生を歩ませていただいております。感激の気持ちを…」との言葉は多く耳にしたり、目にしたりする。しかし、これらの言葉が彼等の人生のすばらしさ、その充実した日々、真剣勝負の瞬間のすべてを表しているわけではない。まさしく、文字どおり、言葉に言い表せない、言い尽くせない意味がそこには存在しているのである。ただ、多くの人々は、そのような言葉よりも、自分の体の中に記憶として、実感として、充実として、保存し続けているとしていいであろう。

いきなりスター選手の話になってしまったが、スポーツは大きな力でそこへ人々を惹き込むのである。プロの道を歩めなかった人々の多くも一生部活の延長、自分の好きなスポーツをずっとやり続けるのである。アマチュアスポーツとして、地域の大会、時には地域の子供達のコーチとして充実した日々を送り続けるのである。この人々にはインタビューも自叙伝もないかもしれないが、問いかければ、「人生の意味?」となって、もちろんその時の尋ね方、状況、本人の気分によるだろうが、時には、「そうやな…俺の場合は、…やっぱり…野球やろ…」と返ってくる時もあるのである。野球のかわりに、サッカー、ラグビー、テニス、卓球、スキー、ボード、あぁ、ゴルフ、…このような人々にはのめり込んでいる、狂っていると言ってもいい人々も多いのである。まさに人生の充実、すばらしい大きな人生の意味、大きな力を持った意味である。部活としてはじめた人々だけでなく、三十代、四十代、五十代にはじめた人々ほど、のめり込み狂うのも、スポーツなのだ。確かに人間はすばらしいものを持っているのだ。

スポーツだけでなく、趣味や、遊びの世界ももちろんそうである。ギャンブルというのもある。

このような人々は、スポーツや趣味や遊びのために仕事をしていると、自分でも言ってはばからないことも多いのである。そして、人生の意味は？　尋ねられれば、一言、「野球！」「サッカー！」「テニス！」そして「釣り！」「山菜！」「パチンコ！」と返ってくるのである。たった一つの単語で人生の意味を表現できるのである。いやいや、まだまだ、音楽や絵画に打ち込んでいる人々も多い。若い時にやったギターとその仲間でバンドを組んで、また、ずっと絵画や彫刻、まだまだ、舞踊やダンス…

これらの人々は自分の仕事とは別のところで、楽しみ生き甲斐、人生の意味を求め、夢中になっているのである。先に見た資本主義が生み出す疎外、自己疎外の現象だとも言えるのである。つまり、自分の仕事には意味を見出せず、他のところで意味を見つけているということなのだ。ただ、これも見方によれば、資本主義が発達したおかげで、労働時間が短くなり、つまり、自分と自分の家族が生活していく上での最低の所得を得るための労働時間が短くなり、その余った時間を自分の楽しみ、人生の意味に当てていると見ることもできる。けっして資本主義を肯定的に見るものではないが、右のことは現代の資本主義の生み出した事実である。

本論に戻れば、これらの人々も全て、仕事に意味を見出していないかともなると、また、人々は様々であり、仕事にも一生懸命、生き甲斐を見出しながら、趣味やスポーツにも熱心という人間達も多々いるのである。これらは職種にもよるだろうし、最近は少なくなったが、職人と言われた人々は、仕事にも眼を輝かせ、歯をくいしばり、本当に真剣に取り組み、そして、仕事が終わったら、また休暇には自分の趣味の時間と両立させていたはずなのである。それでも、このような人々に、「すばらしい仕事をなさっていますね、こんなものを作り出せる仕事をしていて、すばらしい人生ですね」など言えば、「堪忍してくださいよ。仕事は面白いと思ったことなどありません。カカアとガキンチョ達が食っていければ、そのため働いているんで…」と返ってくるはずだったのである。人生いろいろということにしておこう。

受験勉強と部活を並べて見ていたが、いつの間にか、部活からその後の人生のスポーツや趣味や遊びに入り、かなり広い形で人生の意味を見てしまっていた。またしても横道に行ってしまって、しかも、そこでかなりな展開をしてしまっていた。

忘れていた、受験勉強に戻ろう。

受験勉強は部活と違い、楽しいという者は稀だろう。よほどの変わり者である。そもそも、勉強は面白くないのである。真理の探究、宇宙の不思議、世界の謎への道であるはずであるが、勉強はなかなか子供には面白くないのである。遊びやスポーツは体力も、そして脳の働きをも吸い取ってくれるが、つまり全身全霊を引き受けてくれるが、勉強は体を使わないのである。脳だけをずっと使っているのである。そして、その脳の力をずっと働かせ続けていなければならないし、とても多くのことを、しかも欠けることなく記憶していなければならないし、とても難しい問題を解かねばならないのである。勉強を好きな人間を、「勉強家！」と呼び、変人扱いするのが、子供の世界なのである。

それでも、日本の子供達は、特に都市部の、また親が教育熱心であったら、小学生の時から、時には低学年から塾通いがはじまるのである。都市部と言ったが、そこには有名校の付属中学というものがあり、そこへ入るための勉強をするのである。この付属中学に入れば、その上の高校や、より有名な難関な高校や大学への道が容易になるのである。結局は、いかに有名な難しいと言われる大学に入るかなのである。そして、その大学に入ることは、よりよい、給料の高い、安定した大企業に勤めるためなのである。学歴社会なのである。

このような受験勉強においては、真理の探究、学問などと言われるものからはほど遠い、点数、点数のための勉強がなされるのである。勉強は、いかに試験において高得点を取るかのためなのである。勉強や学問には、一つ一つの問題を解き、世の中の謎を解いていく、それを身に覚えていく楽しみがある、などと言ったら笑われるだけなのである。全てが点数で判断されてしまうのである。それが全ての結果であり、人間の評価になるのである。まさしく、部活とは正反対なのである。

受験勉強の目的は、いかに有名校に入るかである。最終目的は、いかに有名大学に入るかである。長い、時には小学校からの厳しい、苦しい、塾通い、家庭教師などの受験勉強の結果は入った大学の名前で決まるのである。このような有名大学を選んで努力をしたのは、現実としては、卒業してからの就職がより有利になるためなのである。だから、そのためには、大学に入ってからでも、この就職試験のための努力をし、ということになるはずであるが、そんな努力をしている大学生はほとんどいないと言っていいであろう。大学こそは、苦しい受験勉強が終わって、自由にのびのびと、自分のしたいことができる、人生の大切な時間なのである。企業も、難しい就職試験によって採用を決定しているところはほとんどないと言っていいのではないだろうか。企業が採用の時重視しているのは、面接の時の人物と、やはり学歴、つまり出身校なのではないだろうか。大学での成績、そして学部、学科、またそこでの勉強した内容、研究内容を重視して採用する企業ももちろんあるが、そのような企業も、そのような内容が企業までそのまま役に立つことは珍しく、企業に入ってからの各職場での一つ一つの勉強、経験の積み上げが、直接企業にプラスになることを知っているからである。大学までの修得した内容は、それらの企業に入ってからの学習、技術の修得の基礎にはなるが、直接的には役に立たないことを企業は知っているのである。

とはいえ、企業に入るとまた競争が待っている。昇進試験というのもあるし、最近では多くの企業の社員一人一人の業務内容、成績を数字で読み取っている、つまり、受験勉強と同じ、成績、点数の世界が始まったのである。この点数により、係長、課長、部長、そしてその上へという道が続くのである。

　これが受験勉強、そしてそれに続くエリート社員の道、エリートコースなのである。

　ここには点数という、非常に分かり易い価値評価の基準が存在し、存在し続けているのである。そして、受験勉強の時代は有名校、有名大学という目標がしっかり存在し、また、就職してからでも、次々の長への昇進、そしてそのむこうに重役、そして社長という道も、目標も存在しているのである。このような道を歩いている人々に「人生の意味は？」と尋ねると、「努力！」と返ってくることが多いのではないだろうか。努力によって受験を勝ち抜き、そしてその後はエリート社員として出世の道を歩み続けるのである。しっかりとした、価値の道を歩み続けるのである。その一歩一歩を歩み続けることが人生の意味ということになる。

　このような道、コース、エリートコースは、社会が持っている道である。社会はこのような価値体系を持っているのだ。高校も、地域毎に、点数によって順位がつけられている。大学も、高校での予備試験の点数で進学校を選んでいく。点数によって大学も順位がつけられている。そして、その大学によって企業も決まってくる。企業に入ってからも、先にも見たとおり、点数制度がかなりの大きな力を持ち、昇進の基準になっている。ここでも自分の与えられた仕事に対する日々の努力、そして自らの持っている能力をそこへ向けることが要求される。そして、大企業の中にも様々なコースがあり、それがどのように昇進、上位につながっているかは、社員にとっては大きな問題になる。つまり、社会は細かなコース、そしてその段階、階段を持っているということなのだ。この階段は下よりも上のほうが様々な面で価値を持っている。下の者達は上の者の指示、命令に従わねばならない。権力である。企業の中では、しっかりとした上下関係、身分制度が存在するのである。憲法は、人々の自由平等を謳っているのにである。しかし、企業で働いている者達は、そんなことを問題にしない。というのは、下の者も、努力次第で上に昇れるからである。このことは平等を保障していることになる。しかし、このような権力、上下関係、つまり、上の者が下の者を命令して動かすことがどれだけ、人間に喜びを与えるかは人それぞれである。このような権力、人を支配する力を求めて、日々努力している社員はやはり少ないだろう。それ以上に、しっかりとした価値体系が、企業の中に存在する。給料である。

資本主義社会は、金銭というしっかりとした隅々にまで行き届く価値体系を持っているのである。資本主義社会ではほとんどの欲望はこの金銭によって満たされるのである。

考えてみれば、小学校の高学年から、あれだけ勉強、勉強をして、努力をし、高校、大学とその努力によってよりよい学校に進み、企業に入ってからも日々様々な努力をしてきたのは、この金銭のためだったのか、となるのである。

確かに、資本主義社会は、金銭による隅々まで行き届く価値体系を持っているのである。

しかし、あれだけ一生懸命勉強をし、企業に入ってからも日々努力したのは金銭のため？となると、やはりとても多くの人々は？？？となるはずである。エリートコースを突き進んで、トップに立っている人々もやはり、？？？となるはずである。とはいえ、ここにはとても難しい問題が存在するはずである。

ここでは『言語と意味』として進んできているのである。ここにはとても大きな、難しい、しかも、人々がけっして解決していない、いや、多くの人々が解決していない意味が存在するのである。つまり、言語にされていない意味が存在するのである。

このようなエリートコースのトップに立つ人々に、「日々努力されてきたのは、お金のためですか？」と尋ねれば、「あはは、そうかもしれんな」と肯定ともとれる言葉が返ってくることも多いはずである。しかし、〝あはは〟はやはり、否定の大きなニュアンスなはずである。

大きな意味を見るとして、人生の意味を見始め、それを小学校、中学校、高校での受験勉強と部活を見始めたところで、その延長のエリートコース、そしてプロスポーツ選手の道を見てしまった。

これらは多くの世の中の人々のうちの極一部である。しかし、ここで確認しておくべきことは、社会がこのようなコースの、人生の価値、人生の意味の大系を造り上げているということである。そして、これらの極一部の人々は、この価値の大系、意味の体系を昇りつめたすばらしい人々であるということである。すばらしいということは、それだけの能力を持って生まれてきたということでもある。「お金？ あはは、そうかもしれんな」と笑ったエリートのトップの人々も、この能力を、持って生まれた能力を確かめたい、発揮したい、そして、その上には、会社のために、社会のために、という心がとても強く存在するのではないだろうか。そして、これらの人々にはこのような能力を発揮することは快感、楽しいこと、うれしいことであったり、充実感であったりし、またこのような能力を使いたいと、発揮したいという欲望も存在するはずなのである。

とはいえ、これらの人々が、どれだけ、このことを意識化、言語化しているかは人それぞれであるし、そして、もう一つ、ここには、少なくとも日本の社会では、このような能力を自分が持って生まれてきたと公言することは、社会が受け入れたがらない、だから、本人も話しにくいこともあり、その上で、自分に言いきかせているか、と言えば、ここはほんとうに人それぞれになってしまうはずなのである。少なくとも、日本の社会では、能力の存在は、人々が、他の人々が認めた時、はじめて確認できるのである。他の人々が認めてくれるよう、努力もなされているということである。このような人々が、人生の意味を尋ねられて、「努力！」と答えることが多いことを先に見たが、この答えにもこのような能力への社会の持つニュアンス、それを受け止める各自人間のとらえ方を微妙に反映しているとも考えられるのである。

だからと言って、これらのエリートコース、プロになれたスポーツ選手が自分の仕事だけ、スポーツだけに努力を傾けているかと言えば、けっしてそうではないだろう。エリートコースのトップ社員の多くはゴルフにかなり傾いて、努力もし、楽しんでもいるはずである。プロのスポーツ選手も、他のスポーツを楽しんだり、音楽や映画や読書に傾いている人々も多いのではないだろうか。また、両者とも旅行はとても大切であろう。これらにどれだけ人生の意味を認めるか、単なる気晴らしとしているかも、やはり人によりけりであろう。そしてまた、これらを言語化する時も、素直にはなかなか、相手によりけりなのではないだろうか。

ただ、以上見てきた人々は、特別な人々であり、その特別な人々の人生の意味であったろう。世の中には、このようなコースを最初から嫌がって自分の道を進む人々、また、このようなコースをある程度まで歩みながら、ふと気づいて、何かを思って自分の人生を、違った自分の人生を歩み始める人々、また、かなりがんばったがやはりついていけなくなり、挫折を感じながら、そこから遠ざかる、時には追い出されて違った道を歩みはじめる人々も多くいるのである。しかし、これらの人々も、同じ社会に住んでいれば、社会が持っているエリートコース、プロへの道という、価値体系、意味の体系をしっかりと知りながら、自分の人生に向き合っているということである。それだけ、この社会の持つ価値の体系、意味の体系は大きな力を持って存在し続けているということになる。

ここで、本論としては忘れてはいけないのは、これらの価値体系、意味の体系を、社会は、そして人々はどれだけ言語化しているのか、ということである。これらの体系を、体系として書きとめた書物などありそうであるが、なかなか見当たらないのではないだろうか。社会に住む人々はそれなり理解して、自らの人生を歩み続けてはいるが、それらを体系としてまとめて書き上げた本にはなかなか出くわさないはずだ。人々の人生にとても大きな力を投げかけているのに、である。人々が共有しているのは、「エリートコース、」と「プロへの道」ぐらいなのではないだろうか。社会の隅々にまでいきわたった体系として存在しているのに、である。こうして見ると、この価値の体系、意味の体系に対して、社会に住む人々が持っている、やはりニュアンスと言った方が良い、そんなものが見えてきているのではないだろうか。少なくとも、「エリートコース」に対しては社会は、けっして全面肯定をしていないのだ。一方、スポーツの「プロへの道」は社会は確かに絶賛しているところがある。ここには、最初受験勉強と部活で見た、一方が苦痛、面白くないであったのに対し、他方は夢中になる、面白いであった分離がここにも続いているということになるのだろうか。確かに、社会はプロのスポーツ選手、いや、プロ、アマ関係なく、オリンピックの選手達、それだけでなく、「ええ？ 高校の野球部でピッチャー！ すげえ」ともなるのだ。スポーツに対しては、社会は絶賛を送っているのだ。だから、「エリートコース」と「プロへの道」を一緒に論じてはいけなかったのだ。

そして、「プロへの道」を歩いた人々には多くの自叙伝が存在するし、伝記も存在する。また、このような人々を題材にした小説も存在する。一方、「エリートコース」を歩いた人々の自叙伝、伝記、小説となると、…いや、それなりに存在するだろう。会社の社長の自叙伝、伝記は数多い。小説も存在する。ただし、これらは多くは会社の、企業の創業者が圧倒的に多いのではないだろうか。そしてまたその他としては、特別な製品の開発や、大きな事業の展開をはかった人々、その先頭に立った人、…でもなかなか見つからない。これらは多くは企業の事業として、把握されているからである。なかなか微妙な話である。

また、ここまで見てくると、生きる価値、人生の意味を書いた自伝、伝記、小説というものが存在することも見えてきた。これらは、少なくとも今まで見てきたところでは、社会における、いわゆる成功者の人生である。これらは、成功者以外の多くの人々にも読まれるから、本になっているとしていいであろう。これらは成功への道を歩もうとする人々も参考に読むこともあるだろうし、そうでない人々もその成功するまでの人生の中での、様々な出来事に、自分の人生との類似点や、成功の道とは違った、多くの人々の人生に共通する様々な出来事に、心を動かされるのではないだろうか。

ここで言い訳をさせてもらえば、これらの自叙伝、伝記、小説は、確かに人生の価値、意味そのものである。多くの人々は、そこに書かれた価値、意味に感動もするのである。ただ、これらは特別な人々の人生の価値、意味であるということである。これらを読んで感動する人々も、自分の人生とは違った、少し離れたところで感動しているのではないだろうか。多くの人々には、このような成功の道とは違った様々な人生の意味が存在しているのである。これらは多くの人々の中ではまとめられることもなく、言語にされることもなく存在しているのである。そして、もう一つ付け加えれば、これらの自伝、伝記、小説は、やはり、社会が持っている価値の体系、意味の体系そのものを書いていない、その道を歩んだ人生だけが書かれているということである。

ここにも、言語化されていない、深い溝、それの持つ意味が存在しているとしていいであろう。

ここでは、何度にもなるが、社会が大きな価値の体系、意味の体系を持っていることを確認し、次に、つまりこのような体系とは違った人生の道を歩む人々を見ていこう。

3．様々な人生

これらの人々の人生はまさに様々である。これらの様々な人生にも、今まで見てきた価値の体系、意味の体系はやはり大きな力を持った影を持っているのである。というのは、人々は小学校に入れば、一生懸命にまじめに勉強しろ、と言われるのである。そして、高学年や中学校に入れば、塾通いが待っているのである。そして、試験の点数はしっかりと生徒達の価値、意味となっているのである。そして、中学校に入れば部活が待っているのである。ここでは日々の厳しい練習が待っているのである。これらの練習の中で、まずは正選手になること、そして、どこのポジションを得るか、そして選手になれば、試合で少しでもチームに貢献して、チームがより良い成績に、という道が存在するのである。ほとんどの人々は、人生のスタートでは先に見た「エリートコース」や「プロへの道」の出発点に存在しているのである。

しかし、自分達がその出発点に置かれている「エリートコース」や「プロへの道」がとても狭いものであることを子供達は知っているのである。そして、自分で勉強やスポーツをやってみて、多くの子供はその道に自分が進んではいけないことを知るのである。少し努力をしてみても、なかなかクラスやチームのトップにはなれないことがわかるのである。自分がその出発点にいるコースのゴールへはクラスやチームのトップになってもまだまだ難しいのである。ここで多くの子供達は考え始めるのである。そして、考えはじめた時、勉強は面白くないことがすぐやってくるのである。スポーツも、今やっている練習や試合は面白いが、そのような高度なところへ進めば、とんでもない練習やトレーニングが待っていることに気づくのである。そして、世の中を、社会を見回せば、とても多くの人々が、そんな道を進まなくても、楽しく、それなりの人生を過ごしていることにも気付くのである。

この時、子供達は自分の人生というものを考えはじめるのではないだろうか。とはいえ、これまで見てきたように、人生の価値とか人生の意味とかではなく、ただ、ぼんやりと、というのは、まだまだそれを決定するのに時間があるからである。そして、その決定とは、どのような職業で自分は生きていこうと思うのかをそれなり考え始めるのである。そして、この頃に、すぐに思いつくのは、やはり、楽しいこと、面白いことなのである。何をしたら、楽しく、面白く生きられるのか、と考えはじめるが、すぐに、でも、それはおかしい、ちょっとだめかもしれない、楽しく面白いだけではおそらく生きてはいけないはずだ、となり、それだったら、と、自分が今まで生きた社会に、この大人達がどのように生きている、どのような職業がいいのか、と、そちらに目が向きはじめるのである。

そして、こんな時、目に入ってくるのは、自分のまわりの、よく見える大人達の働く姿ではなくて、テレビやマンガや物語の中に出てくる様々な登場人物の生き方なのである。そして、ここに先ほど見た、自伝、伝記、小説なども見えてくるのである。かと言って、これらを見ている子供達が、それらの中に、自分の人生の生き方を求めているかと言えば、けっしてそうではなく、特にテレビやマンガでは、まずは面白いのである。しかも、これらの登場人物が自分の世界からは遠いところに住んでいることもよくわかっているのである。とはいえ、これらのテレビやマンガの中でも、自分の人生の生き方、道、職業などからは遠いが、やはり大切だと思えること、友達を大切にすること、人々に、特に困った人々に親切にし、助けること、そしてまた、正義を守り、悪と戦うことを子供達は学んでいくのである。いや、それ以上に、家族の愛、いやいや、まだまだ、恋！　まだまだ遠いか、…

テレビやマンガだけでなく、成長するにつれて、物語や伝記や自伝なども、子供達は読みはじめる。そこには、価値の体系、意味の体系などは背後に存在するだけで、そのような体系を、努力して、苦労して、歩んだ、昇りつめた人々の人生が見えている、時にはそのような体系からはみ出たり、追い出されたり、それに反抗した人生とも出会う。そんな人生に、子供達は、もうそれなりに成長しているが、感動し、時には、すばらしい、そして自分もできれば、と考えはじめる。つまり、自分の人生に少しずつ向き合うことになる。そして、この頃になると、受験勉強も厳しくなりはじめ、部活も大きくエネルギーを吸い取りはじめる。だから、一方では、人生など考えている時間などなく、考えたりしていると、勉強でも部活でも落ちこぼれになってしまう。なぜなら、そんなことを考えていると、心も頭もそちらに吸い取られてしまい、勉強も部活も根性が入らなくなってしまうのである。だから、この時代には、生徒達には、人生の意味についての思考停止が起きてしまうのである。そして、自分の人生を決めるにはまだ早すぎる、もう少し大人になってから、という考えを持ち続けるのである。また、一方では、部活のスポーツでメシを食っていけるのは、特別な才能を持った人間だけで、勉強の方は、それなりに努力をしていれば、自然とコースが決まり、それなりの、自分の能力にあった進路が決まり、決まれば、その通りに生きていけば、なんとか生きていけるはずだ、と心のどこかで、多くはぼんやりと考えているのである。もちろん、このあたりは、子供によりけり、生徒によりけりである。そして、この頃から、自分の得意科目、不得意科目、また、文系、理系の選択も少しずつ見えてきているのである。そんな中から、自分の希望のコースもぼんやりとであるが見えてくるのである。

ⓐ 恋

しかし、この頃に、人生にとっても、今まで見てきた意味の体系、価値の体系とは比べものにならない、大きな意味が目の前に出てくるのである。恋である。子供によっては、幼稚園の頃、小学生の低学年の頃から、好きな子のことをじっと思い、しかし、誰にも言わず、誰にも言えなくて、思い続ける者もいる。しかし、そんな子供達も、思春期が近づき、体の中に性ホルモンが満ちてくると、また違った、とんでもない強い力の恋心をいだくようになる。

勉強をしようと思って机に向かっている時、また、夜、眠ろうと布団に入って眼をつむった時、脳の暗闇の中に、一点だけ輝いているところがあるのだ。輝いているとは言っても、太陽の光や、照明灯の光のような明るさではなく、やはり、脳の暗闇のその片隅からの輝き、つまりどこか、黒々としていて、それでいて輝いているのだ。その黒い輝き、そのまわりに美しい白が、それで輝いているのだ。眼なのだ。そうだ、そうなのだ。毎日坐っている教室の席の斜め前の方に坐っている、ああ、あの子の眼なのだ。じっと、前を、先生の話を聴いているが、…ああ、あの子の…美しい、すばらしい…

小学校の頃は、男の子も女の子も、クラスで一番あるいは二番目に人気のある子に、みんなでと言っていいほど好きになって、好きになられた数少ない子の方も、嬉しいけど、少し困って、という具合であったのが、中学生になると、これも成長の度合いや、その子の性格にもよるし、またそんな対象がどのように存在しているかにもよるだろうが、小学校の時のような人気の子ではなく、いわゆる教室の片隅に静かに坐っているような子が思い浮かんできて、好きが、片思いが始まることがある。もちろん、これも人様々で、小学校の低学年からずっと同じ子を思っている者もいる。かと思うと、今まで好きとか思ったことがなくて、毎日、五、六人でバカ話をしていた仲間の一人が、急に、その笑顔がかわいいとかステキとか思われ、というのもある。恋は様々である。

好きになりはじめると、その相手の顔、姿が浮かんできて、いや、じっと思い浮かべて、ああ、好きなんだ、…と思い、毎日、毎日、毎晩、毎晩、思い浮かべて、…でも、これらのほとんどは片思いに終わってしまう。

人生の価値の体系、意味の体系を見た時に触れたが、恋について教えてくれる人間、本などはなかなか、少なくとも、このような中学生の片思いの生徒達のまわりにはいない、存在しないのである。いや、そうは言っても、人生の価値の体系、意味の体系の時も、自伝や伝記や小説が世の中にはたくさん存在するように、子供達が毎日見たり、読んだりしているテレビやマンガの中には、いっぱい恋物語が存在するのだ。しかし、それらは、テレビやマンガの世界であり、自分からはずっと遠い世界なのだ。

自分のすぐ近くに坐っている子に、近づけないのだ。まして、「好きだよ」「好きです」「つきあってください」は言えないのだ。毎日、バカ話をしている仲間の子供に対しても、「好きです」「好きだよ」はやはり言えないのだ。どうしたらいいかわからないのだ。多くの子供達、生徒達はじっと片思いを暖めながら生き続けるのだ。

本論の主旨に戻れば、ここには人生のとても大きな意味が存在するのだ。しかし、それを、その言語を発することができないのだ。自分の中だけで、繰り返すだけなのだ。先生にも親にも相談できないのだ。いや、ここには、人に話してはいけないと思わせる、何か大きな力がかかっているのだ。話したい、打ち明けたい、でも話せないのだ。話してしまうと、とんでもない、恐ろしいことが起きるような気がするのだ。先には、とても大きな意味を言語にすることを、日常生活が受け付けていないことを見たが、これはそんなことだろうか。そもそも、毎日の生活の中に、この恋を受け入れてくれる、そんな場所がなさそうなのだ。

つまり、毎日生活している学校の教室や家庭には、自分の恋を受け入れてくれる場所が見つからないのだ。というよりも、自分の中のこの大きな力を持った動き、感情の動き、これこそ、本論でここまで論じてきた意味であろうが、こんな大きな心の動きは、今住んでいる、今まで暮らしてきた日々の生活、日常生活が受け入れないだけでなく、それらを壊してしまいそうなのだ。自分の心を、この激しい心の動きを受け入れてくれる場所、雰囲気がまわりに存在しないのだ。親や兄弟はもちろん、友達、ああ、親友、それでさえも、今まで何でも話してきた親友にさえも、なかなか言い出せないのだ。

これも人によりけりであり、また、親友とのつきあい方によりけり、また、恋の仕方によりけりである。簡単に友達に打ち明けてしまう者もいれば、ほんの少しずつ、それとなく話していく者、そんな恋もある。このほんの少し話題にのった時、友達の方がそれを受け止めて、逆に、「ええ? その子のこと…? 好きなんか?」となり、友達の方が大きく受け止めて、様々に聞き出し、聞いてくれることもある。そうかと思うと次の日にクラスのみんなに、知れ渡ってしまっていることもある。そうして、時には、「ええ? 俺も好きなんだよ」と友達関係がとても複雑になってしまうこともある。恋は様々なのだ。

でも、多くの恋は、片思いは、自分の中で大きな力で動いているだけで、誰にも話せないで、じっと暖め、いや、苦しみ、時には悲しみ、時には喜び、ということは、好きな子が、自分が見ていてもまったく無視して、それよりも故意に無視しているようだったり、逆にこちらの視線に答えて、笑みを送ってくれたような気になったり、まさしく、様々に動くのである。

こんな時、若者達は、テレビやマンガ、時には物語や小説の中に自分の恋に似た、いや、それでなくても、恋をそこに認めて、恋というものそのものに大きく心を動かされるのではないだろうか。つまり、これらのテレビやマンガ、物語や小説の中に、自分の恋を受け入れてくれる場所を見つけたことになる。

いや、それ以上に、こんな時、恋の歌が聴こえてきて、大きく心を動かされるのだ。この聴こえてくるのは、多くはテレビの歌番組だろうか。時には兄弟や友達のＣＤ、ああ、スマホの中の…しかし、時には、ずっと昔に聴いた、そんな風に聴いていなかった恋の歌が、自分の耳の奥から、記憶の中から、甦るように聴こえてきて心を打つのではないだろうか。ほんとうに、これらの恋の歌も、恋する者の心を受け入れてくれるのだ。だからこそ、世の中には恋の歌が満ちあふれているのだ。

やがて、恋は片思いから、付き合い、交際に発展する。この発展、ステップには様々な勇気、決断、そして、一方では偶然が大きな役割を果たす。つまり、恋を受け入れる場所を持たない日常生活、世の中、社会の中で、恋の大きな一歩を踏み出すためなのだ。この一歩の踏み出し、ステップこそはほんとうに人様々、恋様々なのだ。この大切な一歩も、言語にどれだけするかは、これもやはり、人様々、恋様々である。この一歩、ステップこそは、恋の一番大切な場面、従って一番大きな意味を持っているのである。この大きな意味をどのように言語にするか、…毎日日記をつける習慣を持つ若者は詳しく書き連ねるだろう。そんな習慣のない人々も、何かに書いておきたい、残しておきたいと思うことが多いのだ。というのは、やはり、この一歩、ステップこそは、自分の人生にとってとても大きな、一番と言っていい意味を持っていることを感じているからだ。そして、また、この大きな大切な意味は、まだ力、自分の中をうごめくだけの力のままであるが、これを言葉に表現してみたい、しておきたいという気持ち、欲望が湧いてもくるのである。とはいえ、やはり、この一歩を、ステップを言語にとどめておく若者達は少数派のはずである。一方では、自分の告白を受け入れてくれた相手の顔、眼の輝きを言葉にしないで、じっと、いつまでも、シーンとして、映像として覚えておきたいと思い、じっと抱きかかえるように生き続ける者達もいるはずである。しかし、多くの恋人どうしは、この大切なシーンは胸にしまったままで、次のデート、そして、その時の出来事、相手の言葉、表情、そして、また次のデートの約束と忙しく、それだけで頭がいっぱいで、そして、そこには次から次へと恋ならではの、新しい心の動き、時には自分でもどう解したらいいのかと思う、やはり言葉にならない大切な意味が湧きあがってくるのである。こんな次から次は、とても言語に、文字などにしていられないのである。例え日記を書く習慣の若者達も、これらの次から次へのほんの一部分しか書き残せないのではないだろうか。

このような、次から次へを、文字にしたのが恋愛小説であろう。この恋愛小説は、片思いをじっと生き続ける、新しいステップに行けない若者達の、新しい世界、二人の交際、通じ合った恋心を、憧れのように思わせる対象でもあるだろう。しかし、一方では、恋をしながら、付き合いをしながら、その一歩一歩を歩むための参考に読む者達もいるかもしれない。それよりも、片思いの時に読んだ恋の一コマ一コマが、恋愛の進展にともない、様々な意味を持って甦り、時には、とても大切な一歩の大きな力になることもあるだろう。しかし、この反対に、過去に読んだ小説に従ってステップを踏んだために、大きな失敗につながったこともありうるはずである。まさしく、恋は様々なのである。多くの恋する者達は、恋愛小説を読んでいる余裕もなく、過去に読んだ小説を思い出すこともなく、自分の恋にはまり込んでいるのではないだろうか。

恋愛の終着点は性的関係に至ることである。これも、つまり、恋愛から、性的関係への道は、とても大きな一歩、ステップというよりとても高いハードルである。そして、このハードルには、恋愛を受け入れる場所がなかった以上の、もっと厳しい社会からの力が存在する。社会は恋愛をなかなか受け入れてくれる場所を持たなかったが、セックスを社会は追い出し、目に見えないようにし、禁止しているのである。社会の中で、つまり人が見ているところでセックスをすれば、罰せられるのである。社会は性欲を抑圧しているのである。目に見えることだけでなく、言語をも、性的言語をも社会は禁止しているのである。公の場で、性的な言語は慎まなければならないのだ。だから、人々は性的な話をしたい時は、社会の目の届かない、いわゆる内輪、仲間どうしだけで、小さな声でポツポツと話すのである。猥談である。また、恋愛の本は社会に満ちあふれ、恋愛小説は本屋に行けば誰でも買えるが、セックスについての本はなかなか見つからない。もちろん、法律で禁じられているのは、性器そのものの写真ぐらいであり、文章にしたものはそれなりに、純文学と言われる小説の中にも、かなりそのもののシーンも存在するし、いわゆるエロ本というコーナーと言っていい場所も存在する。しかし、それらの本を、人が見ている場所で見ることははばかられるのである。基本的には性的言語を社会は禁止しているとしていいであろう。

そして、恋人どうしの間でも、なかなか性的言語は話せない。長い間つきあっていても、性的な話をしない二人も多くある。純粋なつきあいである。恋人どうしの間でも性的抑圧は大きな力を持っているのだ。話もできないから行為はもっとできない。いや、いや、ずっと黙って二人で夜の小道を歩いている時、二人の気持ちがぐっと盛り上がってきて、何も言わずに、瞬間的に激しく抱きしめあい、唇をよせあい、…こんなシーンも、恋愛のどこかに確かにあるはずである。つまり、抑圧されている言語の先に行為が、…行為は恋する二人では禁じられていない？…いや、しなければならない…このあたりこそ、恋の段階であり、すばらしい瞬間で、いわゆる言葉はいらない。でも一生記憶に残る大切な場面であり、人生の最高の意味なのだ。そして、この人生の大切な、最高の意味を、人々はじっと抱きしめて生きている…。

この人生の最高の意味を言語として書きしるす者もいるだろう。しかし、とても多くの者達は、言語にしないで、そのシーンを映像として、表象として、記憶の中に、目に見えたそのまま、感じたそのままを保存し、それを時々、できるだけそのまま引き出すように生きているとしていいであろう。このことは恋愛や性的なものを社会が受け入れないから言語化されないのとは違って、意味を、その大切な、人生の最高の意味を言語では残せない、残してしまった時、その大切な意味がそのままの形で残ってくれない、それ以上に、そのシーンを映像として、形のまま、見えたまま、表象として残しておくということが見えてきているのである。

ここには、言語と意味と、表象の複雑な関係が存在しているのである。いや、まだある。二人の間に、好きな二人の間に、互いにじっと見つめあい、抱きしめあい、セックスをしている時、二人にはほとんど言語が交わされていないのだ。たった一つか二つ、「好き！」「愛してる！」こんな言語しか交わされないのだ。このことは、社会が、二人が生まれた世界が、恋や愛についての言語を多く持たない、そしてセックスに関しては禁止していることにもよるだろう。それだけでなく、今も見たように、大切なシーン、その思い出は言語にしてしまうと、そのまま残ってくれない、言語にしないでじっと保存しているのが良いこともある。しかし、ここで忘れてはならないのは、言語はたった一つの単語でも、とても大きな意味を、その内に含むこともあるということなのだ。そして、二人の間に交わされる「好き！」「愛してる！」もこのとても大きな意味を含んでいる言語なのだ。相手に対する大きな強い、激しい思い、心を、たった一つ、二つだけで表現する大きな意味を持った言語なのだ。そんな言語が存在するのだ。だから、それ以上いらないのだ。恋する二人の間に言語が少ないのも、そのせいなのだ。言語と意味と表象の複雑な関係、いや、言語と恋の複雑な関係なのだ。

恋の終着点を、先に性的関係としたが、社会的には、公の場では、結婚であろう。いや、しかし、その前に、失恋がある。恋が性的関係であれ、結婚であれ、その終着点に至ることなどは人生の中ではとても数の少ないことなのだ。結婚は基本的には一度しかできない。性的関係は…？　まあまあ、…人々はとても多く失恋する。片思いのまま、少しつきあってすぐ、かと思うと何年もつきあっていながら、別れることもある。また、つきあっていても性的関係のないまま、性的関係をもってすぐ、ずっと性的関係を続けながら、それなのに…ほんとうに様々である。

そして、失恋はとても大きな意味を持っている。恋の意味の大きさの分、そのまま、失恋は大きな意味を持つ。いや、その別れの瞬間は、もっと大きな意味を持つことが多い。

人生で、失恋はとても大きな意味を持っている。しかも、とても深い意味を持っている。なぜふられたのか、なぜ別れなければならなかったのか、どれだけ考えても分からないこともあるのだ。その疑問を一生抱きしめる者も多くいるはずだ。この疑問に対して「我」は何度も問いかける。つまり、言語によって問いかける。しかし、答えが返ってこないのである。つまり、言語が返ってこないのである。疑問は黒い大きな塊のまま、ずっと心に残っている。

だからか、世の中には、本当に失恋の歌が多い。恋の歌が多いと言ったが、その大半が失恋の歌である。恋そのものよりも、失恋は大きな、深い意味を人生に投げかけているからだろうか。

失恋の原因が分からなくて、その疑問を黒い塊としてだけ抱きしめている時、その塊の中から、感情が、とても悲しい感情が、しかも疑問のように存在する悲しみが、ほんの少しだけの言葉となって、ささやくように聞こえてくるのだ。そのぽつぽつとした言語は歌詞になり、感情はメロディになるのだ。そして、多くの人々は、自分の失恋をメロディにできないが、そして、ぽつぽつとした言語にもなかなかならないが、聴こえてきた曲に大きく心を動かされるのである。

いや、いや、失恋を書き綴った小説、映画、マンガも世の中に満ちあふれている。そして、とても大きな感動を人々に与えている。

人々はその失恋の物語を、自分の失恋に置き換えて、あるいは二つを比較するように読んでいるのだろうか。いや、そうではあるまい。一つ一つの失恋はそれ一つだけで物語として、完結しているのだ。多くの人々は自分の失恋も忘れて、物語の失恋に入り込み、主人公とともに、主人公になりきって悲しみ、時にはほんの少し喜び、読み終わった時、または、疲れて本から手を離した時、ふと自分の失恋に心を馳せるのではないだろうか。

ということは、小説や物語の中での失恋と自分の失恋は別物で、自分の失恋の言語化も基本的には別物で、言語化する時、それらの小説や物語の内容はほんの少しだけしか、役に立たないということになる。つまり、失恋も、多くの人々はなかなか言語化できないのだ。失恋も人生の中でとても大きな意味を持っているのにである。多くの失恋をした人々は、その失恋の苦しみ、悲しみを抱きしめながら、生き続けるということになる。そして、ここにも、大きな意味の言語化がなかなかなされていないことが見えている。多くの人々は日常生活の中で、いろいろな出来事を、日記をつけるように言語化する習慣をもたないこともある。ああ、最近では多くの人々がツイッターに書き込みをしているか…失恋の場合は、ツイッターがあったとしても、なかなか人には話せないのでは、…とはいえ、ツイッター…、自分自身に呟いているだけ…ここも人によりけり、恋によりけり、失恋によりけり、にしておこう。

でも多くの恋を失った人々は、時々は呟きはするが、自分の失恋を、恋を抱きしめるように、ということは、そのシーン、シーンをそのまま、見たまま、聴こえてきたまま、細かな相手の表情、眼の輝き、そして、ぽつりぽつりと囁かれる言葉、この響きをそのまま、見えてくるまま、聴こえてくるままに記憶の中にしまい込んで、時々思い出し、ため息をついて、少し悲しくなって生き続けていくのではないだろうか。

そんな時、恋の歌、失恋の歌が聴こえてきたら、そんな心に、そんな思い出に、ジーンと響き、心全体、体全体が揺さぶられるのではないだろうか。

ⓑ　結婚、出産、子供の成長

人生にはまだまだ、結婚、出産、子供の成長という大きな意味が存在する。しかも、これらは多くの苦労を伴うが、その苦労の分だけ喜びを連れてくる。そして、今まで見てきた恋やセックスや失恋などとは違って、反対に、言語化しても社会は受け入れてくれる。いや、喜んで受け入れてくれることが多い。そして、これらは記念写真やビデオなどの映像によって言語化以上に、大きな喜びが保存されている。そして、これらは、保存されるだけでなく、写真なら、部屋の様々なところに飾られる。ということは、これらの意味は家族には大切であり、みんなで共有し、家族以外の人々にも見てもらえる。そして、受け入れてもらい、喜んでもらえる。ポジティブな意味なのだ。これらのことは、恋にも、セックスにも、失恋にもあり得ないことだ。これらのシーンを写真にしたり、ビデオに撮ったりすることはほとんどあり得ない。セックスのように禁じられているからではなく、やはり、二人だけの世界で、二人だけで意味を噛みしめ、また意味を作り出していく世界だからだろう。もちろん、これも人によりけりで、多くの若者はスマホを持ち歩き、デートや旅行に行った時、レストランでの食事などを映像として残したりする。これも恋様々なのだろう。これも、恋がポジティブな局面にある時は、なのだろう。つまり、恋がうまくいっていて、二人にとってすばらしいものであり、二人にとって大切な思い出として残しておきたいからだろう。

ああ、結婚、出産、子供の成長に戻ろう。結婚とは、結婚した二人を強く結びつけているのは性的関係で、それを社会は認めないような、正確に言えば、表に出さないような慣習やルールやマナーを持っているが、そのことには触れないで、その二人の関係を認める制度である。それだけでなく、結婚式には多くの人々がかけつけて、祝辞を述べる、言語が飛び交う。結婚した二人も喜びの言語でお返しする。性的関係と大違い、逆である。その逆にある性的関係を隠したまま、結婚生活は社会との関係、公の関係を持っていく。このことを考えれば、社会とはまさしく複雑な関係を、構造を持っていることになる。明と暗、表と裏である。明、表では人々はお互いに言語で挨拶をし、話をし、まさしく明るい顔で話す。暗と裏は秘密の、隠された世界で、それらのことを言語に出すことは、社会は禁じている。この構造の上に二人の結婚生活の幸せが築かれるのである。結婚している二人は、特に新婚時代は、セックスはとても大切なことであるが、時にはそれ以上に、互いの顔の表情、そして、いつも身近にいてくれる存在を感じ、幸せを感じるのである。その幸せを感じながら、また、夜になるとセックスに至るのである。愛が生まれているのだ。これらの幸せや愛についても、人々は多くは言語にしていないのではないだろうか。そっと大切に、その時の感覚、見たこと感じたことを映像として、表象として保存しているのだ。そして、また、ここにも、とても大きな意味を持った言語「好き！」「愛してる！」が、それだけが交わされているのだ。それで充分なのだ。

そして、出産である。これは隠された、裏の性的関係の結果であり、成果である。しかし、社会では、そのことをほとんど言わない。みんな、すばらしいことが起きたように、おめでとうで祝ってくれる。セックスをして、子供を得た二人も、生まれた子供の顔を見れば、すばらしい存在が、セックスの裏側の暗さを忘れさせる、すばらしいさずかりものが生まれたことを感じる。ほんとうにおめでたいのだ。二人の愛の結晶なのだ。今まで二人は二人の笑顔を見て、二人の美しさ、すばらしさを感じて幸せになっていたが、生まれた赤ん坊の顔を見ていると、もっともっと大きな力で幸せがやってくるのを感じるのである。そんなことより可愛くて可愛くてならないのである。世界で一番すばらしい存在なのだ。見ているだけで幸せになるのだ。大切な大切な存在なのだ。そして、ここには、恋のところで見た、「好き！」「愛してる！」に匹敵する、いや、それ以上の大きな、強い「かわいい！」が登場するのだ。赤ん坊の顔を見ていると自然に出てくるのだ。と同時に、抱きしめたくなり、抱いて、また、「かわいい！」と言ってしまうのだ。そして、ここには、とても大切な、自分の存在、自分の人生より、ずっと大切な存在がいることが、親達に、心に、体に湧いてくるのだ。今まで、二人の間で交わされていた「好き！」「愛してる！」よりもっと強い力で、心の中から「かわいい！」が出てくるのだ。哲学には、概念という、その中にとても大きな意味を含んだ単語が存在するが、これらはそれよりずっと大きな意味を含んでいると言っていいであろう。人生の中の最大の意味と言っていいものである。ただし、これらは哲学の概念がその中に多くの言語を含んでいるのに対し、ほとんど言語を含まないと言っていいのだ。この「かわいい!」には赤ん坊の眼の輝きと、唇を中心に時々現れる笑み、大きな泣き声、そして、赤ん坊の全存在が、それからやってくるもの、感じられるもの全てが存在しているが、言語はほとんど存在していないのだ。

もちろん、子供の存在、大切なもの、宝物の存在はその分、心配や苦労を伴っている。子育てには、とても多く時間が必要であるし、成長するにつれて、その費用も大きくなってくる。両親はそのことを赤ん坊を前にして少しは感じているが、しかし、それらをふっ飛ばすすばらしい存在がそこに眼を輝かせているのだ。そして、このような大切な存在からやってくる大きな意味を表す言語は「かわいい!」一語でほとんど充分なのだ。

子供が成長するにつれて、その時、その時に、大きな喜びがやってくる。もちろん、それに伴う、苦労、心配は絶えることがない。病気にもなるし、時には怪我もする。それでも、それが治った時にまた喜びがやってくる。成長するにつれて、子供はどんどん変わってくる。大人に近づいてくる。しかし、親達にはその変わった、大人になった子供を見ていても、ずっと赤ん坊の時からの言葉、「かわいい!」がずっと残り続け、その変わった、大人になってからの存在からも、「かわいい!」を感じ続けている、…のではないだろうか。とはいえ、子供が成長するにつれて、このような言語は心の中にしまい込まれて、なかなか発せられなくなるが、心の中では大きな意味として生き続けているとしていいであろう。

ⓒ 死

もう一つ、人生には大きな意味が存在する。とても大きな意味で、恐ろしい意味である。だから、多くの人々は口にはしない。その意味では性欲と同じである。性欲が社会の片隅、裏側に追いやられているのを見たが、こちらも社会では、人々は言語にしてコミュニケーションすることを、いわゆる、はばかっている。

死である。とても大きな意味である。「我」はこれを受け止めることができないほどの大きな意味である。しかし、人間はいつかは自分が死する存在であることを知っている。知ってしまう。この知ってしまうのは何才くらいの時からだろうか。小学校に入る頃にはほとんどの子供は自分が死ぬことを知っているのではないだろうか。でも、この死を、自分が死ぬ存在であることを、子供達はなかなか話、相談することができないのではないだろうか。子供達も、死については話してはいけないことをなんとなく察しているところもあるのだろう。それ以上に、自分のまわりではほとんど死について会話が存在しないのだ。だから、なかなか話をするきっかけがつかめないのだ。そして、死の意味、このとても恐ろしい大きな意味、こんな意味を日常の会話で話していいようにも思えないのだ。

多くの場合、子供達はやはり抱きしめるように、死という大きな意味を自分で抱え込みながら生き、成長していくのではないだろうか。もちろん、これも子供によりけり環境によりけりだろう。

「人間ってみんな死ぬの?」

と子供が尋ねた時、お母さんはさっと顔色を変えて、

「だめよ! そんなこと考えちゃ。死ぬのはずっと後、年寄りになってからなのだから、年いってから考えれば

いいの！」

というのが多いし、ある意味正しい答えなのではないだろうか。この時、子供は、この恐ろしい大きな意味について考えることを先送りすることを学ぶのである。

実際、多くの人々は死について考えることを先送りしながら生きているのである。なるべく考えないようにして、仕事や勉強、スポーツや遊びに打ち込む、集中するのである。少なくとも、スポーツや遊びに夢中になっている時、全てを忘れて、死を忘れて、自分がとても楽しい、明るい存在であることを感じているのである。

とはいえ、死は社会に満ちあふれているのである。葬式はよく見かける。それ以上に、テレビやマンガの中では死が続発しているのである。しかし、こんな時も、登場人物が死んだのであり、近所のお年寄りが死んだのであり、それ以上のことは考えない、つまり、自分の死などについては考えないことがほとんどなのである。まさしく、考えていたらキリがないこともあり、また多くはそこへ考えが行かないように堰を築いているのである。

身内や親戚、そして親しい人々の死を葬儀として、儀式としていることは、そのことが目的ではないにしろ、日常性の外側に置くことによって、死を特別なもの、日常性の中に入らないものとし、つまり、日常性の中で考えることをなくする、少なくする方向に持っていっているとしていいであろう。いや、人が死ぬことの重大な出来事、二度と会えないこと、それ以上に、その人の意識がなくなり、意識を持った者として、人間ではなくなり、物質存在になってしまい、最後には火葬という恐ろしい、今まで生きて、話して、神経が通い、痛いや熱いがわかっていた人の肉体を焼却してしまうという恐ろしいことを、儀式の中で行うことによって、その大きな恐ろしい意味を幾分か和らげているとしていいであろう。そして、七日、四十九日の法要、一周忌、七回忌、十三回忌などの法要においては、故人の生きていた時の笑顔や様々な表情、動作、様々な出来事などを落ち着いた、心安らかな中で、話題にし、また各人の心の中で回想できるようにしているのである。葬儀の時には、故人の死の瞬間までの苦痛を思い浮かべていた者達も、このような法要の時は、それを徐々に忘れて、生きていた時の故人の思い出に心を向かわせるのである。このようにして、故人の死を受け入れていくのである。このことはまた、自分の死についての思考をも止める、緩やかなものにする、ということにしているはずである。

実際、多くの人々は、自分が死すべき存在であることを知った大きな衝撃を、成長するにつれて、徐々に和らげて、緩いものにして、「まだまだだ」とか、「ずっと遠いところにある」と考えて、大きく引き延ばし、猶予の態勢で、受け止めているとしていいであろう。このように猶予の態勢のところへ、様々な死の情報が入ってきても、それを猶予の外側に置いて生活を続けているのである。だから、社会が死について語ることを、そして死そのものを、性欲と同じように片隅や裏側に置いていることは、人々の同意の上であるとしていいであろう。

それでも、死は疑問のままに残るのである。死を体験した人間は存在しないのである。恐ろしい死を体験した人間は全て人間としての意識を無くし、だから、死についての、死そのものについての情報を誰も伝えたことがないのである。

この疑問に答えてきたのが宗教である。宗教は、この死、人間にとって最大と言っていい意味、これについての疑問に人類の歴史の中で答えてきたのである。そして、ほとんどの宗教は、死後の世界、あの世、天国についてとても多くの教説を持っているのだ。

人々はこれらの教説を、神という、自分をはるかに超えた、社会全体をも超えた、全存在、全世界、全宇宙に、正しい力を持つ存在からの教えとして聞き、死への恐怖と疑問を和らげるのである。

宗教は、死という人生の最大の意味、最大の疑問、最大の恐怖に対して体系だった教説、しかも膨大な内容の解答を持ってこれに答えてくれるとしていいであろう。多くの人々は、この解答、教説を聴き、信じ、死に対する疑問や恐怖を取り除き、大きな、自分一人では受け止められそうもない意味を、自らのものとして、つまり理解し、日々の生活を進めているとしていいであろう。そして、ここにも、たった一語だけで、これらの大きな意味、とても大きな中身を持った教説をたったの一語で、表現する、ということとは、その大きな意味、中身をそのうちに全て含んでいる言語が存在するのである。「なむあみだぶつ」や「アーメン」である。いや、これらの言語は死の意味だけではなく、神の教えの全てを、全宇宙の意味を含んでいるとしていいのである。人々は、これらの短い言語によって神の全ての教え、全宇宙の意味を込めた気持ち、心で祈りをささげるのである。そして、これらのことをもう少し分析すれば、この祈りの言葉には、「我」の知っている教説の中身、また、受け止めている意味だけがこめられているとしていいのではないか、ということである。というのは、「我」は自分の知っている中身、内容、そして受け止めている意味だけしか、自分の中に、記憶の中に持たないからである。それ以上のものを「我」は持てないのである。これを補うように、人々はお寺や教会に通い、お坊さんや牧師さんから様々な説教を、法話を聴き、その内容を豊かにし、より信仰を厚く、熱くしていっているとしていいのである。

ただ、ここで宗教の外から、言語とのからみで疑問を呈してみれば、少なくとも日本の仏教では、葬儀の時でさえも、神の教えを説くはずのお経を漢文のまま、一般人にはほとんど意味の通じないまま、読み上げられているのである。現代の日本人で、これらのお経の意味を葬式の時やお墓参りの時、法要の時、分かって理解して聴いている人々は稀であろう。同じことは、キリスト教でも、ラテン語のまま読み上げられていた時代が長く続いたと聞いているし、イスラム教では、最初に書かれたコーランのまま、アラビア語のまま、他の言語に翻訳することを禁じているとも聞いたことがある。

これらは何なんだろうと、一般人、宗教の外にいる現代人の多くは考えてしまうのではないだろうか。これらについては、宗教の内部では様々な説明が存在するのである。ただ、本論としては、これまで言語と意味を記憶に照らして見てきたこれまでの内容の上で、外部からの解釈としては、死の意味や人生の意味、全宇宙の意味、また神の存在の意味を「我」が受け止めている疑問を、その疑問の大きな力、それをそのまま受け止めることを、つまり、これらの疑問を、その意味を言語にしないまま、受け止めることも大切だと言っているのではないだろうか。そして、ほとんど言語としては意味が理解されていない、坊さん達のお経の雰囲気が伝えるものを大切にし、それを素直に受け止めて、つまり言語としてではなく、意味を受け止めることの大切さを教えているのではないだろうか、ということである。このことはベートーヴェンの曲や、ゴッホの絵画が言語を介さないで意味を伝えてきていることと似ているとしていいであろう。

いや、宗教の中にはもっとすごい、たいへんなのもある。偶像崇拝の禁止である。このことは、意味の言語のもう一方の側である表象、イメージを否定することである。神とは人間の似姿であったり、人間の眼に見える存在ではなく、全世界の秩序、力そのもの、全能の神であり、全世界そのもの、全世界の存在そのものという説がその裏にはあるということになるのだろうか。となると、神の教えを人々に伝えるのは、言語だけということになってしまうのでは…？　いや、いや……。

宗教はこれだけ見ても、とても大きな意味、全世界そのものの意味を、そして謎を、つまり理解されないままの意味を持っているということだろう。

死の意味を見ていくうちに、宗教に入り込んでしまった。当然のことではあるが、宗教についてはまだまだ概観するだけにとどめておくべきだろう。というよりも、ここではもっと広く、人生の大きな意味を見てきているのであり、その人生の意味を最も教えているのは、様々な人生論、そして、哲学もあるだろうが、とはいえ、なんと言っても、宗教だろう。そして、宗教は人生だけでなく、来世、あの世、まさしく全宇宙、全歴史を語っているのである。

だから、人生の意味を見ていく時、宗教と向き合うことは避けられないことになる。ただ、現代人の多くは信ずるべき宗教を持たないのだ。そして、昔の信ずる宗教を持っていた人々が、宗教を通して世界を、人生を見て、人生に向かい合っていたのに対し、現代人は、人生に、世界に、自らの生身で向かい合っているとしていいのではないだろうか。

とはいえ、現代においても、まだまだ多くの人々、民族が宗教と大きな結びつきを持っている。それらの結びつきを解明することも、人生の意味を見ていく上では欠かせないはずであるが、それはあまりにも大きな問題である。宗教の大きな体系は、人間の一生で学べる量をはるかに超えているのが普通である。また、言語と意味をほんの少しだけ見てきたこの段階では向き合えない、向き合うだけの準備、その構造を持っていないとしていいであろう。

××　　××

以上、人生の大きな意味を見てきたが、ここに見えてきたことは、この大きな意味を人々は言語で表すことをほとんどしていないということなのだ。この言語にしていないことには、性や死については、社会がそれを言語にしても表すことを禁じている、抑圧していることも見えてきたのである。また、一方では、日常生活においては、大きな意味そのものを話題にのせないことも見えてきたのである。日常生活の中では、大きな意味は、それに関わって、話題にのせていると、勉強や仕事にならない、進まない、そんなことで、大きな意味についての場を持たない習慣やマナーが隅々にまで行きわたり、力を持っていることも見たのであった。とはいえ、結婚や出産、そしてそれに続く子供の成長に関しては、人々は多く語っているのである。それは目出度い、すばらしいことで、それらの話題は日常生活を明るくするからもあって、人々の口にはよく登る、言語にされているということなのだ。しかし、結婚に至るまでの恋愛は、やはり、世間や社会の話題にはならないで、また、恋愛のための場もなかなかなくて、二人だけでこっそりと秘密になっているのであった。ただ、このことは、恋愛をよりすばらしいものにもしているのであった。そして、それに続く性的関係は、社会の厳しい抑圧もあり、完全な秘密が、つまり、社会の言語にはなってはならない、二人だけの言語の世界が必要なのであった。

ここで確認すべきは、世の中、社会では人生の大きな意味はなかなか言語になりにくい構造を社会、世の中が持っているということであろう。ただ、それに対しても、最後に見た死についてから、宗教というものが大きく浮き上がってきたのである。宗教は、世の中では禁忌としている死についても、とても大きな教説、言語による解釈を持っていることが見えてきたのだ。そして、死だけでなく、宗教は全人生について大きな言語の解釈を持った、大きな存在であるのだ。個人の人生だけでなく、全宇宙、それを司る神について、言語で述べた、とても多くの経典を持っていることも見えてきたのである。ただ、この宗教の経典も、現代人だからか、多くの人々はその中身について、ほとんど知識を持たず、日本での多くの宗教行事においても、漢文のまま、それを聴いている人々のほとんどが意味のわからないものとして、雰囲気だけで受け止めていることも見たのであった。

おおよそではあるが、人々は、人生の大きな意味を少なくとも、日常会話では話題にしていないとしていいのである。

ただ、これも少し見たことではあるが、人生の大きな意味を各人はやはり受け止めていて、人生についての物語や小説に、また様々な教説に、個人として、一人で自分の部屋で、あるいは図書館で本と向かい合い、また、自らも日記や様々な形での文章にして生活を続けているとしていいのではないか、ということになる。

また、一方では、人々は、これらの大きな意味を言語にはしないで、その大きな意味のまま、言語にしないで、大きな力のまま受け止めてもいるのである。そしてまた、その大きな意味、力を、たったの一語で受け止めていることもあるのである。たった一語で、人生のとても大きな意味を、受け止めて生活を続けている多くの人々もいるのだ。

4. 小さな意味

大きな意味、人生の大きな意味を先に見たが、そこでは、少なくとも日常生活の中では大きな意味は多くは語られない、つまり、言語化されない、ということは大きな意味の持っている中身に比例してはなかなか語られない、伝えられないことが見えてきたのである。

それでは、小さな意味ではどうなっているかは見ていかねばならないだろう。しかし、ここでも、大きな意味を見た時と同じように、「ええ？　小さな意味？……」と返ってきそうである。そもそも「意味に小さい大きいがあるの？」とまで返ってもきそうである。

ここには意味そのものへの問いも見えてきているのである。ここまでは、言語と意味の関係を見てきたが、意味そのものについてはほとんど見てきていないとしていいのである。意味そのものについて向かい合うともなれば、人間が生きていく上で、「我」として生きていく上で、まわりの小さな世界、生活空間、それを取り巻く社会、宇宙という広い世界、その中で生活をしていく上で、また、自分以外の人々との関係で、そしてまた、それを取り巻く、無限に広がる世界との関係で見ていかねばならないのである。それは、とても大きな、莫大な仕事になるはずである。それは哲学や心理学の、しかも真正面に人間の生き方、存在の在り方に向かい合った仕事になるはずである。

ただ、ここでも、そのような大きな莫大な仕事を視野にも入れつつ、そんな大きな意味に向かい合う暇も余裕もない、そのようなことを考えていると、仕事も家事も勉強も手がつかなくなり、生活ができなくなり、それこそ、生きることの意味まで失ってしまいそうに思いながら、生活を続けている人々における意味、それでもそのような人々にとっても、子供の笑顔、家族の笑顔、近所の人との挨拶の時の表情、いやいや、なんと言っても恋する相手の眼の輝き、その表情、いや、まだまだ、巨人が勝ったか、阪神が勝ったか負けたか、というとても大きな意味を持ちながら生活している人々の、その生活の中での意味を見ていかねばならないのである。

ああ、小さな意味に向かい合おう。それでも、やはり、小さな意味？となるはずである。まずは、目の前に存在していて、人生にそれほど大きな影響を及ぼしそうにない、りんご、カレーライスで、またかい？と言われそうだが見ていこう。

でも、りんごの意味を尋ねると、日常性の中ではすぐに、「りんごの意味？」と返ってきそうである。また、「りんごに意味なんてあるのかい？」とも返ってきそうである。しかし、やはり、りんごが持っているあの甘酸っぱい味は、りんごの持つ意味だろう。ただ、それを、しっかりと意味ととらえているかは別になる。実際、りんごの意味をしっかりと理解して、自分のものとして把握して生活している人々は稀だろう。というよりも、これは先に見たかもしれないが、日常生活の中では、その時々、その時の状況で意味が変わるのである。喉が渇いていて、皮をむいて食べようとしている時、そこには甘酸っぱい、香りと味が、つまり、りんごの意味がしっかりと存在しているのである。多くの人々には、これはりんごの意味として存在しているのである。しかし、りんごをスーパーで買う時、またりんごの生産者農家にとってはりんごはまた大きな違った意味を持っているはずである。実際、広辞苑を見ると、①本来はワリンゴのこと　②バラ科の落葉喬木。中央アジア原産、寒地に適する。幹の高さ、約三メートル、葉は楕円形。春、白色で紅暈あるサクラに似た五弁の花を開き、果実は円形、夏、秋に熟し、味は甘酸っぱく、食用。品種が多く、わが国では最も多く生産される果実。となっている。これらは①は〝りんご〟という名詞の本来の使われ方、であり、②〝りんご〟という種の植物学的な特定と、人々の生活の中でのりんごの在り方、また、日本での果実としての在り方としていいであろう。これは広辞苑としての役割、その在り方がこの意味の説明ということになるだろう。しかしながら、このような意味を理解して、覚えながら、生活している人々はほとんどいないはずだ。多くの人々には、特に生活の中では、それを食べる時の、広辞苑にもある、甘酸っぱい香りを伴った味が意味であるはずだ。しかしながら、これらの意味をしっかりと意識しながら、あるいは言語として記憶しながら生きている人々はほんとうに稀だろう。実際、日常生活ではこのような意味を、理解して、意識化している、記憶している、言語化していることはほとんど必要がないのである。そんなことをしていると、りんごをおいしく食べられないことにもなる。りんごはそのまま、素直においしくいただけばいいのである。この素直にいただくことによって、りんごのおいしい味が、つまり、りんごの意味が、一番「我」にやってくることを人々は知っているのである。

またしても、ここでも言語が否定されているのである。大きな意味は意味が大きすぎて、なかなか言語化されないことを見て、小さな意味を見たのにである。人々は、言語が嫌いなの？とまで出てきそうである。確かに、日常生活では、そのような傾向も存在しそうである。

とは言っても、言語がまったく否定されて使われていないのか、と言えばまた違っているだろう。おかあさんは、子供にりんごの皮をむいて食べさせて、

「おいしいでしょう！」

と言うと、子供は、

「ん、おいしい」

と答えるのだ。〝おいしい〟はここでは、しっかりとしたりんごの意味を伝えているのだ。この二人には、それで充分意味を確かめあっていることになる。充分であるのは、おかあさんは皮をむきながら、小さく切った一

切れか二切れを食べてみて子供に差し出し、子供がおいしいと言った中身、その味を知っていて、どのような味だかを知っていて、子供がおいしいと言った時の〝おいしい〟の意味を充分に理解しているからである。つまり、おかあさんと子供は、同じ小さな世界、部屋の中にいて、それで同じりんごを味わい、〝おいしい〟の意味を共有しているのだ。だから、それ以上は言語でこのりんごの味、意味を伝える必要はないのだ。

これを世界を共有していない、りんごを共有していない他人に伝えるとなるとやはり、それなりの言語、説明が必要になってくるだろう。極端な例をあげれば、小説にこのシーンを書き、筋書きの上でも、りんごの味を伝えなければならない時である。小説を書く者は、母親と子供が一緒にいる部屋の様子をそれなりに細かく描写し、伝えなければならない味を、つまり、〝おいしい〟の中身を詳しく書いていかねばならないことになる。りんごが皿に置かれた時のその色、切れ端の形、そして、そこからやってくるかすかな匂い。また、口の中に入れた時の舌の先の感触、歯ざわり、この甘さと酸味の感じ方をやはり、〝おいしい〟の意味と、この中身を述べることにもなるはずである。

日常性の中では、共有は言語の必要性を省き、それを確かめる短い言語だけで充分になっているということである。そして、もっと言えば、必要な分だけ、言語が使われるということである。共有が必要性をなくする時、言語は短い言葉で確かめあうだけになるということである。

子供が成長して、日記を書きはじめ、とてもおいしいりんごを食べたことを日記に書こうとした時は、それなりの文になり、それなりの言語が使われることになるだろう。日記とは、一つには、時間が経って、今日の経験が、自分の記憶の中で薄れる時、つまり、今日の出来事が「我」の中で共有が弱くなる時に見るために書かれる、…もちろん、それだけではないが…ものであるからだ。

ここで日記が出たので少しつけ加えておけば、〝おいしい〟の中身、意味を書く時、子供は「ええと？……」と考えながら書くのではないか、ということなのだ。つまり、意味を引き出し言語化する時、多くは思考を必要としているのではないか、と言いたいのだ。ということは、たったりんごの意味でさえ、記憶の中に存在する言葉のままでは表せない、これには思考が必要なのではないか、ということなのだ。そして、書くという作業は記憶をそのまま写す、ということもあるが、多くは思考を伴っているということなのだ。

日記について言っておけば、日記とは、今日という日の意味を書き綴る、それをふり返ってもう一度見直すために書くのであるが、この時も書きながら、思考が働いているのでは、ということなのだ。今日の出来事の意味を思考しながら、書くという、思考を伴う行為によって日記は書かれるのでは、ということである。

ここまで来てしまったら、意味についての思考も見てしまおう。今見たところのりんごの意味、その味について見てみよう。まずは、「りんごの意味？」からはじまるだろう。そして、この論文の最初の方で見た、〝りんごの意味〟についての様々な意味への、「誰がここにこのりんごを持ってきたのだろう？」とか、「このりんごの値段は？」とかへのさまよい、うろつきとでも言っていいような周辺的意味への瞬間的閃きも存在するであろうが、かなり短い時間のうちに、ああ、「やはりりんごの意味と言えば、その味のことだよな」と落ち着くのではないだろうか。そして、この周辺的意味へのさまよいもやはり、思考の動きの一つだと考えていいだろう。つまり、もう思考は始まっているのである。ただ、これも、この問いの発せられる状況にもよるはずである。目の前にりんごがない時とある時、そして、目の前のりんごが、皮がむかれていなくて、テーブルの上に置かれている時、皮がむかれていて食べるばかりになっている時、では大きく違っているはずである。

皮がむかれていて、食べるばかりになっている時は、「え?」とはなるが、すぐにこのおいしい味のことだろう、と味について考えはじめるとしていいであろう。目の前にりんごが存在する時、テーブルの上に一個が置かれている時は、まずは「誰がここに置いたのだろう」からはじまって、「どこの店で買ってきたのだろう」そして、「いくらだったのだろう」とめぐり歩いて、それでも、また、「りんごの意味?」と問い直して、「味のことだよな」となり、味について考えはじめることになるはずである。多くの思考は、このようなさまよいを経てから始まるのではないだろうか。なかなか、そのものズバリにはならない時が、状況が多いのではないだろうか。そして、目の前にりんごがない時は、まずは、「ええ、なんでそんなことを訊くの?」となり、「どんな話からそうなったの?」の疑問が先に大きく立ちはだかり、それでも、頭の中にりんごが浮かんできて、多くの疑問が消えないまま、少ししてから、「味のことを言ってるんだろう」となることもある、可能性としてあることになる。多くは、状況にもよるだろうが、「何を言ってるんだ、そんな暇なこと考えとれるかよ」で打ち消してしまうのではないだろうか。

そもそも、少なくとも日常生活の中では、「りんごの意味」を聞くことそのものがほとんどないことであり、状況によっては、というよりも多くは、そんな問いはおかしいことになってしまうはずなのである。ここまで来てしまえば、この〝りんごの意味〟への問いはこれまでの流れ、言語と意味の関係を見る上での問いであることになる。それでも時には、〝りんごの意味〟が日常生活で話題になることもある…?　かもしれないとして、もう少し進んでみよう。

その前にここでもう一度確認しておくべきは、今見たさまよいも、やはり思考の中に入るということだ。さまよいと言ってしまったが、思考が積極的な、意識的なもの、意志によるものとすれば、それからは外れそうであるが、目の前に見えるりんごとは別の、そこに置いた人間、また価格など、そこには見えないものを考える、思うのは思考であるとしていいであろう。つまり、もうこのさまよいの時から〝りんごの意味〟に対する思考は始まっているのである。

〝りんごの意味〟と言った時、多くの人々がたどりつきそうな味について、その意味としての引き出し方を見てみよう。これも、今りんごを味わって、口の中にりんごの味が残っている時、三日前に食べた時、数か月間食べていない時、とは少し変わってきそうである。とはいえ、多くはりんごを食べた時の舌の先、口の中に広がった感覚、味をたどろうとするのではないだろうか。この時、やはり思考は働いているとしていいであろう。舌の先に感じた味、そして口の中に広がった水分のあの甘味、そしてまた、噛んだ時のさくさくとした感覚にたどりつき、それらを言語化しようとして、ほんの少し時間を置いて、「甘酸っぱくて水分があって、さくさくとした感じかな?」と出てくるのではないだろうか。そして、その後に、「ええ、これがりんごの意味かよ?」「まあ、そんなもんだろ」と小さな疑問と妥協的言葉も続くはずである。そして、これは多くの人々がたどりつく〝りんごの意味〟なのではないだろうか。

ここにやはり大きな問題が登場しているのである。「意味とは?」である。意味の定義、…また広辞苑?…いや、ここでの流れの中で考えよう。今、たどりついた、多くの人々がそう言うであろう〝りんごの意味〟は、通常言語にはなっていないのである。これは味覚なのだ。感覚なのだ。ただ、多くの人々がりんごを食べた時に感じる感覚なのだ。これが意味なのだ。しかし、言葉になっていないのだ。人々はただ感覚として、この感覚の記憶として持ち続けているのだ。この感覚を意味としたということなのだ。少なくとも、ここでの流れとしてはそうしたのだ。通常は言語にはなっていない感覚をである。そして、言語にする時、少しはであるが思考を使って引き出したのである。

ここには、意味と言語の距離、乖離が見えているのである。そして、それを埋めているのが思考であるということなのだ。これは言語と意味のとても重要な関係なのではないだろうか。

そして、ここにはやはり〝意味〟そのものが大きく問われているのである。〝意味〟の意味がである。ここで見たりんごの意味は感覚とか味覚と言われているものである。それでは意味とは感覚や感性と同一、そうではなくても、それらを含んだものなのか、ということになってくる。確かに〝意味〟はとても広い意味を持った言語である。それらを含んだ、科学で使われる刺激も含んだ広い意味を持っているとしてもいいだろう。また、感情や感動も大きな意味であるとしていいであろう。ただ、本論としてはこの時点では、この〝意味〟を、〝人間を動かす力〟として見ていきたいのである。今の場合は、りんごの「甘酸っぱさ、水分があってさくさくとした感じ」が人間の「我」の食欲や心にそれなりの力を与え、「おいしい」や満足という肉体や心の中を動かしたのでは、ということである。もちろん、この〝人間を動かす力〟〝人間の中に動く力〟を意味の定義として見るわけにはいかないだろう。〝動かす〟や〝動く〟の反対の静寂や冷静、も人間の中の大きな意味であろうし、また、先に大きな意味として見た〝人生の意味〟ともなると、人間の中にどんな力が？ ともなりそうである。しかし、そこで細かく見た愛や性欲は、人間の中の大きな力であるし、死は大きな恐怖で襲いかかってくるのである。

ここにはドイツ語のSinn＝意味　Sinnlichkeit（感性）また、Bedeutung＝意義　なども浮かんできそうである。フッサールはBedeutungを言語化された意味として使っている。また、今まで見てきたりんごの意味、その味覚、感覚は、彼の「ノエマ的意味」を思わせてしまう。ただ、ここではフッサールの体系にはまだまだ入っていってはいけないはずである。

彼のノエマ（noema）ノエシス（noesis）などはまさしく意味と大きな関係を持っている。これまでの議論ではまだ、りんごの意味を見ただけである。その先に大きな意味である人生の意味をも見てしまったが、まだまだ意味そのものは定義を与えたり、フッサールの理論の中に入れる段階ではない。フッサールに関してはまた折々に見えてくるものがあるはずである。その都度ということになる。

たった〝りんごの意味〟だけでここまで来てしまった。ただ、そこにはそれだけのものが見えてきてしまったとして、許しを乞おう。次の意味を見なければならない。

いや、もう少し、覚え書き程度に、次のことを見ておこう。ここで思考が働くのは次のような言語の性質、構造にあるのではないか、ということなのだ。〝りんごの意味〟を尋ねられた時、「誰がそこに置いたのか？」とか「どこで買ったんだろう」とか、「値段は？」というさまよいが生じるのは、〝意味〟という言語がとても広い意味で使われていて、その広い意味にりんごがついたことによって、その意味を特定するのに思考が働いた、ということである。この時、もう一度りんごについての意味にも思考が走り、何度かりんごがイメージとして浮かび、目の前にあればそのりんごに視線が向けられ、そんな時、ぼんやりとではあるが、りんごを食べて口の中に入れた時の感覚がやってきて、それなりに強い力で「我」に働きかけ、「あ、これ…」となって、「ああ、これ…」そして、「ああ、これかもしれない…」となってくるのではないだろうか。つまり、〝意味〟の広い意味の中から、〝りんごの意味〟の狭い意味を特定するのに時間がかかるのである。

そして、このりんごは無数にある植物の、多くある果物の一つの種であるが、この種を表す言語は、日本語では〝りんご〟だけしか存在しないということなのだ。そして、この〝りんご〟が表すものの中に、やはり無限と言っていいりんごが存在するのである。目の前にあるもの、スーパーに売っているもの、木になっているもの、皮をむかれたもの、完熟したもの、まだ青いものなど無数に存在するのだ。〝りんごの意味〟を考えようとすると、そして、りんごがイメージとして浮かんでくるが、これらの中のいくつもが浮かんできたりするのだ。つまり、〝りんご〟という言語は、無数に存在するりんごに共通するたった一個の言語であることになる。〝意味〟はとても広い意味を持っていたが、〝りんご〟もそれなりに広い意味を持っているということなのである。

そして、〝りんごの意味〟を〝りんごの味〟だろうと、半分自信はないが特定したとしても、今度はその〝りんごの味〟の中身、それがほんとうの〝りんごの意味〟のはずなのに、それを表現する言語は〝りんごの味〟だけなのだ。そして、〝りんごの意味〟が示す、求めるものは〝りんごの味〟ではなくてその中身なのだ。しかし、それを表現する言語がすぐに出てこないのだ。そして、この時も思考が働きはじめ、口の中に入れた、嚙みくだいたすぐ後のりんごのイメージ、ただし、味覚のイメージが浮かんで、それから拾い出すように、ここにも思考が働いて、「甘酸っぱくて」や「水分があって」や「サクサクとした」がそれほど大きな力ではなく浮かんできて、それでも、「ああ、これやろ」となるのではないだろうか。これらの「甘酸っぱくて」や「水分があって」や「サクサクとして」は、他の果物やもっと広く他の食品にも使われる言語であるということだ。広い共通性を持った意味の言語なのだ。それがりんごの味の表現として使われていたということなのだ。ここにも時間が、そしてそれを引き出すための思考が働いたとしていいはずである。

そして、ここでもう一度、念を押しておくと、〝りんごの意味〟が〝りんごの味〟になったのは、〝りんごの意味〟という問いが、抽象的な問い、つまり、その問いを発する状況、事情などを取り去ってしまった問いだったからである。つまり、状況や事情によっては、〝りんごの意味〟は様々な意味として語られることになる。植物の分類の話になれば、広辞苑にあった〝バラ科の落葉喬木〟が意味としてとらえられるだろうし、栄養の話の上では、まずはビタミン、そしてカロリーなどが、また、今日買ってきたりんごを見ては、どこの店で買ったか、値段、そして、皮の色やその味などが意味として引き出されるということだ。

意味は、その時その話の上で、また、状況や事情によって、そして「我」の体の在り方、欲望、また必要によって様々に変わってくるということになる。

そして、これらの意味はすぐに出てくることもあるが、多くはやはり思考によって引き出され、それでもわからなくて辞書やパンフレットや教科書などを調べることにもなるのである。

世間では〝意味〟とは考えるものになっているのではないだろうか。そして、ここで見ている小さな意味も、思考によって引き出されることが多いということである。

カレーライスに移ろう。

最初に、まず、〝カレーライスの意味〟と抽象的に問いかけてみよう。とすれば、やはり、〝カレーライスの意味〟となりそうであろうが、そうだろうか。カレーライスの場合は、味の前に、やはり、その姿、イメージが浮かんでくるのではないだろうか。つまり、その名前の示すとおり、白い御飯の上にのっかったカレー、しかし、このカレーのイメージは少し揺れ動き、黒に近いものから、茶色、そして黄色に近いもの、その形もそれがほぼ液体状に近いもの、その反対に中からにんじんやじゃがいもの角に切ったもののでこぼこが見えているものも浮かんでくるが、というのは、やはりいろんなカレーを食べたことがあり、そして、また、ふと、いつも大好きで行っている店のカレーライスも浮かんできそうになるが、ふと、「カレーライス？ そんなもん、ライスの上にカレーがのっているから、カレーライスやろ！」となるのではないだろうか。

もちろん、ここで議論していることは、学問からはほど遠いことである。世間話である。しかし、ここでは言語を、また意味を見ているのである。言語も意味も学問で使われ、しっかりそれを支えているが、世間、世の中ではその数百倍使われているのである。そして、学問では言語も意味も、しっかりと固定され、定義や概念で動かぬものにされ、真理、できれば永遠の真理に向かわせているのである。しかし、世間では、世の中では、言語も意味もころころ変わってしまうのである。言語の方は、世間でも、それなりに固定されて使われているが、意味の方は、言語の背後で、今まで見てきたようにころころ、その時々、ほんとうに変わってしまうのである。しかし、言語と意味を見ていくためには、やはり、それが使われている世の中での在り方、そして二つの関係を見ていかねばならないはずである。

カレーライスの味に戻ろう。「カレーライスの味？ 意味でなくて？」となって、「まあ、でも、いろんなのがあるからな、激辛もあるし、子供用もあるし、味も店によってまったく違うし、奥さんがつくるのもその日の気分で違うし…まあ、辛いとしか言いようがないやろ」となるはずである。この味があまりにも変化があることは、やはり、意味としてあげられない理由としても考えられるであろう。しかし、カレーライスの場合は、イメージ、形が先に浮かんでくるのだ。多くの場合、そうなのだ。そして、このカレーライスの場合は、すぐにこのイメージや形が浮かんでもくるはずである。とはいえ、それでも、今程見たように、少しのさまよい、周辺でのうろつきもあって、「意味?・やっぱり、そんなもん、ライスの上にカレーやろ」で落ち着くのではないだろうか。

次は先にも見た順序で、けっして小さな意味ではないが、自動車を見てみよう。

自動車は現代の生活に大きな意味を持っている。個人の生活にとっても、たとえ、自分で車を運転しないお年寄りや子供達にとっても大きな意味を持っている。簡単に言ってしまえば、「どこへ行くにも、少し遠ければ車だよ」となるのである。これは車、自動車の持っている大きな意味である。しかし、それは車の〝持っている〟意味である。そして、「車の意味って、何かな?・」と問えば、「ええ?・車の意味?・自動車の意味だろ?・」と返ってきて、すぐには出てこないはずだ。これは多くの人々でそうなはずである。ということは多くの人々は、車、自動車そのものの意味など考えないで、ここで言う、〝車の持っている意味〟やその便利さ、それ以上に運転の技術、また、その利用の仕方を、しかも、その時々の事情によって引き出したり、思いついたり、浮かべたりしながら生活が進んでいるということなのだ。

そして、「車の意味?・」となると、人々は考えはじめる。思考が始まるのだ。しかし、やはり、「うーん…?・」となる。ほんとうに自動車の意味など考えないで生活は進んでいるのだ。そして、考えはじめると、それを邪魔するように、トラックやバス、また軽四、軽トラなどが浮かんでくる。ということは、車にはとてもいろんな種類があるのだ。そして、カレーライスの時のように、一定の形の上で、その載せられたカレーだけが変わるのではなく、形が一定しないで、次から次へと、前のイメージをはみ出す、こわすように浮かんできてしまうのだ。そして、まあ、「乗用車に絞って考えてみよう」としても、スポーツカーや、バンやジープなどが邪魔するように現れてくるのではないだろうか。そして、車好きの人間には、自分の愛車や、買いたいと思っている車も浮かんできてしまうのだ。その上で、それらを取り除くように考えて、「エンジンがあって、自動車といっても自分で動くわけではなくて、まあ、最近は自動運転というのもあるけど、つまりハンドルの前に座って運転して、タイヤが四つあって、まあ、トラックなんてもっと多いのもあるけど、人を乗せて、走る、速く走る…まあ、こんなもんやろ」となるのではないだろうか。つまり、あまり、しっかりと、うまくはまとまらないのだ。多くの人々には、やはり、自動車そのものの意味はなかなかまとまった形では出てこないのだ。先にも見たとおり、現代生活においてとても大きな意味を持った存在なのにである。

ここでも、「自動車の意味? そんなもんを尋ねる方がおかしいんや」と出てきそうであるが、本論はここまで言語と意味の関係を見てきているのである。つまり、自動車という言語の意味を尋ねた場合、多くの人々には、このようにまとまらない形になってしまうのではないか、ということなのだ。そして、今まで見てきたように、意味を求めるために思考が働いているにもかかわらず、まとめることができない、つまり、すっきりとした言語にならないのでは、ということなのだ。

つまり、ここに見えているのは、自動車という言語の意味をほとんど考えないで生活が進んでいることだろう。そして、その言語の意味の前に〝自動車の持っている意味〟や運転の仕方や利用の仕方、そしてスピードやカッコよさが、それぞれ大きな力、強い意味で、その言語、自動車という単語の意味を邪魔するように存在している事実である。

××　××

以上、りんご、カレーライス、自動車の意味を見てきた。これらはこの先に見た人生の大きな意味に対して、小さな意味として見たのであった。しかし、その中でも、自動車はとても多くの人々にはけっして小さな意味としてでなく、大きな意味として存在していることを認めた上で、その意味を見たのであった。だから、小さな意味としては、りんごとカレーライスであったことになる。この小さな意味として見られるりんごとカレーライスもその意味との関係はそれなりに違っていた。りんごはなかなか出てこないが、カレーライスは割合さっと出てきたのである。

そもそも、小さな意味を見たのは、人生の大きな意味を見ると、その大きな意味はなかなか言語になりにくく、大きな塊のままで、思考を働かせてでないと、なかなか取り出せない、つまり言語化できないことがわかり、それでは、小さな意味ではどうなのかを見ようとしたのであった。そして、小さな意味として、りんごとカレーライス、自動車を見ようとしたのであった。しかし、これらの三つも、それぞれ、その意味の引き出し方が違っているのであった。りんごはなかなか、カレーライスは割合と早く、そして自動車に至っては思考を働かせてもなかなか、それらしいものがつかめなかったのである。

以上、三つの意味しか見ていないが、その意味の取り出し方はそれぞれ違っているということなのだ。ただ、すぐに出てきたカレーライスも、それを取り出す時、それなりに思考が働いているのである。そして、結論としては、意味は小さな意味であっても、それを取り出す時は思考が働くのでは、ということなのだ。少なくとも、日常生活、世間、世の中では、そうなっているということなのだ。つまり、意味とは考えるものなのだ。これは先に見た、人生の大きな意味を見た時はそうであったが、小さな意味でも、つまり、あらゆると言っていいほど、意味を取り出す時は思考が必要であるということなのだ。そもそも、この〝取り出す〟とは、思考を働かせることを意味しているのである。

そして、ここで言語のもっと大切な機能が見えてきているのである。言語の意味はほとんど思考を働かせなければ取り出せないとすると、日常生活では、それだけ思考を働かせることはほとんどないはずなのである。少なくとも、言語から意味を取り出すための思考は、あまり働くことはないはずなのだ。ということは、意味はほとんど引き出されないまま、日常生活が進んでいるということなのだ。それでは、意味は消えてしまっているのか、と言えば、けっしてそうではない、そんなことはありえないはずなのだ。それでは、その取り出されることのない、そしてまた消えているはずのない意味は、どこにどうなっているのか、ということなのだ。これらの取り出されることのない、消えることのない意味は、言語に含まれたままになっているのだ。

あたり前のことではあるが、言語は意味を含んだものとして存在しているのである。そう言ってしまうと、先に述べた、〝大切な機能〟とはあたり前の話かよ、となってしまうが、ここでは、もう少し進んで、言語は意味の代替物として、意味のかわりに使われているのではないか、ということなのだ。

〝りんご〟と言った時、目の前に〝りんご〟の形が浮かんできて、その色や香りも浮かんできて、そして、その皮をむいた様子や食べた時の味までも浮かんでくることがある、ということなのだ。これをイメージとも呼んでいるが、それは〝りんごの意味〟として取り出した味をも含んだものとして見えてきているのである。そして、これらはほとんど言語化されないで、そのまま、今まで見てきたりんごから受けたそのまま、生の意味として存在しているのである。だから、世の中で普通に言われる言語が意味を含んでいる、とは少し違うはずなのだ。世の中でそう言われる時は、言語に含まれる意味は、言語化された意味、つまり辞書に書かれている形の意味のことになるのではあるが、ここでの意味は、その言語化される前の生の意味だということなのだ。そして、日常生活ではこの生の意味を含んだものとして、言語が使われているのでは、ということなのだ。つまり、〝りんご〟で言えば、その形、味、香り、いや、りんご全体、しかもあらゆる、つがるやデリシャスや青りんごや姫りんごを含んだものとして、しかも、けっして言語化されない、そのイメージを生の形で伝えるものとして、しかも、このイメージはそれを思い浮かべる時、おいしい味、喉が渇いている時は食べたくなる、「我」の心を、欲望を動かす力として存在しているのでは、ということなのである。〝りんご〟だけでなく、〝カレーライス〟も〝自動車〟も、その他、全ての言語はとても多く大きな意味を、しかも「我」に様々な力で働きかける意味を持ったものとして、それらの意味の代替物となって働きかける力を持っている、しかし、なかなか言語化されることのない意味の代替物として存在しているのでは、ということなのである。

以上見たことは、またしても、言語の否定ということになるだろうか。つまり、小さな意味であったとしても、その意味を言語で表す、言語として述べることは、ほとんどなされていない、よほどの必要がないとなされないということになるからである。少なくとも日常生活ではそうなのである。そして、必要な時は、思考が働いて引き出しているということである。しかし、思考を働かせても、正確なもの、満足なものが得られない時は、辞書や、最近ではスマホが、またもっと大きな意味や奥深い意味ともなれば、パンフレットや本、時には数冊の本、そして、それを教えてくれる人、先生などによっているということである。いや、大きな意味ともなると、一生それを考え続けることも多々あるのである。哲学や宗教とはそんな道なのである。

そして、以上のことを記憶の関係で見ると、人々は意味というものをほとんど言語としては記憶していないのでは、ということになる。意味を取り出す時、思考が働くということは、記憶の中に、すぐ取り出せる形で、つまり言語化された形で意味が保存されていないということなのだ。このことは、人間の記憶は、それらの意味を保存するだけの容量を持たないということにもなる。人間の記憶そのものは、ほぼ無限のはずであるが、意味はその無限をはるかに超えた量で存在するということなのである。一方、意味とは思考によってはじめて引き出されるもの、意味とはそのようなものという、意味そのものの在り方にもよるのではないか、ということも言えるのである。そして、ここには意味と思考というとても大きな難しい問題も見えてきているのである。ここには言語と思考の在り方も問題として出てくるはずである。そしてまた、記憶から思考へという道も見ていく必要が出てくるはずである。

ただ、以上のことを日常生活の面から見ていくと、違ったものが見えてくるのである。日常生活では、多くの場面で思考が否定されているのである。「考えとると、手が止まるぞ」とか、考えながら多くの意味を並べたてる人間を、「あいつは理屈っぽい奴や」とも言って退けているのである。そして、日常生活を、特に仕事をスムーズに進行させるために、よく「言葉を慎め」と言語そのものが否定されることも多々なのである。そして、こんな日常の中で、先程少し見た意味の代替性は、非常に大切な働きをしていることになるのである。言語そのものが、しかも多くは一個の単語が大きな意味を、それも言語としての意味ではなく、というよりも言語となる前の生の意味を担ったものとして存在し、使われているということなのである。このことは、日常生活にはとても役に立っているはずなのである。人々は、たった一つの単語で、あるいは短い、二、三の単語がつらなった、文にもならない言語で、意味を伝えあうことができるのである。つまり、言語にならない生の意味を、人々を、

「我」を動かす意味を伝えあっているのである。いや、まだまだあるのである。少し飛躍するが、このような言語そのものの、つまり一つの単語が意味を代替していることによって、長い文章、分厚い本も読んでいけるのではないか、ということである。

ただ、この、文の中の、文章の中の単語の意味ともなると、やはり言語そのものの在り方、そして意味との関係、それらをまだまだ見ていかねばならないことが見えてきている、みていかねばならないのでは、ということなのである。ここには、今まで何度か出てきた、その時々によって、事情によって、状況によって、言語の意味の違っている、違ったものが引き出される、違った意味として使われることを一歩一歩見ていく必要があるはずなのである。

そして、この時々、事情、状況には、最初に見た、「我」の世界、無限の広がりを持った狭い世界の在り方、そしてその中の欲望を中心とした、また、その欲望の抑圧、つまり社会の力、いや、その前に様々な、生活の上での仕事や勉強の上での必要、この必要の多くはけっして、欲望から、少なくとも直接的な欲望から生じていないもの、それらを見ていかねばならないのである。

ただ、これらの欲望や必要に応じて人々は意味を引き出しているのである。そして、一つの単語が、多くの意味を含んだものとして、しかも、ほとんど言語化されない生の意味として存在しているところから、その時々、事情に、状況に応じた意味を引き出して人々は生活を続けているのである。そして、この引き出された意味も、言語化された意味ではなく、つまり説明のような、文章化された意味ではなく、言語としての代替物のまま、多くは単語のまま、〝りんご〟〝カレーライス〟〝自動車〟〝誕生〟〝結婚〟一個の単語のまま、意味を含んだものとして、時には大きな意味を持つものとして人々は使い続けているのである。このことは、先に見た、言語の否定性を否定する肯定性なのではないだろうか。言語は一つの単語それぞれが多くの意味を含み、その時々の事情、状況によって必要な意味を取り出せるすばらしい機能を持って存在しているのである。

そして、これまで何度か日常生活では、言語が否定されているかに見てきたが、日常生活の中でも、その状況、事情に応じた、必要な言語、時にはたった一個の単語で言い当てた時、「おお！」となるのである。つまり、ここで見た言語の代替性を、上手に使った時、称賛されるし、短い言語でずばりと言い当てる人間を、「あいつは、賢い！」と言っているのではないだろうか。

世の中、社会には、モットーや標語というものがあり、また合言葉というものがあり、それがとても短い言葉で、とても多くの、しかも重要な意味を伝えあっているのである。

ここまで見てくると、日本には和歌や俳句というとても短い詩の形式がある。三十一文字、十七文字で、その作者が立っている無限に広がる狭い世界のほとんどを伝えていると言ってもいいのではないだろうか。世界そのものを短い言語で表現しているのである。

こう見てくると、やはり言語はすばらしい！

◎　次章への橋渡し

以上、言語と意味の関係を見てきたが、言語学に詳しい方々にはこれまでの議論は、ソシュールの言（パロール）と言語（ラング）のうちの言の部分だけの議論になっているではないか、という指摘が出てくるはずである。その通りである。今までの議論で見てきたことは、日常生活、世の中、世間の中で使われる言語、言葉を見てきたからである。つまり、きちんとした文章、また、テレビのニュースなどで使われる言語についてはほとんど触れないできているのである。これは、出発点を「我」の住む世界、無限に広がる狭い世界からとったことにあるのである。つまり、「我」はこの無限に広がる狭い世界の大半を日常生活、世の中、世間という世界で過ごしているからである。少なくとも、多くの人々はそのような生活をして言語を使っているのである。

そして、ここまでで見えてきたことは、これらの日常生活、世の中、世間では、言語の意味を言語化しないまま、生の意味、「我」に力としてだけ働いている意味として、単語や短い、いくつかの単語のつらなりで、代替物として受け止め、それらの代替物によって会話が進んでいるのでは、ということなのだ。

そして、これらの意味の、生の意味、「我」に力としてだけ働く意味の代替物となっている言語はおおよそ、記憶の中に存在し、ほとんどは瞬間的に出てきて、それらの意味を伝えあっているのではないか、ということが見えてきたのである。このことは、また、言（パロール）では、ほとんどが記憶の中にあるままの言語が、使われているということになる。そして、もう一つ、思考というものがほとんど使われないで、言語活動、会話が進んでいることも見えてきたのである。言（パロール）の世界では、ほとんど思考が働いていないのである。

「言語と意味」と題してこの章を進めてきたが、ここに至って、この題を改正しなければならなくなっているのである。正確には、「言（パロール）と意味」ということになる。

ただ、言い訳をすれば、繰り返すが、本論は出発点を無限の広がりを持つ狭い世界、「我」の世界から出発したことによるのである。この「我」はこのような無限の広がりを持った狭い世界に住む「我」どうしが、互いに集まって、数人、せいぜい数十人集まった、やはり、小さな世界を作り出しているのである。家庭生活、職場、学校の教室などの世界である。これらの小さな世界では、「我」達はお互いの世界を共有しあっているのである。つまり、同じ部屋、その中の事物、テーブルや椅子、機械や黒板と互いに同じものを見ているのである。このような世界では、極端な時は「あれ」「これ」の代名詞だけで意味が伝わっているのである。多くの場合は名詞や形容詞の単語一個で充分なのである。それらの単語の意味を説明する必要がないのである。目の前に単語が指す事物がそのまま存在するのである。言語は、まさしく、それらの事物の代替物なのである。

ここでも、思考はほとんど使われず、記憶からそのまま飛び出してくる言語だけが行き交い、使われているのである。

ただ、ここまで見てくると、逆に、言（パロール）ではない言語（ラング）が大きく見えてきているのではないだろうか。この言（パロール）の世界を取り囲むように大きな言語（ラング）の世界が見えてきているのである。

そこでは、大きな意味だけでなく、小さな意味でさえも、多くはしっかりとした言語の説明が存在するのである。いや、それだけでなく、しっかりとした長い文章が存在し、とても多くの説明が存在するのである。説明だけでなく、物語や小説も存在するのである。それらはとても長い文章となって、一冊、時には数冊に及ぶ大きなものになっているのである。そんな世界が存在することが見えてきているのである。そして、そこでは、これらの文章を作り出すだけでなく、理解するためにも思考が必要なのだ。

言（パロール）の世界の外側に、大きな言語（ラング）の世界が存在するのである。そこには、主語と述語、そして修飾語が存在し、それらの役割を担う名詞や動詞、形容詞、副詞、そして、それらの働きを補助する助詞や助動詞が存在し、また、動詞や形容詞には活用があり、それらが全て規則を持って存在しているのである。つまり、文法というものが存在するのである。そして、このような規則の上で、文、文章が作られていくのである。このような規則が存在しなければならないのは、互いに世界を共有しない人々に対して、人々どうし、正確な意味が通じるためなのである。そして、今まで見てきたとおり、この意味を言語化する時、思考が働くのである。これは、言（パロール）の世界、日常生活、世の中、世間として見てきた世界とは大きく違うのである。その世界は社会、国家として存在しているのである。そこには世界を共有しない人々が無限と存在するのである。

だから、次の章では、思考というものが大きく入り込む言語（ラング）の世界に向き合うべきだろう。

しかし、そこへ行く前に、見なければならないことがあるのだ。記憶と言語の関係である。今までも記憶は何度か出てきた。言（パロール）は、その多くは思考が働かなくて、記憶の中にそのまま存在する意味を使える言語として存在しているということを見てきたのである。ここをもう少し詳しく見ていかねばならないのだ。

というのは、言語は意味を含んだものとして存在しているが、それらを「我」は記憶として保存しているのだ。そして、この記憶と「我」の世界、無限の広がりを持った狭い世界との関係を、そしてまた、もう一歩進んだ、言語（ラング）を見ていく時に必要な思考を見るためには認識の基本となる同一性や本質などを、言語と記憶の関係から見ていく必要があるはずなのだ。

そして、これらを見ていくことによって、言語（ラング）の世界、社会、国家、ここの共通語への道、…それはまだまだとても遠いが、少しでも、少しだけ…

第二章

意味と記憶

章のはじめに

第一章で、意味を言語として取り出す時、思考が働いているのではないか、ということが見えてきた。つまり、記憶は、意味を言語としては記憶していないのである。意味を意味として、記憶して、言語として取り出す時は思考が働くということである。

それでは、〝意味を意味として〟記憶するとはどのようなことになるのか。意味とは言語に表されてはじめて意味なのではないか、とも返ってきそうである。世の中、世間でも、意味とは言語で表されたものと思われていることが多いのである。

言語で表されない意味とは何なのか？　そもそも、そんなものが存在するのか、ということにもなってくる。ここでは、言語に表せない意味が、記憶の中に存在するということになる。どんな形で？　まさしく、そうなのである。なにか塊のようなものが記憶の中に保存されていて、その塊のようなものから、思考が働いて、言語としての意味が生まれてくることになる。それでは、この塊のようなもの、とは何なのか？

こう考えはじめると、次には、意味とは何？という問題が浮かんでくる。そして、言語にならない意味が存在するとなると、ここでは言語になる前の記憶の中に存在しそうな塊のようなもの、というものが見えてきているが、ほんとうに意味とは？　そもそも言語にならない形で存在している…？　そんなものが…？

少し飛躍するが、ベートーヴェンの交響曲を聴いた時、とても大きな力を持ったものがやってくる。心を揺さぶる、「すごい！」「すばらしい！」が飛び出してきて、…しかし、それ以上に言葉にはならない。感動である。この感動がとても長く続き、多くの人々は一生抱きしめるように持ち続ける。この抱きしめているものは意味なのでは…、でも、言葉には表せない塊のまま…？

同じことはゴッホの絵画を見た時に起こる。芸術は強い力で、「我」にやってくる。しかし、それはほとんど言語にはならない。

芸術だけではなく、秋の夕焼け、とても強い力でやってきて、「美しい…」としか出てこない。でも、まだだ、つまり、〝美しい〟という言葉以上に、…なかなか…言語にはならない。しかし、日本には俳句や短歌があり、短い言葉でそのすばらしさを伝えてくるものも存在する。しかし、この俳句や短歌を生み出す時、思考が働いているのでは？　思考が働いて俳句や短歌が生み出され、…その前に、すばらしい夕陽が、…でもそのすばらしさを俳句や短歌が…、それだけでなく、それを見た時の作者の心境まで伝えてくる。つまり、作者の存在する全世界を三十一文字や十七文字で表しているのである。芸術である。そして、それを読んだ人に大きな意味を伝えてくる。読んだ人々は、その三十一文字や、十七文字だけが言語として存在しているのに、作者の見ている世界、そして記憶を感じとれる。大きな意味を伝えてきている。

少し迷い込んでしまった。いや、多くの人々は、夕陽を見て、そして美しい山々を見て、海を見て、また花々を見て、「ああ、すばらしい」「美しい…」としか語らない。つまり、言語を絶しているのだ。風景が大きな力で、意味を伝えてきているが、そこには、短いつぶやき以上の言語は存在しないのだ。

言語を絶するのは、美しい風景だけでなく、恐ろしい事故、災害、事件などが存在する。いや、それ以上に、美しい人に、かっこいい人に出会った時、言葉が出てこない。ああ、もっと、すばらしいのは、子供達の笑顔だ。

これらの出来事、存在は、多くの人々は「すばらしい！」「すごい！」「美しい！」「恐ろしい」などの言葉以外になかなか伝える言葉を持たない。言語を出す手前で、それらのいろいろな事が、心をとらえて、言語を出させなくしてしまっているのだ。

ただ、世の中に言語は満ちあふれている。美しい、すばらしい風景も、観光地のパンフレットなどはこのすばらしさをしっかりと言語で伝えてきている。ただし、そこには、その文章を補うように何枚かの写真が載っている。事故、災害、事件も、新聞はしっかりと言語で伝えてくる。ここでも、時には写真がついている。

美しい人、かっこいい人、子供達の笑顔、これらには、あまり文章がない時が多い。それよりもやはり写真だ。いやいや、恋人の顔、姿、これらはほとんど言葉にならない。たった一言、「好き！」「愛している！」それだけで意味なのだ。これらの言葉は、恋人どうしでは互いの心を、その大きな心の動き、自分の人生でもっとも大切な意味を伝えているのだ。それでも、この中身を詳しく伝える言語は存在しないのだ。ああ、子供の笑顔、自分の子供ともなれば、なにはさておいて、かわいくてかわいくて、いや、その前に今日元気かどうか、食事をしっかり食べたかどうか、かわいいかわいいだけでは子供は育たない。この大きな意味に向き合うことさえできない、しかし、そこには大きな意味が存在するのだ。

ここで整理しておくべきは、次のことだろう。世の中には、とても大きな意味が存在する。しかし、そこには、それらを述べた、それなりの言語、文章も存在するのだ。しかし、それらの言語、文章の前に、大きな意味、塊、大きな力を持った意味が存在するのではないか、ということなのだ。そして、多くの人々の中では、それらは言語にはならないまま、意味の塊、力としてだけ存在しているのではないだろうか。そして、もう一つ、付け加えておかねばならないのは、パンフレットや新聞に言語を補うように、写真が載っていたように、多くの人々も、その意味の塊、大きな力を、映像、表象などと言われるもので保存しているのではないだろうか、ということなのだ。

となれば、ここで見なければならないのは、映像あるいは表象と言われるものと意味との関係である。映像あるいは表象、という時、これらの意味との関係の前に見なければならないものが、現象との関係である。基本的には映像や表象は、現象そのものではなく、現象から取り出されたもの、それが記憶の中に残ったもの、記憶の中だけではなく、写真や映画やテレビやビデオの中に映し出されたものを言っているとしていいであろう。つまり、「我」が自らの世界の中で、五感でそのまま向き合っている、生の事物や人物ではなくて、それから記憶の中に取り入れられたり、フィルムやビデオの中に一度取り入れられた、映し出されたものを言っているとしよう。もちろん、現象という言葉を広い意味、というよりも厳密にいえば、テレビや映画やビデオを見ているることも現象に入ることになる。また、現象を「我」のいわゆる意識と言われるものの中で、つまり、記憶や思考という脳の中で起きていることも全て入ったものとして考えれば、記憶の中のものも現象と言えないこともない。もちろん、これは現象の定義の問題である。基本的には少なくとも世間では、記憶の中のものまで現象とは言わないとしていいであろう。ということは、映像は現象の中に、存在するものと通常は考えられているのに対し、表象は現象ではない、それを取り入れた意識、あるいは記憶の中に存在し、現象の中には存在しないと考えられていることになる。

そして、ここで、議論をこれから進めていく上で、大胆に、というよりも独断的に表象を記憶の中に浮かび上がってくるもの、映像を、写真や映画やビデオで映し出されたもの、(おっと忘れてはいけない、パソコンの中にも映し出されたもの)として定義、…というほどではないが、少し固定して進んでみよう。却って混乱が起こるかもしれないが、その都度、その混乱にも向き合って進んでいこう。そしてまた、イメージという単語も存在するが、これを、表象と違った、表象は記憶の中に保存されたままのもの、イメージを、それを取り出す時、思考が働くもの、思考が働いて表象が変形を受けるものとしよう。変形とは言ったが、ここでは、形そのものが変わることではなく、記憶の中に存在する表象を、思考の働きでより明るくはっきりと浮かび上がらせたものをイメージとしておこう。というのは、イメージの多くは記憶に残ったそのものではあるが、それを浮かび上がらせ、よく見える形にしているのではないか、ということなのである。もちろん、思考によって変形されたイメージが存在する。この変形には大きく意味が関係しているはずなのである。そのイメージを再び現象の世界に、つまり他人に伝えるためにも、絵画や図案にすることもなされている。似顔絵や様々な標識やマークは、その大きく進んだものということになろう。ということはイメージもとても大きく意味を持ち、表象と違い、意味を伝えてもいることになる。そして今も見たとおり、イメージは、脳の中で生み出され、つまり、現象の中にはないものとして生み出され、それが、また現象の中に送り返されるということになる。もう、確かに、混乱が…、まあ、とりあえずそれで進んでみよう。

ただ、ここで見なければならないのは、このような分類ではなく、それ以上に重要なのは、現象と、現象そのものが持っている意味との関係である。

現象も、もちろん、意味を持っている。大きな意味を持っている時もある。災害や事故は大きな力で襲い掛かってくる。その力はとても大きく、後々まで人々に大きないわゆる爪痕を残す。時には、夜眠れなくなったりして、心を傷つけ、病気にも至らしめる。つまり、大きな意味を持っているのである。それとは反対に、子供の誕生や、結婚、そしてその結婚式。そこまでいかなくても、様々なパーティや旅行、また趣味やスポーツの時間はプラスの、すばらしい、楽しい、面白い大きな意味を「我」に、人々に与えてくれる。また、多くの人々が、多くの時間を費やしているのが、仕事や勉強である。そして、多くの人々にとって、これらは苦痛であり、面白くないものである。しかし、自分が生きていくため、そして、家族が生きていくため、自分の将来のため、それだけでなく、自分や家族の幸せのため、自分の将来の幸せな生活のため、人々は努力しているのである。つまり、ここにはマイナスの意味とプラスの意味が重なっているのである。この将来のプラスの意味のための現在のマイナスの意味を、人々は努力と言っているのである。努力と言えば、全体がプラスのすばらしい意味に見えるスポーツも、今度の試合に勝つため、大会で入賞、優勝するため、新しい技を得るため、日々、苦しい、少なくとも肉体的にはマイナスの意味の練習が続く。

複雑な意味といえば恋愛がある。恋愛こそ、プラスの意味とマイナスの意味が瞬間毎に入れ替わるのである。しかも、人生の中でのとても大きな意味である。

大きな意味ばかりでなく、小さな意味も多く存在する。毎日見ている通勤や通学途中の風景などはそうであろう。毎日見ているので、意味が退いて、小さな意味になってしまっているとしていいであろう。しかし、そこへ美しい女性、かっこいい若者が見えたり、好きな、恋している、憧れている人物が見えたりすれば、大きな意味がやってくる。しかし、それは特別な場合で、毎日の通勤通学は現象の意味は退いて、現象ではない脳の中で、ええと、今日会社に行ったら、とか、宿題はやってあるけど、ちゃんとかばんに入れたかな、とか、ああ、今日の算数いやだな、とか、思考が働きはじめてしまうのだ。そして、目の前の現象の意味は小さくなってしまっているのだ。

家庭の中の時間も、淡々と、小さな意味で現象である生活は進んでいくとしていいであろう。くつろぐとは、大きな意味がやってこなくて、小さな意味の連続として生活の現象が進んでいることだとしていいであろう。それでも、おかあさんの作ってくれた料理がおいしかったら、子供達には大きな意味でやってきて、「ママ、ほんとうにおいしいよ！」となるのである。大人達も、旬の魚か刺身が出たりすれば、「おお、うめえ、おお、そんな季節になったか！」と舌つづみを打ちながら、言葉が出てくるし、奥様も、「おいしいでしょう、とてもおいしそうだから、少し高かったけど…」とうれしい声で話がはずむのである。大きな意味である。

先程、マイナスの意味の例として見た、仕事や勉強もこれらは小さな意味として続いていくとしていいであろう。仕事や勉強は面白くない、つまらない、苦しい、辛いものであるが、それほど大きな意味を持たないで続いているとしていいであろう。そして、これは「我」の中に続く感情である。仕事や勉強は、「我」が向き合っている、しなければならない、対象が存在するのである。仕事も毎日の仕事で、よく似たものの連続ならば、特にオートメーションの仕事に向かわされていれば毎日が同じことの連続で、これは通勤の時と同じように、いつの間にか目の前の現象からの意味が退いて、脳の中が働きはじめ、今日、帰りにあの店によって、とか、昨日出なかったけどやっぱり台が悪かったんやな、今日は、…とかになってしまうのである。

勉強もその中身は、社会科では、関ヶ原の合戦や、理科ではアルキメデスの原理やニュートンの法則という歴史上の大事件や大発見を勉強しているのだが、「我」にとってはそれほど面白くない、理解しなければならない、覚えなければならない、忘れてはいけないこととして入ってくるので、小さな意味のままで進んでいってしまうのである。教科書の中に書かれていると、それを取り囲んでいる日常生活の中では、小さな意味になってしまうのである。教科書は日常生活の中では小さな存在なのである。とはいえ、中学校くらいになると、試験が近づいてくると、試験勉強という嫌な意味が大きな力でやってくる。そして、この時は、教科書やノートに書かれた小さな意味のままで存在している内容を無理矢理に記憶の中に詰め込む作業に取り組まねばならないのである。

以上は多くは生活の中の、時間の流れの中の意味であったが、現象の中には個物も存在する。先にも少し見たが、りんごやカレーライスや自動車などである。これらは日常生活では特別に大きな意味となったものとしてでなく、淡々と続く日常生活の中に溶け込んだ、特別に大きな意味を持たない存在である。とはいえ、喉が渇いている時、お母さんが皮をむいてくれたりんごが、「うわあ、おいしい！」となったり、一度入ってみたかったカレーライス専門店で食べた時、カレーライスが「やっぱり違うな、おいしいわ…」となったり、激辛に挑戦して、「うわあ、すげえ!…」となったり、自動車も、すごくかっこいいスポーツカーが通り過ぎたら、「うわあ、かっこいい！」と瞬間的であるが大きな意味となって現れるのである。

個物の意味も、その時その時、その個物の現れ方によって、様々である、ということである。

また、意味には、大きい、小さいや、プラスやマイナス、楽しい、面白い、おいしい、そして、嫌な、苦しい、辛い、面白くない、まずい、などだけでなく、微妙なや、デリケートなや、奥深いや、難しい意味も存在する。

世の中は、世界は、意味に満ちあふれているのである。その時々の時の流れも意味を持っているし、それぞれの個物の存在も意味を持って存在しているのである。あらゆる個物は全て意味を持っているし、あらゆる時間の流れも意味として存在しているのである。

いや、それだけではない。人間には欲望というものが存在するし、社会には義務や権利というものが存在する。また、習慣や慣習などが存在し、また一方では、法律や憲法が存在する。これらは、やはり、大きな意味を持って、その時々で様々な意味として「我」に現れてくる。憲法や法律はその意味が言語化され、文字によって書き表されている。誰でもわかるようにである。しかし、一般の人々は、これらの文章をほとんど記憶の中に、いや、理解さえも、それ以上に読んだこともなく過ごしているのである。しかし、世の中には、社会には強い大きな意味を持って憲法や法律は存在するのである。しかも、言語化され、文字を使って文章化されているのである。一方、習慣や慣習は言語になっていない。多くの人々には、この言語になっていない方が気になる、難しい存在、気になる意味、難しい意味として存在しているのである。

これらのことを個別に見ていくことはとてもたいへんな仕事になるはずである。

以上は現象の意味を見てきたのである。

それらの意味が記憶とどのような関係になるか、記憶の中にどのように保存されるか、どのような力で保存されるか、また、どのようにその保存された記憶が、「我」の生活に、心に、どのような影響を与えるか、また、どのように引き出されて、思い出されたり、利用されるかは、見ていかねばならないのである。これもとても大きな仕事になるはずである。

いや、忘れてはいけない。長々と見てきたが、これまで見てきた意味のほとんどは言語になっていない意味なのである。長々となったのは、それだけ、世の中、世界には言語にならない意味も多くあり、また様々な形で存在していたからである。しかし、それ以上に、人間社会、人間の住む世界には言語、そしてそれによって表わされた意味で満ちあふれている。新聞、雑誌、様々な書物、これらの文字で書かれた意味、それらをしるした書物やパンフレット、広告などで満ちあふれているのである。日々、無限にと言っていいこのような文字で書かれた意味が、社会に出されている。しかし、「我」が読むのは、これらのほんの一部である。

毎日、社会はとんでもない量の意味を文字で生み出して、いや、吐き出しているのにである。その中のほんの一部のみを理解している「我」もなんとか生活していけるのである。このこともとても大きな、取り組むべき大切な仕事であろう。

いや、その前に、文字にならない言語、会話が、「我」を取り巻いているのだ。朝起きれば家族との「おはようございます!」からの会話、食事の時の会話、いや、その前に、昨日のことや今日の予定などの会話、食事の時はもうテレビが入っている。ニュース、大きな意味を伝えている。そのニュースを見ながら、「この魚おいしい!」とか、「これ、食べれない!」とか、「甘すぎる!」とか、「からすぎやわ!」とか、また、「ちゃんと宿題やってあるんやろな!」とか様々に、互いの「我」どうしにとって大切な意味の会話が飛び交うのである。

これらの言語がどのようにして飛び出てきて、意味を伝え、それを「我」は理解し、また記憶に残り、そして忘れていくかは見なければならないはずである。

そして、「行ってきまあす！」の後は、社会が待っている。社会との会話。

一緒に通学する児童は様々な会話をしながら学校まで行く。昨日、クラスであったこと、先生の言ったこと、誰かが面白いことをしたこと、昨晩のテレビ、家での出来事、親から言われたこと、宿題。つまり、様々な情報の交換なのである。各児童はそれによって「我」の中に意味を取り入れ成長していくのである。同じクラスの者どうしなら、情報の交換ではなくて、確認になるだろう。確認は確認で交換とは違った大切なことである。また、同じテレビ番組を見ていても各人の取り入れ方、理解、感じ方が違うが、それらを会話することによって、自分とは違った、しかし、自分にとても近い人間の取り入れた意味を知ることによって、また、成長していくのである。

学校に着き、クラスに入れば、大勢の友達の、その中のグループの会話になる。この会話も子供の成長に大切なはずである。そして、先生がやってきて授業がはじまる。言語による、毎日児童がくらしている世界の外からの、様々な意味が各教科ごとにやってくる。児童達はこれを聴き、理解していく。理解することは思考によって意味を取り入れていくことである。けっして先生の言葉を記憶に保存することではない。そして、その理解した意味を必要な時、その一番必要な時は試験であろうが、それをまた思考によって取り出せることなのである。そして、本論としては、これらの理解した意味がどのように記憶の中にとどまっているかをも見なければならないのであるが、今のところは〝塊のようなもの〟としか述べることができないのである。

大人の世界を見ていこう。通勤は各人、乗用車や電車で、ほとんど会話がない。ラジオを聴いたり、新聞を読んだり、それなりに社会の情報を取り入れる時間でもある。会社に入ると、そこには会社の持つ大きな力を持った意味、そして各人に与えられた、やはり強い力で迫ってくる意味が待っている。仕事である。「我」は自分に与えられた仕事に対して、責任や義務という大きな力を感じながら、仕事に向かわねばならない。しかも、仕事そのものが意味を持ち、意味のつながりで、しかも、その意味に従って、またそこに存在する意味を思考によって理解し、一歩一歩進め、そして、また、新しい意味を造り上げ、築いていくのである。そしてまた、そこへ様々な新しい仕事が舞い込んできて、それらは文字によって書かれていたり、上司による言葉だけの命令であったり、ずっと意味がやってきて、「我」はその意味に向かい合い、その意味を理解し、それが要求している新しい意味を作り出し、しかも、その作り出し方には様々な注意が必要であり、規則が存在し、作り上げたら上司に報告し、時には文字による文章で報告しなければならない。「我」は会社の中では、とても強い、しかも次から次へと現れる、様々な意味にがんじがらめになっているのである。これらの意味から解放されるのは、昼食の時間と休憩時間だけである。そこでは、仕事とは違った、あまり大きな力を持たない意味が流れていて、いわゆるくつろげるのである。食事によって空腹を満たし、煙草を吸ったり、おしゃべりをしたりして、仕事の意味の力から解放された時間を過ごすのである。ここで出てきた〝おしゃべり〟は、そこには次から次へと意味が飛び交っているはずであるが、「我」をそれほど強い力でしめつけることのない意味による言語の会話であるとも言えるであろう。また、くつろぐのも大きな強い力の意味が「我」を取り囲んでいない状況、時間の流れであるとしていいであろう。

仕事の意味をなんとか片付けて、意味から解放されて、人々は帰宅する。子供達も、学校が終わると、緩い意味の中で、友達とおしゃべりをしながら、時には、西の山の夕焼けからの意味を感じ、話し合い、それらはとてもすばらしい意味ではあるが、「我」にとってはプラスであり、しかも、その意味は、何かをしなければならないなどの強制力を持った意味ではなく、勉強からも遠い意味なのである。しかし、自分の住む無限の広がりを持った世界のすばらしさを伝えてくる意味なのである。

そして、家に帰ると、家族の団欒である。いや、その前に子供達は宿題をしなければならない。これは大きな力を持った、強制力を持った意味で、しばりつけてくる。

宿題が終わった頃に夕食が出来上がっている。その前から机に向かっている時から、おいしい匂いが、空腹の「我」に強いプラスの意味でやってきていたのである。ここで言語が出るか出ないかは人により、状況しだいである。「うまそうな匂い…」「腹減った、…あれは何の匂い?」「煮物? 何の煮物?…」「ああ、もしかしたらすき焼き? …」などと出る時もあるし、勉強に集中していれば、とか時間がなければ、これらの言語はほとんど出てこない。

食事になれば会話が進む。弾む。小学校の低学年の子供ならば、学校での出来事、先生の言ったこと、友達のこと、様々な噂、…おかあさんは、それにいろいろと相槌を打って、時には感想や意見や、…お父さんは新聞を見ていて、時々、ぼそりと、短いが重い、強い意味を持った言葉を…いや、それは昔の家庭かな…

それよりもみんなでテレビを見て、ドラマやアイドル歌手の、その中からの言語による意味、歌の場合は、言語とともにそのメロディに、その歌手のダンスに意味が存在し、そこから意味がやってくる。そんなことを言えばドラマも役者のせりふだけでなく、その場面の雰囲気、役者の表情、そして、そのドラマの持っている時代背景、ストーリー、意味で満ちあふれている。時にはドラマの中にはとても悲しいことや恐ろしい事件や、戦争やけんかも起こるが、それらはテレビの中の出来事で、遠い自分達の家庭や地域社会とは関係のない世界で、それでもそれなりに心を打たれ、時には、箸をとめて、家族全員がテレビからの意味に縛られて…。

これ以上はこの章でゆっくり見よう。

ここで大切なのは、テレビの中からの言語はほとんどが文や文章となり、ほとんどが文法にのっとっているのであるが、それを見ている家族の言語は、「すげえ！」や「恐ろしい！」や「かわいい！」「面白い！」などの形容詞が中心の単語だけ、せいぜい、それの修飾語の副詞がついて、例えば、「ちっけえ、面白い」など、そして、「この歌手、誰？」とか「これ見て見て！」とかの代名詞、そして疑問形で、なかなか文にまでならない。家庭の中で、しっかりした文や文章が出てくると、それだけで団欒の雰囲気が壊れてしまうのである。ここには文法にのっとった、しっかりとした文、文章の持つ意味が存在するし、一方、家庭の中の文にまでならない単語中心の言語の持つ意味の存在も見えてくるのである。しっかりとした、文法にのっとった文、文章の言語の持つ意味、そして、そうはならない単語が中心の会話の中の言語、これらの意味の違い、言（パロール）と言語（ラング）の違いというものを、本論の中での理論で考えていかねばならないのである。そして、そこには記憶との関係、そしてまた、社会との関係を見ていかねばならないのである。これまでの言語学とは違った視点になってしまうはずである。

ここには、先の章で見た、無限の広がりを持つ狭い世界と言語の関係がやはり大きく見えてきているはずである。家庭での会話は、この無限の広がりを持った狭い世界を共有していることの上で成り立っているのである。同じように友達との会話や、クラスや職場で仲のいい者どうしの会話なども、この共有の上に成り立っているということである。これらは世界を共有していることで、見ているものが同じ、聞いているものが同じ、つまり五感が同じ対象に向けられているので、説明や描写や叙述が不要であるということなのだ。そして、それだけでなく、過去や未来も共有しているのだ。これらでは、時間と場所、そして、そこに出てくる人物や、出来事をほとんど名詞と固有名詞で述べれば、その情景やその中身の共有ができてしまって、それ以上述べる必要がないのである。

そして、この狭い世界を共有できない、この狭い世界の外から入ってくる意味は、その意味の持つ背景、状況、そして、そこまで至った経緯、また、人物の生い立ち、人物の性格など説明、描写、叙述しなければならないのである。そこには基本的には世界の共有が存在しないので、この世界をそれを聞く人、読む人にわかるように述べる必要が存在するということなのである。この章のテーマから言えば、その外の世界に対して、「我」は意味を記憶の中に持たないということなのだ。

××　××

長々となってしまったが、世界が意味で満ちあふれているということでお許しいただきたい。

ここでこの長々と見てきたことを少しまとめておけば、意味には言語を伴わないもの、言語によって述べられているものが大きく分けて存在するということである。しかも、言語になっている意味も、けっして言語のまま記憶に保存されているわけではないということなのである。ここでは、〝塊のようなもの〟として述べておいたが、これについても、向き合っていかねばならないのである。そこでは少しだけ暗示的にしか述べてはいないが、表象、そして、この論文では、これを記憶の中に存在するものとしたが、それとの結びつきを見ていかねばならないのである。

いや、それだけでなく、この表象を見る時、これまでに見てこなかったが、この表象の以前に存在する世界の中の事物、人物が大きな意味として、意味を持ったものとして、しかも、いつでも意味を引き出せるものとして存在しているということなのである。

このことが、狭い世界の共有の上での言語の単純化、単語だけに近いものの基礎になっているはずなのである。言（パロール）化と言ってもいいであろう。

それだけでなく、この無限に広がる狭い世界の目の前に存在する事物や人物は、みんなそれぞれ意味を持っているということである。多くの様々な意味を持っているということである。何度も引き出すが、目の前のテーブルの上のりんごを見れば、それが確認できるはずである。りんごの意味から見れば、その存在はそのまま、皮をむいて食べればおいしい果物であり、その味はりんご独特の味であり、秋に実りはじめ、冬にはとてもおいしい味になり、その産地は青森や長野で、これは昨日〇〇のスーパーでいくらで売っていて、少し高かったけど…などとても多くの意味をこのりんごは持っているということである。しかし、それらの意味を「我」は自分の求める意味に応じて引き出しているということである。ただ、これらの今見た意味は、分かったものとしてほとんど引き出されることなくほんとうに必要な時だけ、多くは分からない時、疑問の形で問われるときだけ、問いかけられ引き出されるということである。誰がここに置いたんだろう？　なぜ一個だけなんだろう。まっ赤で、おいしそうだな、でも、ほんとうにおいしいんだろうか？　などくらいである。りんごそのものの意味など問われることはないのである。というのは、ここに見えているのは、分かってしまっている意味を生活の上では、多くの意味は確定したものとして、問われることなく、引き出されることなく、分かったものとして進められていくということである。つまり、わざわざ分かった意味を引き出すことは、無駄なことなのである。そして、これらの問いも、そんなに大きな疑問でなければ、ほとんどは自問自答で消えていってしまうのである。「ああ、昨日、あいつ（奥様）スーパーに行っていたから」「これ大きいから二個か三個で売っていて、他は食べたんやろ」「ま、かなりおいしそうやな」となるはずなのである。

つまり、ここに見えてきていることは、多くの事物は多くの意味を持っているが、必要な時だけ、必要な分だけ引き出され、残りは記憶の中に保存されたままになっているということである。そして、この章での問題は、それがどのような形で保存され、引き出される時はどのように引き出されるのか、ということなのである。そして、ここで確認しておくべきことは、事物や人物は意味を持って「我」にとって存在しているということなのである。そして、事物や人物が意味を持ったものとして存在しているのは、その意味が「我」の記憶の中に存在するからなのである。このことは、本論の最も基本となる大切なことのはずなのである。そして、先に見た表象が意味の保存、貯蔵庫になっているのも、この事物がそもそも、意味を持ってそこに意味をためこんでいるからのはずなのである。そして、目の前に、それらの事物が存在しない時に、記憶の中にその事物の表象が現れ、その意味を表象になる前の現在の中に存在していた時の事物の記憶として、それが持っていた意味もそのまま、保存したものとして「我」に見えてくるということなのである。

ただ、もう一つこれらの事物の持つ意味と、表象の持つ意味の関係を見ておけば、多くの場合、「我」が意味を取り出すのは、事物の時より、表象の時の方ではないか、ということなのである。そもそも、事物の方が、現象としての現象の中に、生きたものとして、生のものとして存在し、意味も取り出す、引き出され易いのではないか、ということも考えるが、そして、もちろん、時と場合によるのであるのであるが、少なくとも、「我」がそれらの意味を意味として見る時、考える時は、表象の時の方が多いのではないだろうか。というのは、「我」は事物に対している時は、現在の中で現象として、その事物に向かい合い、仕事をしたり、スポーツを進行したり、様々な日常生活の中で向かい合っているので、意味を考えたり、引き出したりしている余裕はないのでは、ということなのだ。それよりも、しなければならないことをしなければならないのだ。意味なんか考えている暇がないのだ。そして、それ以上に、「我」が表象を思い浮かべるのは、その意味を引き出し、意味について問いただし、考えたい時なのではないか、ということなのである。もちろん、これも、その時々によるであろうが、少なくとも「我」は事物、そして人物の時はなおのこと、意味に向かい合い、その上で、恒に会話や行動をしなければならないように迫られているのではないか、ということなのである。

これらのことも、やはり見ていかねばならない大きな課題である、ということである。

意味の貯蔵庫という言葉を使ってしまったが、意味を表象や事物よりもずっと貯蔵している、保存しているのが言語なのである。このことは分厚な本や辞書のことを言っているのではない。確かに、これらのものはたいへんな大きな意味をこの中に貯蔵しているとしていい。しかし、これまでの議論の流れとして、事物やその表象などに宿されていた意味の貯蔵庫として、ということにおいてである。

つまり、事物や表象を表す言語、ということはほとんどが名詞一個、単語がそれらの事物や表象が持っていた、持っている意味を、そのまま引き取って貯蔵しているということなのである。そして、人物や事物が目の前に存在する時は、その名前や名詞が、その意味の担い手になっていることが多いということなのだ。つまり、名前や名詞がわかってしまったら、それらの人物や事物の意味を問うことなしで、会話や様々な作業、仕事が進んでいくということなのである。一方、目の前に人物や事物が存在していない時、会話の中でそれらの名前や名詞が出たり、過去や未来に思いをはせたりしている時は、表象も現れることが多いが、それらの表象に替わり、名前や名詞が現れたり、名前や名詞が浮かんだ時、表象が消えたり、ということも多々あるはずなのである。ただ、過去や未来に思いをはせている時は、それなりに、人物や事物は表象として出てくることが多いことも事実である。一方、自問自答や、反省や、つまり思考をしている時は、そこには表象はほとんど現れず、言語が文、文章となって続いていくことが多いはずである。しかし、これもその時々であり、強い、はっきりとした表象が現れ、それに向かって文、文章、議論を展開させることも多いはずである。

ここには表象と言語の、そして意味との複雑な関係が見えてきているのである。これらも見ていかねばならないのである。ということは、この章で見るとすれば、記憶との関係で見ていくということである。表象も言語も意味を持って記憶の中に存在しているのである。それらは記憶の中ではどのような関係で存在しているのか、ということになるのである。

以上、長々と見てきたが、意味はほんとうに世界を埋め尽くしているのである。第一章で、無限の広がりを持つ狭い世界に「我」が住んでいるとしたが、その外にもとてつもない意味が、無限の意味が存在することも見えてきたのである。

ここで見てきたことは、今後の課題のための展望であったとしていいのである。ただ、これらを一つ一つ見ていくことはとてもたいへんな作業になるはずである。全てには届かないかもしれないが、挑戦していきたいのである。

そして、本論では、このはじめにで見たとおり、言語に表されない意味から見ていこう。このことは、意味というものが言語からできている、あるいは言語と離されない関係にあると考えている世間、常識の世界の考えに反するかもしれないが、あえて進んでみよう。この〝あえて〟を行わせているのは、意味が言語で表されていることの複雑さ、その構造の複雑なからみあっている外観であるとしていいであろう。意味は言語で表され、言語と結びついた時、とても複雑な構造をとってしまっているように見えるのだ。そして反面、言語で表された意味の方は、意味そのものとして、意味だけの存在として、純粋、単純な外観を呈しているように思えるのである。これに対して意味を言語から切り離した時、言語で表されない意味を見ようとした時、意味そのものがとらえどころのない、その存在も不確かなものとして見られてしまうのではないか、という疑念、心配も存在するのであるが、やはりあえて進んでみよう。そして、この章の課題である記憶にどのように、このようなとらえどころのない、不可解、つまり言語に表されないということはしっかり理解できないということにもつながるのであるが、それを記憶がどのようにとらえ、保存し、また引き出しているのかを見ていかねばならないのである。

そして、その言語で表されない意味を見た後に、言語で表された意味も見ていかねばならないのである。言語と意味との関係は第一章でかなり見ているのであるが、ここではそれをふまえ、そして、言語と意味の結びつきの構造というものに向かい合い、それらが記憶とどのような形で存在しているのかを見ていこう。第一章で得た結論はけっして、意味は言語の形では記憶されていないということなのである。それではどのように保存されているのか、第一章ではそれが引き出される時、思考によるとしたが、引き出すとは逆の記憶に引き込まれる時、ここにも思考が働いているはずなのである。理解である。この理解がどのようになってなされるのか、読書や様々な問題を解く時は、単語、そして文、文章としてどのように取り入れられるのか、これだけでもたいへんな問題なのである。そして、また、言語によらない保存、そして思考による引き出し、

…たいへんであるが、挑戦してみたい…たいへん難しい、たいへんな仕事であるが…。

一、言語で表されない意味

ⓐ 音楽

芸術は基本的には言語では表されないから、芸術であると言えるであろう。ええ？ 詩や小説は？ …これは後にまわそう。

音楽や絵画、彫刻などは言語では表されない意味、それを表現しているとしていいであろう。ベートーヴェンの第五は、聴いた人々に大きな力、意味で迫ってくる。もちろん、『運命』という題名がついている。この交響曲を聴いた人々は、それから感じ、受け止めたものを、大きな感動を、この言語〝運命〟と重ね合わせて考える。〝運命〟という言語もとても大きな意味を持っている。そこには、「我」の運命、また身近な人々の運命、それだけでなく、様々な人々の様々な運命が保存されている。時には、歴史上の人物の伝記や、小説の中の人物の人生もよみがえってくる。そして、この交響曲を聴いた人々は、この交響曲から受け取った感動、印象を思い浮かんできた様々な人間達の〝運命〟によって置き換え、解釈しようとする。しかし、こんな時、誰かの具体的な運命を浮かべて、「ああ、そうか」とはならない。一番多いのはなんと言っても作曲家ベートーヴェン自身の運命であろう。そして、彼のやはりとても激しい、暗い重い意味を持った運命を浮かべて、そして、交響曲の最初、出だしの、恐ろしいような、地獄から響いてくるようなメロディ、響きを浮かべて、「あ、あ、やっぱり」と思う人々も多いはずである。

ここまで述べてくると、充分に意味が言語化されているとも返ってきそうである。しかし、それは単に、交響曲の最初の部分、いや全体と、ベートーヴェンの人生の〝運命〟を重ね合わせたことにすぎないのである。交響曲そのものは、どこも言語化されていない。また、ベートーヴェンの人生、その運命も、その単語以上には言語化されない。ただ、この〝運命〟という言語はとても大きな、多様な重い意味を持っていて、それと交響曲の印象が重なるのである。特にベートーヴェンの人生の運命とは重なるのである。この重なることは、確かに意味の言語化にまでは進んでいないが、意味の解釈につながっていることには違いないのである。特にベートーヴェンは後に作曲家として最も大切な耳が聴こえなくなる運命を生きるのである。このことを重ね合わせる人々もいるはずである。

しかし、それ以上に、ベートーヴェンの肖像画が訴えてくる、そこからのやはり意味としか言えないようなものも、力ではないだろうか。あの肖像画は彼が生きた瞬間、その感覚を鋭い感受性で受け止め、それを音で表現していた、その顔なのだ。その顔には、彼を取り巻く見える世界、いや聴こえる世界さえも目を閉じて、耳を閉じて、彼は後に閉じなくてもよくなるが、暗い目の前の世界、そこから見える、聴こえる世界とは別の、暗闇のような、夢の中のような、地獄からのような意味だけの世界が彼を取り巻き、そこから意味を拾い出すように、音が、彼のメロディーが聴こえてくる。それに耳を澄ましているような顔なのだ。もちろん、これは彼の肖像画が引き起こす想像の世界ではあるが、…でも確かに、ベートーヴェンは彼の人生を感じ、その意味を感じた時、その意味は言語ではなくて、音となってあの交響曲となって響いてきたのであろう。そして、それはとても大きな意味を持ったものとして、楽譜の上に、そしてオーケストラによって演奏された時、人々にその意味を伝えてくるのである。けっして、言語ではない意味、しかも、重大な意味としてである。

ああ、でも、ここまで議論してきて、『運命』はベートーヴェン自身がつけた名前だったろうか。交響曲だけでなく、他の曲にも題名のついたもの、ついていないもの、ついていないものの方が多いはずである。他の作曲家、芸術家の作品も名前のないものも多くある。

芸術家がテーマを決め、名前も決め、そして、そこからやってくるものを受け止めて作り出された作品も多々ある。しかし、そうではなくて、その時々の感性が受け止めて、その受け止めたものを彼らの表現で現わしたものも多くある。瞬間だけでなく、自分の過去、未来、いや、人生全体からやってくる意味、力を受け止めて作品にしたものも多々あるはずである。そして、そのように作り上げた時、芸術家自身が名前を付けたもの、そのままにされていて、それに触れて感じて感動した人々が名前をつけたものも多々ある。この時、芸術作品そのものと、その名前との関係は、それに向かい合う、聴く人、見る人にどのような力を、意味を与えるかは、それなりに大きな問題になるはずである。名前とは言語であるとしていいであろう。ということは言語と芸術、そしてその意味の…

ここに見ている芸術作品の題名は、ほとんど一個の単語、あるいはそれに近い短い言語で、とても大きな意味、その作品の意味、中身を保存している、いや、かかえ込んでいる、(この表現の方がいいであろう。)としていいであろう。つまり、とても大きな意味を持つ言語であるということになる。しかも、この芸術作品の題名では、その意味の中身はまったく言語化されていないということである。このことは芸術作品そのものが大きな、強烈な意味を持ちながら言語化されていないことに対応しているであろう。というよりも、芸術作品そのものを表している、だから題名だとしていいであろう。

とはいえ、その芸術作品に向かい合った人々は、それを聴いたり見たりした人々は、その題名と芸術作品の間に隙間のようなものを感じるはずである。というのは、この題名は題名としてはその作品だけを表わす固有名詞ではあるが、その固有名詞そのものはほとんどが、普通名詞としても使われているものであるからだ。『運命』もそうである。これはベートーヴェンの五番の交響曲を表わす固有名詞であるはずであるが、〝運命〟そのものは普通名詞として使われているのである。この普通名詞として使われてこの名詞の意味と、芸術作品であるベートーヴェンの五番の交響曲とを対置して見る時、それなりのずれ、隙間を感じてしまうのではないか、ということなのだ。この五番の『運命』は多くの人々は「ああ、確かに運命だよな。運命とはこんなもんだな」と思わせるすばらしい作品ではある。だから、この隙間やずれをほとんど感じない、なるほど、というよりも、より深い運命の意味を教えてくれているとも言えるのである。

しかし、それでも、今見たように『運命』を聴いて〝運命〟のより深い意味を感じた人でさえも、時には、〝運命〟という言語からくる様々な意味、いろんな人の人生、その運命がふと思われ、あるいは誰か知っている人、平凡なと言っていい人生を終えた人のことをふと思っていて、「あんな人生もすばらしいな」と呟いた時、ふと〝運命〟という言語が思い浮かび、そして次に、五番『運命』が浮かんできて、その二つの〝運命〟、いや、〝運命〟と『運命』の違いを思い、「うーん…」となることもあるのではないだろうか。〝運命〟も全ての普通名詞がそうであるように、無限と言っていい具体的事物に置き換えられる。この〝運命〟の場合は無限に存在する人々の運命をたった二字の、たった四つの音で表していることによるとしていいのである。一方、『運命』の方は固有名詞として、ベートーヴェンの五番の交響曲の題名として、その曲の持つ意味、すばらしさ、激しさ、真実をつきつけるものとして、存在しているのである。そこには確かに、根本的な構造の違いが存在し、乖離、隙間が存在するのが当然なのである。というよりも、このような乖離、隙間を思わせないほど、『運命』はすごい、人生の真実をつきつけてくる作品であるということである。

つぎに、少し音楽から離れて、ゴッホの『ひまわり』を見てみよう。これも、表題、題名が付いている。違いは、『運命』は音楽であったが、こちらは絵画である。もちろん、そうであるが、この論文のこれまでの議論の上では『ひまわり』はそこにひまわりがすぐ見えるが、『運命』は運命が見えない。当たり前である。『運命』は音楽で、見えるわけがない。ただ、視覚表象、聴覚表象という考えを持ち出せば、…いや、『ひまわり』はその題名の前にひまわりの花が飛び込んでくるが、『運命』はそう言われれば、なるほど…となり、時には…？のこともあるはずである。とはいえ、やはり『運命』はその題名をまさに彷彿とさせるすばらしい交響曲には違いないのだ。

とりあえず『ひまわり』を見ていこう。絵画は多く、画家が見たものを映す。写生である。写実派というものもあるし、特に西洋絵画の多くは二十世紀のピカソ達の抽象画に至るまでは、基本として、その基本に写生が存在するとしていいであろう。人物画ではモデルを使い、風景画では、その風景の前にキャンパスを立て、それを写しとるのである。

そして、ゴッホの『ひまわり』も、…いや、その前に立った鑑賞者は驚くのである。確かにそこにはひまわりが描かれているのであるが、とんでもないもの、…狂気?!…天才?!…と思わせるものがそこに存在するのだ。確かにそこにはひまわりが描かれているのであるが、…ゴッホのひまわり、としか言いようのないものが、強い大きな意味を持って存在している。いや、訴えかけてくるのである。ひまわりも、花の中では真夏に咲く、強烈な印象を持った植物なのである。しかし、ゴッホの絵の中では、その強烈さが、それ以上の強い意味、大きな強烈な意味を持って存在しているのだ。しかも、それであってひまわりなのだ。ひまわり以外の存在ではないのだ。そして、ここで、多くの鑑賞者は感激の心のまま、絵画の歴史の中に入り込まされる。印象派という言語も出てくる。また、パンフレットや解説書なども様々な説明をしている。これらによって、作品から強い力を受け、感激した鑑賞者は、その強い力、感激の意味を言語化するのである。時には、それでその意味を理解した気持ちになる人々もいる。

ベートーヴェンの『運命』の時には、運命そのものに思考が行ったが、『ひまわり』では、現実に夏に咲いているひまわりにではなく、そのひまわりから発したとしか言いようのない、また、ゴッホが受け止め、それを表現したとしか言いようのない、ひまわりから出ているもの、発しているもの、また、狂気を持った天才ゴッホに見えたひまわり、やはり、その意味ではゴッホのひまわりそのものが、そこに描かれているのだ。『運命』の時と同じように、人々は、ひまわりの真実をそこに見るのである。そして、この真実の意味そのものは、通常の人々ではなかなか言語にできないのである。案内書や解説書も、ゴッホの生い立ちや、それまでの絵画史については説明しているが、この真実の意味そのものにはなかなか触れていないのではないだろうか。多くの人々がこの真実の意味に供えるのは狂気と天才だけなのではないだろうか。言語を絶しているのである。狂気、天才としか言いようがないのである。その二語で受け止めるしかない、真実の意味なのである。

題名のない芸術に向き合ってみよう。ベートーヴェンの作品にも、その交響曲にも題名のないものが多数ある。確かに、題名のあるものは彼がつけたもの、他の人々が名付けてずっと昔から在るもの、いろいろある。しかし、圧倒的に題名のないものが多いはずである。題名のあるものの多くは、多くの人々、一般の人々、というか、それほどクラシックのファンではない人々も知っている。その題名とその最初や有名なメロディを知っていることも多いのである。そして、作曲家が題名をつけないで、聴いた誰かが題名をつけ、それを多くの人々が受け入れているということは、人間は言語を欲しがっていることを物語っているのではないだろうか。ただ、メロディを、音楽だけを、感動だけで、つまり大きな意味だけで受け止めているわけにはいかないのだ。助けを求めるかのように、その大きな意味に言語を、題名を求め、題名がついていると、その題名で受け止めているのではないだろうか。

逆に見ると、多くの作曲家はほとんど題名のないまま作曲しているのである。題名がないということは、テーマもなく、世の中の現象の中の一つに焦点をあてることもなく、次から次へと曲が湧いてくるということになる。ここでの言い方をすれば、意味が湧いてきているのである。言語でない、言語の前の意味が、しかも次から次へと湧いてきているのである。そして、この湧いてきた意味を作曲家は世の中に出してきた、つまりコンサートで発表して、受け入れられ、受け継がれ、多くの人々に大切なものとして、社会が、地球全体の人類にとって大切な財産として存在し続けているのである。これらの題名のない作品は、交響曲やソナタという、その形式に番号を付けたり、ハ短調やイ長調などの調性で呼んだりもしているのである。

このような名前のついていない、題名のない曲でも、人気のあるものはとても多い。シベリウスの交響曲の一番、二番、ラフマニノフのピアノ協奏曲二番などは、題名がついていないのに心に大切に、という具合に大好きなファンも多いはずである。バッハに至っては、その数はとても多く、それぞれの形式にとても多く、ええと、…となって、聴きたい曲をCDの棚の中に探しはじめるファンも多いはずなのだ。そして、モーツァルトである。

モーツァルトの作品の中には、題名のついているものも多くあるが、題名のついていないもので愛されているものもとても多い。中でも四十番、四十番の交響曲である。その次の四十一番には『ジュピター』という題名がついているが、これにはついていない。『ジュピター』は最後の交響曲として、やはりそのすばらしさで、ファンも多い。しかし、モーツァルトファン、いやファンでなくても、四十番はほんとうに多くの人々に愛され、大切にされ、その意味を、メロディを抱きしめるように生きている人々も多いはずだ。

その第一楽章の最初のメロディ、とても覚えやすい。それ以上に心に入り込んでくるのだ。そして、各楽章のメロディも、先の楽章を踏まえた、そして、その楽章としてのメロディ、交響曲の理論にあったというよりも、素人の日本人には起承転結を思わせるメロディで作り上げられている。いや、そんなことより、自然と、美しく、心に入り込んでくるのだ。そして、思わず「すばらしい」と出てくるのだ。

しかし、この交響曲には、名前がない。なぜだろう、と考えたとしてもすぐに思考は消えてしまう。『四十番』で充分なのだ。名前がなくても、…いや、名前がつかなかったのではないだろうか。地上に、具体的にこの交響曲を思わせる、事物や出来事が存在しなかったのだ。でも、すばらしいのだ。音楽としてすばらしいのだ。名前は必要なかったのだ。そして、名前をつけられなかったのだ。それでも、すばらしい、いや、それほどすばらしいのだ。

ここにこそ、言語にならない、言語にできない、それでいながら、人間にとって、いや、人類にとって、すばらしい意味が存在しているのだ。

この交響曲を聴いて、多くの人々は、モーツァルトの生まれた地球に生まれてきてよかった、と思うのだ。いや、そんな思考はすぐに停止する。曲が始まれば…

×× ××

以上、言語にはならない芸術の意味を見てきた。そこからやってくるものはとても大きな、強い意味を持っているのに、その意味は言語にならない、言語にできないのだ。せいぜい題名しか持たないのだ。その題名がその芸術の全ての意味を背負っている、抱え込んでいるとも言えるが、それはやはり、その芸術が伝えてくる意味、その力を表しているとは言えないとしていいであろう。確かに、『運命』はその作品から来るものを的確に、『ひまわり』はそこに描かれたものをずばりと言い当てているとしていいであろう。そして、『運命』の場合は、運命というものをものすごいものとして、より一層考えさせる力をも持っている。そもそも、〝運命〟という名詞はとても大きな意味を持っている単語なのだ。この大きな意味をより考えさせる力をも『運命』は持っているとしていいであろう。しかし、曲が聴いた人々に伝える、訴えかけて、大きく心を動かす意味を『運命』が伝えているかは、問題、議論しなければならないものを持っているだろう。ただ、題名というものは、その基本として、その中身を指している。中身を、意味を抱え込んだものとして存在していることも確かなのである。また、一方、題名は題名であり、題名にすぎない。指し示しているにすぎないことも確かなこととして言えるのである。これらは、もう少し後に、記憶のところで見てみよう。

『ひまわり』にも、ゴッホの『ひまわり』がすぐに浮かんでくるくらい、やはり、力を持った題名である。人々は〝ひまわり〟と聴いただけで夏の太陽の下で黄色に輝く花、それも畑に一面に咲いている花を思い浮かべるが、同時にそれをかき消すように、ゴッホの『ひまわり』の狂気、天才としか言いようのない輝き、狂おしさが浮かんでくることも多いはずである。…いや、映画ファンならばあのすばらしい『ひまわり』のあの主人公の女性が帰ってくる恋人を待つひまわり畑を思い出すだろうが…　ただ、これも、どれだけ、その作品からの意味、感動、訴えかけてくる力を伝えているかはやはり議論の余地があるだろう。ただ、ここまで議論してきたことをもう少し前進させれば、その中身、意味を伝える言語がほとんど存在していない、たった一つの名詞である。〝ひまわり〟に〝ゴッホの〟をくっつけることによって、人々はその中身、意味を保存し、時には伝え合っているのではないか、ということにもなるはずである。ということは、やはり、『ひまわり』が訴えかけている意味、その強い力を、唯一表現している言語が『ひまわり』であり、その一つの単語で、作品が訴えかけてくる、感動させる、強い力の意味を抱え込んでいるとも言えるのである。これも考えようによれば、言語の不可思議、すばらしさ、とも言えるはずである。

そして、題名のないモーツァルトの四十番の交響曲、いや、クラシックファンの間では、〝四十番〟と言っただけで、モーツァルトの交響曲四十番で通じ合うのが普通である。ということは、この〝四十番〟も題名になっていて『四十番』なのである。ただ、これはこの言語そのものは、モーツァルトが作曲した交響曲の順番をしか意味していないのである。そして、先程も見たように、この交響曲には、その中身を意味する題名はつかなかった、つけようがなかったのである。そして、この順番だけの題名が、あのすばらしい交響曲の中身、すばらしい意味を代表して、看板となり、題名になっているとしていいのである。ここには意味と言語を思わせるとても大きな問題、言語学として取り組まねばならない問題が存在しているはずなのである。多くの人々は、〝四十番〟を聴いただけで、その出だしのメロディが浮かんできて、心にその意味が甦ってくるのである。ただ、この中身そのもの、意味そのものは、〝四十番〟いや『四十番』では…とはいえ、それ以外に、このモーツァルトのすばらしい交響曲を伝える言語は存在しないのである。

××　××

以上、長々と、芸術の意味と、特にその題名との関係を見てきた。これだけ議論してくると、この章が「意味と記憶」についての場所であったことを忘れてしまいそうである。ただ、言い訳をさせてもらえば、意味をしっかりと見、そして、その題名の関係がどうなっているかを見て、はじめて、それらの記憶がどうなっているかということが見えてくるはずなのである。言語にならない芸術作品の持つ意味、それを唯一表している題名、それ以上に、そして、それだからこそ記憶には題名は大きな力を持って存在している、してしまうからなのである。

このような言語に表わせない意味を持つ芸術作品に出会った時、そして、それが終わった、目の前になくなった時、人々はどのようにそれを記憶の中に保存しているかを見てみよう。

出会いから見ていこう。

音楽の方から見ていこう。

多くの人々はコンサートに行く時、まずは誰が来るか、つまり演奏家は誰か、どんなオーケストラか、そして、その次に誰の曲を演奏するのか、作曲家の名前を見、それからすぐに、ということは誰のどんな曲が演奏されるか、パンフレットや、様々な情報を手に入れて出掛ける。コンサートで演奏される曲は音楽ファンならば多くは何度も、時には毎日、少なくとも週に一回とか聴いているということになる。それでも、時には、現代音楽や、それほど有名でない作曲家や、有名な作曲家でも、はじめての曲に出会うことがある。

これらの曲の多くは、聴いている時は「へえ…!」「うん、なるほど…」となり、「へえ、こんな曲があったんだ」とか、「こんな作曲家もいるんだ」と感心し、感動することもある。しかし、同じ日に演奏された、自分の好きな曲、よく知っている曲の印象、感動が強くて、数日後にはそれらの新しい曲、はじめての曲を聴いた記憶はかなり力を失っていってしまう。それでも、時には、「すごい!」となって次の日にCDショップへ探しに行ったり、インターネットでその曲や、時にはその曲は見当たらなくて、それでも、その作曲家の曲を取り寄せることもある。

このCDを取り寄せる行為は、曲に出会った強い大きな力が記憶に残り、そうさせるのであるが、ここにはかなりのこの論文で向かい合わねばならないことが存在している。というのは、CDを求めていることは、記憶の中に存在する意味、力を、CDによってもう一度、生の現象として取り入れたいという欲望だからである。このことは記憶の中に、聴いた曲が、ほとんど不完全な形でしか残っていないことを意味する。記憶は出会った現象を完全には保存していないのだ。不完全さを補うためにCDを求めるのだ。そして、もう一度、いきいきとした、その時の出会ったそのすばらしさ、力に再会したいのだ。

いや、この保存された記憶の前に出会いから見ていこう。まったく、新しい曲との出会いは、コンサートでも時々はあるけれども、多くあるのは、ラジオのFM放送や、様々な交友関係からの情報、時には新聞やテレビでの評判などによるだろう。ただ、情報や評判はその曲そのものに出会うわけではなく、その曲に出会うのは、やはりCDを買ってきた時、あるいはそのようなラジオやテレビの番組にたどりつけた時ということになる。いや、最近では、ネットで、スマホで、そんな曲を簡単に見つけることができる。そこで、はじめてその曲に出会うことができる。一方、FM放送などを流していた時、新しいはじめての曲に出会い、すごく感動して、と…次の日、CDを買いに、ということもある。この時は、FMから流れていた時は、新しい曲との出会いということになるだろう。また、様々な情報や評判からCDを求めた時、それを買ってきて聴いた時は、その時が出会いの時になる。中学生や高校生の時は、こんな出会いが多くあるはずである。

ここでは、初めて出会った曲を、コンサートで聴いたように、しっかりと向き合って聴くことができた場面を想定してみよう。しかも、その曲がとてもすばらしく、大きな感動を与え、一生抱きしめるように大切に聴き続ける出会いを見てみよう。これらの出会いの多くはやはり、成長期、そして思春期、中学生や高校生の時にあるのではないだろうか。もちろん、成長し大人になってからも時々は起こるのである。

このような出会いの時、「我」の中に何が起こるのだろう。このような時、人々は、曲の題名や作曲家を知っていることも多く、また評判や情報から、様々な知識も手に入れていることが多い。コンサートではじめて聴く時も、入口で渡されたプログラムにそれなりの紹介がある。

ただ、感動の出会いがはじまった時、それらの知識は時には作曲家の名前や題名までも吹っ飛んでしまうこともある。そして、曲全体が自分の中に入ってきて、響き渡るのだ。〝響き渡る〟と言ってしまったが、ショパンのノクターンのような静かな曲も、心に魂に、静かに入り込み、そこでピアノの音が静かに響くのだ。中学生や高校生の時、ショパンのノクターンをはじめて聴いた時、その時の感動、すばらしさを忘れられないクラシックファンも多いはずだ。いや、これを聴いてクラシックファンになった人も多いはずだ。一方、ベートーヴェンの交響曲のように体を、全身を揺さぶってくる曲も多い。そして、その中にまた、第二楽章などのとても静かな美しい曲の流れにまた、心を揺さぶられた経験を持つ人々も多いはずだ。

いやいや、このような初めての曲だけでなく、よく知っている曲も、すばらしい演奏家や指揮者、オーケストラによって演奏される時、多くの音楽ファンはそれを初めて聴く新しい曲であるかのように聴くのである。いや、それだけではない、大好きな曲を大好きな演奏家や指揮者がオーケストラで弾く時でも、それが時間の経過によって、また、演奏会や演奏家や指揮者の成長やその曲に対する解釈、考え方の変化によって様々に違うのである。だから、コンサート毎に、一回一回、新しい出会いがあるのである。その新しい出会いのためにファンはコンサートに足を運ぶのである。それだけでなく、同じ曲を何枚もの演奏家の違うCDを持って聴き比べているファンも多くいる。いや、もっと、同じ曲を同じ演奏家、指揮者であっても何年録音によって演奏が違う、これらのCDを何枚か持っているマニアックなファンも多いはずである。ずっとクラシックの上で話を進めてきているが、このようなことはジャズやロック、ポップスなど、いや、まだまだ、シャンソン、カンツォーネ、タンゴ、ボサノヴァ、…まだまだ…などの方が、もっと頻繁に起こっているはずである。

そしてまた聴く方も、その日の気分、体調、また、音楽に対する、この曲に対する考え方の変化、受け止め方、その態度の変化、…ということは、一回一回、コンサートに出かける時、それだけでなくCDで聴く時も、…そんなことを言えば、バックグラウンドミュージックというのもあるし、ながら勉というのもある…

ただ、ここは聴く側が真剣にこの曲を聴きたい、すばらしい曲に出会いたい、曲のすばらしさ、その意味を受け止めたいと思って聴く時に絞って、…やはり、毎日聴いている同じCD、何度も聴いているCDなどではなくて、コンサートに行った時や、新しく買ってきたCDに向かい合う時に絞って考えてみよう。特に、この章では意味と記憶を見るとすれば、その記憶の在り方も、あまりにも違いすぎては困るはずである。

このような曲が始まった時、「このすばらしい曲を忘れないように覚えておこう、記憶にとどめておこう」と考える人々は少ないはずだ。なぜなら、このように考えるだけで、目の前の、いや、耳に聴こえる、というよりも全身を取り巻いている音楽ではなく、思考の方へ、脳の中へ注意がいってしまうことを、音楽ファンはよく知っているからだ。ということは、最初は二、三度、そう考えていた人も何も考えず、ただ、ただ、曲に心を向け、集中していることが、一番心に入り、記憶にも残ることを、回数を重ねることによって学んでいくからである。そしてまた、あまりに「聴こう、集中して聴こう」と思ってもだめなことも、経験を重ねた人々は知っているのである。集中しようという心の動きそのものが、やはりそのものを受け入れることの邪魔をしてしまうからである。「素直に、静かに、入ってくるままに…」と思って聴いているファンも多いはずである。つまり、すばらしいものを、そのまま、自分の在り方のまま、自然な形で向かい合い、受け入れていくことが大切なのである。

そして、このような時間の流れの中で、人々が感じ、受け止めることこそ、ここで見ている言語にはならない大きな、すばらしい、人生にとってとても大切な意味なのだ。この意味はただただ、感じ、受け入れるしかないのである。そして、このような時間の流れの中では、作曲家や曲の題名やは、記憶のどこかにあるには違いないが、ずっと脳の片隅に追いやられているのである。ただただ、曲が、次から次へと形を変えながら、「我」を包み、「我」の中に入ってくるのである。それでも、時々、言語がやってくる時もある。それは単純で簡単な「すばらしい…」「ほんと…」「すごい！…」とかであって、時には「美しい」「きれい…」とか、「この世のものとは…」となることもある。しかし、これらは自然に出てきた呟きであって、思考は停止したままである。

思考は停止したまま、目の前の、いや、「我」を取り巻く世界を埋めている音に、素直に向かい合っているのである。

このように素直に向かい合っている時こそ、一番心に、記憶に残っていることをも多くの人々は知っている。無意識的な記憶である。けっして陳述記憶などと言われるものではない。記憶しようという気持ちもあってはいけないのである。ただただ、素直に心で受け止めて、それが一番記憶に残っているのである。いや、だからと言って、そのために、つまり記憶に一番残りやすいから、素直に聴いているわけでもない。多くのファンには、この聴いている瞬間、時間の流れが大切であり、それ以上のことは何もいらないのである。このすばらしい瞬間、確かに何度も思い出したいかもしれないが、それもどうでもいいのである。この時の流れの中に存在していることがすばらしいのである。

これらのすばらしい時の流れ、大きなすばらしい意味が充ちている時の流れを、記憶はどれだけ保存しているか、これはこの論文の、この章の大きな見るべき課題である。このような時、記憶は無意識的に働いているのである。先にも何度も見たとおり、記憶を意識的に働かせようとしてはかえって記憶は保存しない、その前に受け入れない、現象を受け入れないのである。

ここにも一つ、問題が浮かんできているのである。記憶は意識的なものより、無意識的なものの方がよりよい機能を果たす、つまり、保存をよりよく成し遂げるのか、という問題である。それなら試験勉強の時は覚えようという気持ちを捨て、ただひたすら教科書やノートを読んでおけばいいのか、ということになる。これはとても難しい問題になる。常識から言えば、記憶は、特に試験の前の日の勉強などは、しっかりと意識的に覚えなければば、試験の時、忘れてしまっていることが多い。特に暗記科目と言われる歴史や地理、また、理系では生物などのとても多くはしっかり記憶にとどめておかねばならない。

それでは、コンサートやCDを聴く、音楽を聴く時は特別なのか、ということにもなりそうである。いや、ここでは、もう一度、先に見たことをもう一度、しっかり見直さなければならないということである。もっと言えば、言ってしまえば、コンサートやCDを聴いている時、ほとんどの人々は、その流れている曲を記憶しようなどと思って聴いてはいないということである。そんなことは不可能なこととして諦めている、いや、それよりも聴いていることは、聴いている曲を、その演奏を記憶にとどめたい、と思っているのではなく、より感動したい、心に入れたい、そして〝心に入れたい〟と言っても、それを記憶するためにではなく、もっと心の奥全体に浸み込ませたいと思っているだけなのである。そして、曲そのものを、演奏そのものを、そのまま、できるだけ、曲のとおり、演奏のとおり、心に入れたいのである。そのために、記憶したいという考えだけでなく、すべてを、心の中の、それ以上に思考を全て空にして、その流れている曲に向かい合いたいと考えているということなのである。すばらしい曲、演奏だと思っていればなおのこと、心の中に何も入れないで白紙の状態で向かい合いたいのである。

このように向かい合ったすばらしい芸術、音楽、曲がどのように記憶に残っているかが、この章の課題である。ここでは、やはり、先に見て一緒に見てきてしまったいくつかの場合分けに戻らなければならないだろう。つまり、初めて聴く曲、何度も聴いているが、演奏家や指揮者が変わった時、また、曲も演奏家や指揮者が一緒なのに、時間の経過や、場面が変わった時、をやはり別々に見ていく必要があるはずである。というのは聴いた曲の残り方がそれぞれ違うはずだからである。

◎　初めて聴いた曲

この出会いは、先にも少し見たように、様々であろう。コンサートで初めて出会う時、ＦＭやテレビで初めて出会う時、最近はインターネットで…、これらは出会い方、またその時の状況によって様々に変わるであろうが、ここでは、「おお?! …」となった時だけを見ていこう。というのは、そうならなかった曲は、「我」に意味を与えなかったということで多くの場合はすぐに記憶から消え去るとしていいであろうからである。また、〝おお〟の下の！は驚き、そして激しい感動を、そして？は「ええ？　なんて曲？」であり、いや、その前に、「これって、聴いたことあるかなあ？」なども入っているであろう。コンサートで初めての時もあるだろうし、車を運転していたら、ラジオから聴こえてきて、というのもあるだろう。

このような初めての出会いは、様々な状況での出会いが考えられるが、多くの場合、激しい感動、印象だけが残るが、曲そのものはなかなか覚えていないのが普通であるだろう。モーツァルトのローマのバチカンでの前の日に聴いた曲を次の日に譜面に書いて法王に献納したという話はあるが、それは天才の例外であろう。そして、多くの人々は、印象、感動だけが残り、この印象、感動を求めて、まず曲名と作曲者を調べるのである。コンサートの時はプログラムが存在するが、ラジオで流れていた曲ともなると、その時のラジオ番組を調べたりもする人々はいるはずである。この時頼りになっているのが曲名、作曲家という固有名詞となった言語であることを確認しておこう。そして、多くの人々には曲の中身がほとんど残っていないので、ＣＤを求めるとしていいであろう。とはいえ、ここは重要であるが、ほんとうに記憶にとってとても重要なことであるが、CDを買ってきて聴き返すと、「おお、やっぱり、すばらしい！」となるのである。ということは、やはり記憶に残っていたのである。ただ、記憶に残っていないとは言ったが、記憶からなかなか引き出せなかったのである。

ただ、どれだけ残っているかは、曲にもよるし、聴いた「我」にもよるし、また、聴いた時の「我」の状況にもよるのである。CDで聴きなおした時、出だしや、激しかったところや、とても静かなところ、心に訴えてくるメロディは覚えているが、それらはところどころ、部分的でけっして全てではない。だから、CDで聴きなおせば、「おお、こんなところあったっけ?」や「ええ、こんな、ここもすばらしいな」という新しい出会いに似たところも出てくるのである。

そして、聴きなおすと、同じ感動、また新たな感動がやってくるのである。最初に出会った時と同じように、何も考えず、心から、あらゆる思考や感情を追い出し、いわゆる心をまっ白にして曲に向かい合い、聴くのである。また、感動が、大きな、力のある感動が「我」を包むのである。ここでも、多くのファンは曲を覚えよう、記憶しようと言う意図をほとんど持たないで、素直な気持ちで聴いているとしていいであろう。ただ、初めて聴いた時よりは、曲は記憶に残っていて、そして、CDを買ったからには「我」は何度も聴き、曲は記憶の中に、いや体の中に入ってくる。聴いていると、楽章が終わってしばらく沈黙の時が続くが、そんな時、次の楽章の出だしが、先に耳の中で聴こえてくることもある。それだけでなく、印象深い、大好きなところは、聴こえてくる音楽と、自分の中の記憶から湧いてくる曲が一体となって、最初の出会いとはまた違った興奮を起こすのである。曲はほんとうに体の中に残っているのである。体全体が記憶装置になっているのである。

ここで確認しておかねばならない、ここでの議論にとって大切なことがある。何度も見たように、多くのファンは決して曲を覚えるため、記憶するために聴いているのではないということである。それでは何のために…感動のために、…CDを買ってきたのも、曲を記憶するためではなく、もう一度、いや何度も感動を繰り返したい、求めたいと思って買ってきて、そして実際、聴きながら、感動を再現しているのである。

そして、この感動こそ、ここで見ている、意味、芸術からやってくる大きな意味、大切な意味、しかし、今のところ言語にならない意味であるということである。

いや、ここはもう少し慎重に行こう。ここで見た感動からの意味は、やはり芸術の意味そのものとは考えてはいけないかもしれない。ここに見た意味は、「我」の中に起きた感動であって、芸術が「我」に与えた感動であるとも言えるからである。そして、芸術そのものには、それなりの、一曲一曲のそれぞれの大きなすばらしい意味が力を持って存在しているとも考えられるからである。これに対し、意味とは常に「我」にとっての意味であって、「我」にとってのものとなってはじめて意味となるとも考えられるのである。これらは、意味というものをまだまだ見ていかねばならないことを示しているとも言えるのである。そして、ここで下手に意味を定義するとか、概念として見ていくことは止めて、今見ている対象に、なるべく正確な形に向き合ってみよう。

確かに、多くの哲学書も、意味は「我」の中の、「我」の意識の中ではじめて意味として存在しうると考えている。これは観念論ということではなく、本論としても「我」は無限の広がりを持つ狭い世界に住んでいて、その世界に入ってきてはじめて意味というものが存在するとも考えることができるのである。しかし、ここでは〝狭い〟が大きな問題になっているはずである。この狭い、は自分だけの世界でその外へは他人の意識へは出られないことを示しているのである。そして、コンサートで多くの聴衆が聴いて感動していたとしても、それぞれが、「我」の世界で感動し、意味を得ているとも考えられるのである。いや、それだけでなく、演奏家にとっては、彼の世の中での、いや、まだまだ作曲した人間には、彼の世界の意味だとも考えられるのである。もちろん、そのように考えることもできるのである。そして聴こえてきた音楽も、「我」の世界のもので聴こえてきたものとして、そして、それが与えた感動として意味だとも言えるのである。

しかし、ここでは次のようなことを大切にしていきたいのである。「我」はその曲を聴きながら感動しているが、次から次へと新しい、(特にはじめて聴く時は)意味が、その曲から世界の向こうからやってきているように感じ、受け止めているのではないか、ということなのだ。曲が生きていて、一人の人間のように、見知らぬ人間のように、いや人間ではなく、曲、音楽、芸術として独立した存在として次から次へと新しい意味を送り込んできているのではないか、「我」もそのように思いながら聴いて、感動しているのではないか、ということを大切にしたいのである。「我」にとっては、「我」の外からやってくる意味として、それも次から次へと、そしてそれが自分の中に、大きな意味を形造っているのを感じながら聴き続けているのではないか、ということなのである。もっと言えば、そこには、作曲家の心が、作曲家が伝えようとした意味が、また、その作曲家の心をもう一度作り出そうとする演奏家や指揮者の心、意味が、そこでは生きたまま、流れ、それが「我」の中にもう一度意味を形造らせているのではないか、ということなのだ。

そして、これらの形造られた意味は記憶に残るのである。初めて聴いた曲に感動した時、その感動した自分のこの時の状況、感動の仕方を「我」は記憶して、何度か振り返るのである。その感動をもう一度味わいたくてCDを買いに行くのである。噂を聴いてCDを買ってきてはじめて聴いた曲の時、そのCDを何度も、近日中に、時にはその日のうちに聴きなおすのである。

また、自分の感動だけでなく、流れてきていた音楽、その音楽そのものが生きているように、ただし、なかなかそのメロディなどは浮かんではこないが、それでも、音の表象として、生きたものとして、意味として、少しは記憶に残っているのである。

◎　演奏家や指揮者が変わった場合

大好きな曲で、家でもよくCDで聴いている曲を、コンサートで聴いた時、その臨場感、CDで聴いたのとは違う迫力が大きくやってきて心を揺さぶる。いつも聴いていて、その曲のメロディや、リズム、曲の流れによる音量などを知っているし、時々は、車を運転している時やぼんやりしている時、耳の奥から流れてきたりするのであるが、目の前の音楽の生きた力、感覚、意味が、それらを抑え込んでしまい、ほとんど新しい曲を聴く時と同じように聴いてしまうのではないだろうか。それでも、時々、自分の記憶の中から、耳の奥から、いや脳の中から、好きな部分や印象が強い部分が流れてきて、目の前の演奏と一体となって、共鳴、いや、共感するようになった時、大きな感動がやってくる。

もちろん、それだけでなく、自分のいつも聴いているCDの演奏と、少し違って聴こえることもある。記憶の中の演奏とのずれである。それで、「ええ?!」となることもある。そして、「こんな演奏?」となり、演奏家の技術や解釈に対して疑問が生まれてくることもある。しかし、時には、「へえ、こんな演奏もあるんだ」とか、「こんな解釈もあるんだ」とかなり、なにか、今までの大好きな曲に、持っているCDより、広がりを持った意味の存在を感じる時もある。時には、会場の入口のホールで売っているその演奏家や指揮者、オーケストラのCDを買ったりする。

　同じ曲でも、演奏家や指揮者、オーケストラが違えば、かなり違った意味を伝えてくるのである。それ以上に、「すげえ！　こんな演奏もあるんだ！」となる時もあるし、時には「ええ？　この曲って、こんな曲だったんだ！」となる時もある。その曲の真髄を、作曲者の本当の意図したものを、伝えてくれる、教えてくれる気になる時もある。

　このような反応を一番起こさせるのは、最近のコンサートよりも、モノラル時代の再生のCDではないだろうか。フルトヴェングラー、トスカニーニ、ワルターはその典型だろう。モノラル時代の少しかすれたような録音から聴こえる、ベートーヴェンはブラームス、モーツァルトは、その曲の真の在り方、作曲者のほんとうに伝えたかったこと、いや、それだけでなく、人生の真実を人間の魂の奥の底から響き渡らせるように聴かせてくれるのだ。演奏家としては、シゲティ、シェリング、ケンプ、ギーゼキング、バックハウス、カザロス等がこのような感動を与えてくれるのである。しかも、それでいて、それぞれが個性のある演奏を聴かせてくれるのである。その個性とは、それぞれの指揮者、演奏家の魂の奥底がそのようなのだというふうにも聴こえるのだ。そして、聴く者の魂にもぐっと響いてくるのだ。心と心、魂と魂がまさしく響きあうのだ。

　いや、それ等よりも新しい、カラヤン、バーンシュタイン、もっと新しくは、アシュケナージ、インバル、キーシン、クレーメル、ヴェンゲーロフ等はまた新しい録音の澄んだ音での感動を与えてくれる。しかも、それはそれぞれの作曲家の真髄が彼らの魂の中で響いているような演奏なのだ。そして、このような演奏家達が来日した時は、とても高い入場券を、自分の一番大切なものを求めるかのようにファンは求め、生の演奏の感動を得ようとするのである。

これらの演奏家、指揮者、オーケストラの演奏は、それぞれ微妙に違い、しかし、その違いが、やはり、それぞれが求めた真実のように、いや真実として聴く者に聴こえてきて、感動、それよりも、本当に人生の、いや、この世界の真実を、しかも奥底から、まさしく魂の奥底から響いているように聴かせてくれるのである。それはまさしく、人生の最高の価値を、意味を与えてくれているのである。

そして、これを聴いた人々はその感動を、すばらしさを記憶に残し続けるのである。はじめての曲の時起きたと同じように、深い感動と、それを体験したという記憶、それだけでなく、感動そのものが、音楽がまだ記憶の中で生きているかのように「我」はその記憶を大切に抱きしめながら生き続けるのである。

まさしく、芸術なのである。

◎日常的によく聴く曲

今まで見たように、深い感動を与えた曲、そしてその演奏は、強いその記憶を「我」に残している。しかし、その曲そのもの、生きた演奏としては多くのファンもなかなか、少なくとも完全には記憶に残せない。多くのファンは、その部分、心に残りやすい、いや、ほんとうに深い強い感動を与える部分のみを記憶にとどめているばかりで、多くの部分は思い出せない。だから、多くのファンはCDを買い、または、テープに録音して何度も聴いている。感動を繰り返すためである。そして、これも先に見たように、記憶に残っている部分が共鳴して、より深い感動を与えることもある。そして、多くのファンは、車の中や、家に帰ってのくつろぎの時間、いや、新聞を読んでいる時、家事をしながら、…いわゆる〝ながら〟でも聴いている。ずっと聴いていなければならないのだ。音楽に取り囲まれていなければならないのだ。

ただ、こうなってしまうと、先に見た、人生の真実、魂の奥底からの、という具合にはなかなか聴けない。心がそこに向かって、真剣になってしまえば、車の運転は危険であるし、新聞も読めないし、家事もできなくなってしまう。いや、なにもしていない、くつろぎさえもできなくなってしまう。

だから、世の中には、イージーリスニングというのもあるし、バックグラウンドミュージックというのもある。今まで、ずっとクラシックと、そのファンの関係を見てきたが、それでは、クラシックファンは日々生活の中では、クラシックは聴かないのか、ということになる。確かにそんな面はある。多くのクラシックファンも、日常生活の中では、なかなかベートーヴェンは聴けないのではないだろうか。彼の多くの曲はあまりにも重々しく、日常性、特に家庭生活では、多くの人々はそこに幸せを求め、つくり上げようとしているとすれば、そのような雰囲気にはなじめない、いや壊してしまう、恐ろしい曲に聴こえてしまうのである。少なくとも、小さな子供がいる家族全員ではなかなか聴けないのだ。いや、ベートーヴェンだけでなく、多くの交響曲がなかなか聴けないのだ。

家庭生活の中で一番聴き易い、多くのファンが聴いているのは、ショパンなのではないだろうか。ショパンのピアノ曲は全体、とても美しく作曲されており、二百年近く経た現代の家庭生活の中でも、生活の中に溶け込み、いや、生活全体を美しくしてくれるのだ。だから、クラシックファンでなくても、ショパンはよく聴かれているし、愛されている。

これはショパンの作曲が、特にピアノという楽器が、室内で、また家庭、これはもしかしたら、ショパンの活躍した当時の貴族や豪商達の家庭できれいに鳴り響くように作り出されていたからだろうか。少なくとも現代の、ステレオ装置やラジカセで聴く時は、家庭の中に美しい音色、聴く者の心を優しく美しくしてくれる音色を流してくれる。ショパンだけでなく、シューベルトやシューマンにも多くの、時にはブラームスなどにも家庭の中で聴ける、聴けると思う、聴きたいと思う曲が存在する。

いや、そもそも、室内楽というのも存在する。室内楽はその名のとおり、コンサートホール、劇場で演奏されたのではなく、やはり、室内、もちろん、これらも大きな屋敷、帝室の中の大きな部屋、ホールで演奏されたのだろう。これらも、曲によるだろうし、聴く者の心の在り方にもよるだろうが、家庭で聴けるとしていいであろう。

いやいや、交響曲だって音量を小さくして聴いていれば、家庭の中でも、ダイニングや、小さな勉強部屋でも、ああ、眠る前に寝室でも聴くことができる。

これらの、いわゆる〝ながら〟の聴き方は多くのファンが多く、日常の中でやっていることだ。コンサートや、新しい曲との出会い、新しい演奏との出会いの時とは違った、正面に向かわない、リラックスした形での曲との出会いだ。このリラックスの方が日常では、新しい出会い、正面に向かい合う曲の聴き方より、ずっと多い。

こんな時、聴く者、「我」には、曲はどのような意味を持っているのだろうか。食事をしながら、そして、お茶を飲みながら、リラックスした時にはそれなりに曲は入ってきて、それなりに耳を傾け、曲はそれなりに、多くはところどころであるが入ってくるだろう。しかし、勉強をしながら、読書をしながら、運転をしながら、時には仕事をしながらともなると、ほんとうに聴いているのか、聴こえているのか、となってくる。でも、こんな音楽ファンに、そんないいかげんな聴き方をやめろ、と言えば、みんな腹をたてるだろう。この聴いている時間は、やはり、彼等には日常生活の中ではとても大切な時間なのだ。音楽を聴くことによって、よりリラックスできるのだ。そして、聴いていない、意識をそちらに向けていなくても、曲は聴こえてくるのだ。そして、時々は好きなメロディやリズム、響きが入ってくるのだ。それ以上に、感動とまではいかないが、いい気分、澄んだ気持ち、より心が休まる感じを持ちながら聴いているのだ。日常の中のとても貴重な時間なのだ。

貴重であることはやはり、意味を持っている、しかも大切な意味を持っているということになるだろう。しかし、どんな意味だろう。先程見た、人生の真実、魂の奥底という具合ではなさそうである。それとは反対に、リラックス、快い時間を与えてくれている、生活の中に潤いを与えてくれる。もっと生活の中の様々な嫌なこと、ゴタゴタ、苦痛、苦労を忘れさせてくれる。…これはやはり生活の中では大きな意味である。強い感動とはまた違った、安定した心の動き、流れ、落ち着いた気持ちにさせてくれる。これはこれでやはりとても大切な意味である。

しかし、それでは曲からは、音楽そのものからは意味がやってきていないのでは？となってしまう。いや、曲からは意味はやってきているはずだ。確かに、このような生活の中の快い時間の流れを目的として、イージーリスニングやバックグラウンドミュージックが作られていると言えば、叱られるだろうか。でも、イージーリスニングやバックグラウンドミュージックの作曲や演奏は、その名の示す通り、（イージー＝意味が小さい、大きな力を人に与えない、バックグラウンド＝背景に退いている、正面からの意味を伝えない）人々に快い時の流れを送ってもらうために、その音楽が人々を包み、それでいながら、重い、激しい大きな意味を与えない、感じさせないことをかなり意図して作られ、演奏されているのではないだろうか。そして、日常生活では、クラシックファンも先程見たように、このような意味を避けるように、逃げるようにしているのである。だから、ベートーヴェンや交響曲は多く避けられるのである。そして、ショパンのピアノ曲や室内楽曲を聴いているのである…。

いや、いや、という声が聞こえてくる。交響曲でもシベリウスはよく聴かれているのでは…、また、交響曲ではないが、かなり大きなオーケストラと共演しているラフマニノフのピアノ協奏曲も…クラシックファンは日常生活でよく聴いているのでは…? これらの曲は、先程まで見てきた人生の真実、魂の奥底、激しい、重い、恐ろしい意味とは違った意味を与えてきてくれる。北欧やロシアの広い平原、遠くまで続く空、家庭生活から遠く離れた、美しい、広々とした、憧れの、すばらしい光景を思い浮かばせてくれるのだ。そして、それでいて、どこか、家庭の中の暖かみ、優しさ、愛をも感じさせてくる作品なのだ。ある意味で、家庭生活の憂さ、ゴタゴタから遠い、ゴタゴタを忘れさせてくれる、それでいながら、優しさ、温かみ、愛を感じさせて… こう言えば、ドヴォルザークの九番、『新世界』、いやいや、ドヴォルザークの多くの曲、チャイコフスキー、メンデルスゾーンと名前は挙がってくるだろう。シューベルトだってシューマンだって、いや、モーツアルトの交響曲も、どこか楽しく、愛や温かみがあって… また、大平原などの大きな景色だけでなく、ヨーロッパの街の風景、街角を思わせる曲も多くある。

多くのクラシックファンは、日常生活において、このような曲の意味、曲が与えてくれるものを生活の中にほんの少し思い浮かべるように聴いているのではないだろうか。意味とは言っても、これらを言語ではけっしてとらえているわけでなく、言語のない意味として、音楽として、曲として生活の中に浮かべるように、いや、それでいて自分を取り囲んでくれるように聴いているのではないだろうか。

そして、時には何百枚にも及ぶCDやカセットテープ、時には古いレコードを棚に並べ、今日はどの曲を聴こうかな、と今日の自分の気分に合わせた曲を選んで聴いているのではないだろうか。

今日の気分による曲の選択には、やはり、意味と記憶のかなりデリケートな関係が存在するはずである。気分のとても多くの部分は、昨日今日、近日中の出来事の記憶からできているとしていいであろう。この他のものとしては、欲望や希望、理想、また、義務や責任が中核として存在しているはずである。しかし、気分と言った時には、やはり、近日中の出来事の記憶が多く占めているはずである。確かに、今日しなければならない仕事が山のようにあったり、近づく試験のための勉強なども大きく気分を形造っているであろう。しかし、こんな時はなかなか音楽を聴いている気分にはなれないのでは…もちろん、この時々、人によりけりであろうが…また、欲望の方は、食欲は三度の食事で満たされ、性欲は大きく日常生活では抑圧されているはずである。希望や理想は日常生活ではそれほど力を持っていない、…もちろん、これも人によりけりである。

とりあえず、ここでは近日中の出来事の記憶が形造る気分を見ていこう。出来事の記憶とは言ったが、気分となってしまった時は、それらの一つ一つの記憶ではなく、それらが一つになった塊になっているはずである。この塊になったものの中には、もちろん、欲望や希望、理想、そして義務や責任も力として要素として存在しているはずである。それらはその日その日、また人によりけりなのである。

この塊になったものが、曲を選ぶ大きな力になっているのでは、と言いたいのだ。塊になっていることは、具体的な記憶として存在していないだけでなく、ほとんど言語としても存在していないはずである。せいぜい、明るい、暗い、その前に、良い、悪い、楽しい、つらい、などの形容詞の一語、また、面白くない、元気、疲れた、など短い言葉によっているはずである。しかし、音楽ファンが曲を選ぶ時は、自分の気分を塊のままじっと見つめ、それで選ぶのではないだろうか。そして、その塊に一番浸み込むような曲を選んでいるのではないだろうか。もちろん、その時によって、しっくりいく時もあるし、迷ってなかなか決められない時もある。そして、このような選択には、言語はなく、塊に対する感覚と、言語としては存在しない大きな意味を持った芸術、やはり塊、しかも、時間とともに流れる塊に対する感覚の、とてもデリケートな感覚どうしの浸透の仕方についての、やはり、これも感覚としか言いようのない、ものが決定しているのではないだろうか。気分も意味であり、音楽も意味である。それらの意味と意味との融合である。

このような意味がどのように記憶に残っているかを見るのが、この章の仕事である。これらの曲は〝ながら〟であったり、ぼんやりとしたままであったりの状態で聴かれているのである。基本的には、大きな力で記憶に残ってはいないとしていいであろう。それでも、ふとした時に、「今日、○○の△△の曲を聴いた、ああ、よかったな」と思う時がある。やはり記憶に残っているのである。仕事が忙しい毎日が続き、家に帰っても食事と入浴が精一杯で、なかなか音楽を聴く時間を持てない時、ふと、「あ、聴きたい！」と思って、セットして、それが精一杯でほとんど聴けないと思って入れていた曲が、家に持ち込んだ仕事の合間にほんの少し聴こえてきた、その曲の一部が、「ああ、よかった、ほんとうによかった」となる時もあるのである。それだけでなく、いろんなことでイライラしている時に、心を安らかにしてくれ、静かな曲が流れてきて、心休まる時もあるのだ。そして、夜、眠る時、「ああ、いい曲だ、心に沁みるってあんなのを言うんだ」と思って、またCDをかけ直して、気を取り直して、「これでゆっくりと眠れる！」と思って眠りにつく時もあるのだ。やはり記憶に残っているのである。

多くの、日常生活の中で聴く曲も、そのほとんどはなんらかの形で記憶に残っているのである。そして、今見たように、その意味を噛みしめるように思い出すこともあるのである。ただ、これらの記憶は、はじめて聴く曲や、はじめての演奏を聴く時に見たような大きな力、時には一生残り続ける記憶からはやはり、かなり遠く離れているのである。日常生活の中で、大きな力を持った記憶は、生活の進行には邪魔なのである。人々は大きな記憶が残らないように生活を送っているとしていいのである。いわゆる平穏無事な生活が理想なのである。大きな力の記憶を残す出来事、事故や災害や、事件が起こらないように、病気や怪我にならないように、生活を進めているのである。音楽を聴く時も、音楽が大きな力を持った記憶になってもらっては困るのである。心の片隅に、ほんの少しだけ、小さな力の記憶が残っていれば、いや、残っているように聴いているはずなのである。とはいえ、この心の片隅に小さな力で残った記憶はやはり「我」にとってはとても大切なもののはずなのである。多くの音楽ファンにとって、コンサートや新しいCDを買ってきた時は特別なのである。正面に向かい合い、心を全てそこへ向けて聴くのである。このような時、記憶は大きな力を持っていつまでも残る。しかし、日常生活の中で聴く時は、そんな正面に向かい合いなんてしていたら、仕事が止まる、勉強ができない、運転していたら事故につながる。そんなことはできないのだ。それでも聴きたいし、聴けばやはりすばらしいのだ。そして、このような聴き方の方が圧倒的に多いのだ。ま正面に向かい合えるのは、特別な時だけなのだ。それでも、そのすばらしさは、心の片隅に、ほんの小さな力で残っているのだ。でも、この小さな力の記憶こそ、日常生活の中ではとても大切なのだ。大きな意味を持っているのである。

いやいや、少し前に見た、気分と音楽との出会い、融合の時に心の片隅ではなく、大きな力で、大きくしっかりと残っている…いやいや、やはり、仕事や勉強や家事が大切なのだ。あれは選曲の時だけで、仕事がはじまれば…それでも、ところどころ、時々…しかも、多くのファンは次から次へと選択して曲を聴いているのである。次の曲がはじまれば、前の曲の記憶は大きく退いてしまうはずである。

とはいえ、このように曲を選択しながら聴ける時は、多くは幸せなすばらしい日々、…のはずである。

ⓑ 言語を伴った音楽

これまで、クラシックばかり見てきた。ジャズファンからは、ジャズにも言語を伴わない曲がとても多くある、なぜ？ あんた、ジャズ聴かんの？ との声が聴こえてきそうである。

ジャズこそは、一九六〇年代から七〇年代にかけ、いや五〇年代中期から、様々に歌詞のない演奏が多く残されている。しかも、ジャズの場合は、同じ一つの曲、それはジャズではない他のジャンルの曲も、様々に変奏、アレンジして、しかも同じ演奏家も、その時々で様々にアレンジして曲が、新しい曲のように作り出されているのだ。ただ、言い訳をさせてもらえば、これらの多くの演奏の原曲には多くは歌詞がついているのではないだろうか。サマータイムや、オウタムリーブス、そして、マイフェイヴァリットシングズなどは原曲にはしっかり歌詞がある。ラウンド・アバウト・ミッドナイトはないはずだ、…となるのである。ただ、原曲には歌詞のある曲も、六〇年代のコルトレーンや七〇年代のマイルスの演奏は、この激しいアレンジを聴く者にほんの少し原曲のメロディを思い出させるだけで、ほとんどその歌詞を思い出させることはなく、やはり、少なくとも聴く者には言語を伴わない芸術、音楽として聴こえているはずだ。しかも、それが十五分、いや二十分と続く演奏も多く存在する。ここには、原曲の歌詞から遠く離れたことを思わせる、高いレベルの演奏、変奏のテクニック、それ以上に、そこまで、演奏をほとんど即興のように高めていった演奏家達の心、魂の在り方、いや、それ以上に、この時代の背景、ベトナム反戦運動を中心とした世界の大きな運動のうねりをも思わせる、すばらしいものなのだ。ということで、ここではまだ論じることのできないものとして、先に進ませてもらおう。

また、クラシックに戻らせてもらおう。言語を伴う曲と言えば、このまま歌曲が、そしてまた、この広大なものとして、オペラが存在するだろう。いや、先に見た交響曲にも、ベートーヴェンの九番やマーラーのいくつか、その他、それほど多くはないが、合唱や、合唱を伴った独唱が入っているものもある。これらを視野に入れながら、もっとも言語と曲が密着している、多くは短く、わかり易い、それでいて、大きくて長い交響曲に負けない、大きく心に沁みる歌曲から見ていこう。

多くの作曲家、いや、ほとんどの作曲家が、歌曲、歌曲集を残している。歌曲はやはり、人間の心を歌った、もっとも素朴な意味を、人間の魂の中に存在する意味を、しっかりと言語として表現した芸術であると言えるであろう。ここまで来ると、もっと素朴な民謡や童謡も浮かんできてしまう。これらは生活の中で、ほとんど自然に、人々の心から湧き出たかのように見え、そして、しかも、その多くは、長い年月をかけて存在し続けているのである。そして、それに続くものとして、シャンソンやカンツォーネ、タンゴにも多くは歌詞がついているし、ボサノヴァやファド、世界中に民族音楽というものが存在する。日本にも、演歌が…

これらから見ていくべきかもしれない。これらの曲は、しっかりと言語と音楽が結びつき、それ以上に、人々の心、魂と結びつき、そして多くの人々は声をあげて歌い、また、一人で口ずさんでいるのである。ここには音楽の原形が存在し、人間と音楽の在り方、「我」から音楽が生じてくる在り方が見えてきているはずなのである。人々は自分の心を、言語で表現するが、それを音楽にまで、音楽を伴って、一層、強い形で表現してきたのである。そして、これらの多くの歌は、人々に愛され、多くの人々によって歌われ、また、長い年月をかけて歌いつがれてきたのである。ここにこそ、言語と曲が一体となった、働く者達の心の底から湧き出てきた、苦しい生活の中でも、少しでも光を求めようとする、庶民の心の歌が、意味が存在するのである。ただ、これらも、特にシャンソンやカンツォーネの多くは、資本主義がある程度発達し、庶民の生活もそれなりに豊かになり、また、市民としての自由をもそれなりに得た人民の歌が多いのではないだろうか。とはいえ、これらの民族性を持った庶民の歌こそ、言語と意味と記憶をテーマにしたこの論文のま正面に取り組むべき対象、芸術、音楽の対象であるとも言える。そして、また、ニーチェの『悲劇の誕生』の中のバッカス祭やフロイトやユングの抑圧された性欲や元型と並べた形の議論もしてみたい、しなければならない対象のはずである。それらは、ゆっくりと、腰を落ち着けて、どこかで向き合わねばならないはずである。いや、それだけでなく、ナポリ民謡と、カンツォーネの関係のような、民謡、それ以上に民族音楽と現代その国でまだまだ流行し、新しい曲も生まれている、ポップスと言ってしまったら誤解をうける、シャンソンやカンツォーネ、タンゴなどの曲との関係を見ていかねばならないはずである。そうなると、それは音楽史にまでなってしまうはずである。

ただ、ここでは資本主義が少し発達しはじめた頃の市民が大きな力を持ちはじめた頃の、クラシックの歌曲を見てみよう。クラシックの音楽の存在そのものも、その楽器編成や、プロのアーティストの存在を見れば、やはり、生産力の向上からは切り離せないものであったはずである。しかし、ここでは、そんな見方から離れて、二十一世紀の現代のファンにとっての意味、そしてその記憶、また、それらの言語との関係に絞って見ていこう。つまり、現代の、それなりの装置を持って、多くのＣＤを持って、好きな曲をかなり自由に聴ける「我」にとっての歌曲の在り方を見ていこう。

歌曲といえばシューベルト、シューマン、ブラームス、ほとんどの作曲家はとても多く歌曲を作り出している。それらの曲のほとんどは、作曲家、それぞれの持ち味を充分に出して、聴く者の心に、ということは作曲家の心が聴く者の心に訴えかけてくるように、聴こえてくる。しかも、これらは交響曲や室内楽とは違い、言語によって訴えかけてくるのである。

そして、曲が始まれば、多くのファンは、ほんの少し、その作曲された年代を思い浮かべ、ほんの幽かに、その頃のヨーロッパの街並らしいものを想像するだろうが、すぐにその曲の一つ一つの響きに、作曲家が作り出そうとした世界、音楽の世界、その響きに引き入れられていくはずなのだ。つまり、作曲家が伝えようとした意味の世界へ、である。そして、歌曲の場合は、その歌詞が、言語としの意味が伝えられてくるのだ。

言語によって意味を伝えてくるのだ。しかし、…多くのクラシックファン、例えば、日本のクラシックファンの多くは、その歌詞の意味をしっかりと知って聴いているのだろうか、…

多くのファン、少なくとも半分ほどのファンは、歌詞の意味を知らないで、つまり、その歌詞の言語が表している意味を知らないで聴いて、感動しているのではないだろうか。つまり、交響曲や室内楽のような歌詞のない曲と同じように、言語で伝えられる意味はほとんど理解することなく、それでも感動、ということは、意味を受け止めているのでは、ということなのだ。つまり、音楽そのものの持つメロディとリズム、和音の響きだけに、いや歌曲の場合は歌手の歌声に、その響き、歌詞の歌い方、発声の仕方に、しかし、言語そのものの意味を理解することなく感動、意味を受け止め、吸収しているのでは、ということなのだ。音楽そのものが意味を持ってその意味を「我」に伝えているということなのだ。

とはいえ、歌曲には一曲一曲題名がついている。その題名がやはり、その一曲一曲の意味を、それを見て、曲を聴くと、ああ、なるほど、と、より深い意味が、言語としての意味とともに、曲そのものの伝えようとしている意味が入ってくる。時には分かったような、理解したような気にもなる。そしてまた、平常はそんなに歌詞を読まない、この日本語訳を読まないファンも、この日本語訳に目を通すことがある。そして、そんな時、「ああ、こんな意味だったのか、なるほど…」とより一層意味が、曲が心に入り込んでくることがある。『冬の旅』の最後の曲などは特にそうなのではないだろうか。

いや、歌詞の意味がわかることによって、それまで抽象的でぼんやりとしていた曲からの感覚、感動が、その頃の街角や人々の姿として見えてくるのだ。つまり、はっきりとした意味として見えてくるのだ。まさしく、イメージがはっきりと見えてくるのだ。そして、このイメージとともに曲が流れ、すばらしい世界へ引き入れてくれるのだ。

ああ、まだ、…ドイツ語が少しわかる人々、ドイツ語を習った、かじったことのある人々には、これらの歌曲は深い意味として、言語による意味として、しかも、一語一語の意味として、大きな力で入ってくる。言語の持っている意味と、曲の持っている意味とが一体となって、ほんとうに心に奥深く沁みわたるように入ってくるのだ。大きな感動が、やはり人生の意味が、たとえ、その曲の一つ一つが、人生の一コマを描いているにすぎなくとも、しみじみと、しんみりと、特に泣きたくなるような悲しみとともに、というのは、歌曲には、人生の悲しみ、淋しさ、失恋、孤独、苦悩、そして死を歌ったものが多くあるからだ。多くの歌曲は、他の音楽とともに、人生の明るい楽しさよりも、悲しみ、淋しさ、悲哀を歌っているのだ。人生の真実とは、死すべき人間としての真実とは、まさしく無常の人生とは、明るい、楽しいものではなく、悲しい、淋しい、時には暗い、恐ろしいものではないのか、とも思わせることもある。いや、それでも、小さな家庭の中の、小さな幸せ、愛を思わせる時もある。恋愛も二人だけの、誰にも知られない、静かな愛を思わせるものもある。

まさしく、芸術は様々であり、様々な形で人生の真実を、その意味を伝えてくれるのである。

そして、それらを聴いた日は、時には、二、三日、その少し悲しい、時には暗い、心の中に残った感動をじっと暖めるようにして、悲しい、暗いにもかかわらず、その日の生きる力の核心のように感じながら生活を続けるファンも多いはずである。そして、時にはそのところどころのメロディが歌詞とともに、その言語を習ったことのない人々も、このところどころの発音、単語の響きが湧いてきて、口ずさんだりもするのではないだろうか。多くの人々はこれらの、自分の中で動いている意味を、その記憶を、人生の中のとても大切なものと考えて、暖めて、抱きしめて生きているのではないだろうか。

ただ、ここでもう一つ、意味と記憶について、歌曲を見ておこう。とはいえ、ここは少し議論も、多くの人の意見も必要なところではあるはずだ。

ここまで、歌曲に至る前に、交響曲や室内楽を、つまり言語を伴わない音楽も見て歌曲、言語を伴う音楽に至ったわけである。そして、その感動、心に沁みるその沁み方、つまり、意味がどのように記憶に残るかもそれなりに見てきたのである。それらは、大きく心を揺さぶる、ほんとうに心の奥に入り、残るものとして見えてきたのである。そして、ここには二つの違った記憶が存在したのである。自分が感動したという記憶と、その感動そのものの記憶である。自分が感動したという記憶は、これはほとんど一生残るとしていいであろう。先にも見たとおり、ベートーヴェンの第五や第九、また、ショパンのノクターンやバラードをはじめて聴いた時、フルトヴェングラーのブラームスの四番をはじめて聴いた時の感動は、その時感動した自分、感動したことはやはり一生残るとしていいであろう。しかし、その時の音楽の響き、その感動を作り出した演奏、それがどのように聴こえていたか、響いていたかは多くのファンも、そしてかなり激しく感動したと思っているファンも、せいぜい出だしや、特に心に残った部分だけしか覚えていないのではないだろうか。少なくとも、記憶から引き出して、再現することはとても難しいのでは、ということだ。

簡単に言えば、音楽は記憶に残りにくいのだ。いや、もっと正確に言っておけば、記憶から引き出すことはとても難しいのだ。特に交響曲や室内楽ともなると、かなりその響き、複雑な和音からなり、しかも時間的にもとても長い、その上四楽章、三楽章と続くのだ。これは人間の記憶の限界をはるかに超えているのだ。だからこそ、ファンはCDを買ってきて、何度も聴くのである。最初に、そしてその後何回聴いても記憶は消えていって、再現できないのだ。そして、CDを聴きなおすと、そこにまた再び消えた記憶がよみがえり、感動がやってくるのだ。とはいえ、記憶に残っていないかと言えば、やはり、そうではないはずなのだ。CDをくり返し聴いているファンはどこかで、これを聴いたことのあるものとして聴いているはずなのだ。そして、今まで聴いていたCDと違った演奏家のCDを聴くと、「あ、ここ違っている」ことに気づくのだ。この差異性、違いがわかるのは、記憶の中に今まで聴いていた演奏が残っているからだ。ファンによっては、同じ曲を何人もの演奏家、指揮者、オーケストラのCDを持って、その時々によって聴き分けている者達もいるのだ。聴き分けているのは、その差異を見つけて楽しんでいるのではなく、その違った演奏による感動のデリケートな違いに、心をゆだねたいからなのだ。

そして、歌曲である。先には、歌曲を色々見たが、そして、外国語として、その歌詞が、意味のわからないものとして見たが、ここでは話をわかりやすくするために、日本の歌曲を考えてみよう。日本の歌曲も多くあり、一般の人々にはあまり知られていないものがあるが、童謡のように多くの人々に親しまれているものもある。『からたちの花』や『やしの実』などはやはり、最初は歌曲だったのではないだろうか。しかし、これらは小学校の教科書にものり、合唱曲としても多く歌われている。いや、そんなことはどうでも、ここではこれらの曲を見ることの方が、話はわかり易い。これらの曲は、日本のとても多くの人々の中に、心の中に、しっかりと残っている、つまり、記憶の中で大きな力を持って残っているということである。しかも、その意味は、日本語としてしっかりと理解される、いや、大きな意味として、心の中に沁み込んでいるということである。しかも、これらの歌詞は、ふとした時に自然と、口をついて出てくるのである。記憶から引き出すという努力をしなくても、自然に、時には無意識のうちに口ずさんでしまっているのである。もちろん、曲として音楽としてである。しかも、初めから最後までである。人によっては、二題め、三題めもしっかりと出てくることがある。

ここで言いたいことは、もうお気づきとは思うが、言語はしっかりと記憶に入り込み、残り、保存され、また引き出しやすいということなのである。言語は、音楽、この曲のメロディ、リズムよりも、記憶に保存され易く、引き出しやすいのではないか、ということである。メロディやリズムは、耳から入ってくる表象、つまり聴覚表象であるとしてもいいであろう。それに対して、視覚表象として、様々な現象の残像、美しい光景の、すばらしい人物の芸術としては絵画や彫刻の、記憶の中に残った像を挙げることができる。この視覚表象に関しては後に見ることにしよう。ここでは、音楽のメロディやリズムという聴覚表象よりも言語の方が記憶の中に保存され易く、引き出し易いのでは？と言っているのである。これに対しては、「ええ？…？？」となるかもしれない。歌詞は忘れても、メロディやリズムだけは記憶に残って、出てくることも多いのでは、との議論もすぐにやってくる。それ以上に言語も、それが話されている時は聴覚表象であり、文字に書かれれば視覚表象なのでは？ともなる…。

ここはほんとうに議論しなければならないだろう。多くの記憶は、言語によって固定され、形を変形しないで、その力をそれほど弱めることなく保存されている。多くの歌、歌曲に限らず、歌謡曲や童謡、ポップス、民謡などは歌詞を一度覚えるといつまでも、時には一生残ることもある。ただ、一方、このような曲も、長い間歌っていなかったりすると歌詞は忘れてしまっているが、メロディだけが、心の奥から流れてきて、ということもある。その意味では、このように記憶に残っているメロディは、歌詞よりも、つまり言語よりもより大きな力を持って、心の中に入り込み、記憶の中にいつまでも存在し続けるとも言えるであろう。そして、歌詞まで覚えた曲は、それだけ自分の好みに合っていて、ということは「我」にとって大きな力を持った意味として存在していて、だからいつまでも忘れないのだ、とも言える。とはいえ、歌曲、そして他の多くの歌詞のある曲は、歌詞がその曲をしっかり、ということは固定したまま記憶に、意味を保存していることもまちがいないのだ。というよりも、多くの歌詞のある曲はやはり心に残りやすい、記憶に残り続けることも事実であろう。歌詞、言語がしっかりと、はっきりとした、わかり易い意味を伝えてきて、室内楽や交響曲のような抽象的な存在のまま、抽象的な意味のまま流れてくるのとは違い、人間が意味を伝えあう大切な道具とも言える言語によって意味が「我」の中に入り込んでくるということになるだろう。

××　××

同じように世界各国の人々は、自国の歌を、シャンソン、カンツォーネ、フラメンコ、ファド、ボサノヴァ等として、抱きしめるように、その詩の、言語の伝える意味として、そして、曲の、音楽の持つ意味を一体化したものとして、聴いているであろう。それを聴く人々の心の中にも、今までその土地で生きてきた経験、それらの記憶の集積、塊として、意味の山、塊のようなものがあり、いわゆる心を打たれる状態になって聴いているはずである。

一方、それらの曲を、外国語のままで聴き、ほとんど言語の意味を理解していない人々も、大きく心を動かされるのである。この心を動かされることには、それぞれ世界中の人々が、それなりに人間として、死すべきものとして生まれ、成長し、生活をし、そこで苦労し、恋をし、失恋し、また結婚し、子供が生まれ、すばらしい愛を感じながら育ち、しかしながら、たいへんな苦労をして、という共通の体験、その記憶を蓄積しながら生きているからだとも言えるであろう。それだけでなく、外国の歌には、その国の風景、街角、その国独特の人々の動き、表情、心を思わせるものがあり、「ああ、行ってみたいな」と思わせる、憧れと言った心を動かす、いや、心を響かせるものも存在するはずである。また、一度や数度、その国へ行って、その地を歩んだ人々は、その時の思い出と、憧れに似た気持ちが重なり合って、一層その国の音楽を愛するようになるのである。

音楽は、芸術は世界中の人々の心に意味を伝えるのである。

ⓒ 絵画、彫刻

ここまで、音楽ばかり見てきた。しかも、言語を伴う歌曲まで見てしまった。言語を伴わない芸術として、これから見る絵画や彫刻を先に見るべきだったとも言える。ただ、音楽を、言語を伴わない音楽を見てきて、やはり、その部分、言語を伴った歌曲を見ることは、それなりの意義があったとして許していただきたい。歌曲を見ることによって、その前に見た言語を伴わない交響曲や室内楽もよりよく見え、また、歌曲の方も言語を伴わない交響曲や室内楽との対比でよりよく見えたとしていただきたい。

音楽は聴覚に、絵画や彫刻は視覚に訴えてくる。それだけでなく、絵画や彫刻は基本的には一瞬にして見てとれる。一方、音楽は、時の流れを必要とする。どのような短い曲も、それなりの時間の経過によってはじめて全体を体験できる。このことは、この論文からすれば、記憶との関係が大きな問題になって見えてくる。もし、記憶というものが存在しなければ、つまり、一瞬前の記憶が存在しなければ、音楽の流れをとらえること、理解することができないことになる。同じことは、この後見なければならない文学でも生じる。先に読んだ文や文章の記憶があってはじめて、その小説や詩が理解できているはずだからである。ただ、その記憶は文や文章をそのまま記憶しているのではなく、意味をとらえる、理解している、つまり意味として記憶していることによる。これ以上は文学のところで見ていこう。それでは音楽ではそれらの記憶はどうなっているのか、もう一度、前に戻って、…となるが、ここにはとても難しい問題が存在しているとだけしてもらおう。曲全体としての意味の記憶への残り方はそれなりに見てあるはずだとも言っておこう。

絵画や彫刻が時の流れを必要としないことを、空間芸術という言い方をすることもある。多くの絵画や彫刻は、ほとんど一瞬にしてその全てを見ることができる。そして、全体そのものが訴えてくること、その力を全体から感じることが絵画の鑑賞ではとても大切なことになる。その全体からの訴えてくる力をそのまま受け取ることが、その作品の正確な意味をとらえること、つまり理解することとなる。

理解することとは言ったが、そこに描かれているものを「りんごだ」とか「並木道だ」ということ、つまりそこに描かれている対象が何であるか、ということを理解することは、絵画を、芸術としての絵画を理解したことにはならない。(ここでは、絵画だけに焦点をあてよう)かと言って、この作品は〇〇の作品で、何時代の何派の作品で、この描き方は、この派の、そしてまた、○○の独特の描き方で、というのは、それは、作品の外側の成り立ちを理解はしているが、作品そのものを理解したことにはならない。そうではなく、作品の前に立ち、その作品に向かい、じっと見て、そこからやってくる力、意味をじっと受け入れることのはずである。理解とは言ったが、言語でそれを、その力、意味を語ることではない。まずは受け入れることだ。そこから来る力、意味を素直な自分で受け止めることだ。もちろん、時々、「すばらしい！」「すごい！」は出てくるであろう。

そこには絵画が存在するのだ。そこには描かれたりんご、描かれた並木道が存在するのだ。そこに存在するのは、現実に存在するりんごや並木道と違った、描かれたものなのだ。そして、そこには今まで見てきたりんごや並木道から感じてきたものとは違ったものがやってきているのだ。いや、りんごや並木道から今まで感じてきたものを思い起こし、それをよりはっきりさせたり、もっと強い形で訴えてきたり、少し違った形で、しかも、何か、今まで気づいていない真実のようなものが見えてくる気にもなるのだ。

これは次のような絵画というものの在り方が、つまり「我」に対する在り方が関係しているとしていいであろう。

日常生活では、「我」はりんごを見た時、「おいしそう」「食べたいな、喉渇いているし」となり、並木道を通っても、毎日通っていれば、「あ、早く行かないと遅れる！」とか、「前の車、なにをのろのろ運転しているのだ…?」と並木道そのものを見る時など、なかなかないのだ。せいぜい若葉や紅葉で色づいた時、「ああ、いいなあ」「美しい」となるが、それを真剣に見ていると事故になってしまうのだ。りんごの方もりんごそのものを見ることはないのだ。

ところが、ここでは、つまり絵画の中では、りんごそのもの、並木道そのものが描かれているのだ。そして、それを描いた画家達も、りんごそのもの、並木道そのものを描こうとしていることが多いのだ。つまり、そこにはりんごの、並木道の、存在そのものの在り方、そして、意味が描かれているのだ。それを見る方も、日常生活の欲望や、義務や責任、仕事や勉強、生活のためにしなければならないことから離れた形で見ていることになるのだ。つまり、見る方も、りんごそのもの、並木道そのものを、その意味を見ていることになるのだ。

もちろん、日常生活、というよりも日々の暮らしの中で、人々も、りんごや並木道ばかりでなく、果物や花や風景をそのものとして、欲望や生活からの必要とは離れたものとして見ることがある。もらったりんごがとても美しい時、花がとても美しく咲いている時、夕陽やお月様、お星さまが美しい時、また、旅行に行った時の風景などである。このような時は、あらゆる生活からの気持ちを忘れ、なにもかも忘れ、ただただ、目の前の果物や花や風景に、いわゆる心が行くのである。これらの時の果物や花や風景は、人々にとても大きな意味を与えてくるのである。多くの画家も、このような意味を絵画に表わそうともしているのだ。そして、絵画を鑑賞する人々も、そこに描かれている静物や風景と自分が今まで経験した、それとよく似た記憶が浮かんできて、それらが響きあい、より一層、感動、心を惹きつけられることもあるのではないだろうか。そして、このような共鳴の後にまた、絵画の中の画家の意図した、描こうとした意味が、より迫ってくることもあるのではないだろうか。

ただ、このように絵画からやってくる意味もほとんど言葉にならない意味である。人によっては、これらのやってきた意味を言葉に表そうとするが、しかし、これらの意味はなかなか言語では表せないはずである。画家の多くは、言語では表せない、絵画でしか表せない意味を描こうとしているはずだからである。また、美術館での展覧会では、それなりの解説もなされたり、多くの美術書には絵画についての文章も多く存在する。ただ、これらの解説書はその絵画のできるまでの成り立ちや、画家のこの頃の状況を述べているだけで、絵画そのものについては、…もちろん、これも様々であるとも言っておこう。時には、それを描いた画家の言葉も存在する時があるが…

そして、これらの絵画からの感動、感銘は時にはいつまでも心に、記憶に残るのである。とはいえ、この時の生の感動、感銘、つまり意味はなかなかそのままの形で、その絵画に面していた時のようには残らないのだ。言語にならない意味はなかなか残ってくれないのだ。だから、美術館を出る前に、展覧会のための本や絵はがきを買ってくるのだ。また、二度、三度と足を運ぶこともある。そして、そんな時、また、新たな感動がやってくる時がある。新しい意味がやってきたのだ。そして、十数年、数十年経って新たな展覧会で同じ絵画に出会うこともある。その時、昔と同じ感動とともに、新しい感動もやってくることもある。先程見た、自分の中の記憶の蓄積も変わり、響きあうその響き方も違ってきているともいえる。そして、また、大きく心を打たれるのである。

××　××

これだけで終われば、叱られるだろう。絵画には人物画や、人々の生活の様子を描いたものも多くあるからだ。ここまで、静物画や風景画について述べたことを否定したり、それとは矛盾していることがそこには見えているはずなのだ。

絵画には、人物を真正面から描いたものが多く存在する。写真技術がなかった昔には、貴族や富豪たちは記念写真のように肖像を残したと考えていいであろう。このような人物画にはモデルとなった人々のすばらしさ、美しさを伝えてくるものが多い。貴族として生まれた、そして、富を積み重ねる能力を持って生まれた、そしてまた、女性は、このような家庭に生まれて、美しく育ち、すばらしい人目を惹く存在であることを表現しているのである。しかし、そんな中にも、彼らの生きてきた歴史の中の苦渋をその表情などに表しているものがそれなりに存在する。それだけでなく、神話や歴史を描いたものの中には、登場人物の苦難を描いているものも多く存在する。

近代になって、それなりに庶民も豊かな部分が多くなり、それなりに庶民が描かれることが多くなった。また、庶民の生活も描かれ、そこには生活からの苦労、苦悩が多く描かれている。また、戦争画というものも存在するし、災害を描いたものも多くはないが存在する。

こう見てくると、先程静物画や風景画で述べたことが否定されてしまう。絵画が、そこに生活を描き、見る者を生活の中に引き入れているのではないか、ということなのだ。確かにそうなのだろう。人物を描く時、その表情に表われている、その人物の過去、その記憶の蓄積、これまで生まれてから経てきた人生、その中にすばらしいこともあったろうし、苦しいこと、つらいこと、悲しいこと、生活の中での苦労、苦悩、成功、喜び、恋愛、失恋、結婚、出産、そしてまた肉親の病気や死を味わってきて、今日まで生きてきたことが、この表情の中に陰を落としているはずなのである。じっと人物を見て、それをそのまま写そうとしても、それらは自然と表われてしまうのである。画家も、人物の形だけでなく、それが訴えてくるものを受け止めて、描いてしまうのである。人物画には描かれた人間の人生が、顔の表情を通して描かれてしまうのである。

そして、このような絵画を見る人々も、それをやはり感じてしまうのである。もちろん、この人物がどのような人生を送ったかは具体的には見えてこないが、それでもその人物の顔や肉体に刻まれたその陰はなんとなくではあるが感じてしまうのである。その感じたことは、自分の人生の記憶と重なり、時には共鳴するのである。時には、その刻まれた陰は自分の知っている人間の中の、表情の中の陰とも一致して共鳴もすることもあるはずである。

とはいえ、ここに言語が登場してくるかと言えば、また話は別である。顔の表情の中に、過去の経験の中の特定の出来事が表われることはないのである。少なくともそれを確定するものは見当たらないはずである。あるとすれば、事故による傷、そして絵画の中であるとすれば、戦争での傷であろう。そして、時には病気による顔面の変化もあるだろう。これらは特別な場合で、多くの顔の表情は日々の生活の一日一日をそこに積み重ねたものなのである。言語に表されるような特別なものはほとんどないのである。過去の日々の生活がそこに凝縮されて表われているのである。いや、過去だけでなく、未来に対する夢や希望をその眼は表しているのである。だから、顔なのである。しかし、これらはただ塊のまま、凝縮されたままなのである。しかし、そこには、意味が存在しているのである。過去の人生、そして未来がそこに意味として見えてきているのである。いや、それだけでなく、そこには性格や、時には、その時の気分なども写されているのである。いや、いや、まだまだ、そこにはその人の持つ美しさ、すばらしさ、性的魅力、年齢、様々なものが、つまり人生、人格、人間そのものがそこに表われているのである。しかし、それらは一つの顔として、一人の人間として、そこに描かれているのである。つまり、塊のまま、凝縮されたままなのだ。そして、それを見る人々も、その顔、人体を、顔そのものとして、人体そのものとして、塊のまま、凝縮されたまま受け入れるのである。もちろん、時々は、ああ、こんな人生を生きたのかな？と浮かんではくるが、その？は消えないままなのだ。そして、？を持ったままじっと見ていると、その顔の表情が強く目に、心に入ってきて、?とともに浮かんできたことは退いていってしまうのではないだろうか。その人物に表わされた塊、凝縮されたものが、大きな意味として、真実として、大きな力として、「我」に訴えかけてきているのだ。そして、その絵から離れて、家に帰る時、この顔が浮かんでくることがあるが、この時は、その絵画の全体像が、そして何よりも表情が浮かんできて、やはり言語は退いているのではないだろうか。強い力の真実、意味が、しかも言語ではない意味が浮かんできているのである。

そして、数日経って、数週間経って、時には数年経って、その絵が浮かんでくることがあるが、その表情、姿勢がそれなりの力を持って浮かんでくるのだ。つまり、言語のない意味として、記憶に残っているのである。真実の意味が残っているのである。

×× ××

以上、矛盾してきたことを述べてきたが、問題は日常生活とどう向き合うかであろう。美しい夕陽や旅行に行って見る風景は、確かに日常生活を忘れさせるすばらしいものであり、それが絵の中に描かれていれば、絵画という狭い世界の中に、日常生活を忘れさせる風景が描かれ、二重の意味で日常生活から遠ざかれることになる。また、日常生活の中のすばらしい果物や花々は、日常生活の中にありながら、そのすばらしさ、美しさはその中の苦悩を忘れさせてくれるし、それが絵画に描かれたのを見た時は、なにかほっとした気持ち、日常生活の苦悩が断ち切られた思いがするはずである。ただ、このような純粋な美しさ、すばらしさを描いた絵画は割合と少ないのではないだろうか。美しい夕陽を描いても、その手前に工場が立ち並び、それらの疲れた煙突や建物が描かれ、それらの建物の前の道路を、疲れた、作業服を着た人々の帰宅する姿を描いたものも時にはあるはずである。そこには美しい夕陽を背景に、生活の中の真実が描かれているとしていいであろう。とはいえ、人々の様子は仕事が終わって、やれやれ、と、ほっとしているのではないだろうか。果物や花々を描いたとしても、小さくついた傷や枯れかかった枝が描かれていれば、また、それを見る人々に人生の中の苦悩を、自然の中の真実を突き付けてくるはずなのだ。

一方、人物画も、人々の苦労、苦悩だけでなく、その人物の持つ美しさ、性的魅力、いや、それだけではない苦労、苦悩をその中に保ちながら、それでもしっかりと、力強く生きている人格のすばらしさも描かれていて、人々は心を打たれるのでは…

そして、風景の中に人物を描いた絵画も多くある。美しい風景の中に貴族たちの様々な遊びや狩りを描いたものも多くあるが、働く人々を描いたものも多い。その代表は『晩鐘』だろう。この作品は多くの人々は写真などで、小学生の頃から見ている。そして、その絵を一生の間、記憶の中に持ち続ける。夕暮れの風景の中で、一日の働きを終えた農婦が、一日の仕事を無事終えられたことを神に感謝し祈る姿は、小学生の子供達にも大きな深い意味を与え、その後もずっと与え続けるのだ。

ああ、人物はほとんど描かれていないが、ユトリロのヨーロッパの街角も、とても美しい、すばらしい街並ではなく、少し疲れた長い年月を経た、そこを通った人々の人生も沁み込んだような建物の壁や通路、そのひびや割れ目、それらが人々の心にその心のひびや割れ目の中のように入り込んでくる。ゴッホのひまわりはもっとわかり易い。すばらしく描かれたひまわりの中に、描いた男の苦悩と狂気がにじみ出て、しかも美しく輝いているのだ。ああ、クールベの波、セザンヌ… ダヴィンチ、…ピカソ、マチス、モジリアーニ、ジャコメッティ…

いやいや、忘れてはならない北斎の富士、浮世絵、掛け軸、屏風…

世の中にはすばらしい絵画が無限と言っていいほどある。すばらしい人類、地球だ。人々はそれらの絵画を見、それらの絵画のそれぞれに訴えてくるもの、心に伝えてくるもの、意味を受け止め、感じ、感動するとしていいであろう。また、それを見る人々の中にも、それぞれの日々の生活があり、それらが連なった人生があり、それらの記憶でもって、それらの絵画の伝えてくるものを受け止めているのである。芸術は大きな意味で、人々に迫り、訴え、人々はそれを受け止め、絵画の意味と人々の記憶が響きあい、それを糧として、また記憶の中に残し、また生活を続けるのである。

××　××

音楽の方で歌曲を見たように、絵画でも、絵本、絵物語というものがある。日本にも絵巻物があり、また、掛け軸や屏風の絵のどこかに、文字で詩や文が書かれているものも多い。これらは歌曲で見たように、言語にならない意味に、言語の意味を添えることによって、人々にその意味をよりわかり易く、受け入れ易くし、この意味をより強く伝えているとも言える。

ただ、ここで掛け軸や屏風に書かれている文について見ておけば、そこに書かれている文字のほとんどは、現代人の我々には、なかなか読めないということなのだ。読めるのは漢字のほうが多く、かなの方は多くは流れるようにくずされていて、なかなか読めないということだ。そして、漢字の方もなかなか読めないが、読めたとしても前後のかなが読めなければかなり意味が伝わりにくいのである。たまには読める漢字で漢詩が書かれていることもあるが、こちらは漢文の知識がなくて読めないことになってしまう。このことは歌曲で見た外国語の歌詞を意味のわからないまま聴きながら、それでも心が打たれることと似ている。

絵本、絵物語の方は、多くは読める字で書かれている。しかし、子供達は文字が読めなくて、おかあさんに読んでもらって…これらは、どちらかと言えば、物語の中身をよりわかり易く絵画が添えられる形で描かれていることが多い。言語の意味をよりわかり易くするために、絵画が描かれているのだ。これは音楽でも、最初に詩があり、それに曲がつけられたのと似ていることになる。歌曲でも詩に心を動かされるよりも、つけられた曲に心が動かされるように、子供達は絵の中の主人公や動物たちにより心を動かされていくことになる。つまり、より大きな意味を絵画が伝えていることになる。

子供達は、物語とともに描かれた絵をいつまでの心の片隅に残して成長していくのである。

×× ××

そんなことを言えば、マンガやアニメは…きりがないということでお許しをいただこう。日本のマンガ、アニメは世界に誇るべきすばらしいものである。この意味、マンガのセリフやアニメのセリフと絵画の関係…きりがないから、各人で議論して…ということでお許しを。

ⓓ　風景と花々

これまで言語にならない意味として芸術ばかりを見てきたが、それは人間が作り出したもので、その先に、ここで見る風景や花々、自然の中に存在する意味を見るべきであったかもしれない。それに対して、先には、芸術の方がよりその意味が言語にならないことを理解しやすいから、とも言っていたかもしれない。それ以上に、この風景と花々は、絵画の中に描かれたものを先に見てしまっているのだ。かなりの混乱とも言える。とはいえ、意味とはそもそも人間の中に、「我」の中に存在するものであり、それを伝えあうものだとすれば、…芸術とは、それを生み出す者、作曲家や画家たちは、自分の中に感じ、蓄えている意味を人に伝えようとしているのだとすれば、…そして、日常生活の中では多くは風景は背景に退いていてしまい、美しい花が咲いていても…ということで…。

とはいえ、まっ赤な夕焼けや、すばらしい青さの海、一面に咲きほこる桜、ひまわり畑を見た時、ほとんどの人々は心を奪われてしまうはずである。このようなすばらしい美しさを神様が造り出されたと考えれば、そこにその意味を生み出した神様の意図を感じ、芸術と同じように、生み出され、人に伝えようとされた神様の存在を感じることができるが、多くの現代人は、自然そのものを、そこには意図などないものとして感じるのではないだろうか。しかし、そのような神を信じない現代人も、時には、「ああ、すばらしい」と感じながら、そこに神様の意図のようなものを感じてしまうのではないだろうか。

時には、自然はほんとうにすばらしい美しさを生み出し、人々の心を惹きつけるのである。大きな意味を持ち、人々に伝えてくるのである。人々はそれに惹きつけられ、心を奪われるのである。ということは心がその意味でいっぱいになってしまっているのである。

これを、神の存在を考えず、自然にそのような意味を作り出し、伝える意図がない、自然そのものに意図などがないとすれば、そして、またこの自然が、そのような意図の存在もなしで生み出した美、すばらしさ、意味を受け取るのは人間の中の意味を受け取ろうとする構造、意識の在り方であるとすれば、その中に見ていくしかないはずである。このすばらしさ、美しさを、その意味を感じるのは、人間の中の何なのか？となるのである。

科学は、人間の行動の原点に欲望を置いているが、この風景や花々に感じる、反応する欲望とは何なのだろうか、ともなってくる。やはり、食欲ではないだろう。性欲…？確かに… 花は植物の生殖器には違いないが…それでは夕陽は…？となる。

夕陽がなぜ美しいのか、青い海がなぜすばらしいのか…ヘーゲルの『美学』、その中の理念…？そして、花が美しいのはフロイトのリビドー、性欲との関係、夕陽や青い海では生命力、生物学的な生命の在り方との結びつきなど…でも、先に見たユトリロのパリの街角などは、…ユトリロだけでなく、パリの街だけでなく、自分の生まれた街の街並も…、いや、いや、日本にはわびさびなどというとても複雑な美意識が存在する。

芸術を見た時はここまでは踏み込めなかったが、夕陽や青い海や美しい花は、自然の美であり、その美を生み出した者は、自然の摂理、神の存在を考えなければ、それしか考えられない、そして、それを受け止める人間、「我」の中にも、その摂理に呼応するものが存在する、これくらいしか考えられないのだ。

一方、芸術の方は、これを生み出した芸術家の存在、芸術家がこれを生み出し、人々に伝えたいと思ったものが存在する、しかし、芸術家が自分の生み出したものがなぜすばらしい、すごい、美しいものだと感じたのか、ともなると、インスピレーションぐらいしか、なかなか出てこないはずだ。芸術家自身も、自分の中から湧き出たもの、湧き出てくるもの、というしかないのではないだろうか。それでは、この湧き出てくるものとは、…確かにこの湧き出てくるものは、他人の心の中でも共鳴するのであろう。

ただ、この湧き出てくるものは、少なくとも、十九世紀後半からは、人間の中のどろどろ、黒々としたものが多いはずなのだ。またしても、フロイトの性欲、リビドー、いや、もっと近いのはニーチェの『悲劇の誕生』、バッカス祭である。

本論は、言語と意味の関係を記憶という認識機能の根底に存在するものを通して、また、言語の存在も根底で支える存在として見ていくことを進めていくだけなのである。記憶は認識機能の根底に存在するとはいえ、認識機能の一部にしかすぎないのだ。

ここに見えてきているのは、美、自然美、芸術の生み出す美、意味の成り立ち、どうして人間にとってはそれが美であり、意味なのか、という問いなのである。この問いの答えは、記憶だけしか見ていない本論にはなかなか近づけないものであるはずである。とはいえ、この問いに対する答えは、美学についての知識はほとんどないからかもしれないが、少なくとも哲学ではヘーゲルの『美学』、プラトンのイデアなどしか思いつかないのである。しかし、それらは少なくとも、十九世紀後半からの芸術、人間の美意識には答えられないはずなのだ。それよりも、マルクス、エンゲルスの「下部構造は上部構造を規定する」の方が、つまり、人間の労働や生活の中から見ていく方が…まあ、まあ、…としておこう。いや、この後、日常生活の中で意味が言語化され、生活の隅々まで、意味＝言語が行きわたり、人間の意識の大部分を意味＝言語が占めていることを見ていくことになる。ということは、これまで言語にならない意味をずっと見てきたが、これらはやはり生活の中から外れた意味であったことにもなる。実際、芸術や風景や花々は、庶民の生活の中には、つまり食べるために、また家族を養うためにあくせくしている生活の中からは外れているということになる。そして、ここで見えてきたことは、生物学的欲望、食欲や性欲からも、また、「我」の中の生命力からも、芸術や風景や花々はなかなか説明できない、かなりの距離のところに存在しているのでは、ということなのだ。ここまで見ると、またしてもマルクス、エンゲルスの、今度は剰余価値という概念が浮かんでくる。剰余価値とは『資本論』では資本主義的生産様式によって、労働者が生み出した剰余価値を資本家が搾取するものとして説かれているが、これをもう少し広い、『経済学哲学草稿』の中の概念、自分と家族が生活していける以上の、つまり剰余の価値を考える、いや、もっと最大限の広さに拡大して、食料と生活必需品以外の生産、そして、食料と生活必需品を生産するのに必要な時間の余りの時間、もっとわかり易く言えば、余暇とまで広げると…、それでも、一昔前の庶民＝労働者や農民は、せいぜい、仕事が終わった時の夕陽、そして月、また、四季の花々、特に春のさくらはすばらしい存在として見ることもできたのでは、…いや、それでも、盆踊りや正月には酒を飲んで、宴会、…バッカス祭も…、それでも、なかなか芸術からは遠い生活であったのでは…

またしても、大きく横道に外れてしまっている。ここでは、夕焼けや花々の美の原因、意味の成り立ちを追求することはできないはずなのである。

ここで見るべきは、夕焼けや花々に人々は心を奪われ、大きな意味で惹きつけられながら、それらの中身、内容をほとんど言語で言い表さない、表現していないことを確認することなのである。まさしく人々は、「美しい」とか「すばらしい」としか言いようがないのである。この〝美しい〟とか〝すばらしい〟という形容詞が全てなのである。その意味では、これらの形容詞は夕焼けや花々の美しさ、すばらしさ、その中身、内容を表現する、大きな意味を持った言語になっているとも言えるのである。しかし、それにしても、夕焼けや花々には人々はとても大きな力で惹きつけられ、大きな意味に縛られているのである。

とはいえ、夕焼けについては、とても多く言語が実際に存在する。夕焼けの場面を書いた物語や小説はとても多くある。また詩や歌も多々ある。童謡には『夕焼け小焼け』をはじめとして、思い出そうとすればすぐにいくつかが浮かんでくる。いや、日本には和歌や俳句で夕焼けを詠んだものが多くある。三夕の歌というのもある。海外にも夕焼けを歌った曲はとても多くあるはずである。夕焼けと並んで桜やバラを歌った曲もとても多いはずである。

こう見てくると、今まで言ったことは間違いになってしまう。ただ、夕焼けを見て、また美しい花を見て、心を奪われ、沈黙に陥っていただけではないかとも言われそうである。そして、その時は確かに言語は止まっている。でも、ここで言いたいのは、その心を奪われた瞬間に見ている夕焼けや美しい花、それから来るもの、「我」を惹きつけているもの、そこからの力、意味について語った言語は存在するのだろうか、ということなのだ。ここについては議論して欲しいし、自分でも確かめてほしいところなのだ。その心を奪われた瞬間、言語が止まっているだけでなく、その心を奪っているものについては、「美しい」とか「すばらしい」ぐらいしか言語は出てこないのでは、ということなのだ。その美しさ、すばらしさについて細かく述べた文章も、小説などには存在しそうであるが、ほんとうにそのような小説を探してみる価値はあるはずである。

そして、ここで言いたいのは、小説や和歌や俳句、詩、童謡なども、その夕焼けの美しさそのもの、意味そのものではなく、まわりの状況や、その時の自分の状態、運命、心の在り方までであって、いや、この夕焼けに関連した様々なことであって、けっして、夕焼けそのものの美しさ、すばらしさ、意味について述べていないのでは…と言いたいのだ。

ただ、ここでは結論は出すことは止めておこう。ここまで読んできた人々からは、それでは意味とは何なの？とも返ってきそうである。意味そのものについては、これまで本論ではほとんど述べないできているのである。

これらについての問、問題は、今後、言語で述べられる意味を見ていく中で、少しずつ見えてくるのでは、と述べることでお許ししていただきたい。

そして、もう少し付け加えておくことは、最近の多くの人々は、これらの美しい、すばらしいものを見たら、スマホやカメラを取り出して、それに向けてシャッターを切るのである。どのような文章よりも、また自分の記憶よりも、ずっと残っていてくれるし、もう一度感動したいと思えばいつでも見られるし、それを見ることによって、その時の感動を思い出し、少しは違うが、その時に似た感動を味わえるからである。ここで見ておくべきは、多くの人々は、映像として、これらの美しいもの、すばらしいものを保存しようとしているということなのだ。スマホやカメラの無かった時代は、人々はこれらの風景、花々を自らの記憶に表象として残そうとしたはずなのである。しかし、これらの表象は、やはり全ての記憶とともに、薄れ、あいまいになって消えようとしていくことも人々にはよくわかっていたのである。だから、ある種の人々は、その風景や花々を文で残そうとしたのである。これらの人々には、紙や筆や墨は手に入れることができたのである。ただ、このような文は、風景や花々そのものを、それから来るものを述べていないのではないか、と言いたいのである。とはいえ、そのものではなかったとして、それらの情景や、それを見た時の心境、それに出会った自分の運命などを書いておくことによって、その時の心を打たれた中心の風景や花々もより記憶の中から引き出しやすかったことは認めなければならないのである。引き出しやすかったことは、また、それだけ大きい意味をもっていたことにもなるのである。

二、言語で述べられる意味とその記憶

そもそも、意味というものは言語で表されたものであるという考えもある。また、言語というもので表されてはじめて意味として成立する、あるいは意味として完成するという考えもある。

それでは、今まで、見てきたことは、不完全な意味、あるいは意味としては認められない意味だったのか、と言われればそうではないと思ってもらえるだろう。言語に表されない意味というものを見ることによって、意味の本来的な在り方、根源的な在り方が見えてきたのでは、と言えば、手前味噌、自分の土俵と言われるのだろうか。

今まで見てきた意味を、この時点でまとめて言えば、人の心を奪う力、感動を与える力と言っていいであろう。そして、何かを「我」に与えてきていたのである。その与えてきていたものを意味として見てきていたのである。ただ、それは今まで芸術や風景や花々を見てきたからそうなったとも言えるのである。これからは、言語で表される意味を見ていくのである。これは意味本来の在り方として見ていくことになる。そこには、今まで見てきた意味の何倍もの意味が存在していそうなのである。というのは、芸術や風景や花々に接する、向かい合うのは、ほとんどの人々は、いわゆる生活の合間だけなのだ。今まで見てきたのは例外的意味だとも言えるのだ。人間の生活の隙間の中に見えてきた意味なのだ。一方、生活は意味で満ちているのだ。部屋の中を見回してみても、目につくもののほとんど、いや全ては意味を持っているのだ。テーブル、その上の皿、フォーク、ナイフ、皿の上の食べ物、いや、床や天井、全てが意味を持っているのだ。品物だけでなく、このテーブルに向かう「我」も、このテーブルに向かい腰掛けようとする時、その腰掛けることは意味を持っているのだ。食事をしようと思って

腰掛けるのか、新聞を読もうと思って腰掛けるのか、くつろごうと思って…、家庭はある意味、弱い意味の場所であるとも言える。職場や学校はとても強い意味で「我」を縛りにきているとも言える。そこには様々なルールがあり、そして、しなければならない仕事や勉強が大きな力で「我」をとらえているのである。いや、職場や学校の行き帰り、交通ルールが大きく人々を縛っている。ルールだけでなくマナー、知った人に会った時は挨拶、それだけでなく笑顔をつくって、お天気の話をしたり、…なかなか難しい。そして、もっと強く、社会の人々全体を大きな力で縛っているのが憲法や法律なのだ。これを守らなければたいへんなことになり、捕えられ、自由を奪われてしまう。これらの社会の持つルールや法律の力が緩いのが家庭だと言えるだろう。家庭では職場や学校、そして社会のルール、法律の縛りから逃れて、人々はゆっくりと体を休めている…、ええ? 宿題があるし、主婦は炊事、洗濯… でも、それでも、…ゆっくりと食事をし、テレビを見て…なによりも

これらの憲法、法律、そしてルールはしっかりと言語によって、いや、文、文章によって書かれ、そのことによって変わることのない意味として社会に存在している。ただ、マナーともなると、親や先輩や友達から教えられはするが、教えられるということは言語によって教えられるが、文章化にはあまり至っていなくて、しっかりと決まった意味が、社会全体を支配しているわけではなく、人々によって、そして、その時々によって変化し、また、考えて対応しなければならないことが多く、かえって人々を悩ますことも多いのだ。

これらの人々を縛りつけている意味だけでなく、社会は、世の中は意味で満ちていて、通学、通勤に使う自動車や自転車も意味がいっぱいである。ハンドルの握り方、まわし方、そして、その構造、エンジン、…これに至っては意味はいっぱい詰まっているが、その中身を全て知っているのは、自動車工場で働く人々達ぐらいであろう。それ以上に、運転技術は自動車学校に通わなければならない。つまり、いっぱい意味が存在し、それを学

ばなければならないのだ。自転車も子供の頃であるが、なかなか難しい技が必要である。この技も意味がいっぱい詰まっているということである。そして、これらの技は、言語で親などから教えられるが、その言語のとおりに体はなかなか覚えてくれない。だから、技なのだ。こう見ると、すぐにスポーツの技術、フォームが浮かんでくる。これらの技術やフォームに関してはそれなりに、人々によって、言語によって教えられる。しかし、それらを理解したからと言って、すぐにその技やフォームを獲得はできない。だから、スポーツなのだ。そして、プロのスポーツともなると、言語の意味を超えた、というか、その選手独特の技術やフォームを持っており、だから、人々は見に行くのであり…ということは、先に見た、風景や花々、それよりも芸術に似たものがそこに見えていて、…ともなってくる。…スポーツは解説者がいる…、そんなことを言えば、観光にだってガイドさんが…まあ、まあ、

このあたりのところは、後の楽しみにしておこう。

これらの意味を成り立たせているのは、基本的には「我」を取り巻く生活であるとしていいであろう。これに対して、生物学では欲望をあげるであろう。この論文としても、生活の底辺には欲望が大きな力を持っていることは認めている。ただ、欲望だけでなく、愛もとても大きな力を持っていると言いたい。この愛をも生物学では繁殖欲で説明するだろう。しかし、人間の場合は愛は自分の命を犠牲にしてまで、という強い力を持つことも確かなことである。子供達への愛、恋人や夫や妻への、そして家族、それだけでなく、親戚や近所の人々、災害に会った人々、世界の救われない人々への気持ち、いやいや、それだけでなくペットをもとても大切にするのだ。そして、まだ、国家やその主人である王や殿様への忠誠心、それ以上に何よりも神への愛も存在する。動物の場

合は、これらのうちのせいぜい家族への愛までであろう。人間の場合は、とても広くて強いのだ。国家や神への愛はまさしく、自らの命を犠牲にしてまでの歴史が多く存在するのである。やはり繁殖欲を超えた、それで説明できない愛が存在するのである。

そして、この論文では、欲望や愛に、記憶が大きな力を持っているのではないか、と言いたいのである。いや、記憶だけでなく、記憶の上に成立している思考、意志、精神というものも、そして、それらから生まれた義務感や責任感もとても大きな意味を形造っているはずなのである。生活の中での意味の多くは、直接的な意味、多くは欲望を否定しているものが多いのである。学校や職場では、お腹が空いたからと言って弁当を開いてはいけないのである。食欲はほとんどが場所と時間が指定されているのである。それ以上に、性欲は、社会のあらゆるところで抑圧されているのである。これらの場所と時間の指定や、抑圧も、全て大きな意味として世界に存在しているのである。国家や神への愛も、記憶の力を基盤とした様々な力が、意味を形造っているのである。

生活の中の、社会の中の意味のほとんどは記憶が存在してはじめて存在しうるのである。そもそも、ここで見ている言語を伴う意味、その言語は記憶が存在してはじめて存在しうるのである。ということは、記憶の中に意味が無限に蓄積されているのである。人々は、その蓄積された意味を引き出しながら、とはいえほとんどは無意識的に、自分のまわりの、自分が向かい合う対象の意味を確認しながら生活を続けているのである。いや、自分の向かい合う、そして目の前に見えている世界だけでなく、人間は自分が今世界のどこにいて、自分を誰で、なぜここにいて、このまわりの向こうに何があって、をほとんど了解しながら生きているのである。これらは記憶によるし、この記憶の中の意味によっているのである。

ただ、この記憶は全て「我」のもの、自分だけのものである。どれだけ、大好きな、そして愛している家族や恋人の記憶も共有することができない。「我」の中に様々な意味を持った記憶は、無限の広がりを持った世界のすみずみの意味を保存して、無限に存在するが、他人とは、記憶としては、この無限の中の一個たりとも共有できないのである。つまり、人間は「我」の無限に広がる狭い世界に、自分だけの記憶を持ちながら住んでいるのである。この共有することのできない記憶、そしてそれの持っている意味を共有可能にしているのが言語である。言語は記憶の持っている意味を、音によって、時には文字によって、他人に伝えることを可能にするのである。言語によって人々は意味を共有しあい、家族をつくり上げ、社会をつくり上げているのである。コミュニケーションである。人々は互いに意味を共有しあうだけでなく、相手が、自分の知っている意味の記憶を持たないことがわかった時、その相手に、その意味を言語で教えてやり、その意味を持った記憶を相手に作り上げてやることもできるのである。親は子供に、ほとんど世界の意味を知らない子供に、言語でたえず新しい意味を教え続け、世界の持つ意味を教え、その記憶を形造り、世界の意味の記憶を形造らせるのである。同じことを学校はもっと広く、世界の中の社会の持つ意味、いや、算数や理科では、数字や図形や物理的世界の持つ不思議な意味をまで教えていくのである。そして、記憶を形造るだけでなく、その上に思考をも作り出すことを教えていくのである。それだけでなく、子供達は、テレビや漫画や絵本や本から様々な意味を、物語を知り、他人の生き方、人生の歩み方を見て、理解し、世界のとても複雑な、無限の意味の世界を広げ、深めていくのである。

これらの無限の意味は、一つ一つばらばらに存在しているのではなく、互いに結びつき、からみあい、それがまた大きな意味を形造っているのである。例えば、目の前にあるりんごも、その味、皮、芯などの言語の意味を含み、しかも、味はりんご独特の味、皮は独特の色、芯はそのりんごだけの形を持ち、りんごの皮のむき方、芯の取り方、身の切り方、食べ方などがあり、どの地方で採れ、どんな店で売られ、いくらくらいで、秋から冬にかけてが旬で、また秋には木に赤い実としてなり、また植物学的分類では、そして、その前に果物の一種で、みかんやいちじくや柿がその仲間で…と、とても多くの意味をその中に含んでいるのである。これは抽象的ではないが、その中にとても多くの意味を含んでいるということで、概念と同じ在り方をしていることになる。

これを自動車で見ると、各部分の名称、その使い方、機能の仕方、運転の仕方、ハンドル操作、アクセル、ブレーキの踏み方、スピードメーターの見方、冷暖房の使い方、これだけでも、二週間から一か月、学校に通って学ぶのである。そして、交通ルールやマナーがしっかり大きな意味を持ってドライバーを縛りつけているのである。いや、まだまだ、車種、メーカー、それぞれの車の名称、それに伴う価格、…自動車と言っただけでとんでもなく多くの意味と、それに伴う言語をその中に含んでいるのである。同じことは工場で使う機械、家庭での掃除機、洗濯機、炊飯器、ガス台、…となる。

人々は、これらのとても多くの意味を持った個物に囲まれて生活を続けているのだ。そして、これらの個物も互いに、生活の中で意味の関連を持っているのである。わかり易いのは工場だろう。工場は作業順番に機械が並べられ、そこに通路があり、加工前、加工後の品物を置く場所が整理され、出荷場があり、それらを管理する事務所があり、意味の連関が貫かれているのである。同じことは学校でも家庭でもなされているのである。そして、これらの家庭、学校、工場、商店、これらを取り囲むように田畑があり、山々と海がまたそれを取り囲み、社会が成り立っているのである。そして、その中を、ルールやマナーや法律や憲法が貫いているのである。

世界は意味の網目によって取り囲まれていて、その中で人々は生活しているのである。それだけでなく、これらの意味は日々刻々と動いているのである。この動いている世界の情報、新しい意味を見るために、人々はまたコミュニケーションをとる。家の外で、教室や職場で、街角で、友達どうし、顔見知りどうし、噂話である。それだけではなく、身のまわり、町内、学校、会社の中の情報である。世界はその外でも大きく動いている。これらの情報を新聞やテレビのニュースで人々は取り入れ、世界全体の意味を日々書きかえている。でも、それだけでなく、人々は歴史を勉強したり、宇宙や物理の世界をも勉強して、自分の生活している世界、生活に必要な意味以上に、意味を求め、知識を求め、勉強や研究を重ねていく。誰も知らない未知の世界、未知の、未だに知られていない意味を求めて、学者や研究機関は日々努力している。その意味では、世界は、世界全体としては、日々刻々意味を広げ、拡大していることになる。

しかし、これらの意味の全てを「我」が自分のものとしている、理解し、記憶の中に保存しているかと言えばそうではない。「我」が得ることができ、記憶に保存できる意味の量は限られているのである。多くの人々は自分の住む生活空間の狭い世界に住んでいるのである。まずはそこに存在する意味を獲得する必要がある。まずは、これはしなければならない。そして、その生活空間の外の知識、その意味、そしてその動き、動いている意味も知らなければならない。世の中の知識である。世の中の意味である。これも多くは生活に必要な分である。でも、これだけ、しかも、それなりの努力をしていても、「我」が獲得して、記憶に保存する意味は、世界全体のごく一部である。その外に無限の意味が存在するが、その中で、人々は「我」の生活に必要な分の意味を、日々獲得し、記憶に保存し、そして、それに余裕ができたら、生活には直接は関係ないが、知識として、意味として得ることが楽しい意味を獲得し、少しはくつろいで、楽しんで、より生活を豊かにしていくのである。

スポーツ、ファッション、芸能界、そして趣味の世界の情報、意味である。これらは、生活の中の苦労、苦痛、緊張を和らげ、楽しませてくれる意味を伝え、教えてくれるのである。

これらの「我」の中の全ての意味は、無限に近いのである。しかし、それでも、それは世界に、宇宙に満ちている意味のごく一部にすぎないのである。未知の、知らない意味が無限に存在する宇宙の中、世界の中に「我」はそれから較べればとても小さな、しかし、無限の意味を持ちながら、生き、生活を続けているのである。そして、このように、無限の意味を「我」の中に保ちながら、世界のごく一部の意味しか知らない、自分の他の「我」も無限に存在していることをも、「我」自身は知っているのである。そして、これらの「我」どうしは、互いにどのような意味を知り、それをどのように記憶の中に保存しているのかは直接には見えないのである。これは親しく、毎日生活している家族でも相手の心の中、意識の中、その中の意味、その記憶を知ることができないのである。とはいえ、家族は同じ家に住み、子供達は学校では同じ教室で勉強し、大人達は職場では同じ工場、事務所で仕事をしていることを、つまり同じ場所を見て、同じ場所に存在し、だから、その外の世界も互いに共有していることを知っているのである。それでも、時には、相手が何を見ているか、どんな問題をどのように解いているか、そしてどのような仕事をどのようにしているかはわからない時がある。そんな時は、言語が登場するのである。また、同じ対象を、同じ景色を、同じ花を見ている時でも、いや、同じ問題や仕事に取り組んでいる時でも、それをどのように感じるか、思っているかを互いに述べあい、その違いや、同じことを確かめ合うことも多いのである。分からないことを互いに教えあったり、助け合ったりしながら、勉強や仕事を続けているのである。それでも、まだまだ、自分の仲間たちの外には、世界は無限に、未知のものとして広がっているのである。とはいえ、それらの無限に広がる世界の意味の全てを知る必要はないのである。「我」のほとんどは、自分の生活に必要な分だけの意味、知識を確保すればよいのである。その必要な分を「我」はおおよそ、自分に必要な分だけを知りながら生活し、生きているのである。そして、先に見たように、それらが変化した分だけを、新聞やテレビのニュースで取り入れて、生活を続けていくのである。

おおよそ、これで「我」を取り囲む世界とその意味、それを「我」がどのように得て、記憶に保存しているかを見たはずである。しかし、それだけでは終われないのだ。なぜなら、「我」の中には、それらの意味を持った世界、その意味に向かい合う、欲望、気持ち、心、意図、意志、精神、信仰が意味を持って存在し、しかも刻々と動いているのである。フッサールの志向性、ノエシスにあたる部分を見ていかねばならないのである。これらは、全て意味を持ち、力となって「我」の中に動いているのである。これを科学では欲望だけで見ようとするし、他の学問も多くは欲望だけで説明していくのである。確かに、気持ちや心、意図、意志、精神、信仰などの根底には、「我」の生命力を維持しようとする、また家族や遺伝子を保存しようとする欲望が存在するとも考えられる。しかし、本論ではここに意味と、それを保存している記憶をも見ていきたいのである。というのは、人間の場合、社会の中では、多くは欲望は禁じられていて、「我」も自らの欲望を抑圧しながら生きているからである。そして、義務や責任、マナーや慣習、そして、努力や根性というものが、欲望とは逆方向の力として働き、「我」も欲望よりも、それらの力に従って生活を続けているからである。しかし、科学的な考え方からすれば、これらもその基礎には欲望が働いていて、それらの力に従っていた方が、長い目、広い目で見れば、より多くの、大きな欲望を達成することができると考えられるからであるということになる。しかし、本論としては、この禁じることや抑圧には、そしてそこへ別の力が働くことには、大きく記憶が力を持って働いているのでは、と言いたいのである。義務や責任を見てもらえばわかるであろう。こんなことをしてはいけない、このようにしなければならない、に従い、達成するためには、この内容を記憶していなければならないのである。しかも、これらの記憶のほとんどは言語による記憶なのである。そして、これらのことは、その言語が、そしてその記憶が力を持っているかのように、「我」を制し、「我」を従わせるのである。このような言語とその記憶の力は、大きく人々を支配し、人々を従わせ、社会を作り出しているのである。その一番大きな力が、法律と憲法であるということなのである。そして、「我」の中では、これらの言語とその記憶が欲望を抑えて、欲望以上の大きな力を持って働き、動いているのである。意志や精神と言われるものの中には、これらの力は大きく働いているのである。これらの力が弱いのが気持ちとか感情と言われるものである。ここには欲望の他、この二、三日中に起きた様々な出来事の記憶が力を持って動いているのである。そして、これらの動きが仕事や勉強に邪魔になる時、意志や精神が働きはじめるのである。とはいえ、これらの感情や気持ちは、時には、とても大きな力を持って意志や精神の力をはねのけ、とても大きな力で「我」を支配してしまうのである。このような時、そこに渦巻く力を、「我」は、「チクショウ」「悲しい」「もうどうにもならない…」などという短い言葉でしか表現しないのである。というよりも、大きな力が「我」を支配してしまっていて、意志や精神をはねのけ、言語活動もほとんど働かなくなり、時には、その原因さえもつきつめることもなく、わからないまま、流れ、溺れてしまうのである。時には、このような感情や気持ちがずっと、二日、三日、一週間と続くのである。いや、もちろん、このようなマイナスの気持ちや、感情だけでなく、プラスのこともある。たいへんなゲームに勝ったり、ベストフォーに入ったり、優勝したり、試験でとてもいい点数が取れたり、入試にパスしたり、仕事がとてもうまくいく、とても難しいと思っていたものを作り上げることができたり…、いやいや、恋愛がうまく進んでいたり、かわいいかわいい子供が生まれたり…、これらのプラスの感情や気持ちは、多くの場合、原因もわかっていて、意志や精神も伴に、ということが多いはずである。

意志や精神が大きな力として見えてきているのである。ここには、記憶だけで見られない、理性や思考の働きが力を持ってきているのである。本論では、これらの思考にはまだまだ近づけないが、それをそのまま、記憶だけを見ることによって、思考や理性をその外側から見るようにして見ていきたいと思っている。それはそれなりに意味があるはずである。

気持ちや感情は、「我」にとってはとても大きな力を持った意味である。これらは今も見たとおり、あまり言語化されないことが多いのである。一方、これを制御し、支配する、やはりとても大きな力を持つ、意志や精神は、それなりの言語として表されているのである。これらの力関係と、それらの力と言語の関係を見る時、言語そのものの力というものも見えてきて、この論文としてはやはり、真正面から取り組まねばならないテーマになるはずである。

これらのことを見ていきたい、見ていかねばならないのである。そして、最後に、先に見た、音楽や絵画、彫刻と並ぶ芸術である、文学をも見ていきたいものである。文学は言語による芸術である。しかし、先にも見たとおり、芸術の多くは言語をよせつけないというところがあるのである。それでは、言語で書かれた文学は…ゆっくりと見てみたいものである。

1. 生活の中での意味と言語と記憶

人々は、生活をしながら生きている。ここでは生活とは、生きるための、食料や衣類や住居を得る、確保するための活動としておこう。というのは、この先に、これらの活動の外、余力の結果ともいえる、芸術の鑑賞や風景に対する鑑賞を見てきたのである。これらも広い意味では生活の内のこととも考えられるが、そこでは多くは言語を伴わない意味に出会ったのである。そして、今、ここで言語を伴う意味を見た時、生活というものが前面に大きな存在として現れたのである。

生活の中で、言語は欠かせないものである。人々は生活を一人ではなかなかできないのである。分業、仕事を分けあって、教えあって、伝えあって生活は進むのである。コミュニケーションは必須なのである。仕事、勉強、家事、それらの意味はほとんどすべてが言語で表されているのである。言語で表わせないものが存在すれば、それは、生活には困ったものであり、生活の進行を妨げてしまうのである。例え、一人で居る時でも、自分の身のまわりに存在する家具や道具、置物が言語で表され、それだけでなく、それがどのように作られ、買われ、どのようにしてそこに置かれているかも全て分かって、了解して、いつでも言語でそれらが持っている意味を伝えられる、自分にも言い聞かせることができるものとして、安心して生活が進行するのである。

ⓐ　家庭

家庭は「我」の居場所であり、生活の原点である。「我」にとってはもっともよく知っている場所であり、ほんとうにすみずみまで知っているところであり、この知っていることの上に生活もスムーズに流れるのである。自分の机の引き出しの中にどんなものがどのように入っているか、食器戸棚の中のどこにどんなお茶碗や皿が何枚置いてあるか、冷蔵庫の中には昨日買ってきた、…いや、その冷凍庫には、一か月前に買ってきた…とほんとうにすみずみまで知っているのである。その知っていることが生活をスムーズに成り立たせてもいるし、くつろぎの場所にもしているのである。すみずみまで了解性がいきわたっているのである。

食事の時、食卓に座っていても、この部屋のほとんど全ては「我」は了解しているのである。食器戸棚、冷蔵庫、また、台所の包丁やまな板がどこにあり、その下には鍋やフライパンが…という具合である。そして、それらの道具類にはすべて名前がついていて、「我」は知っていて記憶の中に入っているのだ。ただ、ここで注意しておかねばならないのは、知っているだけで、それらの名前をわざわざ引き出してくることはほとんどないはずである。いや、それ以上に、戸棚や冷蔵庫の場所やその中身に焦点をつくる、それを対象にして意識を向ける、対象＝意識を形造ることもほとんどないのである。ただ、記憶の中にはそれらは入っていて、わかったものとして、了解したものとして、「我」は食卓に坐っているのである。了解性である。

「我」が対象＝意識を形造るのは、このような時、多くの場合、「我」の中ではないだろうか。「おなか空いたな、今日は何を食べようか」となると、「我」は「我」の中の食欲に対象＝意識を形造っているのである。そして、じっと自分の中の食欲と相談するのである。何が食べたいか？と尋ねると同時に昨日は何を食べたか？最近食べていないものは…？となると、だけど、冷蔵庫にあるものは、…？となるのである。ここまではずっと言語が続くのである。しかし、冷蔵庫の中のものを浮かべると、言語は消えて、そこにある様々な食品の形だけが浮かんでくるのである。そして、この浮かんできたものを、自分の中に問い合わせた欲望、食欲がずっと動きまわるのである。食欲も思い浮かべられた食品も両方とも、「我」の脳の中である。それが現実の冷蔵庫の中を探し回るように、動きまわるのである。記憶の中を、である。そして、ふと、「おお！」となり、一週間前に釣り好きの友達からもらった鮎がまだ半分、食べきれなくて残っている、それを冷蔵庫に入れておいたのだ、となるのである。そして、「鮎や、鮎、うまかったぞ！」と言語も飛び出るのである。そして、すぐに確かめるように冷蔵庫のところへ行き、下の段の冷凍庫をさぐり、「おお、こいつや！　今日はビールで！　なんと言っても鮎はビールや！」となるのである。言語には欲望の達成の喜びが混ざっているのである。

こう見てくればわかるように、対象＝意識を形造るのは自らの中の欲望であるということになる。今の場合は、食欲が脳の中に思い浮かべた冷蔵庫の中から、鮎を思い浮かべ、欲望と対象が一致し、「おお、鮎や！」と喜びの言語になって、ということである。ここには、食欲を受け止めるべく鮎、記憶の中の鮎が対象となって一致を見たのである。そして、「おお、鮎や！」の中身には、一週間前に友達からもらったことと同時に、鮎の味が思い浮かんで、その味が食欲をつかまえるようにして浮かんできて、喜びの声になるのである。そして、この味は、「我」の中の記憶の中に存在するものであり、鮎の意味の中核と言っていいものになるのである。そして、この瞬間には、「我」の欲望、食欲の対象の中核にこの味が、記憶の中の味が表われ出ているのである。フッサール的に言えば、食欲としてのノエシスが、鮎という対象の中の味というノエマの中核に出会い、つきささるように一致したことになる。

ついでに言っておけば、フッサールの『イデーン』における、ノエマに関しての「ノエマ」「ノエマ的意味」「諸性格」「臆見的諸様相」「中心」「統一点」「全き核」「ノエマ的成素」「全き具体化」「ノエマ的意味ないし核」などの繁雑な分類、それらについての長々とした議論は、そこに記憶の機能を持ち出せばもっとわかり易いものになったのではないか、とフッサールの研究者達に問うてみたいと言ったら、バカにするな、と叱られるだろうか。

これまで何度か言ってきたように、フッサールの現象学的還元は記憶の存在によってはじめて成り立っているのである。コギトとは、そもそも、自らの中の記憶に向かい合っていることなのである。そして、ノエマこそはその記憶の中の意味、ノエシスが作用する、それに向かい合う対象なのである。記憶の中とは言ったが、現在、目の前に存在する対象においてもそうなのである。目の前の対象も、そこに記憶を持ったものとして存在しているのである。フッサールの言う、「ノエマ的意味」もそれは「我」の記憶の中に存在するから、意味として見えてくるのである。「諸様態」も「成素」も多くは記憶の中に存在するはずなのである。もちろん、それらは対象を見ている時に、「核」とは違ったものとして浮かんでもくるのである。しかし、その時は「核」からの視線の変行、ノエシスの変化が存在するのだ。つまり、現在において、その対象の持つ、別のことがらを見ていることになる。しかし、それらを現在見ている時でも、それらを様態や成素として見ていく時は過去の知識、記憶が大きく働いているはずなのである。これらのことについては、フッサールもそれを議論している。ただ、本論としては、変化、変更がされても、そのすぐそこに「核」が存在することを「我」は知っている、それは記憶の中に「核」に向かい合っていたことが存在するからだ、と言いたいのだ。しかし、対象の持つ意味、「ノエマ的意味」ともなるとほとんどは記憶の中に存在しているのでは、とも言いたいのだ。フッサールのよくとりあげる「花咲く樹木」も、それが花であり樹木であることはその言語も含めて記憶の中に存在しているのである。そして、言いたいのは、これらの議論を記憶に向かい合ってすれば、もっと整理されたものになったのではないか、ということなのである。それをフッサールはノエシス、ノエマの関係で見ていくので、なかなかの混乱になるのである。多くの紹介者、翻訳者もとても多くの注をこれらの解説に使っているのである。

この論文としてもっと言いたいのは、「我」が対象に向かい合い、思考性を働かせ、ノエシス、ノエマを形造っている時も、その対象の意味だけでなく、この対象がなぜそこに存在するのか、どのように形造られたか、それだけでなく、それはテーブルの上にあり、テーブルはこの部屋の中にあり、この部屋は自分の家の部屋で、自分の家はどこにあり、世界のどこにあり、また、これから「我」はこんな対象に向かい合っている暇などなく、これから行かねばならないところがあり…など全て記憶の中に入り、しかし、現在はこの対象に向かい合っていることを全て知りながら、しかし、それらは記憶の中に存在したままで、対象として向かい合うことなく、了解性として存在したまま、しかし、そのことによって、つまり了解したことによって、この世界を理解したものとして生活を続けていると言いたいのである。この了解性は意識の中に記憶機能の中にしっかりと存在し続けているのである。そして、これらの記憶機能が働かなくなる睡眠中には、夢を見ていると、意識の一部は目覚めているのであろうが、自分がどこにいるのかほとんどわからないまま、彷徨い歩くことになるのである。

フッサールの緻密な議論に比べ、とんでもない雑な議論ではあるが、フッサールを見ていく上でも、とても大切なことなのではないだろうか。

横道に外れてしまったが、食卓に戻ろう。食欲が鮎を探し求め、喜びのノエシス、ノエマの一致、志向性と対象の一致を見たのである。

ただ、この食欲を取り巻く了解性を見ておかねばならないはずである。というのは、先に見た了解性はどこに自分がいるかという空間的な了解性であったのであるが、時間的なものをも見ておかねばならないのである。今、「我」は食卓に坐っているが、会社から帰ってきて、疲れて、くつろぐつもりでそうしているのである。ここには、仕事で疲れた体を休めたいという、食欲とは違った欲望が存在することになるが、毎日の習慣であるとも言える。よほど疲れていなければ、習慣の方が強いとも言える。この習慣を分析すれば、ということはそこに含まれている意味を見ることになるが、そして、習慣と言った場合は、それなりの時間の流れを必要とする。ただ、ここでは仕事から帰ってきて、くつろげるのは、この部屋の中ではこの食卓の椅子しかなかったことになる。もちろん、広い住宅で、広い部屋で、食卓から少し離れたところや、隣の部屋にはソファがあり、そこに坐る習慣になっている人々も多くあるだろう。ただ、「我」は仕事から帰ってきて、腹も減っているし、そして、食卓のむこうのテレビも見たいと思っているので、食卓の椅子に坐ったことにしておこう。時間的なものに戻れば、会社から帰ってきて食卓に坐ったことを「我」は知っているのである。それだけでなく、今日は何曜日で何月何日で、何年でも全て頭の中に、記憶に入っているのである。それだけでなく、これから少しテレビを見て、冷蔵庫から引き出した鮎が少し解けるのを待って、ガスコンロで焼いて、そして、まだいろいろと冷蔵庫から、ビールにあいそうなもの、また戸棚から様々な皿を取り出して、その前にテレビのスイッチを入れて、スイッチを入れる前から、今日の見たい番組はほとんど知っていて、すぐにスイッチを入れなかったのは、まだ、それがはじまらない時間だったからで、その前に朝読みかけた新聞がテーブルの上にあったのを手に取って…、いや、いや、今晩は食事の後に少しテレビを見てから眠れるが、明日は、会社ではこんな仕事が待っていて、ちょっときつい…などなど全て記憶の中に存在したまま、ただし、それをほとんど引き出すことはなく、ということは了解性の中に存在し、ただ、明日の仕事のことは時々気になって浮かんできて…という具合であるとしていいであろう。つまり記憶の中にたくさんの意味が存在しているが、ほとんど引き出すことなく、了解性のまま、時間は過ぎていくのである。

このままで行くと、独身の独り住まいの人間、今見てきたところでは男性の会社から帰ってきて、晩ごはんの前のくつろぎのシーンということになってしまう。

ここで、結婚していて、子供もいる家庭を仮定して、今までのシーンを振り返ってみると、また違った意味が、しかも大きな意味が見えてくる。会社から帰宅して、先に見たように食卓に向かって坐ったとすれば、通常は、というか多くの男達は、「ええ? どうしたんやろ。どこへ行ったんやろ、買い物かな? 誰かに会って、長話をしとるんやろか。最近多いからな…」ともなる。奥さんの不在はとても大きな意味を持って、「我」の心を動かしてくるのである。自分の帰宅の時間には、家には奥さんが待っていてくれているという、毎日の繰り返しの記憶、それへの期待、当然だと思う心などが大きな意味を持っているところへ、その意味の否定が起きてしまっているのである。この意味の否定は、否定される前の意味よりずっと大きな力を持った意味になっているはずである。このことは毎日の繰り返し、期待、当然と思っている意味が否定されたことにより、否定されたことがとても大きな意味として「我」の前に現れた、いや、襲ってきているのである。

このことは、結婚して子供のいる家庭には、家庭の中に家族がいる、特に、会社から帰宅する時間には、それらの家族が居ることがあたり前となって意味を持って存在しているということである。しかも、先に見た食卓に坐った時の食卓の上のフォークやナイフや皿の存在や、部屋の中の戸棚やソファの存在の記憶とこの意味とは比べものにならない大きな意味として、少なくとも帰宅する前の「我」の記憶の中には存在するということである。しかも、その意味が今や否定されてしまったのである。このことは文や命題が否定されたのとはわけが違うのである。しかも、その否定された理由が「我」にはわからないのだ。だから、次から次へと疑問が湧いてくるのである。「それとも、なにか今日用事があると言ってたかな? それをいいかげんに聴いていたかな? でもそんなこと言っていたかな?」「それとも、急に用事ができたのかな?」一昔前は、これは疑問のままで終わったが、最近では携帯電話やスマホを調べてみることになる。そして、そこに、着信履歴やメールが入っていなかったら、携帯電話やスマホで電話をかけることになる。便利になったものである。湧きあがりつつあった心配を消すことができるのである。こんな便利があるから、奥さんもこのような時間に気楽に外出できることになったのである。

ここに見えている意味の否定は、本論で今まで見てきた、了解性の否定ということになるだろう。了解性の否定は多くの場合、かなり大きな意味を持っている。了解性とは、これまで見てきたように、ほとんど対象=意識が形造られることもなく、記憶の中に存在したままになっていて、意味として存在しているが、ほとんど力も持たないまま、存在していたのである。それが否定されたことは、しかし、とても大きな意味として、「我」はその否定へ対象=意識を形造り、時には不安や恐怖に追い込まれることもある。例えば、食器棚にいつもあるものと思っていたお茶碗がいつもの場所になかった時、「あれ?え?」となる。お茶碗の場合は、誰かが使ったのだろうと、そしてよくあることだから、とすぐ解釈するが、いつも枕もとに置いてある置き時計が見えないと、「あれ?え?」はかなり大きな力を持っている。そして、「なぜだろう?」と理由を考え、一度に目が覚めてしまう。了解性とは、「我」を取り囲む世界の一定の形を記憶の中に保存していることなのだ。そして、多くの場合、この了解性はそのような形のものとして、注意が向けられることもなく、対象=意識が形造られることもなく、生活は進んでいるのである。しかし、それが否定されたことは、その世界が記憶の中に存在したとは違ったものになってしまったのだ。このことはやはり、生活の進行に大きな意味を持って現れるということなのである。

これらのことは、また、ゆっくりと見ていきたいものである。

ただ、ここで確認しておきたいのは、この了解性の否定は、欲望にも劣らない大きな力で「我」を動かすということである。もちろん、欲望も、それが満たされない時にはじめて働きはじめるとして、欠如、否定ととらえることもできるし、哲学も多くそう見てきている。それでは欠如や否定だけが「我」を動かす、衝動や情動、意欲を作り出す大きな意味を生み出すのか、と言えば、そうではないはずである。突然の獣や恐ろしい人間との出会い、いや、先にも見た、夕陽や海の景色は大きな意味を持って心を動かすし、それ以上に、美しい人、すばらしい人物との出会いも大きな力で「我」を動かすはずである。これらのこともまた後に見ていかねばならないだろう。ここでまさに確認すべきは、了解性の否定は、欲望や様々な出会いと同じように、「我」を動かす大きな力を「我」に与えていることである。そして、この了解性の否定が生み出すものは、多くの場合、不安なのではないだろうか。

そして、ここでもっと見ておかねばならないことは、家庭の中における家族の存在である。いや、家庭の中だけでなく、「我」にとって世界の中で最も大きな意味を持っているのが、家族の存在のはずなのである。夫婦、親子、孫、祖父母は、世界で一番大きな意味を持った存在であるということである。この家族の存在は、先に見た、家庭の中の、食卓の上の様子や部屋の光景よりもずっと大きな意味で、しかも、前面に存在しているはずのものなのである。

それが今、いるはずの奥さんがいないわけである。いや、子供達もいないのだ。それでも、これらの不在は、日常性の中でのことで、子供達がいないことについては、「どこかで遊んでるんやろ…」とか「学校で残されてるんかな」とか、子供達が大きくなっていれば、「部活やろ」となるし、小さければ、「一緒に買い物についていったんやろ」ですまされることになる。

ただ、ここで言い訳をさせてもらえば、このような大切な、大きな意味を持った家族の存在をなぜ先に見なかったのかと言えば、家庭の中の様々な道具や家具、そして部屋の様子を、その意味を先に見たかったからなのである。これらは、家庭の中では、家族の存在の背景になっているのであるが、それらはやはりそれなりに意味を持って存在しているということなのである。そして、家族を先に見てしまえば、これらの意味はかすんで見えなくなってしまうのである。家族の意味については後にしっかり見なければならないのである。

そして、この家庭の中の居間、ダイニングの光景の中の意味、その中身について見ておけば、食卓やお茶碗、皿、また、いろいろな道具はそれぞれ家庭の生活の中で必要なものとして、存在しているということである。これらの意味を成立させているのは、家族の存在であり、家族の生活であるということである。ということは、家庭の中の様々なものの意味は、家族の存在、そしてその生活が意味を与えているということになるのである。ここまで見れば、家そのものも、家族がそこで生活し、食事をし、睡眠をとるためのものであることになる。そして家の中の様子、光景は、家族の生活がより合理的に効率よく進むように整理整頓もなされているということなのだ。

家庭とは安らぎの場である。仕事や勉強で疲れた体を休め、食事をとり、睡眠をとり、明日の仕事や勉強のための英気を養う場である。マルクス達に言わせれば、これは労働力の再生産の場であることにもなる。マルクスの時代からは百年以上も経ち、労働者の生み出す価値の搾取もそれなりに緩やかになったとは見えるが、貧富の差はより一層大きくなっている。ただ、ここはそれを議論する場ではない。

今見てきたのは、家庭の中の風景、そこに並べられている家具や様々な道具、そして部屋の作り、それらの意味であったはずだ。それらは、確かに、安らぎの場のように多くの家庭では整理整頓がなされ、安らぎの場としての意味を持って存在しているとしていいであろう。そして、それらの意味、また、その意味に従って置かれた並べられた在り方は、おおよそ、我の記憶の中に保存されているのである。そして、これらは、日々少しずつ変化もしてはいるが、これらも、おおよそ「我」の記憶の中に変化として保存されていっているとしていいのである。

ただ、これらの風景、家具や道具の在り方、部屋の様子の前に家族が存在し、これらの今見てきた意味がまったくの背景になり、そんな意味などに目を向けていることのできない、まさしく家庭生活が進んでいくのである。今まで見てきた風景の前に、奥さんが帰ってきて、子供達が帰ってきたら、とても大きな意味を持って生活が進行しはじめるのである。ただ、多くの家庭では安らぎの場にするために、大きな意味にならないように、少なくともマイナスの、不安や心配、恐怖につながる意味を最小限にするべく努力がなされているのである。しかしながら、そんなに簡単ではないのが家庭生活なのだ。家族どうしの関係は、人間どうしの中でも、最も大切な、大きな意味を持った関係であるだけに、その分難しいということなのだ。これらのことは、後にまたゆっくりと見ていこう。ここでは、家庭の風景の中の意味だけということにしておこう。

ⓑ　職場

職場はいろいろある。同じ一つの会社の中にも、事務所、工場、出荷、運送などがあり、また店や、また、様々なサービス、そして、農業や漁業もある。とりあえず、ここは工場を見ていこう。そして、ここでも、人間の存在、人間関係の意味を取り除いた、風景、つまり工場内の様子、そして、家庭では家具であったが、ここでは機械やそれに関連する様々な道具、備品などを見ていこう。

企業によっては、いくつもの工場がある。それらのそれぞれは、それぞれする作業、仕事、工程が違い、企業全体では、生産効率が最大限になるように配置され、それぞれの役目、こなす仕事が違っている。ということは、それぞれの工場が、それぞれの意味を、しかも巨大な意味を持って存在しているのである。これを拡大して見れば、社会にはそれぞれの企業が、それぞれの巨大な意味を持って存在していることになる。とはいえ、ここでは、とりあえず工場に焦点を絞って見ていこう。

工場もいろいろある。何百人も働いている工場もあるし、二、三人の家族で働いている工場も存在する。ここでは十人から二十人ほどが働いている中小企業の工場を見てみよう。とは言っても、これもとても多くある。企業が作り出そうとしている製品によって、並んでいる機械も様々であるし、また、同じ機械がずらりと並んでいるのもあれば、全ての機械が違っている工場もなくはない。機械もそれぞれで、大きな機械ともなると、二人も三人もその機会に従事しているのもあれば、作業効率を狙って、一人で二、三台の機械を操作している工場もある。そしてまた、工場の中には、時々しか使わない機械が二、三台あるのもあるし、全ての機械がフルに動いている工場もあるだろう。このような工場の在り方そのものは、とても大きな深い意味を持っているはずである。

工場が作り出す製品の生産、その効率、その分業、流れ、また、それに携わる人間達、労働者、職人、その技術、その成熟度、その歴史、…いや、いや、企業や工場の歴史も大きく工場の形を決めている。…これらは全て大きな意味を持っている。

しかし、これらの大きな意味をしっかりと全てとらえている人間はなかなか少ない、いや、ほとんどいないと言ってもいいであろう。十人から二十人の工場ともなると、その機械の種類や仕事の内容にもよろうが、工場長となっている人間も、おおよそしかとらえていないことが多いはずである。工場長ともなると、そこに並んでいる機械の操作はおおよそできるであろうが、日々の作業の内容、その細かな内容ともなると、限界があるはずである。それよりも工場長にはそれらの全体を見て、その仕事の流れや効率、そしてなによりも安全、そして不良を出さない、など、視野が違っているはずである。そしてもう一つ言っておけば、これらの中小企業の工場長では、自らも一台の機械につながっていて、その仕事を工場長として、つまり、みんなの見本となるように… ほんとうにたいへんなのだ。

いや、工場長だけでなく、一台一台の機械を任されている、労働者、職人連中も、その任された機械の機能の全てを知っているかと言えばなかなか怪しい。数年使っている機械で、そこへ今まで作り上げてきた製品とは少し違った、どうして作ればいいのか少し頭を傾げなければならない図面が舞い込んできた時、他の簡単な仕事をやりながら、ずっと頭を悩ませていて、どうしようもなくなり、仕方なく、意地を捨てて、同じ機械を使っている先輩に相談したら、「おお、これか、こいつはなかなか難しいぞ！…ちょっと待てよ！…ええと？…、…」となって、図面の上にかがみ込んで、そのまま動かなくなって、横に立ち続けていると、「おお、お前、少し、自分の仕事をしとれや！…」となってうずくまって、五分ほどして「おお、わかったぞ！こいつは難しいわい、でも、今のお前ならできるわい」となって、少し説明が入り、今までそのように使ったこともない機械の動かし方を言われ、やってみると…ということはあることなのだ。つまり、今まで動かしたことのないやり方で、機械を動かすことを教えられるのである。

機械の持つ意味はどのような製品を作り出すことができるかであるが、それをどのように作り出すかは、それを動かす、使う、労働者、職人の技量である。これは、労働者、職人の持つ意味だとも考えられる。しかし、一方では、この労働者、職人の持っている技能も、機械が持っている機能を引き出すことでもあると考えられる。とすれば、これは機械の持っている意味にもなる。

ここでは工場の中の、そこで働く人々のむこうの工場の建物や、そこに置かれている機械、工場の風景を見ているから、このように見えていることになる。その機械を動かす人々の持つ意味、そこで働く人々の持つ意味は後に見よう。

機械も様々であり、一週とか一か月で使いこなせる、つまりその意味である機能をほとんど引き出せる機械も多々ある。最近のコンピューターの付いている機械は、昔、職人達が何年もかかってやっと自分のものにした技を、コンピューターの得意な若者が数か月で身につけてしまうものもある。それでも、コンピューターがついていればなおのこと、今まで考えられないような機能を持ち、それを使いこなす、一人前になるには十年以上もかかる機械も存在する。

ここで言いたいことは、機械はとても大きな意味を持って存在しているということである。そして、それに向かって長年働いている人間にとっても、全ての意味を知らないほどの意味を持っていることも多いのである。それを引き出すのが、働く者の技能、経験、熟練だということなのである。それだけ、奥深い、大きな意味を持っているのである。そして、もう一つ付け加えておけば、どのように熟練、技を磨いた職人といえども、その機械がどのように作り出されたかはほとんど知らないのである。これは、この工場、企業にとっての意味ではないが、機械そのものが持つ大きな意味であり、このような意味を持って機械の一台一台は存在しているということである。

まだ、ある。機械に付いたコンピューターについて少し述べたが、機械に付いたコンピューター、そして事務所のコンピューターも、この中に計り知れない、無限と言っていい意味を一台一台持っているということも忘れてはならないのだ。

工場は意味で満ちていて、しかも、今も見てきたとおり、そこで働いている者にとっても未知の意味が大きく存在するのである。それでも工場は動いているのである。工場は様々な製品を、この大きな意味に従って生み出しながら動いているのである。ということは、この大きな意味にとっての必要な意味をおおよそ理解しながら、工場は動いているということである。それでも、今ほど見たように、この必要な意味の一つが分からない、知識がない、理解できなくて少しの間、部分的にであれ、止まったりするのである。この意味のわからない部分を少しずつなくし、そこで働く者が少しずつ知っている意味を蓄積していくことが、つまり、記憶により多く保存していくことが、工場の、企業の利益、発展につながるのである。

そして、これも先に見た、機械を作り出す、その構造を全てを理解する知識、意味は、工場の製品を生み出すという大きな意味の外に存在していて、そこで働く者には不必要な意味であるということになる。ここまで言えば、工場の建物の構造、その建築の方法なども同じように、そこで働く者の必要な意味の外にあることになる。つまり、工場の中にほんとうに大量の意味が存在するが、その意味の全てを記憶の中に保存している、労働者や職人はほとんどいないということになる。そして、この意味の保存の量は各人で違い、また各人共通の意味を保存してもいるが、またそれぞれが違った意味をも保存しているのである。この違った意味を互いに伝え合わねばならない時もあり、つまりそうしないと生産が進まなくなり、その意味を伝えあう言語も飛び交うことも多々あるということになる。しかし、その言語によっても伝わらないこともあって、互いに考え込むこともある。こんな時、一時にしろ言語が役に立たないのである。特に、昔の職人達は、言語を使うことが上手でなく、また嫌がる者も多くいたのである。そんな時、自分の技術を相手に教える時によく使われたのが、「見て盗め！」なのである。現代は、このような困難をかなりコンピューターでカバーしていると言っていいであろう。

ⓒ　学校

工場で働く者にとっての機械の意味と同じように存在するのが、学校の生徒にとっての教科書の存在、そして、それを教える先生の言葉ということになるだろう。機械がそれを動かそうとする人間にとって、特に新人、それを初めて動かす人間にとって未知の意味の大きな塊であったように、生徒にとって教科書は未知の意味の塊である。そして、先生は、その未知の意味の世界への案内係なのである。

人間は、特に資本主義社会になってからは、義務教育、そしてそれに続く学校というものを造り出したのである。資本主義社会で生きていくための様々な知識を身につけるのである。それも、小学校、中学校、高校、大学と、とても長い時間をそれに費やすのである。それだけ、学ぶべきことを学校が、そして社会が持っているということである。しかも、高校や大学ともなると、工業高校、商業高校、普通高校。理系、文系。工学部、理学部、医学部、法学部、経済学部、文学部などと分かれ、その下にも細かに分かれた科があるのである。それだけ、人類は資本主義社会を、そして、その中での生産活動、経済活動を維持、発展させていくための知識、意味を多く持っているということである。部や学科に分かれているということは、その専門分野外の人間には分からない、知識、意味がそこで学んでいる人間の分、存在するということである。しかも、とても多くの人生、人間が生きることのできる時間の大きな部分を費やしてもそうなのである。いやいや、その専門分野でも、それだけの時間を費やしても、まだまだ学ぶべきことがその先に存在するということなのだ。人類が、見つけ出し、作り出し、維持し、保存している意味がそれだけ莫大なものになっているということなのだ。一人の人間が一生かけて真剣に学んでも、まだまだ、外に未知の意味が存在しているということなのである。そして、社会には、このような専門分野を一生の間勉強し、研究し、新しい発見をする人々、学者という人々を持ち続けているのである。しかし、これらの学者たちは、他の分野の知識をほとんど、常識と言われる分ほどしか知らないのである。いや、時には隣の学者のやっている細かなことまで知らないこともあるのだ。このことは、それだけ、奥深い、細かに分かれた知識、意味を人類は持っていることにもなるのである。そして、すばらしい学者だと言われる人々も、その極一部の自分の専門分野だけを知っていて、その外に知らない多くの、とても多くの意味を残したままにしているということである。

学校に戻れば、生徒達は、このような人類の持つ巨大な意味の一部を少しずつ、少しずつ、生徒の成長のレベル、頭脳の発達のレベルに合わせ、しかも多くの知識の基礎の部分から、一つずつ、その知識と意味を自分の中に取り込んでいく、記憶の中に保存する、記憶だけではなくて、思考をも働かせ、その思考の働かせ方も徐々にレベルの高いものにしながら、進んでいく、前進していくのである。

そして、このような日々の努力にもかかわらず、「我」が獲得するのは、人類の持つ巨大な意味の極一部であり、そして、高校や大学へ行けば、それぞれ専門の分野に行き、その後の就職のための準備段階の知識、意味を獲得していくのである。考え方次第では、これらの専門分野の知識は人類の持つ、世界全体の持つ意味のますます極一部になってしまうのである。そして、この外の世界の意味はとても薄くしか知らないことになる。それでも、その薄い知識は常識の意味として、充分社会に生きていくことに役に立つのである。

これらの知識、意味を獲得して就職すれば、専門分野の知識、意味を活用し、より奥深く、それらの知識、意味を獲得し、拡大し、時には新しい意味を生み出しながら、仕事を続けていくことになる。そして、会社の外へ出れば、薄い常識の世界で生活を続けていくことになる。それでも充分に生活できるのである。ということは、人類は、もっと正確に言えば、資本主義社会は今見てきたような専門分野に秀でた、とても多くの知識、意味を獲得した人間を必要とし、その外の世界では常識と言われる薄い知識、意味だけを得た人間で充分やっていける世界を形造っているということになる。これらは、人類の持った巨大な意味と、人間が持って生まれた能力、その能力の基礎となる記憶の容量とが生み出した関係ということになるだろう。

そして、学校とは、「我」の人間としての記憶能力、理解力をはるかに超えた量を有する世界の持っている意味を、ほとんどそれを知らない子供の頃から少しずつ言語を通して学んでいく、記憶に取り入れていく、そして自分のものとして理解し、形造っていく場であるということになる。

ⓓ　世界の意味

今見てきたように、世界は「我」の記憶の量を、理解力の量をはるかに超えた意味を持っている。そして、

「我」はそのとんでもない量の意味の極一部を、しかもとても薄い形でしか理解していない、意味として取り入れていない。この薄い形を常識としていいであろう。それでも、「我」はほとんど困らないで生活を続けていくことができる。逆に言えば、それだけの量、薄い形での意味だけで、充分なのである。「我」は生活を続けていくのに必要な分だけの意味を取り入れていることになる。そして、それ以上余った能力を、自分の専門分野や家庭での幸せ、リラックス、そして時にはスポーツや家族旅行など、趣味や娯楽に使っていくことになる。

つまり、ここには生活に必要な意味の獲得が優先されていることが見えてくるのである。そして、こう見ると、この優先されている生活の背後に、世界は退いて背景になっていることが見えてくるのである。それでいいのだろう。人間は生きていかねばならないし、家族と共に、できることなら幸せに暮らしたいのである。それが人間の中の大きな力になっているのである。

それでは、この背景に退いている世界は、自分と家族がなんとか生きていければ、ほとんど意味のない、薄い意味の存在なのか、と言えばそうではないのである。自分と家族がなんとか生きていくためには、世界がしっかりと安定した平和な形であってくれなければならないことを、「我」はみんな知っているのである。ただ、それさえなんとかなっていてくれれば、多くの「我」はその世界から特別な意味を取り入れることは、少なくとも勉強して、そこから意味を大いに引き出そうとは思わないのである。しかし、天気予報や政治の動き、また経済の動き、様々な事件、災害、また、世界経済や政治の状態、世界各地で起きている戦争や紛争についての情報は、生活のためには必要なこととして、人々はニュースに耳を傾けるのである。

これらの情報を取り入れながら、時には今までの記憶を塗り替えながら、「我」は自分が住む世界について知識、意味を記憶に保存しながら生活を続けているのである。

また、報道機関からのニュースだけでなく、自分が住む町の、特に、町内の情報はやはり生活をしていく上では必要なのである。それらは近所づきあい、毎日の挨拶、時には噂話など、として情報が入ってくるのである。また、同じ市や町に住む友人たち、知人の情報もそれなりに入ってくるし、時には必要なのである。これらも、つきあいや噂話から得るのである。いや、同じ市や町だけでなく、全国に散らばる友人や知人の情報は本人からはとても少なく、共通の友人や知人からの情報で手に入れながら生活は続いているのである。

これらの情報、知識、意味は、おおよそ、「我」の記憶の中に保存されているとしていいであろう。おおよそ、と言ったのは、しっかりとした、固定された記憶として、そしてまた、いつでも引き出せる記憶として存在するもの、ほとんどぼんやりと、しっかりとしたものではなく、引き出そうとしても、なかなか引き出せないものもあるからである。これらの度合いの多くは、生活に必要な度合いによって決まっているとしていいであろう。生活にどうしても必要なものは、しっかりと動かぬものとして保存されているが、生活にとってそれほど必要でないものはあいまいで、ぼんやりと、引き出そうとすると、ええと…？　となるものも多いのである。また、生活だけでなく、自分の趣味や娯楽も大きな力を持っている。自分の好きなスポーツの選手の顔と名前、いや、それだけでなく、成績やフォームまでしっかりと覚えている人々は多くいる。同じように好きな俳優、歌手についての知識もとても多い人々もいる。

つまり、人々は、生活や趣味や娯楽に応じて、世界からの意味を取り入れ、保存しているとしていいであろう。これらはおおよそ、欲望として考えていいであろう。趣味や娯楽はもちろん、欲望としていいし、生活も「我」

と家族が生命を維持するためのものである。

しかし、それらだけでなく、このような欲望とは違った、少なくとも直接的には欲望とは考えられない、時には欲望を抑圧する力も大きく働いているのである。

欲望といえば、食欲と性欲が代表的な生物的な欲望としていいであろう。これらを社会は抑圧したり、禁止したりしているのである。学校でも職場でも、昼食は昼の時間、十二時台に決められている。それ以外の時間に食事をすることは原則として禁じられている。このことは、社会生活をしているほとんどの人間は、あたり前のこととして受け入れている。ということは、記憶に、しかも奥深い、それと意識することのないほどの、体で覚えていると言っていい記憶になっているはずである。性欲に至っては、そのほとんどは表面に出すことを禁じられている。幼い頃から、少なくとも小学生になってからは、裸で家の外に出れば叱られる。性器は徹底的に隠すように教育される。これらは、とても大きな力で、「我」を支配している。教育されたことが、記憶として力を持って支配しているのである。

そして、これらのルールからの力は、例え、それを意識はしていなくても、「我」のうちに、どんな時にも、道を歩いている時にも、喫茶店でコーヒーを飲んでいる時も、大勢で話をしている時も恒に働き続けているとしていいのである。意識の片隅に、記憶として力を持ち続けているのである。

これらのルールや様々な情報は、ほんとうに意識の片隅のどこかに存在していると考えてもいいはずなのである。記憶が意識のどこかに力を持って存在、しかも持続して存在し続けているはずなのである。

これらの情報やルールについての記憶もさることながら、それ以上に、恒に力を持ち続けているのが、空間と時間についての記憶であろう。「我」はほとんどどんな時にも、自分がどこにいるのか、そして、時間の流れの中のどこにいるのかは、しっかりと記憶の中に存在し続けているはずである。テニスやサッカーに夢中になっている時も、自分がどこのコートで、どこのグラウンドでやっているか、そのコートやグラウンドが市のどこにあり、その市は日本のどこにあり、をしっかりと理解し、記憶しながらプレーしているということである。このような位置に関する記憶、位置情報の記憶はとても大切な、生活するためには、生きていくためには必須の情報であり、意味であるはずである。これを「我」はしっかりと記憶の中にとどめ、そして、やはり、意識の片隅のどこかに存在させているということなのだ。時間に関しても、今何時であり、何分であり、今日は何曜日で、日曜日だから、テニスやサッカーを楽しむことができ、でも明日から、月曜日からは仕事で、勉強で、……いや、今は何月、どんな季節で、そして何年で、いや、もっと自分は何才で、は恒に記憶の中に入っていて、生活も、生きることも進行しているということなのである。これらの知識、その記憶も、やはり生きるためには、生活するためには大切な、必須な意味であり、その記憶は恒に存続し、生き続けている。つまり、必要な時には力を持って情報を伝えるということなのである。

ほんとうに、これらの記憶は、意識の片隅に力を持って存在し続けているのでは、と言ってみたいものである。意識の定義もさることながら、哲学では、デカルトのコギト以来、ほとんど意識を対象に向けた意識に絞り込んできたのではないだろうか。この典型的な例はサルトルの『存在と無』であろう。あれだけを読めば、彼は意識存在を対自存在と対他存在だけとして見ていることになる。多くの読者も、読んだ後、彼の完璧と言っていい議論にもかかわらず、？が残ったはずである。「私はそのことを知っていることを、知っている」を意識の定義とした時、そのことだけに向けられた、つまり対象に向けられた意識だけが意識と考えられてしまうのである。しかし、ここに見えているのは、人間の意識は、対象に向けられていても、この時同時に世界について、また歴史、時間の流れについて、意識の片隅に記憶としての知識、意味を忍ばせているということのはずなのだ。これらのことについて、哲学はまだまだ議論しなければならないのではないだろうか。

つまり、世界についての意味を、「我」はしっかりと記憶しながら、しかも、意識のどこかに忍ばせながら、少なくともそれらをいつでも引き出せるものとして、生活し、生き続けているのではないか、ということなのだ。

だから、哲学が、よく対象を一つに絞って認識の議論をはじめる時も、その対象を見ている「我」は自分がどこにいて、どんな時間にその対象に向かっているかを記憶の中に、意識の片隅に、しっかりとそれらの知識、意味を持って見ているということである。その対象を見ている自分は椅子に坐り、テーブルの上のその対象に目をやり、今、昼少し前で、少しお腹がすいてきて、などはしっかりと理解し、意識のどこかでそれを知っていて、またこのテーブルが自分の家のテーブルで、自分の家はどのような世界に取り囲まれているかも理解しながら、しかし、今はその対象にじっと目をやっているということになるのである。

いや、それだけでなく、その対象が、りんごなら、これは先によく見ていることであるが、それが、りんごという名前で、それを食べればどんな味で、それを食べる時にはナイフで、どのように皮をむくかもわかったものとして、記憶の中にはそれらの知識、意味がしっかり保存されたものとして、また見ている「我」も意識のどこかで、それを知っているものとして見ているのでは、ということなのである。ただ、これらはまさしく記憶に保存されたまま、意識の片隅に存在したままになっていて、それらの知識、意味が対象になる、それらに注意を向けられることはほとんどないということなのである。

いや、ここで断っておけば、生活の中では、りんごなどをじっと見るということはないということである。じっと見るとすれば、何か、哲学や心理学の本を読んで、自分も実際に、という時だけだろうということである。りんごを見たら、「お、りんごかよ」となって、「お、うまそうやな」と、そして、次はナイフを探し、皮をむきはじめているのが、生活というものである。じっとなど見ていたら、時間の無駄であり、生活にならないのである。哲学などしていられないのである。まして、本質や理念、形相などは「なんの話でございますか?」なのだろう。

それでも、現実の生活の中でじっと対象を見つめることがないか、と言えば、やはり、それはまちがっているだろう。りんごも、主婦がスーパーで買う時は、りんごの皮の色や大きさ、傷がついていないか、実が熟しているかいないか、つまり、食べたら、それ以上に子供が食べたら喜んでくれるかをじっと見て、それから、産地やそれ以上に、もう一度価格を見直し、そしてまた、他の皿や包みと見比べて、をするだろう。しかし、これらは本質や理念や形相、その存在などを見ようとする哲学者の目からは遠いものである。生活の中の目的があって、その目的のために見ていることになる。同じように、工場で働く職人は図面や、それに伴って加工しなければならない仕掛かり品をじっと見たりするが、これも哲学者達の洞察からは遠い、その仕掛かり品をどのようにしてその図面のように作れるのか考えている時である。本質などからはほど遠い、哲学者達の目とはまったく違ったものであるということである。

しかし、これらのじっと見ることは、生活の中で、仕事の中でとても大切なことで、りんごを買う時も、仕掛かり品を加工している時も、その時見たことや、同時に考えたことは記憶に残り、時々はそれに意識が向き、つまり対象＝意識が形造られたりしながら、そして、そうでない時も恒に記憶の中にその意味が存在し、意識の片隅にその意味が存在し続けているのではないだろうか。

ここで、ほんとうに、この論文として議論してほしいと訴えたいことは、この意識の片隅として述べていることなのだ。この議論の際にどうしても使ってもらいたい材料は、夢の中の「我」の世界なのである。夢の中ではほとんどは、自分がどこにいるのかわからないままなのではないか、ということである。この時、ここで見てきた世界についての記憶は完全に消え去っているはずなのである。それに反し、目が覚めている時は、「我」は自分がどこにいるか、何のためにここにいるのかをしっかりと知っているということなのである。

そして議論してほしいことは、この時、記憶の中に自分の空間的時間的位置をしっかりと意味として保存はしていることは、多くの人々が認めることであるが、その時、意識として、それらの意味がどのように、ほんとうに片隅に存在し続けているのかどうかをなのである。

この時、意識の定義もさることながら、意識の在り方が問題になっているのである。この論文では、対象に向けられた意識、対象＝意識を取り囲むように、世界についての意識、世界＝意識というものが一対となって存在しているのではないか、と言いたいのである。これは多くの今までの哲学の中の意識とは大きく違っているはずである。一番近いのはハイデガーの世界＝内＝存在であろう。でも、彼の場合もほとんど記憶については触れていないし、対象と世界との関係は道具存在として、そこにある世界の中に、世界＝内＝存在の中にあるものとして見ているのである。

このあたりは、ほんとうに議論してほしいところである。そして、哲学や様々な認識論に携わる人々にも向き合ってもらいたいところである。そしてまた、その議論の時のポイントとしては、やはり、デカルトのコギトの拡大による意識の定義、〝自分はこのことを知っていることを知っている〟のはずなのである。そして、〝このこと〟とは対象のことである。そして、議論のポイントは〝知っていることを知っている〟のは対象である、このことだけなのか、ということになるのである。確かにほとんどの哲学者が対象へ向かう時は、じっと対象に向かい合って、〝このこと〟だけ、対象にだけ向かっているのは事実である。そして、〝じっと〟とは、そこに、その対象だけに向かい合い、他のまわりの世界を遮断していることになるのではないだろうか。しかし、日常生活では多くの人々は、そんなにじっと対象を見つめるのは、子供の泣きそうな顔や、恋人の真剣なまなざしを見る時ぐらいなのだ。日常生活では次から次へと対象は移り変わっていくのである。りんごを見たら、その次に皮の色を見、大きさを、他のものと見比べ、自分の中の欲望、食べたいな、に向かい、おお、ナイフ、となり、まな板、皿と移っていくのである。この時、少なくともナイフやまな板や皿をすぐに探せるのは、記憶の中にそれらの存在と位置が保存されていて、そして、りんごを見ている時、既に、それらの対象=意識が形造られようとしていたからではないか、ということなのだ。少なくとも、このような移動がスムーズに行くためには、意識の片隅に…という議論になるはずである。

りんごはまだいいが、テニスや野球やサッカーともなると、ああ、サッカーが一番わかり易いだろう。ボールが来て、キックする時は、ボールへの対象=意識と同時にまわりの味方と敵の選手の位置、それ以上に、今自分が立っているグラウンドの位置、ゴールとの距離を全て意識に、同時に意識にのせていなければならないはずなのである。

このあたりはほんとうに哲学をこれから人類に残していくためにも、他の認識に関わる学問を残していくためにも、必要なのではないだろうか。

ⓔ　家庭での人間の意味

家庭の中に存在する人間は、その中の一員である「我」にとって最も大切な最も大きな意味を持った存在である。それは人間の中で最も大きな力を持つ、あらゆる欲望よりも大きな力を持つ愛が互いに惹きつけあっているからである。親達にとって子供は、まさしく目の中に入れても痛くない存在なのである。また、子供達にとっては親は、なくてはならない、自分が生きていくためにはどうしても必要な、それ以上に、幼い時には大好きで大好きでしょうがない、また成長して大人になると、いとしくてしょうがない存在なのである。

また、夫婦はお互いに愛し合う、そして、お互いに協力して家庭を支えあう、いとしいいとしい存在なのである。また、兄弟や、祖父母、孫、ひ孫達の関係は愛で満ちていると言っていいのである。この強い愛がたえず、一人一人を大きく惹きつけ、惹きつけあっているのである。その力は自分の体の生命の力とほとんど一緒になって働いているので、多くの人々は、意識することもないのである。そして、記憶の中に存在するというよりも、体の中に存在していると言っていい、生命体と一体となって存在しているのである。本当に脳細胞の中の記憶というよりも、体の中の記憶と言っていいのである。そして、親達の場合は、その力は、自分の欲望を大きく抑えているのである。また、子供達は、親からの愛は、他の欲望と一体となって、最も欲しいものになっているのである。

もちろん、家庭がいつも円満に、愛だけで満ちてすばらしい幸福の場であり続けることはない。家庭の中では、様々ないざこざ、ぶつかりあい、けんかはつきものである。夫婦げんか、親子げんかはよくある。そして、これは、世界の中で最も大切な意味、最も大きな意味の上での、そのマイナスの出来事である。そのマイナスもとても大きな力を持ってやってくるのである。家族の中の衝突の一番の原因は、それぞれが家庭のために欲望を抑えていることにあるだろう。腹が減ったからといって自分だけがお腹いっぱいに食べるわけにはいかないのである。現代の日本ではほとんどの家族はそれなりに食欲を満たしているが、少し昔というよりも、１９６０年代中頃までは、日本でも、家族全員の食欲を満たすことはなかなか難しかったのである。限りのある食糧をみんなで分け合って命をつないでいたのである。そして、この分配に関しては、一家の長が絶大な力を持っていたのである。そして、もっとたいへんなのは、十人近く生まれる子供の中から誰を後継ぎにし、その他の子供達をどうするかは大きな問題であったのである。農家では子供全員に田を分けてしまえば、みんなが生活できなくなってしまったのである。長子相続はとても大きな意味を持っていたのである。残りの子供達をどうして生活できるようにしてやるかは一家の長の大きな問題であり、時には残酷な決定もしなければならなかったのである。現代では、少子化が進み、こんな問題はなくなっている。しかし、子供達がよりよい生活を大人になってからでも続けるためには、学力社会に似合った勉強をさせねばならない。ここには、可愛い子供にも、その子供達がけっして喜ばない勉強をさせなければならないのだ。やはり子供達の欲望を抑圧しなければならないのだ。夫婦も多くは、共稼ぎでたいへんなのだ。いくら電化されたとはいえ、主婦が昼働いて、夜は家事では負担が大きすぎるのである。このあたりも、とてもたいへんなことがいっぱいあり、やはり欲望を抑えながらの生活が続くのである。これらのことは、家族という人間関係がかなり難しいものであることを示しているのではないだろうか。

欲望といえば、もう一つ性欲が存在する。家族の中で？…性欲？となるかもしれないが、フロイトなどの精神分析によれば、性欲は家族の中でも、とても強く、いや、親密な関係の上でより一層強く働いているのである。ただ、これは、完全と言っていいほど抑圧されてしまっていて、ほとんど、誰の目にも、家族の一員には見えなくなってしまっている。しかし、フロイト達によれば、これらの抑圧された性欲は、無意識に追い込まれてしまって、そこで大きな力を持ち続けているのだ。そして、それは、睡眠中に、夢の中で現れるのである。近親相姦や、また恐ろしい悪魔や動物となって現れるのである。しかし、それらは目が覚めてしまうと再び、無意識へ追いやられ、生活の中では力を無くしているかに見えるのである。とはいえ、このような力はやはり記憶の中に力を持ち続け、感情や、他の欲望などの根底に力を持ち続けているとしたら、恐ろしい話である。もし、そうならば、家族とは一番難しい人間関係ということになるだろう。いや、フロイトの説によれば、無意識に追い込まれた性的欲望は大きな力を持ち続け、人々を病気にまでも追い込むことがあるのである。それ以上に、彼の説によれば、男の子は母親に、女の子は父親に、幼い時から性的欲望を持ち続けているのである。確かにそれは抑圧されて、無意識に追い込まれてはいるが、そこでも力を持ち続けているというのが、彼の説である。もし、彼の説が正しいとするならば、家族とはとても複雑な、難しい人間関係であるということになる。無意識とは、この段階では、記憶の中に存在しないのか、いや、存在したとしてもほとんど引き出されることがないだけなのか、ただ、単に欲望としてだけ存在し、記憶として残ることはないのか、などの議論をそのままにして進まなければならないはずである。ただ、本論としては、そのような性欲以上に、もっと強い力を持った愛が存在するのでは、と言いたいのである。

そして、性欲に対する様々な抑圧以上に、この愛が、大きく、性欲も食欲も被い、家族全体にその力を行き渡していると主張したいのである。特に、母親の子供に対する愛はとても強力で、彼女の中の性欲など、忘れさせてしまっているはずなのだ。また、子供達も、男の子も女の子も、おかあさんの愛が何よりも欲しい、しかも、とても大きな力で存在しているのである。愛は科学的には、少なくともほとんど真正面に向かわれたことがないのでは、とも言いたいのである。科学は、まずは欲望なのだ。母親の愛も、子孫を残したいという、繁殖欲という欲望で説明されてしまうのだ。このあたりは、ほんとうに議論してほしいのである。

以上、見てきたとおり、家庭は最も複雑で難しい人間関係の場であるとも言える。愛が憎に、一瞬にして、少なくともとても短い時間の内で変わる可能性を持っているのだ。かと思えば、とても仲むつまじい家族の底層にも、抑圧された欲望、我慢の年月が存在し、それがふと現れることもあるはずだ。家庭とは、今程も見たとおり、最も欲望を抑圧している場でもあるのである。それを被っているのが愛のはずであるが、それを覆して憎も現れ出る可能性が充分に存在しているのである。仲むつまじい夫婦も、それを続けるためには、とても大きく、互いに我慢を続けているはずなのである。

意味に戻れば、ここにはとても大きな大切な意味が存在し、それを維持するためには、また、とても大きな我慢、忍耐というマイナスの意味を持った努力が必要なのである。そして、このマイナスの意味を、愛というすばらしいプラスの意味に置き換えていく努力が、一人一人に必要だということなのだ。

愛のためだけでなく、「我」にとっても、仕事や部活の疲れを癒す大切な場であるのである。理想を言えば、愛に包まれて、家庭の外での疲れを癒すことができれば、最上の家庭であることになる。でも、そんな日々は長く続かないし、そのような日々を迎えるにはとても大きな日々の、しかも、全員の努力が必要なのだ。

そして、これらの大切な意味が維持できるためには、家の外での仕事や勉強、時には部活がうまくいっていなくてはならないのだ。特に親達の仕事は、家族全員の食欲をはじめとする様々な欲望、掃除機や洗濯機などによる家の環境を整えるため、テレビやステレオなどの楽しみ、癒しのためになくてはならない金銭を稼ぐ大切な手段なのである。その仕事がうまくいかなければ、家に帰ってきても、イライラやむかつきが残っていて力を持って、それが家族が原因ではない怒りの原因にもなることがあるのである。同じように、子供達の学校の出来事も家庭に大きな影響を与えてしまう。それだけでなく、社会の変動は家庭に大きな力を、時には揺さぶりもする。経済の変動、不況や恐慌は多くの家庭を貧しくさせ、生活に困窮をもたらしてしまう。それ以上に、内乱や戦争はほんとうに恐ろしい、不幸を家庭にもってきてしまう。

いや、それよりも、天災はもっと頻繁に家庭を恐怖に、不幸に落とし込める。台風や大雨、大雪、地震などは大きく家庭を揺さぶり続ける。いや、まだまだ、火災や交通事故は家庭を包み込んだ時、時には大きなダメージを、家庭そのものの存続をも危うくさせることがある。それでなくても、スモッグやスギ花粉も、家族の一人一人に害を与えるし、インフルエンザや様々な大きな伝染力を持った病気、いやいや、全ての病気は、そして負傷は家族に大きな不幸をもたらす。

これらの力が全て来ないように、用心し、注意し、来ても最小限の被害にするために、家族が日々努力して、家庭はなんとかうまくいき、時には幸せが、家庭を埋めてくれるのである。

ここでもう一度確認しておくべきは、家庭内を、その人間を埋め尽くすべく存在している愛と記憶の関係である。家庭内では、それほど愛は意識されていないのではないか、記憶にもそれほど大きな力を、少なくとも日常の中では大きな力を持っていないのではないか、ということなのである。というのは、愛は恒にあるものとして、しかも満ちあふれるものとして、そしてまた、脳の中よりも、体の中に存在し、湧きあがってくるものとして存在しているから、逆にそれほど意識されることなく、記憶にもそれほど大きな力として保存されていない、いや、保存されているにしても、意識されないのではないか、ということなのだ。

恒にあるもの、例えば、部屋の中の椅子やテーブル、時計などは、ほとんど意識されないし、そしてまた、記憶に残ってはいるが、それほど力を持っていない。それと同じように愛も、恒にあるものとして、それほど意識されないし、記憶にも大きな力を持っていないのではないか、ということなのである。しかも、愛は脳の中よりも、肉体の中に、血液などと同じように存在しているのである。血液の流れも、通常はほとんど意識されないままなのである。

この愛が、記憶にそれほど大きな力として存在していなくて、意識もそれほどされないことは、家庭の人間関係、その感情などに大きな影響を与え続けているはずである。というのは、恒に存在するもの、肉体の中に存在するものとしての愛は、意識の底辺に、恒に存在するものとして、基盤として存在していて、それに変化があった時、はじめて、その変化に意識が向けられるということが起きているはずなのである。毎日同じ場所に存在する椅子やテーブルが、別の場所に存在したり、無くなっていたら、はじめて意識され、時には「我」を慌てさせてしまうのと同じようにである。

このような変化には、子供がすばらしいことをしてくれた、その時の眼の輝き、そして、誕生日やクリスマスの催しもの、また色々な発表会など日々存在する愛が、また一段との高まりを見せることもあろう。ただ、この高まりの下には恒に家庭に存在する愛が底辺に存在していることは忘れてはいけないのである。愛の高まり、というプラスの要素だけでなく、マイナスの要素の変化もある。これは小さな変化でも意識される、椅子やテーブルが少し場所を変えただけでも意識されるのと同じである。愛が足りない、愛してくれていない、甘えっ子はいつもいっぱいの愛をもらっているから、それが少しでも減ると感じて、泣き出す。そして、叱られたり、罰せられたりしたら、愛が憎に変わったと思ってしまう。とはいえ、少なくとも親子、いやもっと限定して幼い子供とその親の関係にはずっと愛が存在し続けているとしていいのである。しかし、子供達が成長するとなかなか難しくなってくる。この愛のまだその底辺に、先に見たフロイトの指摘する性欲が無意識のうちに力を持ちはじめるからである。しかし、ここではこれ以上は議論できないとしておかねばならない。精神分析の専門家達の意見が必要なはずである。

それ以上に難しいのが夫婦の関係である。実際、夫婦では憎が大きな力を持って愛を押しのけてしまうこともある。男と女の関係は、その愛はとても難しいものなのである。常に存在するのはずの愛も、日々刻々と変化しているはずなのである。そして、実際、夫婦にもよるが、とても小さな変化、ある出来事が二人の愛に変化を与えるように思われる時、そして、この時も、二人とも反応することもあるが、一人だけが反応する、しかも大きく反応することもある。とても難しいのである。

またしても〝難しい〟になってしまった。実際、家庭の人間関係は濃密であればあるほど、しかも、そこに大きく愛が存在しているはずなのであるが、その愛も様々な変化も受けるのであり、濃密なだけ、また、濃密な様々な変化も起こすのである。

ⓕ　会社の人間関係の意味

先にも見たとおり、会社は大きな、とても難しい意味を持った場所である。工場の中の機械一台をとっても、難しい、細かな意味がそこには充満している。それに向かい働いている人間も、その性能、使い方を知るだけで、その機械が作り上げられた過程や各部品とその組み立て等についてはほとんど知らないで動かしているのである。かなりベテランでも、そのような機械の構造、仕組みについてはそれほど知らない。必要がないからである。しかし、一方、その機械を使って様々な、時にはとても難しい製品を作り上げるのは、ベテランの技である。このような技は、時には機械を作り上げた人々も思いもつかないものを作り出すことがある。このような技術者を抱えている企業は、それなりに競争力も持ち、生き残っていける…でも、なかなか難しいところも多くある。

マルクスによれば、利益につながる剰余価値を生み出すのは労働力である。そこで働く人間が、しっかりと働いてくれて、はじめて会社は存続していけるのである。ただ、今程見た職人技は、一昔前のもの、少なくとも、二十一世紀の現代では、中小企業にだけ残っているのではないだろうか。大企業では、大量生産の工程が、ほとんどオートメーションの流れとなっていて、働く者は、自分の仕事を細かく指示されて、その通りに動いているとしていいであろう。自分の中の多くの能力を押し殺して、その指図に従って動いているのである。とはいえ、機械や仕事の内容の知識、意味はそれぞれに理解していないと仕事にならないはずである。

機械や仕事の内容に対する知識、意味の量は各人、それぞれ、また、会社、工場によって様々であろうが、そして、これらの意味はそれなりに各人にとってとても大きな意味になっているであろうが、同じ工場、同じ会社で働いている人間の存在は、機械や仕事に対する意味に負けないくらい、時にはそれ以上に大きな意味を持っている。ただ、その大きさは、家庭のところで見たような、家具や家の造りと比べようもないくらい大きな意味であったようなことはないはずである。というのは、働く人間にとって、少なくとも会社にいる時間、働いている時間は、仕事はとても大きな意味を持って「我」を埋め尽くし、拘束しているはずだからである。そして、一方、同じ工場、同じ会社で自分と同じように働く人間の存在、その意味は、仕事があってはじめてと言っていいくらいのもののはずだからである。同じ工場、同じ会社に働く人間は、ある意味では仕事のためにつきあっていると言ってもいいはずのものなのである。

一緒に同じ仕事をしたり、流れ作業で、前の工程や後の工程で会ったりする同僚とは、コミュニケーションをしなければならないことがとても多いのである。そのコミュニケーションをすることそのものが意味である。自分の仕事のためにも、このコミュニケーションと、それをする相手の存在はやはり大きな意味を持っているのである。

同僚だけでなく、会社には命令系統というものがある。この命令があって、はじめて仕事がはじまりもするのである。この命令を伝えてくる上役はとても大きな意味を持つ存在である。また、自分が命令を伝える部下達も、なくてはならない大切な、大きな意味を持っている。そして、上には社長や会長、重役、役員もいる。これらは網の目のような命令系統を作り上げている。そして、この命令系統に従って、上下関係、身分関係と言っていいような力関係も存在する。このような力関係、命令系統が存在してはじめて、会社が企業として、商品の製造、生産ができるのである。そして、そこで働く「我」も、このような命令、上からの力があって、自分も仕事ができることを知っているのである。そして、自分が仕事をする、しなければならないのは、会社のため、会社の仲間、同僚のためでもあるが、なんと言っても家庭のところで見た、とんでもない価値、意味を持った家族のためであることを知っているのである。そして、自分が働いているのは、あの大きな意味、かけがえのない意味を持った家族のため、それが大きく根底に存在することを知っているのである。

とはいえ、多くの人々は、会社に入ってしまえば、このような家族の存在を忘れてしまっている。そんなことを思っていては仕事にはならない。会社に来てしまえば、まずは仕事だ。流された図面、指示書をじっと見、そして、それを渡した時の上司の表情、顔色を思い浮かべながら、そしてまた、それを持っていって現場に行った時の同僚や部下達の顔を思い浮かべながら、指示書や、図面の意味を読み取るのである。そして、読み取った時、「わかりました」と理解したという表情を作り、時には笑顔を作り、ということは相手に意味を伝えて、自分の機械の待っている現場に向かうのである。そこでは、同僚や部下に、笑顔を作って、いや、時には困った顔をして、「おい、こんなたいへんな仕事来たんや、できるかな」とか、「今日も面白くない、これで三日間同じ仕事や、いやになるわ」とか、色々、自分の中に湧いてきた意味をまわりに伝えて、機械に向かい、仕事をはじめるのである。

仕事をはじめると、多くの人々は仕事に集中する。強い力で存在していた上司の眼差しの輝きもいつか消えて、仕事の手順に従って、つまり、仕事の持つ意味の順番に仕事を進めていく。まずは機械のスイッチを入れ、機械の様子を見て、問題なく動くことがわかれば、加工すべき半製品をその機械にセットして、機械での加工を始める。しかし、その前に図面を見直したり、指示書をもう一度読み直したりして、もう一度機械と、加工すべき半製品を見直して、加工が始まる。この時はほとんど、どんな人間も記憶の中から消えてしまっている。

それでも、仕事がなかなかうまくいかない時は、上司のにらみつけたような眼が、頭の上の方にちらついたり、時には同僚の薄笑いなどが浮かんだりすることもある。逆に、仕事がうまくいけば、仕事への集中力も弱まり、いつの間にか家族の、特に子供の可愛い顔が浮かんだりして、幸せな気持ちになってくる。つまり、仕事がうまい具合に進んで、可愛い子供の笑顔が浮かんで、幸せな気持ちになる。しかし、これも人によりけりであるが、パチンコ屋のシーンや、通っている飲み屋のシーンや、そこのおかみさんや、次に行く店のホステスなども浮かんできたりもする。そして、一緒に通っている同僚の顔も浮かんできて、「今日あいつ行けるんかな?」とも、思考も働きだす。つまり、この間は、ずっと外から見れば仕事を一生懸命にやっているのではあるが、その人物の脳の中では、力を持っている記憶が働いて、いろんな人物の顔を浮かび上がらせたり、時にはほんの少しではあるが思考も働き出したりすることになる。

会社での、職場での人間関係とその意味を見てきたが、働く人間のほとんどでは、それらの人間関係の根底に、家族の存在があるということである。昔の職人達の言葉を借りれば、「うちのもん達のために働いとるのでございます」なのだ。家族のために、家族を食わせるために、そして、できることなら幸せで暮らせるために働いているのである。だから、会社に来ていても、職場でも、その家族の存在は記憶の中で力を持ち続けているということなのだ。しかし、それらは、時々は浮かんではくるが、根底に、記憶の中の奥深いところに、多くは力として存在するだけなのだ。会社に来れば、職場に出れば、多くの人間が、生活の存在が、見えてくる。多くは同僚だ。しかし、そのむこうに上司の顔が見えている。これらはみんな意味を持った存在である。上司や同僚の何人かは大きな力を持っている。同僚でも、何人かはとても仲良くなっている。飲み屋やパチンコ屋へ一緒に行くだけでなく、スポーツを一緒にする友達もいるし、時には仲間で旅行に行ったりもする。また、一方では、仲の悪い同僚もいて、「あいつは虫が好かん」と言って避けたり、時には悪い噂話を仲間でして、こきおろしたりもする。
しかし、これらの人間関係も仕事がはじまれば、みな記憶の中の存在になってしまう。そして、仕事がたいへんな時、集中力を要する時は完全に消えてしまっている。でも、仕事が流れはじめ、目の前の仕事がうまくいきはじめると、これらの人物が記憶の中に浮かんできたりもするのである。

会社、工場、職場は多くの人々が一日の三分の一を、起きている時間の半分以上を過ごす場所である。そこでの人物はやはり大きな意味を持っている。家で食事をしている時、これらの一つが、時にはいくつかが浮かんできて、食事やお酒がまずくなったり、稀ではあるが、おいしくなったりもする。記憶が昼間の様々の出来事を、力を持って伝えるのである。
会社、工場、職場の人間関係は、家族の存在の次に、大きな意味を持っているとしていいであろう。

とはいえ、仕事の上での人間関係こそ、会社の中でのとても大きな意味のはずだ。会社の中では、一人一人が、各人の仕事を持っている。大企業ともなると、大きな工場が、ほとんど一つの同じ仕事をしていることもある。しかし、それは稀で、各部署に分けて、仕事は分業され、上行程、下行程と仕事は部署から部署へと流れていく。逆に、二、三人とか、四、五人だけの町工場では、一人が最初から最後まで、一連の加工をしてしまって、出荷することも多い。これらの大企業や町工場では、あまり、仕事は話にならないのではないだろうか。町工場では、一日中、自分の仕事に向かい、ほとんど無口な職人の姿が浮かんできそうになる。大企業では仕事の流れを決定しているのはまた、その専門の部署になって、だから…とはいえ、やはり、働いていれば仕事の話になる。…のが普通である。

多くの、いや、ほとんどの企業では、各人が自分の仕事を任され、自分の仕事を持っている。もちろん、企業によっては、まわりがほとんど同じ機械に向かい、同じ仕事をしている。それでも、仕事の進み方は各人違うし、日によっては機械の調子が違って、故障したりすると仕事が止まってしまう。そうなると、同じ仕事をしているベテランが見て、「ああ、これはここや」と少し手をまわして、直ってしまうこともある。しかし、多くは業者を呼んで、ということにもなる。

基本的には同じ工場で働いている者どうし、仕事の話は欠かせない。自分の仕事に専念していても、上行程、下行程の者との情報交換は必須だ。これがなければ仕事は止まってしまう。多くの工場では、加工すべき品物の入った箱の上に、図面が載せられて仕事がまわってくる。もちろん、黙ってその図面を見てすぐに仕事に入る時もあるが、上行程、下行程の者どうし、少しは会話をする。図面の見方や、加工上の問題点はやはり、話をしなければならない。時には不良品が出て、図面の個数より少なくなっていて、後からまた、その分がまわってくる話にもなる。

同じ機械に向かって、しかし、それぞれが違った加工をしている時は、もっと話がはずむ。情報交換である。というか、お互いに教えあって、なんとか加工が進んでいくのである。時には一人が困っている時に、何人かが集まって、様々な意見が出てくることもある。

ここには、同じ工場で働き、先に見た世界の共有は起きているが、仕事の中身ともなると、とても多くは同じで、この知識を共有しているが、少しずつ違っている。その上での情報交換ということになる。工場で働く者達は、互いに同じような仕事をしていて、その中身はお互いに知っているが、それが少しずつ違っていることを互いに知りあって情報交換するのである。

しかし、工場での多くの時間は自分の仕事に向かい、機械の持つ意味、そして加工すべき品物、そして、それを指示する図面の意味をじっと、まさしくかかえ、つまり記憶に保存して、仕事を続けているのである。しかし、そんな時にも、まわりの人間達のやっている仕事が浮かんでくるのである。それも記憶の中にである。

ⓖ　学校の人間関係

子供達は、幼い頃から同じくらいの年齢の子が集まると仲良くなって一緒に遊びはじめる。これも、この時の状況、遊ぶ相手、それも本人によって様々であるが、おおよそ、楽しく仲良く遊ぶと言っていい。

そして、小学校に入ると、まずは近所の仲良しどうしで一緒に登校の道を歩みはじめる。仲良く、いろんな話をしながら、学校へたどりつく。楽しい時間である。また、教室に入ると、そこにも仲の良い友達がいて、先生が来るまで、ほんの少しであるが話をする。先生がやってきて朝礼、そして授業がはじまると、会話はできなくなり、先生の話をじっと聴き、それでも、近くの仲良しと、眼で合図したり、話したりすると、先生に注意を受け、叱られる。そして、休み時間、給食時間、そして放課後になると、仲良しどうしは集まって話がずっと続く。仲良しだから話が続くのである。ということは、お互いに今まで話してきて、お互いのことをよく知っていて、その上で、また、昨日今日の新しい出来事を積み重ねて話がはずむのである。そして、この底辺には、お互いの心の高ぶり、仲良しどうしの気のあった心の響きあいがあり、ただただ話していたいという気持ちも存在するのだ。友情である。

ほんとうに、気の合った仲間どうし、一緒にいるだけで楽しい、うれしいのだ。文字通り、〝気〟、気持ちがあっているのだ。この気持ちのあっていることが彼等を結びつけているのだ。そして、会話は、そのお互いに気持ちを、リズムとして、互いに響きあわせるのだ。もちろん、時にはけんかになることもある。しかし、多くはすぐに仲直りになる。仲間によっては、かなりの頻度でけんかもする。しかし、仲直りも早い。とはいえ、三日、一週間、口をきかなくなることもある。もちろん、それで友達を替えたり、ずっとということもないわけではない。これも、友人としての在り方の一つとしていいであろう。

学校に通うと、多くの子供は友達ができる。グループというのもあるし、親友というのも、そのうちできる。もちろん、そう言っても、クラスにはなかなか友達ができない子が、二人か三人はいることが多い。そんな子にわざわざ声をかけるやさしい子もクラスにいる時がある。人それぞれ、様々だとも言える。

ただ、ここで確認しておきたいのは、子供達には、同じ組の年齢の子どうし、仲良くなりたい気持ちは大きく存在することである。それが、クラスでできなくて、近所の子どうしのこともあるし、また、他の習い事や、他の集まりのこともある。そして、クラスで友達ができない子も、他のところで、ということも大いにある。もちろん、それでも友達ができない…これはとても大きな問題のはずである。いや、こんな子供達もいることは、やはり、しっかり覚えて、先生達や、時にはクラスの同級生達が気を遣い、時には仲間に入れ…でも、難しい。

仲良しの友達どうしに戻れば、ここでの会話は仲良くなるための会話であり、仲良くなったからの会話なのである。だから、この会話の中身、会話の意味は二の次のことが多いはずなのだ。会話の根底には、仲良しどうしの心の響きあいがしっかりと存在し、その大きな意味から、自然と音楽のように会話が飛び出してきているのだ。会話はこの大きな意味からの流出物なのだ。そして、この章のテーマの記憶に戻って考えれば、このような会話の中身はほとんど記憶に残っていないはずなのだ。会話の中身よりも、子供達は、それを話している時の表情や、その話し方の方が、というのは、そこの方に、より友情が、心が現れているからなのだ。とはいえ、時には、とても面白い話になって、しっかり覚えていて、家に帰って親や兄弟達に話して聞かせたり、また、何年も経って再会した時の話の種になることもあるのだ。ただ、そんな話の内容にも友情の心が響いているから覚えているはずなのだ。そして、友情の響きが、思い出の中に甦ってきて、「ああ、あの頃は楽しかったなあ」と思う時もあるのだ。

もちろんこのような友人関係だけが、学校の人間関係ではない。先生という、大きな力を持った存在がある。先生は、教室の生徒全体に大きな力を持っている。この力の大きな部分を愛が占めているとしていいだろう。生徒達も、この愛の量によって、〝いい先生〟〝優しい先生〟〝こわい先生〟〝いやな先生〟などと評価しているとしていいであろう。ただ、〝こわい先生〟もその大きな声で叱る中に、この子のためには、という愛が入っていることもあるのである。〝いやな先生〟は他に難しい要素が入っているかな…? 先生はそれぞれ、様々な先生がいるのだ。それぞれに個性を持っているのだ。その個性を持った人間存在が、子供が成長するまで、一年、いや小学校の時は三年のこともある。大きな影響を与えるのだ。ヴィゴツキーの言う科学的概念だけでなく、自然発生的概念、生活的概念をも教え続けるのだ。子供達の成長に、親に次いで、科学的概念を教え込むことから考えれば、親以上にと言っていいほどの影響を与えることになる。子供達は、家や近所で学ばないことを学校で学んでいくのである。学んでいくことは、この章のテーマである記憶から見れば、記憶に取り入れること、そして、その記憶に新しい記憶を積み重ねていくことになる。もちろん、そこには思考の発達という重要な要素が存在する。そして、ここでの人間関係のテーマに戻れば、先生の存在は親に次ぐものであるはずである。学習内容だけでなく、教室という、学校という社会の初歩的段階を、しっかりと教えていくのである。学校を通じて、社会人に子供は成長していくのである。

このような大きな力、大きな影響、つまり大きな意味を与える先生の存在は、その意味を、子供達に自らの人間性から発するものとして、いや、人間そのもの、人間存在として、性格というよりも、その眼の輝き、輝き方、声、その響き方、様々な表情、動作は、生徒達に大きな意味を与えているはずだ。しかし、それらの一つ一つを意味として感じている生徒はほとんどいないで、それを存在全体として、せいぜい性格として、とらえ、理解しているのではないだろうか。つまり、〝こわい先生〟とか〝とても優しい〟などとして、とらえているはずなのだ。少なくとも、小学校低学年のうちは、これに〝嫌な〟とか〝いい〟とか、〝面白い〟とかが加わるだけなのではないだろうか。それが、少し成長して、高学年になると、〝気難しい〟とか〝怒ったら恐ろしい〟とか、〝でも、機嫌のいい時は親切にしてくれる〟と言語も少し高度化してくるし、時にはその顔の表情や部分をとらえて、〝きつい眼をしてる〟とか、〝声が大きすぎる〟との評論も加わったりするのである。

そして、どのように生徒が感じていようと、学校に行けば一日のとても大きな時間をこのような先生の指導のもとで、大きな存在として、感じながら、そこからやってくる意味を受け止め、授業の内容としては記憶の中に保存、蓄積していくのである。

先生の存在、それから来る意味は、生徒にとってとても大きいのである。ということは、生徒の成長、そして、その間の人間性、性格の形成に大きな影響、意味を持っているということである。

学校は、資本主義の発達した国々ではほとんどの人々の人格形成にとても大きな意味を持つ場所であることになる。

ⓗ　人々が住む社会の意味

人々が生活している、家庭、そして職場や学校の外に社会が広がっている。これは、人々にとってやはりとても大きな意味として存在しているのである。しかし、多くの人々は、家庭や学校や職場の外の世界として、その力や意味を、自分から少し距離を置いたものとして感じているのではないだろうか。そして、自分の住む市や町、村の存在、その在り方を、ほとんどは風景として、ということは距離を置いて眺めるものとして見ているのではないだろうか。少なくとも記憶の中では、ぼんやりとした街並みや、それを取り囲む家々、田畑、そしてまた、その外側の山や海をなんとなく、それほどはっきりしないものとし保存し、思い浮かべているのではないだろうか。これは街並やその風景はそれほど強い意味を持って「我」、特に生活している「我」にとっては存在していないということを表しているのではないだろうか。つまり、生活する者にとって、街の風景は風景のままで、特別に強い大きな意味を持っていないのでは、ということなのだ。そして、その風景にはほとんど人の影は見当たらないのだ。見えたとしても、風景の中のものとしてである。もちろん、通勤や通学の道はそれなりに意味を持っているはずだ。そして、買い物に行くコンビニやスーパーの位置や道順もそれなりに意味を持っているし、友達の家や親戚の家の位置や道順も、それなりの意味を持っている。しかし、これらはそこに着くことが目的なのだ。そのことは大きな意味を持っているが、しかし、そこへ着けばいいのだ。そして、その次に意味を持っているのは、そこにかかる時間や道の交通量なのだ。あくまでも、街の風景は風景のままなのだ。風景の手前でそれより大きな意味を持っているのは、信号の色や様々な道路標識であるし、電車やバスの通勤、通学ではそれに乗る時刻はとても大きな意味を持っているのだ。とはいえ、友達の家や親戚の家への道順や位置は、それなりに意味を持っているのだ。友達や親戚は、やはり「我」にとって大切な存在だからだ。そんな大切な存在は、社会の中に、点在している、つまり、知らない人々が住む社会の中に点在しているのだ。

とはいえ、多くの人々は、自分の住む街の風景をぼんやりと、風景として記憶にとどめながら生活しているとしていいであろう。その記憶の中には、ほとんど人々の影はない。あったとしても風景の中のものだ。

それでは、自分の住む街、市、町、村は「我」にとってそんなに強い意味を持っていないのか、と言えば、違っているだろう。市には市役所があり、町や村にも、役所が存在する。それだけでなく、警察や消防も大きな意味を持って存在している。ただ、「我」はそれを平常の生活では意識していない、忘れているだけなのだ。そして、パトカーや消防自動車が走り、そこにはヘルメットや帽子を被った警察官や消防隊員の姿や顔が見える。また、サイレンの音を聴いたりすると、「ああ?!」と異常なことに気づくのだ。それでも、自分に関係のないことであり、他人事だとわかると、すぐに忘れてしまうのだ。もちろん、そんな時にそのように役所や様々な機関が、また、そこに働いている人々が、自分達の生活を守ってくれていることを思う者もいるだろうが、稀なはずである。とはいえ、多くの人々は、行政機関というものが存在し、それが自分達の生活をしっかりと守ってくれていることは知識として知っているのだ。しかし、それらはそれほど強い力では記憶に存在していなくて、平常は記憶の中にはほとんど力を持っては存在していないとしていいのである。とはいえ、これらは、都会に住む人々であろう。小さな田舎町に住んでいれば、やはり、町内は意味を持っている。隣近所のつきあいというのもある。こんな隣近所のつきあいが嫌で都会に住んだり、田舎町でもアパートやマンションに住む人々もいる。でも、田舎町でも、町内の外はやはり社会なのだ。そうは言っても、田舎は田舎で、その外の世界には、友達や親戚、知り合いがけっこう密度高く存在している。

そして、また、市町村の外には、県があり、またそれを大きく取り囲んで国が、そしてその権力が存在することを、そして、それに伴って、憲法や様々な法律が存在することを、人々は知識としては知っているが、それらの知識はけっして強い力を持っては記憶の中には存在していないのである。憲法や法律、そして国家、県、市町村はとても大きな意味を客観的に見れば持っているのである。そこにも働く人々がいて、また、県知事や首相や大臣がいて議員もいるが、他人であり、せいぜいテレビの中の存在なのだ。テレビの中にこのような顔が出てきた時、多くの人々は嫌な気持ちになる。また、時には政策に対する不満も出てくる。ということは、これらの人々にはそれなりに記憶の中に、顔や名前が存在していることになる。しかし、「我」の中の記憶の中では、それほど大きな力を持っていないのである。というのは、多くの「我」は、家庭や職場や学校の、つまり生活に、そこでのつきあいに追われているということなのだ。生活に追われている、ということは生活が大きな意味を持って「我」を支配しているということなのである。

いや、国家の外には多くの外国の国々も存在する。これらはまさしく、ほんとうに、とても大きな意味を持って存在しているはずなのだ。しかし、世界が平和である限り、つまり、自分の国が戦争に巻き込まれていなくて、日々の生活を平和に送っていけるなら、それらの諸外国は、そして、時々顔の見せる政治家達も、ニュースの中の存在で、ということは遠い、自分の国からも、自分の生活からも遠い、というよりも、自分の生活とは関係ない、とも言えるのである。だから、外国の存在は、そして、そこの政治家達の存在は、記憶の中に、ニュースとして聴こえてくる時だけ意味を、力を持っているかもしれないが、ほとんどいつも記憶の中ではほとんど消え、おおよそ、なにかで思い出さなければならない時だけ、世界地図をまず思い浮かべて、多くはニュースをその上の出来事として、しかし、ほとんど自分には関係ないこととして、ということは自分にとっては意味のないものとしての存在になってしまっているとしていいのである。

もちろん、そうは言っても、ニュースの中で戦争や災害でたいへんな状態におかれている人々の様子を見ると、特に、その中に子供達や女性や年寄りの悲惨な様子がテレビなどで映し出されると、ほとんど自分や自分の家族のことのように悲しみが湧いてきて、時には涙が出てくることもある。しかしながら、そのように心が動かされたとしても、つまり大きな意味が自分の中に湧いてくるのを、時には、この戦争を仕掛けた、あるいはその災害に責任のある政治家達に対する反感や嫌悪感も浮かんできて、心が動くのを感じても、自分達にはどうもしてあげられないことがよくわかっていて、また、そのたいへんな悲惨な状態は、自分の生活には関係のないこともわかっていて、そのニュースが消え、他の番組にかわったり、食事で他の話題がはじまったり、そして次の日職場に行ってしまったりすれば、ほとんど記憶の中から消えてしまうのではないだろうか。

もちろん、海外旅行をよくする人、それだけでなく、株式を多く持っている人々は、海外の動きは大きな意味を持っている。株式の場合、海外の株を持っていなくても、日本の株式市場も大きくアメリカやヨーロッパの株式の動きに影響される。いや、それ以上に、海外に家族の一員が留学や出張、転勤をしている場合は、その家族が出向いている国はもちろん、それを取り巻く国の動きもとても大きな意味を持っている。それでなくても、海外に出張所や支店、工場などを持つ大企業に勤めている人々にとって、たとえ自分がそのような任務に送られていなくても、それらの国々やまわりの動向、いや世界経済の動きは気になるところである。なぜなら、それらの国々や経済の動向は、会社の売り上げや利益に大きく影響するし、そのことはそのまま、自らの給料やボーナスに大きな力を持ってくるのである。いや、いや、そのような企業では海外から原材料を輸入していたり、商品を輸出したりしていれば、もっと大きな意味を持ってくる。

そのようなことがなくても、現実には、日本人なら、アメリカやEU、中国、韓国、東南アジア、ロシアの動きはやはり大きな意味を持っているはずなのである。それ以上に、国連や平和条約が働いて、いや、対立する国家どうしの軍事力の均衡によって、平和がもたらされていることはとても大きな意味を持っているはずなのである。しかし、そのようなことを日々の生活の中で思い出すことはあまりないのである。ということは、強い大きな意味として存在していないということなのだ。記憶の中にも、これらのことはそれなりに保存されてはいるが、やはり、平和な日々が続いている限りは大きな力を持っては存在していないということなのだ。

外国は基本的には生活を続けている「我」には遠い存在のままなのだ。遠いところに存在する意味なのだ。とはいえ、アメリカやロシアや中国の、そしてEUや他の国々の大統領や首相、最高実力権力者は、ニュースに出てくれば、それなりに大きな意味として、多くは嫌なマイナスの意味として登場し、時には腹もたってくるが、やはり、どうしようもなく、自分の生活からは遠い存在のままで、ニュースが終われば、それらは記憶の中では消えていくのだ。

このように見てくると、外国、いや地球、そして世界、宇宙というものの存在とその意味が見えてくる。「我」

にとっては、地球や世界、そして宇宙は遠い薄い意味のものとして存在しているということである。宇宙があり、太陽系があり、地球があって、はじめて人類があって、日本があって、様々な歴史を生き抜いてきたご先祖様があってはじめて現在の自分が存在しているのにである。そして、この遠い薄い意味のまま星空を見ると、晴れていて満点の星空であっても、その美しさだけが意味としてやってくるのである。そして、「ああ、すばらしい」となるのである。星と同じように月もそうである。同じように美しさだけで見られると言えば、野山に咲く花である。ああ、鳥も、全ての自然、宇宙が、生活から遠い薄い意味として見られる時は、すばらしいのだ。花鳥風月である。

つまり、ここは生活から遠いのである。そして、その生活の中の人の影もそこにはないのだ。だから、心休まるのだ。生活での苦労から遠く、忘れることができるのだ。仙境というのもある。まさしく、俗世間から遠い、山奥での生活である。人間達が住む世界は俗世間で、そこから遠く離れているのだ。

とはいえ、同じ天体でも、最も身近な太陽はそうはならない。まさしく、お天気は、太陽の下、大きく生活に力を持つ、大きな意味を持っているからである。農業にたずさわっていれば、太陽は、そして、その下の雲の動き、天候はまさしく、ほんとうに大きな意味を持っている。太陽と天候の状態に一喜一憂の時代もあったのである。その意味の大きさを太陽神の存在が表しているとしていいであろう。いやいや、月も、星、特に星座は昔は一つ一つ神であったのだ。そして、自然の様々なものが神であった時代もあるのだ。それだけ人類は自然に意味を感じ、意味付けしていたことになる。

自然を、世界を、宇宙を科学的知識だけで、静かな遠い、薄い意味として見ることができるのは、現代人、資本主義社会に住む、「神は死人だ」の世界に住む人間だからだろうか…

もう一つ付け加えておけば、世界や宇宙や、その一つ一つの天体や、また様々の個物が神である。神として見られるとすれば、そこには一つ一つの神の名前が存在し、またその神の中身、言い伝えが存在したことになる。つまり、そこには言語が存在したのである。そして、昔の人々は、いや、現代でも神を信ずる人々はそれらの名前や、言い伝え、中身を記憶の中に保存していたはずなのである。いや、現代ならば、保存しているはずである。しかも、これらの名前や中身は、現代人の科学的な知識より、強い意味を持ち、記憶の中でも大きな力を持っていたとしていいであろう。それらはこの先に少し見た、自然が持つ意味、農業や様々な生活おいて様々な意味を持っていた、持っているよりも、神の存在となってしまえば、しっかりと強い、それらの自然そのものが与える意味より強い意味を持っていたとしていいのではないだろうか。すばらしい晴れた空も、雲が被う空も、雨空も、いや、それだけでなく荒れた恐ろしい天候も、様々な災害も、神の意志であり、良い天候はその下に住む人間達の良い行いの結果であり、悪い天候は、悪い行いの結果とも考えられていたのである。まさしく大きな意味を持っていたはずなのだ。ここで忘れてはならないのは、神の存在と人間の関係である。この節では見落としてはいけないのだ。神の多くは人間の顔や姿に似ている。しかし、人間ではないのだ。そして、俗世間には住んでいないのだ。ということは、生活の中で人々がお互いに与え合っている、プレッシャー、充実感、重さ、それらを払拭しているのだ。とはいえ、人間も様々なように神も様々であるし、プレッシャーを与え、恐れられている神々もある…でも、…

これに対して現代人は、このような因果関係を考えることもなく、ただ単に、科学的知識によって、良い天候も、悪い天候も、高気圧や低気圧の動きとして天気予報を見て判断するだけである。神の力と信ずる人々から見れば、かなり弱い、少なくとも自分の行いとはほとんど関係のない意味としてとらえているのである。

宗教の話になってしまったが、少なくとも現代人、しかもほとんど神を信じていない、宗教とは距離を置いている人々には、世界は遠い、薄い意味の存在であるとしていいであろう。それに対して、神を信じていた人々、信じている人々、宗教の中に身を置いている人々は、世界は、宇宙は、強い、大きな意味を持っているということになる。

×× ××

これで、少なくとも現代人の、生活を中心に生きている人々の、生活と家庭、学校や職場、それを取り囲む世界、のおおよその意味を見たとしていいであろう。

いや、まだある。今まで見たのは、二次元の世界である。もう一つ、時間がある。これも見ていく必要があるはずである。この時間も、自分の生まれた時からこれまでの意味、そして、これからの意味、また家族のそれぞれの生まれてから、そして将来までの意味も大きな意味を持っているはずなのだ。そして、また、その外の学校や会社の歴史、住む町の歴史、そして日本の、世界の歴史もやはり大きな意味を持っているはずである。

2. 時の流れの中の意味、歴史、時間の帯

――時の流れの中の「我」の意味

やはり、「我」、自分から見ていこう。とは言ったが、これまで、本論として、自己、自分について見たことがあったろうか。これまで多くの議論は家庭における意味から出発してきたのである。つまり、ずっと意味を見てきたが、生活を中心に見てきているということである。家庭、学校、職場と、生活を中心に見てきているのである。そこにとても多くの、大きな、強い意味が存在するからである。そして、その先には芸術を見ているのである。ここにも意味が存在し、しかも言語になっていない意味が存在し、それを見ることによって、意味そのものを見ることができるとして、向き合ったのである。ただ、序論では、「我」の意識の構造として、〝無限の広がりを持つ狭い世界〟というものを見たのであった。ただし、このことによって、その意味を見たのではなかったのである。

確かに、ほとんどの人々は、自分を意識しながら生活を続けているのである。そして、今まで見てきた生活の中でも、働くことも、勉強することも、いや部活やスポーツ、趣味をすることも、家族のためよりも、まずは自分と、多くの人々は考えているのである。ただ、言い逃れをさせてもらえば、そんな時でも、本論のテーマの一つである〝意味〟を考えて、つまり自分の意味を考えて生活、その中での行動を続けている人々は稀なのではないだろうか。

そして、多くの人々に「自分の意味って、何ですか?」と問うと、「ええ?…?…?」となるのではないだろうか。こんな時、尋ねられた人々は、瞬間的に、現在の自分に帰るのである。しかし、そこには、行動の中心に

ある自己しか、そして眼を凝らすと、そこには自分の身体しか見えてこないのである。行動、仕事や勉強、スポーツ等は、確かに「我」にとって意味として存在するが、その中心の「我」となると、「…?…」となるのが多くの場合なのではないだろうか。確かに、世の中には自分や自己について述べた啓発書や哲学、認識論など、それなりに存在する。しかし、それにしても、多くの人々は、〝自分について〟〝自分の意味〟については、やはり「…?…」となることが多いのではないだろうか。

ただ、ここで見る、ここでのテーマ、時の流れ、歴史というものを自分に当てはめれば、そこにはそれなりの意味が見えてくるはずなのである。

時の流れの中で、自分が見えてくるのは、自分そのものではなくて、その時の流れの中で自分のしたこと、自分の歴史、履歴である。生年月日、生誕地、出身校、職歴、…つまり、就職の時、持参する履歴書である。しかし、ここまで浮かぶと、その出身校、小学校や高校、大学など教室の情景が浮かんできたり、部活での練習の場面や試合の緊張した場面が浮かんできたり、時にはチームメイトやクラスメイトの顔、そして先生の顔が浮かんできたりするのではないだろうか。しかし、それらは、けっして〝自分〟ではないことに気づき、履歴に戻ってしまうのではないだろうか。それでも、自分がこの履歴のとおり、だけなのか、という疑問が湧いてきて、自分の現在の職業や部活が浮かんでくるのではないだろうか。そして、やっぱり「俺って…」と、その職業や部活、時にはスポーツや趣味を言いかける者もいるが、ほとんど消えてしまって、「…」となってしまうのではないだろうか。

自分とは、一番近くに、いや、そのものであるのに、いやいや、それだけに、なかなか言語にはならない、意味を持ち出せない存在であることをここで確認しておこう。その意味では、先に見た〝言語にならない意味〟でも最初に取り上げなければならないものであったはずなのである。しかし、それはなかなか難しい仕事であって、逆にこのあたりでやっと近づけるようになった、ということにして許していただきたい。もう一つ言い訳をすれば、〝無限の広がりを持つ狭い世界〟について述べたことだけで許してもらえるのではないか…そして、それ以上に、ここでは「我」とは〝自分〟とは全ての意味の根源であり、その意味ではとんでもない大きな意味が、その存在であることも確認しておこう。

ただ、ここは、「我」や〝自分〟そのものへ問いかけの場所ではない。時の流れ、歴史の中の自分を見る場所である。そして、「我」や〝自分〟への問いかけをはじめたのは、これらの時の流れ、歴史の中の自分がその時々によって「我」や〝自分〟そのものの意味として考えられることもあるのではないか、ということによってなのである。少なくとも、社会では、会社の雇用の際は履歴書が「我」や〝自分〟の代替物となって、その雇用する人間の意味であるかのように扱われるのである。

とはいえ、ここは、時の流れ、歴史の中の自分の意味を、履歴書以上に見ていかねばならない場所であるはずなのである。

時の流れ、歴史の中の自分を見る時、それは自分の今まで生きてきたこと、記憶を見ることになる。しかも「我」は記憶の中に、基本的には全ての今まで生きてきた全てを記憶の中に保存しているはずなのである。しかし、一方、記憶には忘却というものがある。全ては保存されていないのである。そして、その上、生まれてからしばらくは、記憶機能が発達していなくて、空白のままなのである。そして、この記憶にないことは、とても大きな意味を持っているはずなのである。自分の時の流れ、歴史、もっと言えば人生は無から始まっているのだ。自分は母親の胎内から生まれたが、その記憶がないのだ。記憶の中をたどっても、空とか無とかしかそこにはないのだ。自分の人生は、この空とか無から始まっているのだ。とても、不可思議な意味がやってきそうになる。こんなことに気付くのは何才の頃なのだろう。この時に、宗教的知識があれば、〝前世〟という言葉がやってきて、ふと、「自分の人生の前世…？」となることもあるが、しかし、多くの人々、少なくとも現代人は、そこには暗闇しか見えてこないのではないだろうか。そして、同時に、自分のこれからの人生の終りの後の、死後の暗闇もやってくることもある。そして、この死後の暗闇がやってきて、少し恐ろしくなって、というよりも不吉な気がして、「こんなことは考えてはいけないんや」と思い、このような思考を止めてしまうことにもなる。しかし、この時感じた不可思議はやはり、心のどこかに残り続けるはずなのだ。そして、この不可思議について、誰かに相談しようとしても、それにはなかなか踏み切れないのだ。それは、自分が生きている家庭や、近所の友達、幼稚園や学校の友達関係の中には、死についてのタブーが行き渡っているからではないだろうか。それが、宗教が力を持っていた昔のことならば、様々な宗教的な話、教えが、小さな頃、こんな生と死について、ぼんやりと考えはじめる頃に、いや、それより先にやってきてしまっていたのではないだろうか。そして、地獄極楽や因果応報の話が大きく力を持ち、これらの不可思議な思いをかき消してしまっていったのではないだろうか。

しかし、この空と無だけに長く向き合っていることはできない。自分の人生、時の流れ、歴史を最初から見ようとすると、その空、無の次にぼんやりとした幼児期の記憶が見えてくる。しかし、これもほんとうにぼんやりとしていて、はっきりしないで、その先に存在した空無に近いものであり、ほんとうに在るのかどうかも自信が持てないことが多いのではないだろうか。そして、その手前に、やはりぼんやりと、まさしく影そのもののような、幼児の影、姿、しかも、後ろ向きの姿が浮かんでくるのではないだろうか。二、三歳であろうか、どこか立っている姿も危うそうで、どこかの庭や小さな公園、いや道路で、遠くにほとんど見えていないような幽んだ状態で、木立ちが何本か見える、見えているような気がする。いや、いや、その手前に、何人かのやはり見えるか見えない形の幼児、こちらはこちらを向いて…、ただ、これもほんとうに記憶なのか、単に見えている気がしているだけなのか、そして、また、記憶がそれだけ退化してしまったのか、それとも、その頃の記憶そのものがそれだけ発達していなくて、こんなものだったのか、それとも、単なる想像の中のものなのか、…となるはずである。そして、それらのぼんやりとした画面の上に、大きな白い乳房や、美しい、でも心配そうな眼の輝きが見えてきて…これは、おそらく想像だろう…なぜなら、おっぱいを飲んでいた時、それほど記憶は発達していなくて、この時代は、空無の中のはずだから…

このあたりの記憶もかなりあいまいで、記憶なのか、後の想像がそのような画像を生み出したのかはわからない…でも、なにか、それらしいものが存在するのである。

それでも、このようなぼんやりとした画面と並んで、いや、それを打ち消すように、ふとしたことが、少しはっきりとした画像で見えてくることがある。どこか旅行に行った時のことや、近所の友達とけんかをしたことや、遊んでいてけがをしたことや、少し遠くへ遊びに行って迷子になって道が分からなくて困ったことや、などなど、いや、まだまだ、悪いことばかりではなく、プレゼントにすばらしいおもちゃをもらったことや、友達どうしでとても楽しい遊びをはじめたことやなどなど、ああ、親戚のおじさんやおばさん、またいとこが遊びに来て…などなど…。

これらは、多くは先に見た、ぼんやりとした画像よりはっきりして、その場面もしっかりと浮かんできている。心に強く響いて、記憶にもかなり強い力で残っていたのだ。そして、おそらくは先のぼんやりした画像よりも、もう少し年いった時の記憶なのだろう。ショックや困ったことや楽しかったことなど、それなりに幼児の「我」にとってはかなりの大きな意味を持っていた、いわゆる出来事だったのだ。

このようなことを成長してから思い出すことはよほどのことがなければないのではないだろうか。毎日の日々の生活に追われ、暇があれば、そして余裕があれば、好きな音楽を聴き、本を読み、その前にテレビを見、スマホを覗いて、美しい夕陽やお月様、花まではないだろうか。このような幼い時の思い出は、映像は、日々の生活の中の、夕陽やお月様のむこうにあるはずなのだ。これらの幼い時の出来事の思い出は、その頃は大きな意味を持っていたかもしれないが、現代の日々の生活にはやはりほとんど意味を持たないのだ。夕陽やお月様はそれなりに、日々の生活の中に、とても美しいものに出会えた喜びを与えてくれるが、この幼い時の記憶はそのぼんやりとした映像が見える、いや、ぼんやりしたままで、見えているかどうなのかもよくわからず、そのことからも、ほとんど意味を与えてくれないのだ。ただ、そのぼんやりとした、はっきりしない、その記憶の薄れ、時の流れのその遠さを感じ、つまり、ああ、これだけ月日が過ぎたのか、という思いはやってくる時もある。まさしく、天体の、太陽系の木星のむこう、土星や、そのむこうの星を見ようとしている時と似ているのである。

一方、このようなぼんやりとした記憶、その映像とは別に、先に見た生年月日はとても大きな意味を持っているのだ。この生まれた時の記憶はまったく無いのは先に見たとおりである。しかし、自分が何年何月何日に生まれたかはとても大きな意味を、現在の日々の生活にも持っている。履歴書だけでなく、自分が何才であるかは、日々の生活の中で何度も思い出す。スポーツをしていて、うまい具合にプレーができない、体が動かないともなれば、すぐに自分の年齢が浮かんでくる。年齢は生年月日から計算された結果のものだ。スポーツだけでなく、仕事がうまく進まない時や、食欲があまりない時、そして、物忘れの時は、自分の年齢を思い出してしまう。年齢は、特に、少し老いを感じはじめると、とても大きな意味を持って日々の生活の中で浮かんでくる。ただ、これは言語化された記憶である。自分が生まれてこれまで生きてきたことの記憶によるのではなく、生年月日から計算された数字を記憶していることによる、その数字がこの意味なのである。そして、このような数字で表された、言語化された記憶は、その基になっている、これまで生きてきたことの記憶からほとんど離れてしまって、その時々で浮かんでくるのである。

そして、履歴書的な記憶は、生年月日の次は、小学校、中学校、高校、そして大学、あるいは就職という経路になる。多くの人々は自分の過去をふり返る時、まずは、これらを思い出してしまうのではないだろうか。これらも、言語化された記憶である。これらの言語化された記憶は、入学式やその後の学校での思い出より先に浮かんできてしまうのではないだろうか。自分の過去を、人生を振り返る時、その中身より先に、これらの言語化された記憶が飛び出してきてしまうのではないだろうか。言語とはその基になる記憶を離れて、とても鮮明に、しかも、とても引き出し易い、機能的な存在であるということである。そして、入学式の思い出やその後の様々な出来事の思い出は、これらの言語化された記憶の後に、時にはそれを押しのけるようにして、ようやく浮かんでくるのではないだろうか。このことはまた、考え方によっては、生活の中では自分の過去、人生の中の意味で大切なのは、そしてその意味が意味として使われるのは、自分の出身校や、就職した企業名であることが多いからだとも言えるであろう。日々の生活の中では、遠い過去の記憶はなかなかその意味を意味として生かされることは少ないのである。

とはいえ、それはおおよその外観であって、もちろん、過去の記憶、思い出が時として浮かんできて、ふと笑みが浮かんできて、「ちくしょう！」が出たり、「ああ、あの頃はほんとうに…」と深い感慨が出たりもすることがあるのである。ただ、それでも、やはり、これらの心の動きはやはり、それほど大きなものではなく、少なくとも、現在の「我」の心を動かすほどではないはずである。やはり、それらの記憶は現在からとても遠いのである。その遠さの分、現在だけを生きている「我」にとってはその意味は大きくないのである。

このような遠い過去の記憶が一番大きな力で甦るのは、昔の友達が遊びに来て、話がその昔になり、話がはずむ時だろう。このような時は、すっかり忘れてしまっていた過去の出来事が甦り、その頃の楽しさが大きな力を持って体の中にやってくるのである。ということは、〝すっかり忘れていて〟とは言っても、やはり記憶の中に保存されていて、ただ、引き出されることがなかっただけなのだ。引き出されることがなかったのは、現在の日々の生活がそれを必要としなかったからなのだ。しかし、友達がやってきたら、それを引き出す大きな力が働いて、そして、その記憶の中に存在していた大きな力をも甦らせたことになる。

基本的には、ほとんどの記憶は時間が経てば経つほど、その力をなくしていく。と同時にまた、それを引き出す必要も少しずつなくなってくる。特に、様々な事情で、生活が大きく変化してしまうと、その現在の生活の中から、その変わる前の記憶を引き出す必要は大きくなくなってしまうのが普通である。だから、就職して、結婚して、子供ができてともなると、その目の前の生活が大きな力を持って「我」を縛りつけ、そこにはたくさんのしなければならないことが次から次へとやってきて、なかなか、子供の頃、小学生、中学時代などは思い出すことがない、その余裕がなくなってしまうのである。

それでも、昔の友達に出会ったり、久しぶりに帰郷して昔遊んでいた場所を通ったりすると、その頃のことが思い浮かび、甦ってくるのである。友達と出会った時はその顔の上に重なって、また昔遊んでいた場所を通った時は、その現在の場所に重なって、思い出が甦ってくるのである。ということは、その頃の記憶は、しっかりと保存され、しかも力を持って保存されているのである。そして、友達との出会いの時は、話がはずみ、ということは言語によって、その記憶の持っている意味が引き出され、昔遊んでいた場所を通った時は言語にならないが、その頃の遊んでいた情景がこちらは視覚表象として再現され、しかも大きく心の奥に沁み込むようにやってくるのである。言語は、「ああ、よかったな」ぐらいで、それと同時に経過した年月、そのむこうに存在した様々な記憶が静かに心に甦ってくるのである。記憶はそれなりに力をなくし、それなりにぼんやりしてしまっているが、それはそのまま、その記憶が保存された時間の長さを表していて、そのこともまた心を打つのである。

これらは、やはり、せいぜい小学校、中学校までの記憶だとしていいであろう。いや、せいぜい小学校までだとしていいであろう。というのは、このような子供どうしの遊びの後、かなり早い時に、早い者達は小学校の高学年のうちから、恋、多くは片思いの恋が始まるからである。これは、子供達どうしの無邪気な遊びとは比べものにならない大きな意味を持ち、後々の人生にとっても、大人として初恋の時代とはまったく違った生活をしていたとしても、とても大きな意味を持ち続けるからである。生活の意味を超えた、大きな奥深い意味を持っているのである。生活の多々ある意味のむこうのとても強い大きな意味である。

その記憶はやはり時々引き出される。いや、無意識的に浮かんでくることが多いはずである。ぼんやりしている時、その好きだった彼女や彼氏の瞳の輝きが、脳の暗闇の中に浮かんでいるのである。ふと、「え？…」となって「誰だろう？…」と思って、「ああ、やっぱり…」ともなるのである。これを、ここでの議論として述べれば、表象が先にやってきて、言語が後にやってきていることになる。意味について言えば、ずっと記憶の中で意味は強い力を持ち続けていて、しかし、それらは生活の意味に追いやられていたが、生活の意味が力をなくしてくれて、ぼんやりできて浮かんできたことになる。そして、その瞳の輝きに、何年間も恋していた、ということは世界で一番大切な意味として、しかし、どうしても手に入れられない、いや、近づくこともできない意味として存在していたことも思い出すのである。そして、この大切な瞳の輝きを、多くの人々は幾つか持っているのである。多くは三年毎くらいに、学校が変わったり、また、新しい瞳が現れたり、時には好きだった瞳が転校していったり、また時には、誰かとつきあっているという噂が広まったり、そして、特に小学校の時には稀なのであろうが、恋を打ち明けて断られたりして…となるであろう。

そして、いろいろあるだろうが、このような瞳の輝きを、数十年経た後も、時には結婚して子供ができてからでも、ふと思い出すことがあるのではないだろうか。もちろん、結婚した相手、その子供達はやはり、そのような瞳の輝きの存在よりもずっと大切なのであろうが、それでも、その昔、とても大切な意味を持っていたものとして、淡い思い出として、淡くなったが故に、静かな心で、その間の年月の経過、この距離をも感じながら、「ああ、…」とため息のように、その頃の自分とともに思い出すのではないだろうか。

いや、瞳の輝きだけなのは、小学生の時の恋だろう。年数を経て、成長するにつれて、思い出は多様になり、複雑になる。目の前にその美しいすばらしい瞳が輝いて、笑顔がそれを取り囲み…というのもあれば、その瞳が涙を流していたり、怒りに満ちていたり、また、瞳だけでなく、肉体の感覚、抱きしめた時の肌の柔らかさ、力強さ、唇の味、キスの味、というのも、成長の過程で強烈な記憶として存在することもある。いや、もっと成長すれば、裸で抱き合った時の感覚、性器の触れ合った感覚、そして頂点に達した時のとても大きな力の、ほんとうに自分の人生で最も大切な記憶の力の一つとして、保存され続けることにもなる。

ただ、これらの記憶とどう向きあうかは、それぞれの性格もあるだろうし、その後の人生の様々にもよるだろう。

ああ、もちろん、恋愛だけが人生ではない。スポーツも大きな力で「我」を惹きつけるのだ。中学生になれば、部活が大きな割合を生活の中で占める。最近では、中学の部活が始まる前に、様々なスポーツのレッスンを小学生の頃から受ける子供も多くいる。スポーツはまずは楽しい、面白いのだ。勝負があるし、順位がある。その前に正選手になれるか、下手すると補欠になってしまう。そして、体を大きく動かす。成長期の子供達にはとてもすばらしいことなのだ。スポーツをすることによって、様々な体力、筋力、いや、それだけでなくスポーツの上での思考を学び、礼儀やチームワークも習い、人格を形成していく。そして、ちょうどその頃、先に見た恋愛の根源にある性欲が大きくなるが、それをも吸い取ってくれる。だから、部活が大きなウェイトを占めだすと、恋愛は脇へ押しのけられてしまうこともある。そして、この根底の性欲はずっと抑圧されて、無意識のところへ追い込まれてしまうこともある。

いや、そんなことより部活は面白いのだ。スポーツそれぞれのルール、それも細かなものがある。それにのっとって体を動かすが、そんなに簡単ではない。様々な基本の動作、そしてフォーム、これを理解し、体で覚えることが難しいのだ。だからこそ、頑張るのだ。大きな力で、この頃の「我」を吸い取ってくれる。多くの子供達、生徒はスポーツに部活に、真剣になる。

ただ、このようなスポーツ、部活をある程度の年齢になって思い出そうとすると、厳しかった練習のことがすぐに浮かんできてしまう。これらは毎日毎日続いたことなのだ。その厳しさ、たいへんさが、日々を埋めていたのだ。その次に思い出すのは、印象に残っている試合だろう。まずは優勝、準優勝、そんなことは稀で、何位、陸上ならタイム、これが先に来るのではないだろうか。これらは言語化されているのである。そして、この後に、せりあった試合のシーン、自分がうまく決めたシュート、トライなどが浮かんでくる。これらは映像として、視覚表象としてだ。そして、その次は先生やコーチに叱られたこと、ほめられたこと、いや、その前に、選手か補欠か、どこのポジションかを決められたこと、…。

このようなスポーツ、部活が大きく「我」を吸い取り、「我」ものめり込んでいたことを、遠い過去として思い出す時はどんな時なのだろうか。同じスポーツをずっと現在まで続けている人々もいる。このような人々は毎日の練習、試合などがいっぱい埋まっていて、逆になかなか思い出せないのではないだろうか。思い出すとしても、現在の自分のスポーツの中から、現在のフォーム、技を通して、その一番最初にトライした時のことなどが見えてくる。浮かんできて、現在の視点で見てしまうことも多々あるはずである。ただ、このような人々はとても幸せな人々だとも言えるであろう。

多くの人々は、部活や若い時にやっていたスポーツは遠い過去のことで、思い出の中のものである。と言っても、日常生活の中ではなかなか思い出さない。ただ、テレビでそのスポーツを、プロの戦いや、オリンピック、様々な競技会のニュースや実況をやっていたりすると、ふと自分の過去の様子、練習や試合を思い出すのではないだろうか。しかし、実況などを見始めると、そこへのめりこんでしまい、自分の過去のことはそのずっとむこうに行ってしまい、画面の中の選手達の動きに見入ってしまい、終わったら少しは自分の過去を見てみるかもしれないが、「ああ、こんな時間だ、眠らなくっちゃ」となって消えていってしまうのではないだろうか。それでも、床の中に入り眼をつむると、その頃のことが、一緒にやっていた友達の笑顔が、そして楽しそうな話をしている様子が、そして時には練習や試合の時の、…しかし、ほんの数秒、長くて数分で…それでいいのだろう。

そして、多くの人々は、この時代を振り返ると、「ああ、○○をやっていたんだな」と、野球、サッカー、テニス、陸上などの種目の名前が、言語が先にやってきて、それの中身をゆっくり思い出す時間がなければ、その時代を、少し密度の高い、しかもキラキラと輝く、いろんなものが複雑に入り組んだ時間の流れとして感じるのではないだろうか。

部活やスポーツを見れば、勉強だろう。勉強していたことを成人してから人々は思い出すだろうか。…？となるだろう。勉強と言えば教室の風景、教壇の先生…となるが、これはやはり小学校、中学校の生活の風景で…だから、そこには先生の顔もあるが、友達の横顔や、それ以上に心を密かに思っている人の…となったりで、授業の中身、つまり勉強そのものはなかなか、となってしまうのではないだろうか。

勉強となると、やはり、自分の小さな勉強部屋で、机に向かって…、スタンドや天井の蛍光灯もついているのだが、それをふり返ると、とても暗い、まっ黒い部屋に閉じこもって机に向かっていたように浮かんでくるのではないだろうか。そして、それを思い出す、記憶から引き出す、いや、記憶の中をたどるようにすれば、そこには暗闇だけが存在し、その暗闇の中で机に身をかがめて本やノートに向かう自分の姿が、これも影のようにしか見えてこないのではないだろうか。これには、勉強が嫌で、面白くなく、我慢して机に向かっていた思いが強く存在し、力を与えているだろう。また、一方では、勉強というものは細かなことを次から次へと読み、理解し、思考していく作業であり、このような遠くからの外観からは何も見えなくなってしまっていることにもよるだろう。ただ、こんな暗闇の中にも、閃光のような輝くものがある時があるだろう。勉強の中に大きな発見、すばらしい出会いがあったことになる。すごく感動させ、点数のためではなく、自分の興味を、しかも、遊びなどの時の興味よりも、もっと奥深いところからの興味が引き出され、それなりの興奮を与え、それによってその科目に大きく惹きつけられ、それで進路を決定したということがある、という人も少ないが、中には存在するはずである。とはいえ、その後、その学科の、その進路を、真剣に勉強しはじめると、やはり、また、真っ暗な、いや、もっと濃い闇の中で机に向かっているような記憶になっていることもあるだろう。それでも、ところどころに、また閃きを見出す人々もいるだろう。人生それぞれであるとしておこう。

一般には勉強の記憶、特に受験勉強などは暗い闇のものであると言えるであろう。これらは、点数を取るためのもので、学問の持つ、人をそそる面白さ、興味からは遠いものになっているからである。興味をそそられてしまった時には、その科目はまあまあとしても、他の科目も入れた全体の点数、順位は下がってしまうのが普通だからである。それ以上に、勉強はやはり肉体的には苦痛なのだ。

受験勉強の後は高校や大学の生活がはじまる。高校でも、受験校でない、工業系や商業系の学校では、部活を中心とした楽しい日々が待っている。受験校に進学して大学に入った人々も、ここではやはり部活やサークルを中心とした、自由で楽しい時間が多く存在する。少なくとも日本の高校や大学では、次に試験が待っている、つまり受験勉強がなくなった学校に通っている時代は、楽しい生活が待っている。一番自由な時代だとも言える。

この自由な時間の中で、学生達は様々なことを学ぶ。もちろん卒業して就職した後のことも学ぶが、そのようなコースから外れたことも時に学ぶ。酒や煙草を覚えるのもこの時代である。いや、様々な遊びも覚える。それ以上に、恋である。純愛ばかりではない。遊びの恋、ナンパというのも、この頃なら許される。もちろん、高校では酒や煙草は年齢的にも許されない。…それでも…いや、いや、昔話になってしまう…いや、そんな者達ばかりでなく、まじめな連中が多かった…

少なくとも、日本人の中では、一番視野が広がる時代だとしておこう。そして、今まで見てきた時間の帯というものは見えてこなくて、少なくとも帯ではなくて、広い空間に様々なものが飛び交っているような印象、その記憶が浮かんでくるのではないだろうか。そして、これらの記憶は卒業して間もなくはかなりはっきりとして、一つ一つの出来事、シーンがはっきりと見えているのではないだろうか。ということは、卒業して就職しても、これらの学生時代の多くはまだまだ強い意味を持ち続けていることが多いのである。そして、卒業して、それなりの時間を経てからも、これらの思い出はそれなりに生き生きと浮かんでくるはずなのである。多くの人々は自分の人生の中でも、大きな強い意味を持つ出来事をこの時代に経験したと感じているはずだからである。

卒業して就職すると、受験勉強ほとではないが、勉強の時と同じような、けっして楽しいばかりではない、あまり面白くない、しかも様々に縛られている時の流れを多くの人々は感じているのではないだろうか。

仕事は、基本的には食べるための、生活していくための手段で、会社に入れば、様々な規則の縛りがやってくるのである。一番外側の枠は、八時から五時までの就業時間である。この間は基本的には自由はない。働かねばならない。そして、そこには肉体的にも精神的にもかなり強度な労働が待っているのである。それだけでなく、職場には上司がいて、会社の組織があって、大きな力を「我」にかけてくるのである。「我」は上司や組織に恒に監視され続けているのである。しかも、仕事がうまくできない、まちがったことをしてしまった時には、お叱りや説教、そして罰則が待っているのである。受験勉強ほどではないにしろ、小学校や中学校の授業よりはもっと楽しくないのである。苦痛の時間の流れでもある。重い、ぎっしりと詰まった角ばった時間の流れである。そこに白い破片のようなものが見えていれば、職場の様々な、仕事の上での人間達であろう。黒い大きな異物はとても困難で、ほんとうに困り果てた仕事の影だろう。そして、このような抽象的な映像として浮かんでくるのは、やはり、この時間帯が苦痛であり、拘束されていることによるだろう。思い出したくもないし、また、仕事としてこなしてしまっていれば思い出す必要もないのである。

もちろん、職場でも恋愛はあるし、すばらしい仕事を成し遂げた思い出を持つ人々も稀にはいるだろう。しかし、それらは例外であるし、ほんとうに特別なことである。仕事には義務と責任がつきまとっているのであるし、職場では拘束されているのである。

もう一つ見ておかねばならないのは、職場は転職というものを考えなければ、現在の生活の場なのである。もちろん、それでも大企業ともなると、転勤というのもあるし、部署が違えば、毎日の職場の光景も大きく違ってくる。そこには、遠い過去となったとしても、現在の仕事と関係した人間関係も存在する。それらは記憶の中でも生き生きとしていることもある。この生き生きとした人間達の記憶は同僚で、楽しい思い出を持つこともあれば、気まずい、圧力をかけられる、あるいは対立する、にがにがしい存在として残っているものもある。ただ、これらは現在の仕事から振り返った人間関係である。矛盾したことを言っているように思われるかもしれないが、職場の時間の流れを遠い過去として概観した時には、やはり先に見たような思い、密度の高い、暗い時間の流れに見えることが普通なのではないだろうか。

××　××

以上、時の流れを見てきたが、それが時には帯のように見えたのは、やはり、そこに記憶以上のもの、想像や空想が入り込んでいるからであろう。なぜなら、少なくとも、時間は視覚では見えない存在であり、記憶の中に残ったとしても、それが表象として帯のように見えることは記憶以外の作用と考えざるを得ないからである。とはいえ、ほとんどの人間は時間の経過をどこかで感じているのであり、そして、確かに内的時間意識として感じているのかもしれないが、この時間意識の中には記憶はやはり大切な役目を担っているに違いないのである。正確な時間の経過を見る時には、時計やそれに類する機械や道具に頼るしかないが、時間の経過そのものを感じる？ 見る？ 意識する？…には、記憶に頼るしかないところがあるのである。なぜなら、現在の自分と自分を取り巻く世界、その意識、世界＝意識は記憶に残っているのである。そうして、その記憶に残って自分、そして、世界＝意識の上で時間が経過していくのである。その時、世界＝意識の中のある存在が運動して、位置を変えたとすれば、その運動の最初から終わりまでは記憶に残っているのである。そして、最初の場所も記憶に残り、次の運動が始まり、その運動もその動きとともに記憶に順に残っているのである。この時、運動の瞬間瞬間は知覚され、それが記憶され、かつ次の瞬間が記憶され、順に記憶されていくのであるが、その先の記憶は順に過去のものとなって、次から次へと進む瞬間の記憶が進むにつれて、過去になった記憶は時間の経過とともに遠い過去になっていくのを「我」は記憶の中で知っていて、また記憶しているのである。

少なくとも、このような記憶の働きによって時間の経過を記憶の中にとどめることができるのである。「我」が向かい合っている世界は、様々に運動している。その運動と共に時間の経過を「我」は感じているとしていいであろう。

感じている、というよりも、多くはその時間の経過を頭に入れていなければ、仕事にならない。次の仕事ができない。ということは日常茶飯なのである。生活をしていくためには、時間の計算は必須なのである。ただ、このような生活から無縁の人間が、あるいはようやく生活からはずれることができた人間が、運動が目の前に見えないような、時計も存在しない小さな部屋に閉じこもったり、洞窟のようなところでじっと、眼だけを開けて動かないようなことになっても、その人間が生きている限りは自分の身体の中の生命体の動きは、逆にそのようになってしまうと感じられるはずであるし、それ以上に自分をそのような動かぬ状態に保っている心、意志の持続は感じるのではないだろうか。いや、このような時こそ時間の経過を感じてしまうのではないだろうか。

ただ、多くの人々は、時間というものを、幼い時に、まわりの大人達から教えられるのではないだろうか。これらは、時計によって正確に測られる時間である。このような教えられた時間と、今見たような記憶の働きによる時間は、「我」にとってかなりの距離のあるものとして存在しているはずなのである。この距離まで見てしまうと、やはりあまりにも横道に、いや迷路に入ってしまうのである。

そして、また、この先に見た、時間の流れ、時間の帯と今程見た時間の経過に関する記憶の働きや、生活の中で使われている時計による正確な時間などとは、これも大きく違っているはずである。この先に見た、時間の流れ、時間の帯は遠い過去をふり返ってみているのである。これも先にも言ったことだが、記憶力ばかりではない、ここにはやはり想像力が、また世間でみんなが使っている〝時の流れ〟や〝時間の帯〟という言語がもたらすイメージがかなりの影響を与えているはずなのである。とはいえ、そこにはやはり記憶というものが存在するし、遠くから、この記憶を見ていることによる、その時間の経過とともに記憶が変形し、違った形象、ここでは見え易い形象をとるに至っているのでは、ということなのだ。

時間そのものは、これも先に見たとおり、少なくとも五感ではそのまま、直接には感じることができない。それでも、「つらい時代だった…」とか、「楽しい時間を過ごした」という言い方がある。これらは時間そのものからではなくて、その時間の流れの中の、体調、気分、感情などを表している言語である。それらがその時間の中、持続したと言っているのである。

だから、先に見た、黒ずんだ帯が、様々なかけらのようなものが入り混じった帯や、やや広がりを持った角ばった流れという言い方、そしてその見え方というのは、その時間の中で持続した体調、気分、感情、時には意志、精神などの形象化されたものということになるのではないだろうか。

多くの人々は、いや、ほとんどの人々は、このような形象化された時間の帯でもっと自分の過去の一時代としているのではないだろうか。そして、自分の過去、あの時代はこんな感じだったとしているのではないだろうか。もちろん、このような帯の中に、様々な思い出、そのシーンがもっと間近に浮かんでもくるのである。簡単に言えば、ここで見た時間の帯とは、この時代の印象と言っていいものになるだろう。そして、自分の過去とはこんなだったな、ということになる。とはいえ、この節に入ってすぐに投げかけた問い、「自分とは?」の答がこの自分の過去の時間の帯によって、となるかはまた別の問題になるだろう。確かに、これらの時間の帯は、「自分の過去は…」となるのであるが、でも多くの人々はそれをそのまま自分に、「自分とは?」の答えには当てはめられないはずなのだ。

現在の自分と過去の自分とは違うということが言える。そして、過去だけでなく、「我」には未来もあるし、様々な夢、希望、努力、目標、そして信条、信念、精神などもある。そして、これらが未来に向かって現在の自分から発散、放射するように、力を持っているとも言える。だから、過去だけが自分ではない。しかし、その過去も、自分が自分として歩んできた道に違いないのである。

そして、もう一つ未来に向けての時の流れというものもある。これらは確かに、今見たように、希望、夢、信条、信念、精神が形造っているのであるだろう。これらも、多く記憶の上に、つまり学んだことや、過去の経験の上に組み立てられているが、それ以上に思考が大きく働いているはずである。これだけを見て、ここはこれまでにしておこう。

3. 欲望、と記憶

これまでに、何度か人間社会では欲望が抑圧されることを見てきた。そして、これらの抑圧の装置として、マナー、慣習、法律などを社会が持っていることも少しではあるが、見てきた。一方、自分や家族の食欲を満たすためには、人々は働かねばならない。そして、この働くことにも、職場、会社では様々な規則があり、また仕事には義務や責任はつきものである。

これらの、マナー、慣習、法律、規則、義務、責任等は大きく思考によって成り立っているところもあるが、その基礎には、記憶が存在し、記憶の存在があってはじめて、これらが成り立っていることは誰しも認めるところである。

そして、これらは全て記憶の中に保存され続けているということなのだ。これはとても大量の記憶になる。しかし、人間はこの大量の記憶を混乱することなく引き出し、その時の必要に応じてほとんど一個ずつ、少なくとも整理された形で引き出しながら生活を続けているのである。朝、会社に行く時は、「会社に行かねばならない」という義務感が力を持ち、自動車に乗る時はカバンと弁当を持ったかを確かめて、ドアを開け、座席に座り、キーをつけて…

これらは記憶というよりも、慣習、ほとんど記憶を意識的に引き出すこともなく自動的に、…そして、車を運転しはじめれば、道路の状況をよく見て、赤信号では止まって、…などと、こう書くととても複雑なのであるが、当の本人はほとんど混乱することなく、逆に少し退屈そうに…となっているのではないだろうか。

これらは、順番に一つずつ引き出されていることによって、混乱することなく、スムーズに進行していると言っていいであろう。つまり、これらの記憶の引き出しも、目の前の世界を見る時と一緒に対象の一つに意識を当てる対象＝意識を形造っていたように、記憶の中に対して一つずつ対象＝意識が形造られていることになる。ただ、目の前の世界は目に見えていて、その見えているものの一つに焦点を絞って対象＝意識を形造っているとできるが、記憶の中はほとんど見えないのに、その一つずつに焦点が絞られ、対象＝意識が形造られているのである。このあたりは人間の記憶と認識機能のかなり不思議なことでもある。そして、ここでもう一つ見ておかねばならないのが、これらの会社へ行こうという目的は、層をつくりだしているということである。今見た場合は、会社へ行かねば、という義務からの目的が存在し、それがずっと続いて運転し、安全運転をしなければならないという義務や責任の上に道路の状況を見、信号を見ているということなのである。そしてまた、会社に行かねばならないという目的、義務感の下には、自分や家族が生きて、生活していくためには働かねばならないという義務感や責任感があり、また、その下には家族みんなで、なんとか幸せな家庭を、という願いがあるのである。

ただ、こう見ていると、かなり整理されているようであるが、これらを意識的に整理している人間は少ないのではないだろうか。これらのほとんど自然的に整理されている様子、そして、スムーズに順番に一つずつ対象＝意識として引き出される様子は見ていかねばならないのである。

この段階で言えることは、目の前の現実的世界からの刺激、というよりも信号、意味が大きく、これらの内的に蓄積された記憶に力を与えているのではないか、ということなのである。少なくとも引き出し作業においては、目の前の世界の在り方は大きな力を持った作業であるとしていいはずである。

そして、ここで、欲望、目的、意志、志向性等としてきたこれらの「我」の中の大きな自分を動かす力を、これからは必要＝力＝意味として進んでいきたい。この「我」の中の自分を動かす力を、ほとんどの科学は〝欲望〟として説明している。これに関しては、本論も、根本から否定するつもりはない。しかし、今まで見てきたように、人間社会はこれらの欲望のほとんどを抑圧しながら、社会という形を造り上げているのである。もちろん、これらの抑圧の下には、社会全体がなるべく多くの人々の生命、生活の平和、安穏な維持、つまり全体の欲望というものが存在すると認めることもできそうであるが、この構造はなかなか複雑なはずである。これに対して、本論では、これら全体を、記憶を通して見ているのである。これから見ていくように、欲望もとても多く記憶と結びついている。そして、この欲望を抑圧するマナー、慣習、法律もその根底には記憶が存在している。また、欲望の変形とも、また、様々な抑圧も考慮に入れた、より高いレベルの欲望を達成しようという目的も、やはり、そこには大きく記憶が働いているはずである。欲望というものをより抑圧して、より高い目的、目標に向かおうとする意志にも、やはり記憶は大きな力を持っているはずなのである。というよりも、その前に、これらには記憶以上に大きく思考が働いているが、その思考の一つ一つ、一歩一歩に記憶は存在しているはずである。

フッサールは、これらの全て、対象に向かおうとする意識の在り方を志向性と名付けている。これはとても的確な表現、概念だと本論も見ている。人間はあらゆる時、少なくとも眼が覚めている時は、意識を世界のある対象に向けている。これは否定しがたい意識の在り方である。本論ではこれを対象＝意識と、時々であるが呼んできている。ただ、これに欲望を考え、また、それへの抑圧をも考え、目的や意志、仕事や勉強の上での義務や責任を考える時、そこには人間が生きていく上での、もっと言えば生命力からの、そして、また自分の家族の生命の維持、幸せを、愛も含めた「我」の内部に存在する力をも考えれば、この力を持ち、しかも時にうごめくように「我」をもつき動かし、また、それらを抑圧もするものとして見た時、必要＝力＝意味と名付けて進みたいのである。力は理解していただいたろうが、〝必要〟も、人間は欲望の前に、仕事や勉強の上でいつも、「…しなければならない」「…するべきだ」「…する必要がある」と動いている。人間は社会生活の中では、「…したい」の前に、それを抑えて、「…する必要がある」で動いているのではないか、と言いたいのである。必要という力が

「我」の中に全般に、恒に存在しているはずなのである。そして、この必要、この力に、全て意味が存在しているはずなのである。意味が必要の中身であるし、意味そのものが力を持っているはずなのである。意味に関しては、これまで、やはり、力を持つものとして見てきたはずである。

ただ、ここでは、この必要＝力＝意味を逆に、様々に分解して、欲望や目的、意志、そして義務や責任として見ていこうとしているのである。

ここでは、まず、生物学的な欲望と記憶の関係を見ていこう。欲望とは、この章のテーマの一つである意味であり、「我」の中に存在する大きな力を持った意味である。その意味では、この章のテーマである〝意味と記憶〟に真正面に向き合うことになる。そして、この生物学的欲望が記憶とどのようにからみあって、現実の「我」の生活の中で意味や力を持っているかを見ていかねばならない。その後には、この欲望が、社会ではどのように抑圧され、この抑圧も意味として、そして、その意味をどのように記憶が保存し、引き出され、生活を成り立たせているかも見ていかねばならない。このことは、マナーや慣習や法律をも見ていくことになる。そして、この後には人生の目的、目標などというものも見ていかねばならないはずである。そして、それはこの目的、目標も意味として、と同時に記憶がどのように存在し、つまり保存され、引き出され、力を与えているかを見ていかねばならないことになる。そして、最後に意志や精神と言われる、人間の中に大きな力を持った存在と考えられているものにも取り組んでいきたいのである。もちろん、本論としては、そしてこの章としては、そこに意味と記憶というものを見ていくことになる。

とはいえ、意志も精神も記憶以上に大きく思考の上に出来上がっているはずである。本論の段階ではまだまだ思考に取り組めないのである。また、フッサールの志向性に関しては、ここでは必要＝力＝意味と重ねて見ていきたいものである。ここではとりあえず欲望を中心に見ていくことをお許しいただきたい。

ⓐ　食欲

現代人の多くは、とんでもない飢えに見舞われることは稀である。多くは食事の時間の少し前、一時間ほど前に「腹減ったなあ」となるのである。それと同時に、次の食事で出そうなメニューが浮かんできて、より一層、腹が減ってくるのである。メニューは記憶の中にある。そして、夜のメニューならば、すき焼きや刺身やおでんやなどが浮かんでくる。これらは言語を伴っている。時には、「最近、カレー食べていないな。今晩カレーにならない？」となったりする。言語を伴った記憶が飛び出しているのである。もっと、「ああ、この前行った〇〇という店、おいしかったな、まだ少しお金もあるから今日は…」となることもある。〇〇は固有名詞で、記憶の中では大きく食欲と結びついているのである。

現代人の欲望は大きく記憶の力、そして、言語となった記憶に影響されているのである。記憶は、そしてそれに伴う言語は大きく食欲の目標、メニューを決定しているのである。どんな食べ物でもとか、食物一般とはほとんどならないのである。

それと同じように、記憶が力を与えているのが、食事の時間である。現代人ではなくても、ずっと昔から、食事の時間は決まっているのである。多くは三度の食事であろう。これは、人間の生物学的な食欲と、仕事との関係を調節した上でできた習慣であろう。若い時はこの食事の一時間前には腹が減りはじめるが、我慢をしなければならない。習慣はかなりの部分が記憶で成り立っている、記憶が食欲に力を持っているのである。

食事の時間を守るだけでなく、食卓に着いたら、その場面にもよるが、マナーが必要になる。高級なレストランで食べる時は、大きく必要になってくる。ナイフとフォークの使い方も大切であるし、おしぼりやエプロンの使い方、掛け方も、一緒に行った仲間や家族の目が光っている。いや、日本では食べる前に、「いただきます！」終わったら、「ごちそうさま！」は多くの家庭で厳しい。そして、箸の使い方も、幼い時から教えられる。みんな記憶が力を与えている。

最近、大きな力を持っているのが、カロリーや脂肪分やビタミンを考えながら食事をすることである。健康のためである。医者のすすめやパンフレット、健康のための本などから、多くの人々が教えられ、学んで、食事を摂る時に、考えながら食べている。ここにも、記憶が働いていて、食欲に影響を与えているのである。

食欲は科学では人間の原動力として純粋な力として考えられているが、ここに見えてきたのは、大きく記憶とからみあった、そしてその記憶の中の意味、そしてまた言語とからみあった様子である。

ⓑ　性欲

性欲が抑圧されていることを、これまで何度も見てきた。ただ、これが抑圧されていることを知るのは、かなり成長してからであろう。子供の頃、人の目に性器をさらしてはいけないことはマナーとして、また、はずかしいこととして感情を伴ったものとして教えられる。子供達は自分の中に性欲をほとんど感じていないから、それを素直にしてはいけないこととして受け入れていく。

よく似たことは恋愛でも起きる。小学校に入る頃、教室や近所の異性の子が好きになったとしても、そこに性欲を感じる子供はほとんどいない。かわいいから、優しいから、素敵だから、楽しいから、好きなのである。好きになっても、性欲のことはまったく自覚していない、いや、まったく知らないのだ。多くの人々は、かなりの年齢になっても、恋と性欲を別に考えている。恋とはすばらしいものであり、美しいものであり、性欲はいやらしいもの、汚れたものである。と多くの人々は考えている。そして、純愛という言葉もある。いやいや、人間社会にはこのような美しいすばらしい恋を書きつづった物語が無限にと言っていいほど存在する。人間の文化の中のとても重要な大きな存在である。

恋愛の中にどれだけ性欲がまざりあっているか、そして、恋物語の中にどれだけ性的なものが入り込んでいるかを分析する、そして議論することは可能であろうが、ほとんどの人々には白けた、馬鹿らしい、時には怒りを誘うことになろう。多くの人々は、恋愛を性欲から切り離して考えたいのだ。こうして、人間の文化の大きな部分はそのような願望の上に成り立っているのだ。

そして、多くの人々は恋をしていても、自分が性欲を抑圧しているとも考えないで、性欲とは別の次元の美しい、すばらしい恋をしているのだ、と考えているのだ。ということは、もし、恋愛をしていながら性欲を抑圧していると感じていないとすれば、抑圧していることは記憶の中に存在しない、それ以上に意識の中に存在しない、ということは、フロイトの言うように無意識に追いやられていることになる。ここは大きな議論になるところであるが、ここでは、抑圧そのものが記憶の中に存在していないこともあることを確認するにとどめておこう。

とりあえず、ここで恋を見ておこう。欲望としてである。恋する者達の中には、自分が欲望を持って恋をしているとさえ思っていない者も多くいるだろう。しかし、ここでは、ほんとうにとりあえず、ということで見ていこう。ただ、ここでは性欲との関係がどうなっているかは見ていこう。ストレートな性欲とどう違っているか、関係があるとすればどのような関係か、どれだけ距離が離れているかも見ていこう。記憶を見る中でである。

恋愛と性欲を一番大きく隔てているのは、手前みそのように言うが、記憶ではないかということなのである。恋がイコール性欲ならば、異性の、そのような年頃の全体、少なくとも美しいとかカッコイイと思う多くの異性に恋をしてもいいはずである。もちろん、遊び人とか、手あたりしだい、という連中もいる。しかし、一方で、たった一人に恋をしている者達も多くいる。いや、たった一人だけが好きになるから恋だとも言える。そして、ただ一人に夢中になり、他には目がいかない、盲目になってしまっていることが多々ある。この論文としては、ここに大きな記憶の力が働いているのではないか、ということになる。たった一人の異性の記憶が、寝ても覚めても大きな力を持って「我」を支配しているのである。盲目になるということは、他の異性からの感覚を、少なくともそれからの刺激、いや、意味をも遮断してしまっていることになる。ということは、恋する「我」は、恋する相手の意味でいっぱいになり、他の意味を全て押しのけてしまっていることになる。性欲に戻れば、他の異性から来る刺激、性的な意味を全て遮断してしまっていることになる。いや、性的な意味は少なくとも、まだまだ若い連中は抑圧によって、最初から遮断されているのだ。この抑圧によって性欲が遮断された上での美しさ、カッコよさまでも遮断されていることになる。少しぐらいは、それらの美しさ、カッコよさは認めたとしても、恋する対象としての刺激にはならないのである。つまり、たった一人からの記憶が他の異性からの刺激を遮断してしまって、記憶の中はたった一人の意味でいっぱいになってしまっているのである。

そのようなことが、他の動物ではどうなっているかは知りたいところである。記憶が発達している人間だから起こることなのか。あるいは性欲が抑圧されている社会に住み、教育されたことに影響されているのか。もっと言えば、恋する相手からのどのような刺激、感覚がこのようなたった一人に、盲目にさせるのか。つまり、記憶が大きな力を持って、その恋する意味で「我」を埋め尽くす前に、そのような記憶を生み出させる刺激、感覚とはどのようなものなのか、ということにもなる。

これらは学問としてはなかなかとらえられていないが、恋愛小説はこのような出会いについて詳しい描写をしているとしていいであろう。また、その後の記憶の力が、どのように「我」を支配したかも細かい描写をしているはずである。そして、そこには恋と性欲の関係だけでなく、様々な他の欲望との関係、生活の中での様々な必要、義務や責任など、そして恋する者達の仕事や、取り巻く環境についても様々に描かれているはずである。また、その中には、本論のテーマである記憶についても様々に描かれている場所が多く見つかるはずである。だから、ここで向き合っている恋の意味と記憶の関係を見る時も、恋愛小説を参考にすることも考えられるが、なかなか難しいことになるはずである。小説には虚構が混ざっているということもあるが、それだけではない。もちろん、小説も様々であり、性欲との葛藤も描いた、恋愛の中の盲目に入り込んだ、恐怖に近い意識を描いたものも存在するはずである。逆に言えば、ここではそこまで入り込めないとも言えるであろう。

恋愛は難しいのだ。多くの人々は、恋愛を自分の胸の中にとどめたままに生きているのだ。性欲だけでなく、恋愛も抑圧されているわけではないが、やはり多くの場合、秘密を要求されているのだ。一人だけで、じっと思っているから恋なのである。恋が抑圧されているということではないのであろう。しかし、日常生活の中では恋の場所はなかなか見つからないのだ。日常生活はほとんどが生活を推し進める場なのだ。そして、また、恋の本質は、やはり二人の秘密、片思いの時は自分だけの秘密を要求するのだ。その秘密によって、恋の純粋さが保持されるのだ。恋の中で道に迷ったようになり、友達に相談すれば、他の要素が、友達の考えや好みが入って、自分の恋の純粋さが壊されてしまうのだ。こんな時に参考にできるのが恋愛小説だとも言える。

恋愛小説にも、性欲はほとんど出てこない。性欲との関係を見る時、やはり精神分析、フロイトとなってしまうのだろうか。フロイトによれば、恋愛も全て性欲からのものとなる。それを多くの人々はなかなか素直に受け入れられない。

恋愛小説の話から、少しまとまらない方向に進んでしまったが、恋というものを見る時には、恋愛小説と精神分析以外になかなか参考になるものがないと言えば、不勉強と叱られるだろうか。ただ、恋は、一人一人の恋は基本的には秘密のベールで被われていて、やはりなかなか見えてこない、として許してもらおう。性欲との関係はここでは問わないでおこう。というよりも、大きく性欲の力を意識した恋も多く存在するが、それはこの後見ていこう。ここでは純愛と言われるものだけを見たことにしておこう。ここで確認できたことは、恋には大きな記憶の力が働いているということ、その大きな力は大きな意味として、「我」のほとんど全てを埋め尽くしそうになっていること。しかし、その大きな意味があふれていることをほとんどの人々は秘密のベールで被って生きていることにとどめておこう。

性欲に移ろう。子供達は成長して、自らの中の性欲を感じはじめるのは何才くらいの時からだろう。これにもいろいろな段階があるだろう。男の子達は小学校に入って少しして、女性のヌード写真を見ると興奮を覚えるのではないだろうか。そして、抑圧を伴う言語、「エッチ！」もこの頃から使いはじめるのではないだろうか。そして、おかあさんと一緒に入っていたお風呂、公衆浴場も女風呂に入らなくなるのは、個人差もあるだろうが、二、三年の頃からだろうか。ただ、この時も多くの男の子は、性欲との関係を考えることがほとんどなく、世の中のきまりとして受け入れていくのではないだろうか。女の子の方も男風呂には行かなくなる。こちらも、多くはそのようなルールとして受け入れていくとしていいであろう。しかし、この頃から、早熟な子は自分を見る様々な年齢の男達のいやらしい目、欲望に満ちた目を意識しはじめるのではないだろうか。

これらは性の前兆であり、その前兆とともに、社会の持っている性の抑圧のルールを受け入れていくことになる。

これらの前兆の期間は、恋心が芽生え、発展する時でもある。そして、この頃の恋心は、自らの中の性欲を感じることなく、純粋な形をとることが多い。いや、圧倒的であろう。そして、教室の中には、肉体的にも早熟な子がいても、それを性的魅力とは感じないで、時にはいやらしいと感じたりもしているのではないだろうか。このことは、性欲は前兆期から複雑な形、構造をとっているということになる。

性欲が本格的になるのは、女の子は生理、男の子は夢精することになって、ということになろう。そして、ここに至るまで、性欲を意識していない恋心はとても大きくなっているとしていいであろう。個人差もあるが、打ち明けたり、手紙を渡したりする子も出てくる。

生理や夢精が自分の体の中に起きた時、多くの子供達はびっくりして、しまった、と思う。下着を汚してしまったからである。ただ、この前後に親やまわりから、最近では学校でも性教育というものがあり、それなりの知識を得、自分の中の生殖機能を自覚し、大人への大きな一歩を踏み出していく。

とはいえ、個人差もあるだろうが、自らの性欲を素直に受け入れる若者はやはり少数なのではないだろうか。今までの教育、育った社会の雰囲気は、けっして性欲を美しいもの、すばらしいものとは受け入れさせてくれないのだ。やはり、性欲はけがらわしいもの、いやらしいものとして残ってしまうのではないだろうか。そして、精液や生理の時の血液はきたならしいものと見てしまうのだ。人間が動物として生きていくためには、子孫を残していくためには、自らのDNAを残していくためには、絶対に必要なものであるにもかかわらず、人間という動物は、これらの大切なものを悪いもののように見てしまっているのである。そのような社会を作り出してきたのである。このことは、一方では社会を平和な秩序あるものに維持していくためには、また必須のことであったのである。食欲と同じに、そしてそれ以上に、社会を維持していくためには、性欲は抑圧しなければならなかったのである。性欲を抑圧しなければ、男と女は目があった、気があったらすぐにその場でセックスをすることになる。いや、気が合わなくても、暴力を伴ったセックスがあらゆる場所でなされてしまう。人々は平気で裸で歩き、年齢とは関係なく、性交をして、欲望を満足させることになる。ここまで見ると、動物の世界でも、人間のような社会的な抑圧の装置を持たない動物達でさえ、自分達でペアを決めて、それ以上の性交はしないようにしているのが見えてくる。性欲は子孫を残すために、子供を生むための欲望なのだ。性欲の結果は子供達なのだ。この子供達を育てて、はじめて、性欲は合理化、正当化されるのだ。動物達もそれを知っているのだ。生まれた子供はどうにもならないくらい可愛いのだ。この可愛いことは、性欲よりずっと強い力で存在するのだ。性の抑圧は人間だけでなく、動物も、子育てのために合理的な形で行っているのである。動物の場合、多くは、性欲が高まる季節が限定されていて、それが次の子育てに都合のいい時と一致しているのだ。動物達も、人間と同じように性を抑圧して、それなりの秩序をつくり上げているとしていいのである。いや、動物達は抑圧はしていないのだろう。自らの中の自然のままに生き、自らの中の性欲に従い、性交し、子供を生み、育てている。そのことは彼らの社会、同種のものとの関係、他の種類の生物との関係にある程度の秩序を保ったものとして、つくりだしているのである。逆に、思春期から、ある年齢で、ほぼ毎日近く、一週間に数度、性交が可能な体の状態が続く種である人間だからこそ、性の抑圧が必要なのではないか、とも考えられる。

このあたりは生物学との、それなりの議論があってもいいであろう。性の抑圧は人間だけのものなのか。他の種、類人猿などではどうなっているのか。また他の生物達はどうなのか、抑圧ということをテーマに、そして、それなりに作り上げている社会を秩序はどう作り上げられているのかの議論である。

ただ、ここでは人間に限って性とその抑圧について見ていかねばならないのである。

思春期に入ると、性欲はとても大きなものになる。時には、他の欲望をも完全に抑え込んで、それだけでなく、思考や意志、精神と言われるものまでをもはねのけて、それだけが意識全体を埋め尽くすほどにもなる。しかし、この欲望そのものに従ってしまえば、様々な問題が起きてくる。社会はこの欲望を許さない構造を隅々にまで作り上げてしまっているのだ。それに逆らえば、様々な問題が起きてくる。非難や叱責が浴びせられ、時には犯罪とされる。「我」はこのようなことはよく知っているので、このようなことにならないように、様々な努力をする。他の欲望、遊びやスポーツに打ち込んで、この欲望を感じないようにする。社会も、時には日本の社会では部活という装置でもって、この性欲のエネルギーを吸い取ろうとする。宗教がまだまだ強い力を持っていた時代には、精神というものを作り上げ、それらにはこの性欲、いや、あらゆる他の欲望も含めて、けっして入り込むことのできない意識の状態を、修業という名のもとに作り上げていったのである。そのような意識の状態は、その中に欲望を含む日常生活の意識の状態より、高度なもの、神聖なもの、神にほめられるもの、神に近いものとして、社会全体が、その意識の状態をすばらしいものとして、賞賛し、多くの人々はそれに向かって努力をしていたのである。断食などの禁欲は社会をあげて、すばらしいものと認めていたのである。つまり、宗教は大きな力を持って性欲を抑圧して、吸い取っていたのである。そして、これらのことによって、性欲はそのエネルギーを吸い取られ、他の欲望や様々な精神に変形されていたのである。これらのことを大きく訴えたフロイトの説によれば、性欲は大きく抑圧され、無意識にまで追い込まれてしまっているのである。そして、これらの抑圧の力が眠り込んだ夢の中で、まだその力を持っていた欲望はその姿を現すのである。いや、それだけでなく、無意識の中でも様々に力を持ち続け、時には人々を病気まで追い込んでしまうのである。

もう少し、このあたりを記憶との関係で見ると、人間は社会からの抑圧により、性欲の対象である異性、その性的な在り方、裸身や性器の露出を禁じているだけでなく、この欲望そのものを、スポーツや趣味や部活によって吸い取り、変形し、転化しているのである。そして、昔の宗教の場合は、禁欲や修業によって、性欲そのものを自らの中に持つことを禁じていたのである。つまり、意識の中から、欲望そのものを無くすることに今も昔も、人間は努力していることになる。このことは、意識の中から、性欲の対象、つまり現に目の前に存在する現象として存在する対象だけでなく、それらの記憶、また、想像などによって、性的対象を脳の中に生み出すことをも禁じていることになる。これらの記憶は、想像で作り出されたイメージは、目の前の、現象の中の存在と同じように、性欲の対象になり、性欲を大きなものにするからである。このことは食欲もそうであるが、記憶や想像のイメージが欲望を刺激することを意味しているのである。そして、スポーツや趣味や部活、そして学校における禁欲や修業は、欲望そのものを禁じる前に、これらの記憶やイメージを意識の中から追い出しているのである。いや、ここでしっかりと見ておかねばならないことは、記憶やイメージが欲望としっかり結びついて、欲望そのものを形造っていることなのである。

ここに見えているのは、欲望は対象を得て達成されるが、対象の存在そのものによって、それが目の前に存在する、そして、時にはそれが脳の中に存在することによって、欲望としてこの形を整える、欲望としての存在を形造るということなのである。それだけでなく、対象は欲望を増大させるのである。このことを、〝刺激〟と呼んでいるのである。対象の存在が欲望をより大きなものとしていることなのである。そして、その記憶や想像によるイメージも刺激として働くことなのである。

また、一方、性欲を禁じる抑圧も多くは記憶によっているのである。禁欲とは、欲望を禁じる教えである。この教えには思考も働いているが、記憶ももちろん働いている。というよりも、思考は記憶を基礎に成り立っているはずだからである。そして、また、思考されたことも記憶として残していることになる。そして、この教えは意味を持っていて、その意味に性欲はいけないもの、禁じなければならないものという意味で、意味の上では性欲より大きな力として存在しているのである。そして、性欲という、これも大きな力を持った意味をおさえこむ意味として存在しているのである。そして、多くの人々は、この教えに従って、性欲という意味を、禁欲という意味で抑圧するよう努力するのである。そして、禁欲の方が正しいのだ、というこれも意味として、禁欲に力を与えているのである。多くの人々はこの、禁欲しなければならない、禁欲は正しい、という意味によって禁欲し、努力するのである。努力するのは、性欲は、やはり大きな力を持った意味だからである。だから、昔の僧侶達は、修業ということをしたのである。

一方、スポーツなどでは、禁欲のような抑圧の記憶はほとんど存在しないで、スポーツの面白さ、それに真剣になることによって、性欲のエネルギーを吸い取り、性欲の意味を持った記憶そのものをもほとんど吸い取ってしまい、記憶そのものを消し去っていることになる。しかし、夢の中などでは性欲は意味を復活し、力を復活し、夢精なども引き起こすのである。

これらのことはもっとつっこんだ形で見ていかねばならないのである。そして、学問として、このつっこんだ形で見ているのがフロイト達の精神分析の仕事なのである。彼等の分析が見せてくれることは、先に見た、スポーツや宗教による性欲の意識からの追放は、けっして完全になされていることではないことなのだ。それらは、例え、無意識に追いやっていても、この抑圧の力が働かなくなる夢の中では力を持ち、欲望の対象となって現れ、また、病気の人には覚醒している時も大きな力を持ち、ただし、それらは変形し、様々な形で意識に力を与え、認識や思考を変形してしまうということなのである。

ただ、ここでもう一つ確認しておくべきことは、「我」の中には無限のと言っていい記憶が存在し、それらの多くがそれぞれ力を持って存在しているということなのである。ここで見る性欲に関しても、その対象となる異性、その顔、まなざし、様々な表情、性格、そして、魅力となる体の各部分、また、その対象の言った言葉、デートの約束、ああ、忘れてはいけない、名前、住所、学年、クラス、そしてまた、他の魅力のある異性のそれぞれの顔、姿、性格、いや、まだまだ、テレビや映画の中の俳優や、様々な雑誌の中のモデル、そのヌードなど、これだけでも無限に存在するのだ。これらが性欲と結びついて、力を持った形を持った性欲を形造っているのである。性欲だけでなく、食欲や、遊びやスポーツへの欲望も様々な対象とその記憶が結びついて欲望を形造っているのである。また、「我」の中にも欲望だけでなく、仕事や勉強についての無限の記憶が存在するし、社会的には義務や責任、ルールやマナーについての無限の記憶が存在するのだ。そして、それらの記憶はそれぞれ、いくつもの意味でできているのだ。そして、それらの意味は力を持ち、その力どうしが、今見た性欲とその抑圧のように一方が他方をおさえこんだりしているのだ。また、欲望とその対象は、それぞれの意味を結びつけあって、よりしっかりとした大きな意味を形造ってもいるのだ。

つまり、「我」の中に無限の記憶と意味が存在し、それらはそれぞれ力を持ち、様々にぶつかりあったり、からみあったりして、うごめくように存在しているようにも見えるのだ。しかし、「我」は多くの場合、これらの無限の意味にわずらわされることなく、必要な分だけ、落ち着いて引き出して生活をしているのだ。この必要な分だけ、落ち着いて、がどのようにして成り立っているのかは、これも、今後の研究課題になる。そして、ここで見えてきている性欲に関するフロイトの説が示すところは、いつもは必要な分だけ、落ち着いて、が成り立っているのであるが、それが成り立たない時もあることを示しているのである。つまり、強い力を持った記憶と意味、また強い欲望とそれにからまった記憶と意味が、〝必要な分だけ、落ち着いて〟を破壊することもあることを、ここで確認しおかねばならないのである。

また、夢の中だけで現れたり、病気に至るだけでなく、多くの人々の中では、これらの記憶のぶつかりあいやからみあい、闘いや助け合いは、様々な感情を生み出しているはずなのだ。記憶と記憶、記憶と欲望、記憶と意図や目的、記憶と意志や精神の様々な関係は、感情に大きく影響を与えているはずなのだ。これらはやはり、大きな課題であり、この論文としても見ていかねばならないはずなのだ。

性欲に戻ろう。

子供達が成長し、恋も片思いではなくなり、現実のもの、相手の存在するものになる。つまり、交際がはじまるのである。デートの時、大きく性欲が体の中に盛り上がってくる。しかし、多くの恋する若者達は、この性欲をいやらしいもの、だめなもの、いけないものとして抑え込む。彼等には恋の理想があるのだ。純愛である。そして、欲望とこの理想はぶつかる。今程見たように、このぶつかりあいは、様々な感情をもたらす。この理想も強いもの、弱いもの、限定的なもの、手をつなぐ、腕を組むまではいい、キスまではいい、など、…そして、これらの許された行為、腕ぐみやキスはまた、大きく性欲を燃え上がらせる。「我」の中で激しい炎になる。そして、この炎を「我」は恋の炎ととらえるか、性欲のそれととらえるかによって大きく感情が変わってくる。また、一方では、この性欲に対する考え方も大きな影響を与える。性欲を肯定的にとらえ、その炎を、性欲の高まりととらえ、しかし、まだその段階ではないと考え、今日のところは、となる者もいる。かと思うと、二人とも肯定的で、性の快楽はすばらしいものとして、すぐにゴールしてしまう者達もいる。様々な恋が世の中には存在するのだ。そして、ここで確認しておくべきは、恋の様々な段階で、抑圧はとても大きな意味を持っているということなのだ。この欲望と抑圧の在り方、大きさ、状況、恋の段階などがこの性欲と抑圧にまた大きな力を与え続けているのである。そして、この関係、ぶつかりあいが、様々な感情を生み出すのである。抑圧が強すぎて、イライラしたり、はじめてのキスに酔いしれ、この上もない幸せに感じたり、逆に、許したくないのに、相手の強引さに引きずられ涙が出たり、まさしく、恋の物語である。ここに多くの恋愛小説も存在する。しかし、多くの恋愛小説では、性欲は抑圧されたままである。少なくとも、この性欲を詳らかに描いた小説は少ない。詳らかに描けば、恋愛小説ではなくなってしまうことになるからだ。恋愛小説の理想は純愛であり、性欲は背後にさがっていなければならないのだ。

恋愛小説が出たところで、ここで少しだけ言語に触れておこう。恋愛小説は恋の言語化である。そして、今も見たように、性行為や性欲にはほとんど触れない。ここには、性に対する抑圧や恋愛という概念の中に性的なものを入れない、社会の常識、通念が働いているとしていいであろう。そして、言語一般としても、大きく抑圧は性的言語には働いている。性的な話は、基本的には社会では禁じられている。

つまり、公の場では話してはいけないのだ。そして、性的な話ができるのは、ごく親しい友達どうしだけである。猥談である。この中では、性器や性行為に対する言語が飛び交い、話している者達はその言語によって興奮する。この興奮が欲しくて、猥談をくり返す者達もいる。

この猥談の中の興奮はその中の話によって、性器や性行為の表象、イメージが浮かんでくるからである。言語がそのような性的な表象、イメージを呼び寄せるのである。多くの言語がそうであるように、それがもたらす表象やイメージが欲望をかきたてるのである。そして、この性的言語の場合は、人間の中のとても強い欲望によって、また、それが平常では抑圧されていることによって、とても大きな力を意識に与えることになる。言語が表象やイメージを連れてきて、刺激をもたらすのである。つまり、意味に視点をこらせば、とても大きな意味を持ってくるのである。この意味の大きさ、強さは食欲に関する言語の数倍としていいであろう。食欲に関する言語は、時にはその表象やイメージをもたらさないことも多々であるが、性的言語は強い形で表象とイメージをもたらし、「我」にとって大きな力の意味となる。

ただ、この強い大きな意味を持つ言語を社会は隠しているのである。性的なものはだめなもの、いけないものとして、社会では禁じられているのである。一方、この強い大きな意味が、許されたものであったとしても、その強さ、大きさによって仕事が勉強が進まなくなることも確かなことである。日常生活が進まなくなってしまうのである。だから禁止されているとも考えられる。しかし、やはりその禁止の大きな要因は、社会秩序、一夫一婦制の家族により成り立つ社会の秩序を守るためとしていいであろう。

一方、恋愛の方は、言語化は抑圧されたり、禁止されたりすることはない。恋愛小説だけでなく、自らの恋愛をずっと日記につけている若者も多くいる。また、恋人どうし、ずっと話し続けている。その内容は互いの日常生活の様々な出来事を伝えあっていることもあるが、自らの恋心をずっと述べ続けることもあるはずである。

とはいえ、禁じられていないとは言え、恋とは二人だけのものである。自らの恋を恋する相手以外に話す者達はあまりいない。話をするとすれば、それは本当の恋ではなく、遊びのつきあいであろう。恋は真剣になればなるほど、二人だけの、他人には知らせる必要のない、知らせたくない、二人だけの大切なもの、秘密になるはずである。このことは、性的なものが社会で話されないのと似ているであろう。先に猥談の話をしたが、恋が高まって、性的なものが高まっていけば、これはより以上、二人だけの秘密になっていく。つまり、猥談の場合は、二人だけの本当の恋の上での真剣な性行為について話していることはないということになる。恋の心が高まった上での性行為は、人生の最高の価値、意味であり、人生の価値そのものとも言えるものであり、だからこそ、二人で大切に、秘密にしておかねばならないのである。

ああ、忘れている。恋の歌というのもある。恋の歌のほとんどは性欲はまったく抑圧された形で、というよりもまったくこの世に存在しないかのように、恋のすばらしさ、美しさを歌っている。しかし、その美しさ、すばらしさは、恋愛小説でもそうであったように、恋の難しさ、困難さでもあるのだ。届かぬ恋、二人の心のずれ、すれ違い、そしてまた、事情があっての別れ、このような難しさを美しく歌い上げているとしていいであろう。この難しさとは、この論文の中では、記憶と思考、それだけでなく、心、感情といった、相手の心と自分の心の相違、それ以上に相手の心が読めない、見えない、いや、心に至っては自分の心でさえも不可知な部分が存在することから来ているとしていいであろう。それは苦しみ、悲しみでもあるはずであるが、それらを恋の歌の多くはとても美しいものとして歌っているのだ。ここでも意味として見れば、とても難しい意味、意味のぶつかりあい、不可解さを、しかし、恋の願いはかなり美しく、わかり易く歌っているとしてもいいであろう。恋の現実と、恋の歌との距離も見えてきているが、ここではここまでにしておくべきであろう。ただ、恋とはとても難しいものではあるが、とても美しいもの、人生の最高の美しさであることだけは確認しておこう。

これくらいにしておこう。

性に対する抑圧がほとんど取り外されるのが、結婚である。結婚は二人の性行為を社会が公に認めていることになる。二人は心が盛り上がった時はいつでも性行為ができる。いつでも、とは言うが、もちろん、人前ではだめで、多くは夜、眠る前に二人だけの部屋で、ということにはなる。しかし、一方では、結婚は家庭生活の始まりで、二人で生活を作り上げていかねばならないのだ。社会が認めた分、社会にも認められる形で作り上げていかねばならないのだ。昔ならば、エンゲルスの言うように、結婚は家庭内分業のはじまりであった。つまり男は外でお金を稼いで、女は家で家事をして、ということである。現代では、電化製品などの発達もあって、女性も外で働いて、つまり、共稼ぎが普通である。

二人は多くは激しい、すばらしい恋の結果として結婚にたどりついたのであるが、しかし、それらは過去のものになってしまい、生活が大きな力で縛りつけてくるのだ。二人でデートをしていた時は、そこには純粋な恋があったが、それらを押しのけるように二人は生活していかねばならないのだ。

二人は昼に違った職場で働き、そこでかなり疲れて、またストレスをためて家にたどりつくのである。そこに家事が待っているのである。その家事をどのように分担するかは、現代の夫婦のとても大きな問題のはずである。これを女性だけが担い、男が新聞を見、テレビを見ているとすれば、大きな時代錯誤である。それ以上に、愛するはずの妻のたいへんさが見てとれていない、思いやりが欠けていることになる。愛がいきとどいていないことになるのだ。女性がじっと我慢して、長続きすることもあろうが、多くは様々な問題に発展し、崩壊の道を進みはじめることにもなる。

ここには恋や性欲とはまったく違った、しかし、それらに負けない難しい意味を持った問題が存在しているのである。二人は生活に縛られているのである。生活していかねばならないのだ。この生活は、恋心も、性欲でさえも大きく退かさせる。今まで見てきたように、とても強い欲望であり、抑圧されてもまだまだ大きな力を持っているはずの欲望であった性欲が、今や抑圧もされないのに、生活にくるまれて、どこか隠れたように見えにくくなっているのである。いや、夜の食事を終え、床につく時に、愛がはじまるのだ。もう、恋ではなく愛なのだ。一緒に生活して、苦労している二人、その相手に向かい、苦労してくれてありがとう、優しい、いとしい気持ちで互いに抱き合い、そのいとしい存在を自分の中に抱きしめて、この世界で最も大切な存在であることを確かめ合うのである。性の快感にも、大きくこの愛が浸透しているのである。すばらしい相手を抱きしめて、性の快感だけでなく、その相手に愛を注ぎ込むのである。

そして、愛の結晶が生まれるのだ。その生まれた結晶を見ると、この世にこんなすばらしい存在を今まで見たことがあったろうか、となるのである。性欲が大きく愛に席を譲った性行為から生まれた結晶であるが、まさしく、その愛が目の前に生まれてきて、かわいくてかわいくて、いとしくていとしくてならないのだ。まさしく、愛の結晶なのだ。

とはいえ、この大切な、いとしい、かわいくてならない愛の結晶を育てることは、今までの数倍たいへんな生活が待っているのだ。今まで二人であったのが三人になった、その分を稼がなければならない、そんなことは序の口だ。子育てのために、母親になった奥さんは働きに出られない。旦那の一人の稼ぎで、三人が食べていかねばならない。いや、このことでさえも序の口なのだ。育児はとてもたいへんな大仕事なのだ。特に、最近の核家族では、あらゆるところで新しい難しさが待っているのだ。多くの未知と出会わねばならないのだ。しかし、そんなことも忘れて、二人は、特にお母さんになった奥様は、子供に懸命なのだ。例え、仕事に行っていなくても、そのたいへんさの中で家事をしていかねばならないのだ。でも、そんな苦労も、愛の結晶の顔を見ればふっとんでしまうのだ。ここには真剣な愛の生活がはじまっているのだ。

ここには世界最高の意味、その笑顔、眼の輝き、それを取り囲む難しい意味、それを、その大切なものを順調に育てなければならないという意味が取り巻いているのだ。これらの意味は、記憶というよりも、体を満たしているのだ。赤ん坊の顔を見ていると、いわゆる何もかも忘れてしまい、現在だけでいっぱいになってしまうのだ。そして、仕事に行かなければならない夫の体にも、このすばらしいものの存在が満ちあふれている。時々、この美しい顔を、そして、それを抱く妻の姿が思い浮かんでくるが、これは脳の中より体の中の記憶から湧いてくるのだ。そして、会社に行けば、仕事はやらなければならないのだ。どんなに嫌な仕事でも、湧いてくるかわいい存在のために！　好き嫌いなど言っていられないのだ。一番大好きな、一番大切な存在のために！　問題は残業だ。早く帰りたいが、これでもあの大切な存在のためなら…

母親の方は、この時代は様々な記憶が退いてしまう。目の前の存在が意識を埋め尽くしてしまっている。ただ、時計を見て、ああ、もう、おっぱいあげなくっちゃ、そして子供が安らかに眠っている時は、今のうちに今晩のごちそう作っておかなくっちゃ…

性欲はより大きく退いてしまう。こちらの方は記憶の中のものになってしまうと言っていい。とは言え、夫の方は、体の中に精液がたまってきて…強い欲望が体の中に湧きはじめ、イライラしてしまうことがある。しかし、家に帰り、大切な存在を見ると、…そして、かかりっきりになっている妻の姿を見ると、…忘れてしまい、…しかし、夜眠ろうとすると、…

こんな期間はどれだけ続くのだろうか。ここに様々なことが芽生えてくることもあるが、そのうち、…また、…

性欲を見ると言って、その結晶までを見てしまった。それでいいのだろう。とても大きな欲望、若い時には体の中がそれでいっぱいになっている欲望、この結晶が生まれたら、その大きな欲望は大きく退いてしまい、目の前を、意識の中を、その大切な、輝く存在が埋め尽くしてしまうのだ。すばらしい人生だ！

この時代は、子育てが第一であり、夫婦の間でも性欲は大きく退いてしまっているのだ。このことは、社会が持っている性の抑圧の機構と同じ方向に進んでいることになる。実際、社会が持っている構造、様々な制度は、性の抑圧の装置を含めて、子育てには欠かせない大きな力になっているはずなのだ。社会は性欲だけでなく、食欲や、他の様々な欲望を抑えて、生活が、そして生活に必要な生産が順調に行くように形造られているとしていいのである。そして、この社会の構造は、子育てには欠かせないものなのである。子育てのためには、若い夫婦もこのような社会の構造、様々な装置に頼らざるを得ないのである。子育てが第一、性欲が退き、子育てのためには生活が大切、そうなると、抑圧装置を持った社会に頼り、社会と同化し、自らの退いた性欲と、社会の持つ抑圧が同調してしまっていくのである。

結婚して、子供が生まれる頃には、多く若者は性欲のピークを過ぎている。このことも、社会の抑圧装置を自然なものとして受け入れることにつながっていくのである。

子供が目の前にいる時は、記憶は大きく退いてしまい、目の前の笑顔と眼の輝きでいっぱいになり、つまり地上で最高の意味でいっぱいになり、子供から離れると、その子供のことが記憶を大きく占め、というよりも体全体に広がり、性欲もこのすばらしい意味のむこうに退き、仕事をしていても家事をしていても、その根底には子供の大切さ、育てなければならない、が存在し、つまり、全てが子育て中心にまわり、そして、時々、子供の笑顔、眼の輝きが浮かんできて、喜びが湧き、がんばらなくっちゃ、と自分に言い聞かせ、生活がまわっていくのである。

ⓒ　愛情と子育て

子育てが、右に見たような状態のままで終われば、少しは生活に苦労しても、子育てとはすばらしい幸福ばかり、この世の天国であるだろう。もちろん、どんなに苦労しても、やはりすばらしい幸福、この世の天国には違いないが、現実はそんなに簡単ではない。子供は親の愛情が欲しくてならない。特に母親の愛情が欲しいのだ。甘えたいのだ。しかし、そこに兄弟が生まれれば、自分の欲しい愛情が横取りされてしまう。敵が生まれたのだ。今まで一人占めしていた愛情が敵に奪われるのだ。一方では、この敵は自分の肉親であり、大切なものなのだ。とても複雑な感情が生まれてくる。これを見ている親の方も、それなりに複雑で、二人がけんかをはじめると、どうすればいいか、と迷ってしまう。こんな時、日本人の多くは、〝けんか両成敗〟という言語を頼りにするのではないだろうか。とはいえ、下の子がまだ小さくて、言葉もわからない時には、上の子にいろいろと言ってきかせる。そして、下の子の方をかわいがるように諭すのである。これはそんなに簡単ではないが、そのうち、上の子も、自分の中に、下の子を可愛いと思う強い気持ちが存在することに気付き、時には、すごくかわいがって、いい兄弟、姉妹になるのである。

もちろん、これも、その日によりけりであり、年齢の違いも大きく影響するし、成長するにつれて、ということも多々あるであろう。

ここには子供に対する親の、とても難しい、複雑な気持ち、心が存在するのである。一人一人がかけがえのない、とても大切な存在であり、この一人一人が親の愛で自分を埋め尽くしたいと思っていることもよく分かっているのである。ここには、この世で一番大切な存在が二人、いや複数存在するのである。これは意味の混乱である。そして、この混乱を整理する方程式は基本的には存在しないのである。昔ならば、強力な父権が存在し、子供の愛を求める心も、そして、母親の混乱した愛情をも制止し、家庭の中に秩序を造り出していたとしていいであろう。そして、子供達が成長し、限られた財産を分配する時も、長子相続性などの制度が、愛情を大きく制限し、秩序を持ち続けていたとしていいであろう。そして、こんな時、時代には、父親、家長の言葉は絶対的な力を持っていたのである。言語の力である。

兄弟関係だけでなく、子育てはとても難しいのだ。子供達が成長してくると、おっぱい、ごはん、そして、親の愛だけでなく、様々な欲望が芽生えてくる。遊びたくなる。「オンモ！」はとても多くなる。女の子は小さな時から鏡の前を離れない。友達もできてくる。遊びもいろいろな形になる。親の目から離れていくのだ。欲望だけでなく、人間としての思考、様々なことを学びはじめ、自らの人格を造り出す。親達の教育も、この過程で大きな意味を持っている。まずは言語を教えねばならない。それだけでなく、食事の食べ方、そしてそこでの行儀、いわゆる〝ハシの上げ下ろし〟である。また、遊びに関しても、友達との付き合い方、口のきき方、危ないこと、してはいけないこと、ルールを教えていかねばならないのだ。この過程は親としての愛情を注ぎながら教えていく。子供の方も愛をもらいながら、愛を感じながら受け入れていく。しかし、成長していくうちに、まわりの友達や、小学校へ行けば先生の、そして様々な人々の、いや、それ以上に、テレビやマンガの中の様々な影響を受けはじめる。それが成長というものであるが、それらが親の教えと混ざり合って、親の教えとは違った思考、気持ち、感情などを作り出す。もちろん、まとまった、整理されていないものであるが、親としては、どう理解していいのかわからない、何を言っているのかわからない言語や行動が見えはじめるのだ。つまり、子供の中に親のものとは違った、親には理解できない意味が蓄積されはじめ、それが力を持ち、時には親の言うことを聞かない、反抗したりもするのだ。これらの意味は親にはなかなか理解できないことも多いのだ。そして、もう一つ、子供達も、自分の中に蓄積して大きな塊になって力も持ちはじめている意味を理解もしていないし、言語化もできていないのだ。なかなか難しいことが起きているのだ。しかし、幼い頃、小学校の低学年くらいまでは、親の大きな愛と、それがやはり、親にとってとても大切な子供の、自分の愛を欲しがる心が多くは一体となって、ほんの少しだけもめて、ゴタゴタしてで終わってしまうのである。

しかし、子供が成長するにつれて、子供の中の異分子は大きくなる。肉体の成長とともに欲望も大きくなる。そして、この欲望も様々な方向になる。食欲が満たされている現代では、遊び、特にゲームは大きな穴をあけて待っている。これにどう対処するかは、親にとっては大きな問題である。そして、一方では多くの子供は勉強はしたがらない。負の欲望である。だから、現代の親のとても多くは、子供のゲームをいかにやめさせ、勉強に向かわせるかが一番大きな問題になっている。ゲームは、とても強い力を持った意味の暗い穴なのである。心を惹きつける暗い穴から、心を反発させる面白くない山へどう向かわせるかなのである。子供はなかなか山を登ってくれないのだ。

このころは、でも、まだなんとかなる。もう少しすると、子供の中に性欲が動きはじめる。これを社会でも、家庭でも抑圧しているので、子供はこの欲望をストレートには理解していない。とても難しい形をとりはじめる。

ただ、子供達の体の中を、性的エネルギーが動きはじめる前に、小学校低学年の頃から、子供は親に打ちあけることがある。

「ぼく（わたし）ね、〇〇ちゃんのこと好きなの…」と、そして、時には、「結婚したいなあ…」とまで言うことがある。この頃、子供達の中に性欲は動きめぐってはいないだろうが、それでも、フロイト達に言わせれば、充分に性的欲望が存在していることになる。とはいえ、常識の世界では、あるいは世間と言われる世界では、これらの言葉の中に、どれだけ性的なものが存在しているかは疑問である。性的なものよりも、かわいさ、そして、社会的な抑圧をもほとんど感じていない、無邪気さが先に感じられてしまう。

しかし、これが小学校の高学年にもなると、なかなか、少なくとも親に打ちあけることはなくなる。多くの子供は自分の好きな子への思いをじっと胸のうちに秘めているのではないだろうか。つまり、性的抑圧もさることながら、自分の好きな、恋を、人には言いふらすものではないという社会の風潮をそれなりに身につけてきているとしていいであろう。

このようなエネルギーを蓄えはじめた子供は、なかなか、親にはわからなくなってくる。「最近、あの子、何考えているのやろう、わからないわ…?」となる。これにスマホの中に入り込んでいる姿が重なってくることもある。いや、でも、スマホは性や恋のエネルギーをも吸い取っていることも多いのではないだろうか。スマホの中にも性や恋に関するもの、対象も多くあるはずである。アイドル、アイドルグループ、ドラマや映画の主人公、この先に、アニメの中の登場人物、これらは教室や近所の実在の子供達よりもずっと大きな性や恋の対象になっているはずである。ただ、こちらの方は、時には、親達に打ちあけてくれる。〝好き〟とか〝かっこいい〟という言葉とともに、そのアイドルや登場人物達の名前があがる。しかし、これらは、スマホやテレビの中の世界で、親達はその背中を見て、直接的な現実、その中の人物との話でないことに安堵している。しかし、この頃に、子供達の中に力強い、恋や性に対するエネルギーがうごめいていることは確かなことである。考えようによっては、スマホがこれらのエネルギーを吸いとってくれているから安心だとも言える。

親は、このような子供達を見ながら、心配しながら、迷いながら、時には喜びを感じ、幸せでいっぱいになり、子育てをしているのである。一方、親には子育てには欠かせない仕事があり、家事があり、また、自分の様々な欲望も存在し、その欲望に対する社会の抑圧も少しは頭をよぎり、しかし、その前に、〝この子のために！〟が大きな力でやってきて抑圧してしまい、自らの中の欲望は大きく力を失ってしまう。とはいえ、人にもよりけりであるが、抑圧されているはずの欲望が大きな力を持ち、本人もそれが何かがわからなくてイライラして、時にはそうかと気づいて、その欲望に走ったり、もう一度大きく抑え込んだり、様々であろう。こう見ると、この頃の親達は、特に外で働く父親はなかなか複雑な心の状態にあるとも言える。時には仕事だと言って、外で食事をしたり、そのような店へ行ったり、浮気がはじまったりする者もいる。しかし、そんな複雑な心の状態でありながら、家に帰り、子供達の顔を見ると…

これらも人それぞれであろうが、この頃の親達の一番心の底辺に子供に対する愛情が大きな力を持っているとしていいであろう。それが、仕事への責任や義務や自分の欲望の根底に大きな力で存在し、それらを支配しているのである。今晩、上司から残業と言われたけど、…子供のことを理由に断ろうか…？　しかし、いや、子供のためには残業代はもらっておいた方がいいし、それ以上に子供のためには、会社でより信頼される人間になっていなければ…、となるのではないだろうか。

いや、上司の方も、そして会社の方も、子育てのためには、といろいろ気は遣っているのである。まだ、子供が二、三才の頃は、それなりに気を遣い、残業をたのみ、遅くなりそうであったら、「大丈夫か?」の一言がついてまわるのである。もちろん、これも上司によりけり、会社によりけりである。そんな意味では、子育てに関しては、親せきや近所、また社会も様々な制度でもって、子育てを応援しているのである。

そんな中で、現代の子供は育っていくのである。いや、昔から、子供達に対しては隣、近所の目があったはずである。しかし、子育ては、すばらしい、そしてこれ以上にない喜びを与えてくれるが、人生の一番の難事業なのである。

この難事業は、子供達が大きくなり、中学や高校になると一層難しくなる。細かな世話や、手がかからなくはなっているが、一方、子供達が何を考えているのやら、何が欲しいのか、何がして欲しいのか、わからなくなる。子供達も強い欲望、けっして性欲ではないが、スポーツや遊び、そして部活に強い欲望、そして、そこにのめり込む力を感じ、これとは別に、自分の目標や意志というものを持ちはじめる。また、反抗期もやってくる。時には親もわからなくなって、どうすればいいのだろう、と心配し、迷ってしまう。自分の子供については自分が一番知っているはずなのに、…でも、誰に相談すればいいのか…?となってしまうのである。

親子げんかも起こることがある。とはいえ、そこには親が子供に対する、この世で一番強い力、愛情があり、子供も意識はしていないが、それは感じているはずなのに…

ほんとうに難しいのだ。うまくいっていると思っていても…なのだ。だから、仕事の合間にも、ふと子供の顔が浮かんで心配になってくる。記憶の力である。しかし、その記憶が伝える意味は整理されていなくて、塊のままで、言葉にもなかなかならなくて、それでいて強い力を持っている。不安である。その不安は、この世で一番大切な存在そのものである分、それだけ大きな力になる。その大きな力は、時には夜、寝る前とか、眠っていて夢を見ている時に「我」をとらえにくることもある。とはいえ、ふとした拍子に、そんな不安や心配が払拭され、「やっぱり自分達の子供はいい子に育っている、あたり前やろ…」となることもある。

子育ては、ほんとうに難しい事業であるが、その難しさに対するすばらしい見返り、世界で一番大切な存在が健康でいい子に育っているという、人生で最も大切な意味を与えてくれていることになる。

ⓓ　遊びとスポーツ

遊びはともあれ、スポーツを欲望に入れるかは、少しは議論になるかもしれない。高じてくるとまた、はまりはじめると、スポーツも、とても強い、今日どうしてもやりたい、そのためには、というふうな気持ちになってくる。やはり、〝やりたい〟は欲望であろう。一方、遊びの方は、勉強や仕事がすんだら、まずは、と、しかもとても強い力が働いて、ということは自分の中のとても大きな力を持った意味として、欲望として存在していることになる。

ただ、遊びもスポーツも、他の動物はほとんどしない。哺乳類の中には、少し遊びのようなものをしているように見えることもあるが、やはり稀だとしていいであろう。スポーツに至っては、他の動物ではゼロとしていいであろう。遊びもスポーツも基本的にはこの地球上では人間だけのものである。ということは、これらは生物学的欲望ではなくて、大きな記憶量を持ち、その上に思考を積み重ねた人間独特のものであり、その欲望を形造っているのは、記憶とその上に積み上げられた思考ではないかとの議論も出てくる。

フロイトなどの説を広げて解釈すれば、遊びやスポーツは抑圧されて変形した性欲がその根底に存在することになる。ここにはとても大きな議論が存在することになる。ただ、ここで言えることは、遊びやスポーツは、社会では基本的には抑圧されていない。抑圧された性欲のエネルギーが、抑圧されていない遊びやスポーツに形を変えていることになる。そして、スポーツの方は、社会全体が応援して賞賛しているのである。スター選手は多くの人々の、憧れの的である。同じスポーツをしている子供達には、人生の目標となっているとしてもいいものである。人生の最も大きな意味になっているのである。そして、これらの意味を助成するように、中学になると部活というものが存在する。これが思春期の体の中に性がうごめく若者達の性欲をどれだけ吸収し、抑圧しているかはさておいて、スポーツ、そして部活には、健康で明るい若者達を、社会を造り出していることはまちがいのないことである。

一方、遊びともなると、それなりに抑圧もされているし、いわゆる〝歯止め〟がかかる。「遊んでばかりいないで、少しは勉強しなさいよ！」というお母さんの声はよく子供の頭の上で鳴り響く。遊びの中には、ギャンブルも存在するし、〝夜遊び〟という言葉も、悪い意味を持って存在する。また、一方、スポーツフィッシングという言葉も聞こえてくる。ということは、釣りは健康で社会で認められる、推進されるものに考えられていることになる。しかし、じっと一晩中、浮きや棹の先を見ていると…という話もどこかに隠れているはずである…。

ただ、ここでは、スポーツも遊びもとても強い力で、人々を惹きつけている、大きな欲望になっている、大きな力を持った意味として見ていかねばならないということなのである。

そして、もう一つは、これらの欲望は、他の欲望、これまでに見てきた食欲と性欲と、そしてまた子供達や、家族への愛とどのような関係になっているか、また、この後見ていく金銭欲、そして、仕事や勉強への義務や責任感とどのようになっているかを見ていかねばならないのである。

ここでもう一つ確認しておくべきは、遊びやスポーツはそのほとんどは自然の形で人間の中に存在したものではないということである。そのほとんどは、その面白さ、人を惹きつける力は人間が考え出したものであるということである。スポーツは多くの細かなルールを持っている。また、遊びも、特にギャンブルの多くはとても細かなルールを持っている。マージャンはその典型であろう。遊びの中に入れれば叱られるかもしれないが、最も素晴らしいのは碁や将棋、チェスであろう。これらはどこまで行ってもたどりつかないその技、奥深さ、思考を吸収するルールを持っているのである。とても多くの人々が、この奥深さにはまっているのである。つまり、奥深い、一生かけてもたどりつかない深い意味をそこにくり広げられるルールを持っているということである。

ここでも確認しておけば、このルールを、それは大きな力を持った意味であるが、「我」は思考で理解し取り入れて、記憶に保存しているということである。そして、プレイをしている「我」にこのルールはとても大きく絶対的な力を持っているということである。つまり、記憶が、そして、それから引き出された意味が、大きな力を持って「我」を支配しているのである。しかし、一方、このルールはスポーツやギャンブル、碁や将棋では、交通ルールなどと違い、より正確には、その数倍、ずっと思考によって記憶の中から取り出され、それをその時々で解釈しながら使われているということである。つまり、意味を様々に解釈しながら、進んでいるということである。そして、このルールをうまく思考で理解してプレイすることを名プレイヤーと人々は呼んでいるのである。

でも、多くの人々は、そんなに簡単に遊びやスポーツに行けるわけではない。その前に仕事や勉強があるのだ。遊びやスポーツで食っていけるのは、プロと言われる特別な人々だけだ。遊びやスポーツでは人々は食っていけない。生活していけないのだ。生活のためには仕事をしなければならないのだ。また、若い時にはこの仕事を得るための準備の勉強をしなければならないのだ。仕事や勉強があって生活が成り立ち、生活が成り立っているところにはじめて遊びやスポーツができるのだ。もっと言えば、遊びやスポーツは、通常の人々は生活の隙間の時間、しなければならない仕事や勉強をした後の余った時間ではじめて楽しめるのだ。だから、多くの人々は、遊びやスポーツをするために生活の時間を計画的に形造っている。部活は授業が終わってからの二、三時間である。そして、大人になると、ほとんどの人々は、土、日しか、遊びやスポーツのための時間がとれない。考えようによれば、この土、日は社会が作り出してくれた、遊びやスポーツ、余暇のための時間であるということだ。社会は、仕事だけしていると、疲れてしまい、それをどこかで休めるために、休日を作ってくれているのだ。その時間に、仕事の疲れを吹っ飛ばす、とても楽しい、ああ、生きててよかった、これが生き甲斐だという、遊びやスポーツに専念するのだ。仕事のことを全て忘れて、遊びやスポーツを楽しむのだ。

ここでも記憶に触れておけば、多くの人々の脳の中には、仕事や生活の記憶がつまってしまっているのだ。時には心配になり、夜寝る前とか夢の中でもこの記憶は力を持ちはじめる。この記憶を持ち続けると、仕事も家事も勉強もかえってうまくいかなくなってしまうのだ。それを休日にスポーツや遊びをすることによって、これらの記憶を吹っ飛ばせるのだ。そして、苦しい、辛い記憶にかわって、楽しい幸せな記憶が脳の中を埋めてくれるのだ。そうすれば健康にもよいし、かえって仕事や家事や勉強もうまく進むのだ。

だから、仕事や勉強ができて、終わってはじめて遊びやスポーツができる、遊びやスポーツをするためには仕事や勉強ができてでなければならない、と先に見たのは、多くの人々では、少なくとも気持ちの上では迷いとか葛藤になっていないということだ。つまり、社会が作り出してくれている休日を使えばいいし、部活は授業が終わったら、そこが部活の時間になっているということなのだ。だから、休日は遊びやスポーツの時間は決まっているし、放課後は部活の時間は決められているのだ。その日、その時間になったら「我」の中に自然に、当たり前に遊びやスポーツ、部活の欲望が中心となった意識の型が作り出されているということになる。

迷いや葛藤が起きるとすれば、ウイークディに家に帰ってから、食事の前に少しの時間を見つけてとか、食事が終わってからの寝る前までの練習をしようとする、特別にはまり込んでいる人間達だけであることになる。このような人々は、ほんの少しの時間を見つけて、それよりも仕事をさっさと終わらせて、宿題をさっと切り上げて、練習場や、そのような場所、店へ行くということである。そのような時間をとれない日、またそのような人々は、自分だけで素振りをしたり、イメージトレーニングをしたり、スマホで情報を集めて、気を紛らわせているとしていいであろう。ここまで来ると、自分の中の迷いや葛藤だけでなく、まわりからも、家の者達からも注意や文句が出てくることになる。

そして、このような迷いや葛藤が大きくなるのが、仕事が忙しくなって、残業や休日出勤を言い渡された時である。これは仕方がない、会社のためや、会社があって、給料がもらえて家庭がなんとかなるのや、と慰めて、自分をなだめて仕事に向かう人間もいるし、一方、「おお、残業か？何、土曜日も出てこい？よし、その残業代の分、また、子供達のために…」とか、「おお、今度それが入ったらあそこに遊びに行って」とか、また、それらをためて家族旅行ができれば、とか、様々である。ただ、これも、人によりけり、人様々である。「すみません、今度の土曜日は堪忍してください、少し用事があるんで…」と言って、用事とはこの日試合があるという者もいれば、今度の土曜日を逃したら…となって、仕事などしとれんわ…となる者もいる。スポーツや遊びにはまっていて、少しでも練習がしたい、少しでも早くこの台の前に座りたい、…心の中に渦を巻いて欲望が力を持っている者達もいるのだ。そして、時には、残業をとるか、遊びやスポーツをとるか、また今度の土曜日の試合や約束を捨ててでも仕事をしなければ、と思うか、その逆か…人によりけり、また状況によりけり、迷いと葛藤が続く時もある。

とはいえ、多くの人々は、遊びやスポーツと、仕事や勉強をうまく両立させているとしていいであろう。先にも見たとおり、多くの企業では、土曜、日曜、祝祭は休日になっているし、残業時間も、ほどほどにということが行き渡っているからである。そして、昨今は働き方改革というのも進んできている。しかし、一方では、まだまだ、多くの企業ではとんでもない残業、休日出勤があたり前で、しかも、残業代も払われない、などという実態も存在する。

また、一方では仕事に生き甲斐を感じ、会社における地位向上をめざし、遊びやスポーツをほとんどしないで、ひたすら仕事に向かう人々もいる。そして、また、仕事とは生活のためとはいえ、仕事の中に、遊びやスポーツと同じ面白さ、楽しさを見つけている人々もいる。
ほんとうに様々である。

ここで、ここに出てきた迷いや葛藤について、また記憶、そして、ここで見ている欲望について見ておこう。この迷いや葛藤ということは、一方ではスポーツや遊びをしたいという欲望があり、特にスポーツにはまっていれば、先週のあの試合のあのプレー、今日こそなにかしたい、という大きな記憶が働いたり、釣りなどでは、今日あそこであの餌で、あの浮き下で釣れば、とか、記憶や思考が働いて大きな力になっているが、また一方では、仕事や勉強はしなければならない、この残業をしなければ、会社にとってたいへんなことになる、ということは、またあの上司から大きな声で、…とか、勉強では今度の試験には、とか、この宿題をしておかねば、という、義務や責任感、また、会社のことに対する配慮、上司からの圧力、また、成績をのばして、いい学校に入って、という目標、これら全て、とても大きな意味であるが、この意味には思考と記憶が働いて、それを引き出し、またそれについて考え、その上で「我」に力をかけてきているのであるが、これらの様々な思考と記憶の力が、また意味どうしがぶつかりあっていることだと言えることは見ておかねばならないことだろう。

ⓔ　金銭欲

金銭欲もとても強い欲望である。しかし、この欲望に対しては性欲に対しての社会からの抑圧や、食欲に対しての社会のルールのような圧力はほとんどないとしていい。もちろん、それでも〝守銭奴〟や〝がめつい〟という非難的言葉は社会には多く存在する。多くの宗教や道徳も金銭欲を戒める教えを持っているとしていいであろう。金銭欲がとても強いのは、ほとんどあらゆる欲望をこの金銭さえあれば、目的を達成できるからである。食欲はもちろん、先にも見たように、とても大きな力で社会が抑圧している性欲でさえも、時には満足させることができるからである。いや、それだけでなく、生活をしていくためには、金銭が必要なのである。

食欲はもちろん、衣食住も、これがなければ手に入れることができない。そして、庶民の多くにとって、年に二、三回のぜいたくである旅行も、これがあってはじめてできるのである。

それ以上には、金銭欲には限度がないのである。食欲は腹いっぱいになったらこれ以上はもういい、となるし、性欲も一度達成してしまえば、次の欲望が湧いてきて、体の中をうごめくようになるまでは、多くの人々にとって数日を要する。遊びやスポーツも体力の限界がある。しかし、この金銭欲は、〝金だけはどれだけあっても邪魔にならん〟という言葉のとおり、銀行に貯金しておけば通帳だけですむし、例え現金で持っていても、邪魔になって目立つためには、相当の額が必要になる。

だから、金銭欲に走る者達は、どれだけ金を持っていても、人々からも、自分でも金持ちだと認められ、認めていたとしても、ほんの少しの金でも大切にする。金を貯めるとは、このような人々には、この小さな金額の積み上げが大事なのである。だから、無駄遣いはしない。時には、生活に必要な商品に対する欲望をも抑制する。つまり、質素な暮らしをしていくのである。そして、このような人々にとっては、貯金通帳の中に記された金額の数字の増加が喜びになる。生物本来の欲望からは遠い、人間ならではの欲望である。他の動物達にとっては、〝猫に小判〟のとおり、まったくの人間だけの、観念的な欲望である。記憶とその上の思考が作り出した欲望である。

しかし、このような生物本来の欲望からは考えられない欲望が、時にはこれらの生物本来の欲望を打ち負かして、最も強い欲望になってしまうのである。食欲も、〝腹がふくれればいい〟になってしまう。そして、〝ぜいたくは敵だ〟になってしまうのである。衣服も車も高いブランドのもの、高級なものは買わない。住居も生活がスムーズにできれば良い、となる。そして、たまった貯金の数字を見て喜ぶのである。その数字を見ても、生物としての「我」にはいかなる喜びも湧いてはこないのにである。まさしく人間だけの欲望である。

ここに見えるのは、人間を動かしているのは、行動を決定しているのは、生物的欲望だけでなく、時にはそれを抑え込む力を持った、思考力、意志、精神などと言われるもの、どちらかと言えば、こちらの方が、生物学的欲望より大きな力を持っているということである。金銭欲は、生物的欲望からは遠い、しかし、生物的欲望も含めた、あらゆる欲望を達成できる手段であることを知った上での、つまり、そこに知識、思考が存在し、「我」はそれを数えることによって「我」を支配する大きな力になっているのである。

人間には、様々な生物的欲望が存在するが、それよりも大きな力を持ったものとして、知識、これを形造っているのは記憶であり、その上に積み上げられた思考や、思考がもっと強い力を持った意志、精神が存在するということである。金銭欲もその一つであるということである。このような知識、思考、意志、精神は、先に見た、スポーツの激しい、歯を食いしばった、苦しい練習にも見られたはずである。そして、これまでに、食欲や性欲を抑圧する社会からの力を見てきたが、それらを抑え込んでいるのもやはり知識と思考の変形したものであるとしていいであろう。それらの知識と思考や意志、精神は大きく人間を支配しているのである。そこには禁欲という言葉も存在し、生物的欲望だけでなく、あらゆる欲望を退けているところも見えてくるのである。

ただ、ここでは、もう少し、欲望として存在しているもの、力を見ていこう。

ⓕ 名誉欲

名誉欲も、生物的欲望からは遠い、動物達の中には見られない欲望である。ただ、そうは言っても、猿やライオンなど群れをつくる動物には、ボス、親分がいて、群れを支配しているのと少し似ているところがある。そして、支配しているのは雄で、群れの中の雌達を自分の思いのままの性欲の対象としているのを見ると、やはり、名誉欲にもフロイト達の分析のとおり、性的欲望が働いているのか、と思いたくなる。ただ、人間の名誉欲は、少なくとも社会的に人の目に見えるところでは、性欲は見えてこない。時には、性欲がほとんど見られない清廉潔白なんだとか、高潔な人だとかということで人々から褒めたたえられることもある。

名誉欲とは、人々にすばらしい人だと、褒めたたえられることを望む欲望であるとしていいであろう。そして、〝すばらしい〟とは、社会の持つ多様な価値観の上部、頂点に立っていることだとしていいであろう。この価値観には、まさしく様々あり、人格とか人望などとあまりはっきりとは目に見えないものもある。反対に、よく目に見えるのは、様々な役職である。村長、町長、市長、県知事、大臣、総理大臣という系列もある。いや、忘れてはいけないのは、各自治体の議員であり、そして国会議員の列もある。会社にも、係長、課長、部長、役員、重役、社長という序列もある。それだけでなく、社会には様々な団体があり、それらには様々な役職があり、それぞれに序列が存在する。いや、いや、それだけではない、スポーツにも、市体、県体、国体、そして、その上にオリンピックもある。国体やオリンピックは出られただけで名誉なことである。いや、スポーツだけではない。

一見、名誉欲などを嫌ったり無視したりしそうな芸術の分野でも、様々な賞が存在し、また、日展会員など、そこに入るだけで、その人の作品が価値あるものとされる団体も存在する。いやいや、国家も名誉を与える勲章というものを、様々な分野で活躍した人々を称えるために、制度を作り、そのような人々に授与している。いやいや、これらの頂点にノーベル賞などというのもある。

これらの序列や様々な賞を、本人はともあれ、社会がすばらしいことだと見るのである。本人はこれらを名誉なことだとは思わないで、会社の役職などでは、上に行けば、給料が上がるから、と考えている者達もいる。この人々には、名誉よりも金銭のほうが実感があるのである。スポーツなどでも、毎日真剣に練習していたら、そして、その練習している時の充実感、また試合ともなれば、その時の集中した自分の状態、いや、どんな人間もスポーツやゲームをしていれば、一つでも勝ちたい、そしてそれが進んで、ベストフォーや優勝、また記録など、それらは確かに欲しいと思うが…名誉？ となるのではないだろうか。多くの人々、特に現代の若者達は、名誉という言葉を嫌がるのではないだろうか。そこにはなんとなく不純な、俗世間的なものが混ざっているような気になっている人々、特に現代の若者には多いのではないだろうか。金銭欲もそうだったように、名誉欲も、欲望そのものとして見ても、なかなか複雑な要素を持っているとしていいのである。金銭欲ほどではないにしても、なかなか素直に自分の中にそれが存在することを認めがたいものを含んでいるとしていいのである。多くの人々は、仕事やスポーツ、研究、芸術などに一日一日、それに打ち込み、努力した結果、社会が認めるようなレベルに達したのである。社会に認められたいと思って努力していたのではない、と言いたいのである。そして、一日一日の努力の一コマ一コマが、自分の人生にとって、結果としてもらった賞よりもずっと価値がある、あったと感じているのである。

多くの人々は、自分の人生の目標をたてて頑張っている。その頑張っていることが、生き甲斐なのである。この頑張っている一日一日、一コマ一コマが人生にとって価値があるのである。また、逆に言えば、このような一日一日、一コマ一コマを充実した価値あるものにするために、目標をたてているとしてもいいのである。だから、このような一日一日、一コマ一コマの充実を求める欲望、欲望というよりも生命の本来の力、というものが存在するとしてもいいのである。そして、これらが、どのような欲望と関係しているか、生命力のどんなものから出てきているか、そしてまた、ここでも、フロイトのリビドーとどのような関係があるかは、様々な議論があるはずである。

とはいえ、このような日々の努力、その結果が名誉なこととして認められたのである。ということは、名誉とは、まず社会が作り上げているということになる。社会の持っている価値観のその一つの頂点であることになる。社会が名誉というものを作り上げているのだ。その一つを目標にする人々もいるのである。オリンピックに出場し、そこで優勝することを夢見て、またノーベル賞を目標、夢として頑張る人生もあるのだ。ただ、この人々にも名誉という言葉はなかなか素直に受け入れられないことが多い。また、目の前のことを毎日努力していたら、その価値観の頂点近くに来ていたこともあるのである。このような多くの人々は、名誉よりも、社会から様々な特別な扱いを受けることに困ることもある。これらは人様々であろう。

もちろん、特に昔の人々には、名誉を求めて、一生懸命に努力した人々も存在したはずである。なによりも、衣食住がなんとかなれば、人々に認められ、称えられることこそ、大きな価値、意味を持っているという考えが存在したのである。自分の一生を無駄に終わらせない、死んでしまっても人々に覚えてもらえる人生を送りたい、そのような考えも存在した、いや存在しているのである。

ただ、このような考え、思考も、現代では「我」の中になかなか素直に受け入れられないのである。つまり、社会が、そしてその社会が持っている価値観が変化しているのである。

ともあれ、名誉欲というものが存在すれば、やはり生物的欲望からは遠い、大きな記憶の容量を持つ、そしてその記憶を様々に積み上げていく人間独特の欲望であるとしていいのである。そして、今見たように、社会がこのような制度を持っているとしたら、大きな記憶の容量を持って、それを積み上げる思考という能力を持った人間達が集まって、その制度を作り上げたということになる。つまり、名誉欲も記憶と思考の産物であることになる。

4. 人生の目標

これも全てではないが、人生の目標をたてて、生活の全てをそれに向けて組み立てて、日々努力している人々もいる。この先に見た、金銭欲にとりつかれた、名誉欲をしっかりと持った人々も多くはこれに近い形になっている。また、名誉欲のほうでも少し見たが、名誉など関係なく、スポーツや研究に打ち込んでいる人々もいる。このような人々は、賞とか順位に関係なく、日々の技術の修得、その前進のために打ち込んでいるのだ。そして、その先には、自分の今のレベルを超えたすばらしい段階を夢見ているのだ。ただ、その先にはぼんやりとではあるが、大きな大会での優勝や、研究の成果をたたえた賞などが思い描かれているはずである。また、これも名誉欲のほうで見た、大企業や官庁などに勤めれば、その頂点に昇りつめることは人生の目標になってしまうはずである。大企業ではなくても、中小や零細と言われる企業の経営者などは、自分の作り上げた企業をすばらしい会社にすることは大きな目標になるはずである。いや、仕事やスポーツだけでなく、遊びや趣味においても、それなりの目標が存在する。釣りなどでは、なかなか釣れない魚を、あるいは、釣れる魚でも、何センチ以上の大物を長い間の釣り人生の中で、と思っている者達も多い。わかり易いのは、園芸ではないだろうか。自分の庭をこんな形にして、通っていく人々を楽しませてあげたい、それだけでなく、このような珍しい花をそこで育てていっぱいにして、というのもある。いや、遊びと言えば、次から次へと相手をかえて…、いや、いや、そんなことよりも、愛と恋に生きるとして、それを目標にしている者達…最近では…

ただ、多くの人々は、そのような明確な目標でなく、毎月、毎日でなくも、週に一、二度、ずっとこの趣味、スポーツを続けられれば幸せだ、と思っているのではないだろうか。この人々にとって、スポーツや遊び、趣味を続けることが目標になっているとしていいであろう。時には自分の仕事にこのようなものを見出して頑張っている人々もいる。昔の、あまり他の人ができない、特殊な技術を持って仕事をしていた人々や、企業でも職人と言われた人々はそうだったはずである。いや、現代では、パソコンで様々なデータを、またシステムを作り上げている人々もいる。

とはいえ、これも先に見たことだが、これらの人生の目標が吹っ飛んでしまうのが、恋愛、結婚、子供の誕生なのである。今までのスポーツや遊び、仕事などでやってきたことが、ほんとうに吹っ飛んでしまうのである。

それが全てになってしまうのである。いや、自分は遊び人で、一生とおすのだと思っていた人間も、時にはとんでもない出会いに、全ての人生観が変わり、たった一人を愛し、そして結婚して、生まれた子供を見れば、何より大切なもの、と思い、それが人生の目標になってしまうことも多いはずである。いや、遊び人でそうなのだから、多くの人々は、恋、結婚、そして子育ては、やはり第一の人生の目標、目的になってしまうのではないだろうか。

このようなことを見てくれれば、人生の目標とは、恋愛、結婚、子育てになってしまいそうだ。確かにそうだし、生物としても、それは正しいことになる。しかも、これらのことは、仕事やスポーツなど以上に、いや、ずっと難しいのだ。ほとんどの人々がやっていることだから、簡単そうには見えるが、とても難しいのだ。恋愛はもちろんである。これが人生の最高の難事業であることは多くの人々も認めることである。しかし、結婚もとても難しいのだ。昔は、社会の圧力がとても強く、離婚を大きな失敗として見、また、離婚して家を出てしまった女性に対してなかなか厳しい状態を社会が作り出し、その結果、女性達は夫の圧力や暴力にじっと耐えていた時代もあったが、現代は離婚はとても多くなっている。それでも、離婚して子育てをしなければならない女性にはとてもたいへんなことが多くあるが、なんとかなっていると言ったら叱られるだろうか。実際、恋愛と同じに、結婚したからと言って、男と女の間に公式などはないのだ。その日その日、とても難しい出来事が起こり、その結果、二人の関係もとても難しくなることも多いのだ。恋愛の時はデートして別れることができたが、結婚してしまえば、難しい関係のまま、同じ家に、同じ部屋に、顔を見合わせていなければならないのだ。それに子育てが加われば、この子育ての難しさを夫の方が理解していなければ、たいへんなことになってしまう。

しかし、この難事業を、人生の目標、目的にと、少なくとも意識している人々はかなり少ないのではないだろうか。先に言ったことと逆のことを言っているようであるが、これらの恋愛、結婚、子育てを難事業と、少なくとも、結婚、子育てを難事業と意識している人々はとても少ないのだ。誰もがやっていることなのだ。少なくとも人生の目標などとはなかなか思えないのだ。人生の目標の多くは、他の人々がなかなか出来ないことなのだ。

とはいえ、恋愛は他の全てを見えなくしてしまい、そのまま結婚して、ゴールインしても、やはり気を緩めないで、安心しないで、すばらしい家庭を作り出すのに大きな努力をしている人々も多くいるのだ。そして、二人で生活することのたいへんさ、二人とも仕事をしてきて、疲れて家に帰り、これからの家庭生活、そこで互いの心を気遣い、より深い愛を生み出していくことを目標として、そして、その結晶にも大きな努力を払っている夫婦もそれなりに多いはずなのだ。

いや、そのような理想的なものでなくても、お互いに、様々なことは我慢しあい、問題が起きた時には話し合い、それが完全な解決にはならなくても、互いに、いや、時にはどちらかが我慢し、なんとか続けている夫婦、家庭もあるはずだ。いやいや、家庭内別居という言葉もある…ほんとうに難しいのだ。公式などないのだ。

人生の目標を見ているうちに、恋愛、結婚、子育ての難しさにはまり込んでしまった。しかし、この難しさに向かい合ってこそ、ほんとうに人生の目標が見えてくるのではないだろうか。これらはとても難しいのだ。これらがしっかりできて、これらの他の目標にも努力できるのである。ということは、人生の土台であり、屋台骨であるのだ。これは絶対にしなければならないものなのだ。ということは、…やはり、一番大切なものであるはずなのだ…ということは、人生の目標とは、これらのはず…

でも、これらを人生の目標と思っている人はあまり多くない。確かに、先にも見たとおり、〝恋に生き、愛に生き〟という人生目標もある。しかし、これは結婚にはつながらない。恋愛だけを目標とした人生だ。ここで見ているのは、そのような派手な、時には遊びに近い形の恋愛ではなく、多くの普通の人々の地味な男女のつきあい、それでもとても難しいつきあい、そして時にはそのまま結婚へという恋愛を見ているということにしておこう。それらのつきあいの上での結婚、子育てという難事業である。

これらの難事業が起きる前に、子供達は幼い頃から、僕は、私は、○○になりたい、と人生の目標、夢を持ちながら育ってきているのだ。親達も、それを応援するように、そしてまた、そのことによってより勉強するようになることもわかっていて、励ましていることが多い。しかし、ある年頃になると、今程見た難事業がやってくる。人生が変わってしまう。今までの夢や目標もどこかへ行ってしまう。少なくとも、恋愛期間は「これは人生の一番大切なことだ」と認識している者達も多いのではないだろうか。今までの夢を横に置いて、恋愛に夢中になってしまうのだ。いやいや、これらは、少なくとも高校時代は稀で、受験勉強や部活に真剣にならざるを得ないのだ。だから、勉強ができなくなる、部活ができなくなる、として恋愛を遠ざけている者達もいるはずだ。とはいえ、進学したり、就職したりすれば、いつかははじまる。いや、はじまらない人生もある。それでも、心のどこかで、恋を求めている。片思いもある。

恋はやはり、人生では特別なのだろう。とはいえ、ずっと恋をしているわけにはなかなかいかない。結婚、子育てへ行く道が待っている。もちろん、そうではなくて、いくつも恋を経験して、…とはいえ、次から次へと、そんなに長くは続けられない。やはり、世間では特別な人間として見られてしまう。

そして、結婚、子育て、…何回もくり返すが、地味ではあるが、とてもたいへんなのだ。この他に、人生の目標、夢などは…こちらに、つまり結婚、子育てに専念しなければならない、ということは、やはり、人生で一番大切で、一番の目標…でも、多くの人々は、このように自覚していない…ああ、マイホーム主義というのもある…

もちろん、両立することもある。特に男性は、企業に勤め、立身出世を夢見て努力すれば、収入も増え、結婚生活の豊かさ、子供達にもすばらしい安定した生活を…、女性の方は、やはり、子供達の顔を見ていると、それが全てになってしまい…

本当にここには難しい問題があるとしていいであろう。家族の生活か？ 人生の目的、夢か？ である。いや、この問題は、結婚していなくても、例え独身であったとしても、生活か？ 夢か？ である。多くの人々、特に若者達はこれに悩む時代がかならずと言っていいほどある。夢が大きければ大きいほど、現実からは遠い、つまり生活していくにはとても難しいことを知って悩むのである。プロの選手になりたい、俳優になりたい、歌手になりたい、多くの若者達は、いや、小学生の頃から、心に思い描いてはいるが、その道は遠いし、生活はしていけそうもないのだ。もっと地味に、すばらしい発明、発見のできる科学者になりたい、こちらは一生懸命に勉強していけば、…それで、ひたすら努力をし、すばらしい成績をあげていく子もいるが、…しかし、その努力が、やはりどんどんたいへんになり、受験…そのうち、馬鹿くさくなったり、ここにすばらしい異性が現れたり、…いや、でも、まだまだ、ひたすら努力をする若者達も、…たとえ、自分の思っていた研究室に入れたとしても、そこで自分の思い描いていた研究ができることは…まあまあ、それでも、このような人は稀だろう。

本当に、本当に、夢と生活はなかなか両立は難しいのだ。まして、結婚して、子供が生まれれば、…それが人生というもの…

多くの人々は、成長するにつれて、自分の現実が変わるにつれて、夢を、目的を変化させていく。現実にあったもの、生活にあったものに変えていくのである。成長していくのだ。そして、時には、その夢は、趣味や好みと言われるものになって、生活のあいまに、ほんの少し、ということにもなる。いや、それでも人生の大きな夢を描き続け、その夢への努力も、一方、生活もしっかりと…このような人は非常に少ないだろうが…でも、こんな人に、あなたの恋は？　などと尋ねたら…いや、いや、人生はほんとに様々なのだ。

多くの人々、ほとんどの人々は、やはり、生活優先、最優先で生きているとしていいのであろう。あたり前である。生きていかねばならないのだ。家族は生活していかねばならないのだ。だから、それを意識している、していないにかかわらず、人生の目的は、生活、家族の生活がそれなのだ。しっかりと生き、しっかり育てる。これなのだ。特に子供の場合はその成長がすばらしい夢を運んでくれるのだ。いや、それだけでなく、人生には一コマ一コマの喜び、楽しさがあるのだ。それらこそ、すばらしいのだ。

人生の目的、夢を見たが、とんでもなく現実に引き込まれてしまった、…それでいいのだろう。

××　　××

ここで、これまで見てきたことを、本論の趣旨に従って見直してみれば、ここには大きな意味のぶつかりあいがあるということである。一方は、この節の題とした人生の目的、夢である。もう一方は、それを邪魔するように出てきた恋愛、結婚、子育て、いやもっと広く生活である。そして、ここでも、こうして見ると、恋愛は問題になる。恋愛が生活？となるし、恋愛こそ人生の夢ではないの？となるからである。確かにそうである。恋愛が結婚にたどりついてはじめて、生活がはじまるのである。ただ、ここまで、この節で書いてきたのは、人生の夢、目標に、恋愛がぶつかり、それらを人生の脇に追いやるのではないか、と見たかったのである。そして、これから論じていくことにも、恋愛の位置は問題になってくるはずである。

ここで見ていきたい、いかねばならないのは、意味のぶつかりあいである。人生の目的、夢の意味と、生活の持つ意味とのぶつかりあいである。両者とも大きな意味を持っているのである。そして、ここに見えているのは、人生の夢、目的を追いかけるためには、どうしても生活がしっかりとしていなければいけないということなのだ。生活がしっかりしていて、はじめて、人生の目的、夢を追い求めることができるということなのである。

しかし、こう書いてくるとすぐに浮かんでくるのが、多くの芸術家や研究者、時にはスポーツマンの生活でのとてもたいへんな苦労、生活を犠牲にした上での目的、夢への努力、必死の努力である。このような物語、伝記はかなり多くある。そして、このような物語の教えることは、多くは、生活の苦労、苦しみが、より一層、人生の目的、夢を追い求めるエネルギーになったことである。ここには意味と意味のぶつかりあいが、その中で、一方の生み出したマイナスの意味の、もう一方にプラスの意味に変化していく様であるとも言えるだろう。そうして、記憶にまで話をのばせば、マイナスの意味が記憶の中で大きな力を持ち、その力がそのまま、もう一方の意味にプラスの力を与えたということにもなろう。ただ、これらは、物語、伝記にもなるすばらしい人生を歩んだ人々の中の意味と記憶なのである。多くの人々、庶民と言われる人々の多くは、やはり、二つの意味のぶつかりあいの上で片方を諦めたり、変化させているのではないか、ということなのである。そして、もう一つ付け加えておけば、物語や伝記になったすばらしい人生を歩んだ人々の多くは、独身であった、あるいは、少なくとも、この夢や目的の実現の間近までは独身であったのでは、ということだ。もちろん、例外も多くあるだろう。ということは、生活の中でも、結婚、そしてそれ以上に、子育てはとてもたいへんだということなのだ。とても大きな狭い意味を持ち、他の意味が入らなくしている。追い出してしまうくらいにまでする強い意味であるということだ。

そして、ここでもう一つ付け加えておきたいのは、言語との関係である。これらの二つのぶつかりあう意味の片方、目的、夢は、言語化はされているが、生活の方、結婚、子育てては、それほど言語化されていない、少なくとも意識的にはそうされていないのでは、ということなのだ。

実際、小学校の時から、様々な形で、「僕の夢」「私の夢」などの作文を書かせられ、そこではどのような人間になりたい、学者になりたい、政治家になりたい、大企業に入って社長になりたい、いや、最近はこういうのは少なくて、やはりスポーツ選手になりたい、プロの選手になりたい、甲子園に出たい、オリンピックに出たい、そしてまた、歌手になりたい、バンドを組みたい、俳優になりたい、などだ。そして、これらはスポーツならば、「ラグビー!」「ハンド!」「バスケ!」「テニス!」とほとんどその種目の一語で表わされ、また、タレントの方は、「俳優!」「歌手!」「バンド!」と一語で発言されることが多いはずだ。

いや、まだある。「漫画家!」「アニメ!」などもある。これらは小さな時、テレビなどで、また子供達どうしの話で、よく目につく、目に入ってくる、特別なすばらしい存在なのだ。その目につくすばらしい存在が目標に、夢になっているのだ。

それでも、子供達は成長するにつれて、これらの道がそんなに簡単ではなく、とても険しい、なかなかたいへんな道であることがわかってくる。それでも夢を捨てずに頑張り、やはりずっと一語の目標を口にする者達もいる。でも、そんな時は、「だめかもしれないけど、努力だけはしたい…」と弁明も入ってくる。また、今までの目標が、ほんとうに夢でしかなかったと語り、もっと現実的に、「プロの選手になれなくても、コーチになって、子供達の指導にあたりたい」とか、「プロになれなくても、ずっと練習して、少しでも技術を、自分の持っているものを向上させたい」とか、「地方のステージでもいいから、少しの人々にでもいいから認められるようになりたい」とか、長い文章になってくる。でも、言語化も意識化もそれなりにしっかりなされ、その上で努力もされていく。

しかし、このように目標が現実的になってくる時代、一方では、クラスの多くの生徒達は受験勉強に駆り立てられていく。夢を片方に置いて、自分も勉強しなければ、と思う者達も出てくる。一方では、そのような道の高校や大学への入学を目指して頑張る者達もいる。ここに様々な進路が分かれてくる。

ここで一つ言っておけば、受験勉強に向かう子供達は、将来の夢をどのように語るのだろうか、ということである。とりあえずは、目標とする高校や大学の名前を口にする子供達もいる。しかし、これもなかなか口には出せないのでは…、というのは、受験には失敗はつきものだし、努力の量によっては、受験さえできないこともあるのだ。そして、それ以上に大学に入ってからの夢、卒業したら何になる？と尋ねれば…なかなか返事が返ってこないのではないだろうか。実際、少なくとも日本の社会では、この先は見えてこないのだ。言えるのは、「いい大学に入って、いい企業に勤め、いいサラリーをもらって…」とぐらいなのではないだろうか。そして、これらは、夢ではなく、現実であり、生活の安定なのである。

ここに見えているのは、生活への道、努力は、なかなか言語化されないのでは、いや、もはや生活への道は夢ではないから、とも言える。夢ではなく、あたり前のことなのである。

そして、このようなことは、結婚や子育てになっても、そうなのではないか、と思えてくるのである。先にも見たように結婚も子育ても恋愛にも負けない、それ以上にすばらしいことのはずなのである。しかし、すばらしい結婚生活を！　すばらしい子育てを！　などとはなかなか言われることはないのでは、ということなのだ。そして、逆に、すばらしい結婚生活って何？　すばらしい子育てってどんなこと？　などと問い返されるのでは、ということになってしまうのでは、ということなのだ。もちろん、ここには、特に結婚生活に関しては、性的なことが出てきそうで言語化されないこともあるだろう。そして、すばらしい子育てともなると、「どんな子供を育てるの？　天才の？　総理大臣？　有名人？」などと返ってきそうだし、すばらしい子育てなどと言っていると、その大切な子供がいろいろなところで注目されてしまい、子供がかわいそうな目にあってしまいそうで、ともなるはずなのだ。そんなことよりも、結婚生活も、子育ても、目立たず、なんとなく幸せに、一日一日が健康で、少しでも快適に、というぐらいで、これらもけっして、少なくとも他人には言わず、心の中で、自分だけにささやくように、いや、それも言語ではなく、思いだけで、…それよりも、相手の顔を、子供達の顔や目を見、その表情をのぞきこんで、困ったこと、苦しいこと、悲しいことがないかと見ながら、少しでも、ほんの少しでも、と努力し、それでも様々に難しいことがでてきたら、…ほんとうに困って、悩んで…これらが、毎日の生活というものだからだ。

というよりも、毎日毎日がかなり難しいこと、いや、毎日毎日でなくても、とても難しいことが起こり、どうすればいいのかと悩み、互いに相談、子育ての場合は子供の話も聴き、これが生活というものだからだ。そして、なんとかであろうが、日々、それなりに過ごせることが生活で、それがあたり前なのだ。この〝あたり前〟は生活全体に大きく被いかぶさって、言語が届かなく、また発せられなくしているのではないだろうか。生活とはできてあたり前、特別なことなど何もない、というのが社会の生活への考え方なのでは、ということなのだ。

でも、この〝あたり前〟とは、とても、ほんとうに難しいのだ。ある意味では、人生の目標などと言っていられないのだ。昔は、朝早くから、晩遅くまで、そして、月に一、二回の休みで、それでもたいへんだった時代もあったのだ。生活だけで精一杯の時代は、人類の歴史では長く長く続いたのだ。それでも、なかなか家族全体が食っていけなくて、残酷な話も多々残っているのだ。戦争はいろんな意味で、この精一杯の〝あたり前〟を拡張する動きだったとも解釈できるはずだ。

資本主義が発達した現代社会は、このような生活が充分にできない人々を、福祉という言語で、そしてその意味で大きく救っている。すばらしいことだ。また、災害や戦争で生活が破壊された人々を援助する〝ボランティア〟という言語も持っている。そして、このボランティアを人生の目標としている人々も多くいる。すばらしいことだ。

これらの動き、運動の底辺には、生活の難しさ、たいへんさ、この世の中で一番大切な子供達、家族を育て、生活していくことの難しさ、たいへんさを味わって、それでもできない、達成できない時のたいへんなことを知っての、感じての、隣人愛、人類愛が存在するはずなのだ。愛なのだ。

とはいえ、この愛も、なかなか言語化、そして、それを意識として、また、人生にとって一番大切なものとして、それを目標にするということはなかなか少ないのではないだろうか。もちろん、多くの人々は、愛はとても大切なことだとは知っているが、それを言語化するとなると、なかなかなのではないだろうか。せいぜい、自分達の子供への「かわいい！」と身のまわりのお年寄りへの「いとしい」ぐらいなのではないだろうか。もちろん、それでいいのだろう。言語化していなくても、まわりの人々に対して自然と手助けをしている人々もいるし、まさしく、黙々と世話をしている人々もいる。なかなか愛は言語化されていないのでは…

これらの愛をもっとも言語化していたのは、やはり宗教なのではないだろうか。宗教では、やはりとても広い形での、全ての人間に対しての愛、神の愛を教えていたのだ。とても広い、人類全体への愛であったはずなのだ。とはいえ、とても厳しい修行の道もあるし、厳しい罰も存在したのだ。そして、宗教戦争という残酷な…

でも、愛、やはり人間にとって、人生にとって、人類にとって最も大切な…

第三章

言語と記憶

章のはじめに

言語は記憶によって成り立っている。もちろん、記憶だけではないが、記憶はその機能の大きな部分を占めている。記憶という機能が存在しなければ、言語は存在しない。概観だけからでも、言語が記憶と密接に結びついているのが見えてくる。

一方、記憶も言語に頼っているところが多々ある。メモも、そのほとんどは言語によって記される。記憶には忘却というものがつきものなのであるが、それをメモによって食い止め、固定して保存しているのである。それだけでなく、人間は言語を使って、様々な記憶を固定したものにしている。メモをとらなくても、覚えておかねばならないことの多くは言葉を使ってそうする。約束のほとんども、言葉によっている。国民にとって一番大きな約束である憲法や法律はすべて言語によっている。

それだけでなく、大切な思い出も、かなりの部分、言語によっていることがある。まず美しい情景が浮かんできて、ということもあるが、その前に地名とその日付けが先に、そして、ああ、夕陽と来て、それで情景がはっきり浮かんでくることがある。芭蕉の俳句や西行の和歌は、…もちろん、ここまで来ると、他のものも多く混ざっているが、…ただ、人間は大切な思い出や心の動きを、詩というもので書き留めてきているのである。もちろん、絵画や写真による方法もあるが…

もっと言えば、人間は無限に存在するものを一つの言葉によって代表させ、固定させ、理解しているのではないだろうか。〝花〟とか〝木〟によって、そして、〝ひまわり〟とか〝スイートピー〟によって、一つのイメージを思い浮かべ、それで話を進めていくことが多いのでは…、このあたりはとても難しいものも含んでいそうである。ここは本論でゆっくり見ていかねばならない。

それだけではない。現象は日々刻々、様々に変化を続けるのだ。それを人間は一つの言葉で置き換え、理解しているのでは、…人の名前、…十数年ぶりに会ってもその名前で、…もちろん、ここには認識機能のもっと難しい様々なものも機能している。その難しい機能と言葉の関係は、…とても難しくなりそうである。しかし、理解できることから順番に…

こう見てくると、言語と記憶はまさに一体化しているように見えてくる。しかし、そんなに簡単ではない。

記憶が保存しているのは、表象と意味であろう。表象という言葉には少し説明がいるだろう。正確に言えば、記憶は現象そのものをそのまま保存しているところがあるが、その保存されたものをここでは表象と名付けて議論を進めよう。そして、現象とは人間である「我」は「自分」を取り巻く世界に住んでいるが、その世界の現れを五感を通じて受け止めることであると、ここではしておいていいであろう。ただ、人間はいつもこのような世界に向き合っているばかりでなくて、多くは目的を持って一つの対象に向かっている。このような時は世界は、現象が退いて、対象だけが感じられている。仕事をしている時は、機械の上に置いた加工するべき部品に対象が向けられている。テニスをしている時は黄色のボールに対象が向けられている。本論では、「我」が世界に向かっている意識を世界＝意識、対象に向かっている意識を対象＝意識として使っている。なぜイコールが存在するのかをここであらためて言っておけば、この時、世界や対象に向けられた意識はその世界や対象と一体化しているると考えるからである。そしてまた、そのイコールには様々な記憶も入り込んでいると考えるのである。というのは、美しい夕焼けに輝く海を見ている「我」は、それが海や夕焼けであることを知っているし、ここがどこの海で、どうしてこの海を見ているかを知っているのである。また、テニスボールに関してはこの黄色のボールは誰が打った球か、どんな回転がかかっているか、ここはどこのコートか知っているのである。しかし、それらの記憶はその瞬間には消えて退いているのである。このあたりは後にゆっくりと見ていこう。

そして、ここで早くも面白いことが見えてきている。対象＝意識で生み出された表象の方はほとんど言葉で言い表されている。テニスボール、部品、その部品に名前や番号が付いていれば、それは簡単にその対象、そしてそれから生まれた表象を指し示している。しかし、世界＝意識の方は、そんなに簡単ではない。対象＝意識がほとんど一個の物に向かっているのに対し、世界＝意識の方は、世界というとても広いものに向かっているからもあるだろう。とはいえ、〝赤い夕陽の海〟で確かにその世界を表していそうである。しかし、それだけでいいのだろうか、という気持ちがどこかに存在するのではないだろうか。少し飛躍するが、このような世界、現象を的確にとらえているのが、俳句や和歌や詩なのでは…

こんなところを後にゆっくり見ていきたい。一方、対象に向かっている時、人間は、ほとんど何かの目的を持って向かっている。仕事も遊びも、そこに目的があり、その下には欲望が存在する。あるいは「生きること」や「生活すること」がその奥に見えてくる。これらが対象に向かわせていて、そこにはしっかりとした、きちんとした言葉が存在する。とすると、やはり、言葉、言語とはこのような欲望や「生きること」や「生活すること」の目的のための道具？…なのだろうか、というところへ行きそうである。

そして、表象に対して意味の方は、まさしく、言語、言葉からできているとしていいであろう。その前に、言葉は意味そのものである。辞書の存在はそれを示している。しかし、辞書がそうであるように、その言葉の一つ一つを言葉の集合によって説明している。辞書ではその単語一つ一つが単語の集合による説明である。しかし、世の中には、このような単語の意味を超えた大きな意味を持つ事物、事柄、いやいや、もっともっと大きな意味が存在して、しかもとてもとても多く存在し、世の中に無数と言っていい書物が存在する。また一方、一つの単語、言葉でとても大きな意味を持つものが存在する。心、精神、宇宙、世界、歴史、そしてアーメンや南無阿弥陀仏などが存在する。世の中は、世界は意味で満ちあふれている。その多くが言葉によって、言語によって説明されている。そしてその言葉の一つ一つにしっかりと記憶がくっついている。

言語学というものが存在する。不勉強かもしれないが、言語と記憶の関係を密接に調べた書物には出会ったことがない。叱られるかもしれないが、手許に持っている言語学の抽象的議論や推論で進んでいるところを記憶というものを媒介にすれば、もっと具体的、現実的議論になるのではと思うことが多々ある。そもそも、科学や哲学は認識のもっとも基礎と言っていい、記憶にほとんど向き合ってこなかったと言えば、また叱られるだろうか。

この記憶に向き合ってこなかったもっとも大きな理由は、記憶の前に思考だったのだ。哲学も、真理を求める時まずは思考なのだ。記憶はただ保存の道具にすぎないのだ。ヘーゲルの『精神現象学』も感性に少し触れた後、すぐに悟性に入ってゆく。言語学も、言語はまず思考されるもの、思考のための道具、思考によって生み出されるものであり、記憶は言語を保存するだけのもの、と考えられてしまっているのではないだろうか。先ほど見た意味も思考されてはじめて意味が意味として存在すると考えられてきたとしていいであろう。

しかし、ここで主張したいのは、思考、そしてそれに伴う言語の前に、意味の中には大きく心に残る、つまり、強い力で記憶に保存されるものも存在するのでは、ということなのだ。この強い力こそが記憶の持つ力なのでは、思考の前に、言葉で表現する前に、…感情というものは、大きく「我」にとっての意味を持つ力であろうが、ここにも大きく力を持った記憶が保存されているのでは、と言いたいのだ。

ただ、世の中では、意味とは言葉でしっかりと表現されたものだけだと考えている人々も多くいるはずである。意味の定義の問題にもなりそうであるが、すばらしい芸術に出会った時、すばらしい景色に出会った時、そして、その反対に恐ろしい事故や災害に出会った時、大きな意味がまずやってきて、思考は停止してしまい、言葉も出なくて、その時の記憶だけが力を持って残るのでは、…とも言いたいのだ。しかし、日常性の中では、…このあたりをしっかり見ていくことがこの論文の大きな課題になってくる。

この論文ではまず、記憶と意識の関係をしっかり見ていこう。その上で、そこに言語がどのような役割を果たしているかを見ていかねばならないのである。いや、その前にどのように言語が生まれてくるのか。この言語の誕生は、人間の歴史をさかのぼる、ということではなくて、一人の人間、「我」にとって言葉がどのようにやってくるか、赤ん坊の時から、どのようにやってきて、それがどのように「我」にとらえられ、その時、記憶はどのような形でそれを受け止め、保存していくかを見ていかねばならないのである。そして、その言葉にどのように表象と意味が結びついているのかを見ていかねばならないのである。赤ん坊である「我」の表象と意味である。赤ん坊の世界の表象と意味である。これらの表象と意味と言葉はどのように結びついているか。そして、また、これらの一個一個の表象や意味が他の表象や意味と結びついたり、また結びつこうとしているのである。これらの結びつきを多くは言葉が役割を担っているのではないのか。ここに主語と述語、名詞と形容詞、動詞の結びつきが、もう文法が見えてきているのだ。命令形や感嘆文が飛び交っているのである。まだ赤ん坊の意識も、いや記憶さえもまだしっかりできていないうちから、これらの言葉は赤ん坊の世界を飛び交っているのである。そして、ここには、もう理論の芽生えが見えてきているのである。

「オッパイ、しっかり飲んでね!」「早く、おネンネしてよ」

という願望とも命令ともつかない母親のこの言葉の分析、表象と意味との結びつき、その意味の分析、そして、ここに入り込んでいる理論を見ていかねばならない。

いや、その前に単語だ。単語の分析だ。単語の持つ、表象と意味、そして単語と物、現象の結びつき、その意味の分析、そして、ここに入り込んでいる理論を見ていかねばならない。ここには、もう、個や類の識別、判断が入り込んできている。認識の最も基礎とも言えるものである。そして、ここには、とても大きな言語との結びつきが存在するはずなのである。そして、その言語と物や現象と記憶の関係も見ていかねばならないのだ。

たいへんな仕事が見えてきている。

この論文は言語学には至らないだろう。至らないというのは、言語の持っている文法、様々な規則そのものの分析にまで到達できないということである。ただ、ほとんどの人々が、文法などの知識がないのに、文法にのっとった言葉を使い続けていることを記憶との関係で見ていきたい。多くの人々は言語を耳で覚えるだけなのである。文字を持たなかった時代の人々は特にそうだったはずである。しかし、それらの人々は共通の規則、文法を持った言語を話していたはずなのである。ここには〝耳で覚える〟〝真似る〟という記憶と大きく結びついた機能が働いているのである。そして、それらによって、規則、法則を持った言語が少なくとも同じ地域の人間達には使われていたのである。このことを、そして、できればそれが成り立ったことを見ていきたいものである。

そして、もう一つ大きなトライアルをしてみたい。理論への挑戦である。というのは、記憶だけを見ていても理論はなかなか見えてこないからである。記憶になにかプラスしなければ理論は生まれないように思えてくるのである。このことが本当なのかの検証も必要である。記憶と記憶との関係、積み重ね、また、ある記憶と他の記憶の類似性、そしてまた同一性、差異性などというものが記憶の他に何が加わっているのかを見ていきたいのである。そして、ここに言語がとても大きな力で存在しているのである。これらのことを一つ一つ見ていく仕事をし、理論と言われるものに到達したいものである。

ここに現れるのがカントの『純粋理性批判』である。そこに先天的、先験的と言われる感性や範疇が現れるのである。先天的とか先験的とは、この論文の根本である記憶がそこに存在しないということなのである。ということは、この論文としてはそれらの先天的、先験的と言われるものを記憶と対比し、もう一度検証する仕事を持っているということである。しかし、そこへの道のりはかなり遠いはずである。

一、名詞

ⓐ　普通名詞

言語の単位は単語である。そして、人間の日常生活はやはり単語が中心なのではないだろうか。もちろん、多く学者が指摘するとおり、文というものが成立してはじめて言語として機能が働くという理論も、なるほどなのであるが。例えば、子供が「りんご！」と言って母親の前のテーブルの上の皮をむかれた皿にのせられているりんごをさして言ったとしても、それは「りんご取って！」とか「りんご欲しい！」とか述語の省略なのであろう。しかし、日常会話ではこの省略は頻繁なのである。少なくとも、子供の心ではりんごに焦点が合わされているし、他の述語は省略しても良い状況なのである。

人間世界には無限と言っていい単語が存在する。これを証明しているのが辞書の厚さである。その中でも名詞はやはりそれらの単語の中の中心であり、会話も、名詞を中心に進んでいるとしていいであろう。主語になりえるのは名詞であって、動詞や形容詞が主語になる時は名詞化させられている。

そして、この名詞はよくわかったもの、あたり前のものとして会話は進んでいくのである。しかし、この名詞も少し近づいて見ると、つまり言語というもの、そして、そこに記憶というものを添えて見るとかなり面白いものが見えてくる。認識の原点、言語の基本というものが見えてくると言ったら、言いすぎだろうか。

再び〝りんご〟という名詞を見てみよう。ほとんどの大人は、りんごの様々な品種、デリシャスやツガルなど様々な品種を知っている。また青りんごや姫りんごも色や大きさが違ってもりんごだと知っている。そしてまた、まだ成長していない木になっているりんごや、皮をむいて四つや八つに切ったりんごも、りんごだと認識する。〝りんご〟という名詞で、無数のと言っていい色や形の変わったりんごを〝りんご〟だと認識しているのである。いや、それだけではない。絵画やオブジェの中にあってもりんごは見分けられるし、子供の描いた絵や、デフォルメされた絵の中のりんごもほとんどそれだと認識する。ここまで視野を広げると、かなり面白い不思議なものが見えてくる。

人間は、これらの無数と言っていい様々なりんごの何をもって〝りんご〟と認識しているのか？ということになる。科学は感覚刺激や五感から出発するとしているが、感覚刺激や五感の何をもって〝りんご〟は決定されているのか。なかなか難しい話になる。りんごの印象？本質？どんな印象と言われてもすぐには言葉で表せない。本質ともなると、少し皮をむかれたイメージが浮かび、少し酸っぱい感覚がやってきて、それで終わってしまうのではないだろうか。ヘーゲルの『精神現象学』も感性からはじまっているが、このようなことには触れなくて、すぐに悟性に入ってしまう。

ここに科学ではなかなか到達できない、哲学もなかなか触れていない人間のすばらしい認識能力が存在するのだ。子供、いや赤ん坊も、「ほら、りんごよ！」と言って見せられただけで、次に「はい、りんご」と出されても〝りんご〟だと分かるのだ。

これにとても近いのは、プラトンのイデアであろう。プラトンではりんごのイデアが存在するのだ。それは神から与えられたもので、あらゆるものにそれが存在すると言うのだ。このようなことを見ていると確かにそうかもしれないと思えるところがある。しかし、人間が次から次へと新しい商品を作り出している現代に住む我々は、なかなかこれを受け入れられないのではないだろうか。また二十世紀に入っての現象学では、フッサールやメルロー・ポンティにおいては、感覚刺激や五感によるものではなく、人間の認識を〝もの〟としてとらえようとする動きが出てきている。つまり一個の形を持った〝もの〟としてである。ただ、ここでは、ここに言語と記憶を入れてりんごを、そして世界を見てみるととても面白いものが見えてくるのだ。プラトンのイデアも説明できそうにもなってくるのだ。

子供は、「これ、りんごよ」とお母さんに教えられると、すぐに納得してしまうのだ。そして、少ししてから、「これは?」と尋ねられると、「りんご」と答えるし、前のりんごと少し違っていても、半分に切られていても、「りんご!」と答えられるのだ。これが、三日とか、一週間後でも、ほとんど問題ない。そして、そのうち、テーブルの上や、お店に並んでいても、ほとんど気にもしなくなる。少なくともよほどのことがない限り、じっとは見ない。

つまり、ここに見えてくるのは、〝りんご〟という名詞が、記憶を省略していることだ。というよりも、記憶を引き出す前に、りんごをほとんど見ようともしないのだ。つまり、〝りんご〟という名詞が次から次へと現れるりんごを「ああ、りんごか」というように、一瞬にして、りんごとして理解して通り過ぎてしまうのだ。この〝りんご〟という名詞をプラトンのイデアだとするなら「なるほど」となるが、プラトンの言うように、神から与えられたものでもないし、りんごとは離れたものではない。〝りんご〟というありきたりの名詞なのだ。それが、次から次へと現れ出るりんごの全てを代表しているのだ。

とは言っても、三日ほどして、「あの時、りんご食べたでしょ、覚えてる?」と尋ねられると、「うん、食べたね、甘かったよ」となるのだ。

いや、もう少し、ここのところを見ておこう。赤ん坊の頃、りんごをはじめて見せられた時、赤ん坊はそれなりにじっと見ているだろう。

「これ、りんごよ」

とお母さんの声が聴こえる。このじっと見ている中で、りんごの形や色が赤ん坊の中に入ってきているとしていいだろう。そして、お母さんは、

「ほら、いつも食べているりんごよ」

と言うかもしれない。それまではりんごは皮をむいて切ったものとして出されていたのである。少し歳いっていたら、その皮をむかれて切られたものの形と目の前のりんごを較べて、結びつけて、その両方の形を確かめているかもしれない。つまり、皮をむかれて切られたりんごの形を目の前の原形のりんごに合わせて、確かめるのである。これは思考の一歩、最初の段階なのではないだろうか。ただ、ここでは、思考へは入ってはいけない。〝りんご〟という名詞の中に、皮をむかれて切られたりんごが入り込んでいるということ、そしてまたその味も入り込んでいることを確認しておこう。

赤ん坊が小さければ、このような事が二、三度くり返されるかもしれない。りんごをじっと見るのである。このことはりんごの記憶が完全に形造られていなかったということである。この完全という形は、目の前のりんご

の形を完全に記憶にということではなく、また、どのようなりんごにも当てはまる、いわゆる普遍的と言っているりんごの形というのでもなく、りんごというものが分かった、今度またりんごが目の前に出されてもりんごだと分かった、という程度のものだとしていいであろう。そして、このような記憶が形造られてしまえば、赤ん坊も、その年齢にもよるだろうが、それほどじっと見ることはないのではないだろうか。もう少し成長してしまうと、りんごを見ても、ほとんど目を当てることもない、「ああ、りんごか」で終わってしまっていくのではないだろうか。

それでもりんごをじっと見る時は出てくる。しかし、それは〝りんご〟を見ていることではないことが多いのではないだろうか。例えば、少し大きくなって、夏に、

「青りんごよ。少し酸っぱいけど、おいしいの」

と言って見せられた時、じっとその青りんごを見るかもしれない。しかし、それは〝青りんご〟を見ているのであり、その緑色の皮の色を見ているのである。〝りんご〟そのものは、わかったものとしてその上での変化を見ているのである。そしてもう少し年がいって姫りんごを見せられた時、じっと見て、

「へえ、これがりんご? でも可愛いね、食べれるの?」

と言うであろう。この時も〝りんご〟そのものは見ていないはずだ。それ以外にも、腐ったりんごや皮の赤がとても美しいりんご、また、食べてみてとてもおいしかったので、まだ皮をむいていない、同じ日に買ったりんごを見る時、そのりんごの中の変化、変わった特徴を見ているはずである。同じようにお店でりんごを買う時も、値段を見て、その大きさ、色を、その色もどれだけ成熟して甘みを持っているかを見極めながら見ていることになる。

ここまで見てくると、次のように言えるのではないだろうか。つまり、〝りんご〟というものがその名詞とともに記憶の中に一度入り込んでしまったら、〝りんご〟そのものを見なくなるということである。まるで言葉と記憶が邪魔してしまうようにである。つまり、了解してしまうのである。そして、それ以上の認識は起きないということなのだ。

これは日常生活ではそれ以上必要ないからである。りんごというものが見分けられれば良いのである。わかってしまえばそれ以上は必要ないのである。

そして、その前に、もっと大切なことは〝りんご〟の記憶が一度形造られれば、いろんなりんご、ほとんどの種類のりんご、つがるもデリシャスも蜜りんごも、青りんごも姫りんごも、そして、お店に並んでいるりんごも、木になっているりんごも、また絵に描かれたりんごも、抽象画やデフォルメされた絵画の中のりんご、いや幼児が描いたりんご、影絵であったとしてもりんごであると認識してしまうということである。これは人間の認識能力のすばらしさであるとも言えるが、これは何によるのかと問いたくなってくるのである。そして、その次に起こることは、この様々な〝りんご〟を見た時、〝りんご〟そのものを見ないで、その様々なところだけを見ていくということである。青りんごを見た時、それが青りんごの皮の青いところ、姫りんごを見た時その小さなところ、それだけでなく、それらの形をよく見て、今まで見た〝りんご〟との違いを見、また時には類似点を確かめて見ているということである。そして、また、つがるやデリシャスを見た時、その種の特徴を、その皮の色、模様、その形などを頭に入れるべく、よくまじまじと見る人もいるということである。このあたりになると、人によりけりで、りんごが好き、果物が好き、という人はよく見るが、果物はそんなに、りんごはそれほどでも、という人はほとんど見ないで、つまりほとんど記憶にも残らない人もいるということである。このような人は、また、つがるやデリシャスを見せられても、見てみるが、ほとんど見ないで、何回でも、ということになる。つまり、記憶が形造られていないのだ。ただ、〝つがる〟や〝デリシャス〟という名詞は覚えていることになる。ここまで来ると少しややこしくなってくるが、このような名詞だけが記憶に残っていて、その中身の記憶が、つまり見分けるだけの、識別するだけの記憶が形成されていないこともあることが見えてくる。そして、その奥に、人間の欲望や生活での必要などが見えてくる。しかし、まだ、ここへは入れないだろう。

ここで確認しておきたいのは、とても多くの名詞が、それが言葉として記憶され、しかもその中身も、つまりそれが指す物体、ものの実態、それを理解した記憶が形成されれば、同じ名詞で呼ばれているほとんどのものをそれと見分け、理解し、了解する能力があるということである。しかも、もう一つ、このような記憶が形成されてしまえば、その名詞が指すところの、ものそのもの、物体そのものは見ないで、その目の前の個体の様々な特徴に目がいってしまうということである。

これは、言語と記憶と認識というものを見ていく上でかなり大切なことなのではないだろうか。

そして、もう一歩踏み込んで言えば、世界はこのような名詞とその記憶であふれ、満ちているのではないか、ということである。だから、車を運転して毎日通っている道は、道路もその行き先もどこに信号があるかも、どこにどんな店があり、むこうからやってくる車も歩行者も、みんなわかったものとして存在し、ほとんどは目を当ててみるだけ、それさえもしないものとして、車を運転している「我」には存在しているということである。名詞とそれに伴う記憶としてである。いや、その名詞と記憶も思い出されたりすることはないのである。「我」

は世界をわかったものとして、了解しているのである。この世界を了解していることを、ここでも、世界の了解性、あるいはただ了解性として見ていこう。

ここでもっと大切なのは、人々はこの了解性の中で住み、生活し、そのむこうの世界、生の世界、つまり現象としての世界をそれほど見ないでいるのではないか、ということである。「我」の世界は、この了解性で埋まっていると言っても過言ではないのだ。そして、この了解性のむこうに存在するものを多くの人々は現象として理解しているのではないか、ということである。極端に言えば、現象の前に、言語とその記憶が立ちはだかってしまっているのである。

そして、車を運転していても、信号の色や対向車に少しは注意はしても、よくあるのは、頭の中で、言語と記憶の発達したものとしての様々な思考をしているのではないだろうか。言語と記憶はまさしく、現象の手前で「我」の世界を被っているのである。現象に向き合う時は、これらの言語と記憶の被い、了解性のむこうに行かねばならない、被いを取り除いてやらねばならないのだ。二十世紀の哲学の代表である、二十世紀の哲学の祖とも言えるフッサールの現象学もこの被いの向こうへ行くことだったと言えば、少し早計だろうか。

とはいえ、人間はこの了解性の中に住み続けているかと言えばけっしてそうではない。車を運転していて、まさしく了解性の中でゆったりと安住するように運転していたのであるが、むこうから、今まで見たこともない車が来た時、

「おっ？…なんて車…？」

となるのではないだろうか。つまり、今までの了解性のむこうから、新しい、今まで見たことのない、つまり、

了解していない車が来たのだ。

こんなことは多々あるのだ。道を歩いていても、家の部屋にいても、「あれ！」とか「おや？」ということがあるのだ。知らないものが現れた時だけでなく、今までそこに在ったものがなくなっていたり、逆に、そこになかったものが置いてあってもそうなる。このような時、今までの了解性が崩れ、新しい了解性を形成するために、様々な問いかけや原因の究明がなされる。ただ、これらも、その崩れ方によりけりで、多くは推測で、「ああ、誰かがここへ持ってきたのだろう」だけで、逆に「持っていったのだろう」で終わってしまう。

いや、それだけでなく、人々は、いつも、日々、この了解性のむこうへ出ようと努力していると言っていい。テレビや新聞のニュースを見るのもそのためだ。世界は恒に動いているのだ。特に現代は目まぐるしく動いているのだ。この動きを知っていないと、了解性のままに安住しているとたいへんなことになるかもしれないのだ。そして、勉強するということは一つ一つ、この了解性の外に出て新しいことを学び、了解性を増やしていくということにもなるだろう。趣味の多くもこの了解性の外での出会いが期待できるから、ということになるだろう。仕事がつまらないのは、ずっと同じ了解性の世界で、同じことの繰り返しになるからだろうか。勉強はもっとつまらない？…確かに、ずっと同じ了解性の中に住みながら、机の上の文字が描き出す世界の中だけの、そして、しかもけっして「我」が知りたいと思っている新しいものではないから、…まあまあ、
また、漫画やアニメ、映画やテレビドラマ、また小説などに向かいあう時、人々は新しい、自分のものとは違う了解性の世界に向き合うことができるから、とも言えるだろう。

この段階で、ここまで進んではいけないだろう。もっと大切なことを見落としてしまう。

車を運転していて、むこうから、今まで見たことのない車がやってきた場面に戻ろう。ここに大切なことが、本論にとっての大切なことが起きているのだ。

「え？ なんて車？」

と「我」に問いかけているのだ。つまり、「我」はこの車の名前、言語を求めているということなのだ。新しいはじめてのものに出会った時、多くの人々は、名前、名詞、固有名詞の時もあるし、普通名詞の時もあるが、名詞を求めるということである。魚釣りに行って、海の底から、今まで見たことのない魚を釣り上げた時も、まわりの釣り仲間に、「なんて魚だよ？」と名前を聴いてかかることがとても多いということである。名詞を先に立てて、言語が先に来て、それから理解がはじまるのである。

車に戻れば、車の名前を聴いて、その名前の車がどこのメーカーのものか、そして、その性能ということになっていくのではないだろうか。

そして、ここにもう一つ大切なものが見えてきている。

車の名前に、そこにメーカー、そして性能、いやそのスタイル、無数のことが付着しているということである。言語学、ソシュール『一般言語学講義』の最初に出てくる概念（concept）である。それを受け止める言語の方を聴覚映像（images acoustiques）としているが、ここではまだ名詞としておこう。そして、所記（signifié）能記（signifiant）へは進まないようにしておこう。

あるいは、所記（signifié）を意味と置きかえて進もう。

つまり、多くの名詞一個一個はとても多くの意味を持っているということなのである。概念も哲学では多くの大きな意味を含むものとされている。辞書を見れば、多くの単語はいくつもの意味を持っている。それ以上に、人々は、語の意味だけでなく、生活の中で、生きていく上で、とても多くの意味を含ませ、様々な単語、その意味を関係させながら使用している。

〝自動車〟という単語だけで、すでにいくつかのメーカーの名前が浮かんで来、そしてそれらのメーカーの作り出している車種が浮かんでくる。それだけでなく、バス、トラック、乗用車、軽四などの車の種類も浮かんでくる。それにまた、タイヤ、ハンドル、シートベルトなど様々な部品、それ以上に、車を使う目的、今日、これでどこへ行くか、ああ、もうガス欠とか、ほとんど無限の意味が思い出されてくるのである。これはまさしく意味の大きな貯蔵庫である。いや、それだけでない。そこに含まれていなくても、信号機や道路や地図、そして仕事に使われていれば、この仕事の細かな内容と関連しているのである。言語とは、そして、その中の一番簡単そうに見える名詞がこうなのである。

これは自動車という、広い大きな意味を持つ名詞だからだとも言える。それではもう少し狭い、乗用車、その中でもメーカーの売り出している様々な車種に限って、その名前に限って見れば、…いや、いや、それでも、この車種には一つずつパンフレットが作られている。少なくともそのパンフレットの中身、そして様々な評判、今までの過去からの様々な、その車にまつわる出来事など、今度は違った視野から現れるのではないだろうか。それでは、ハンドル、ブレーキ、タイヤなどでは、…まあ、まあ、

ただ、ここで見落としてはならないのは、記憶との関係である。これらの様々な単語についての中身とその意味は人間それぞれ「我」の中の記憶にどれだけ入っているかは人様々であるということである。車に関心のあまりない人はこれらの記憶は少ないし、また、自分が持っている車に関しては大量の記憶、意味が存在するだろう

が、乗ったことのない車種に関しては、その外観と少しの評判ぐらいしか、記憶の中に存在しないということになる。

また、概念として見た一つの単語の中に込められた多くの意味、そしてそれに関連する多くの言葉やその意味を「我」は記憶の中に、しかも正確に覚えているかと言えばそうではない。多くはおおよそ、とかだいたい覚えているとしていいであろう。けっして正確にではない。その時その時、必要となったら思い出し、引き出されるが、正確なものが必要な時は、文字による様々なもの、ノートやメモ、パンフレットや辞典、書物、いや、最近はこれらのほとんどをパソコンで引き出しているのである。

外観という言葉がでたが、これも忘れずにつけ加えておかねばならない。単語、特に名詞には、それが抽象名詞でなければ、それに意味、特に言葉で表すことのできる意味の他に、表象がついてまわるということである。この表象についても少し見ておかねばならない。

単語には、それを表す意味も付いてまわるが、多くの単語、特に名詞には、それが指すもの、物体の形、映像、イメージがついてまわる。〝りんご〟や〝車〟〝信号機〟〝ハンドル〟〝道路〟〝街〟〝家〟、いやいや、〝海〟〝月〟〝星〟〝太陽〟などすべて、映像、イメージ、その形、表象が付いてまわる。しかも、〝りんご〟や〝車〟で見たように、これらには無数と言っていいイメージ、表象が付いてまわる。地球上ではたった一個しか見れない太陽や月も様々な形、色、状態のものが記憶には存在する。月が満ち欠けするのは当たり前だが、太陽も朝日、夕日、雲にかくれた、真夏の太陽、と様々である。たった一つの単語に無数と言っていい映像、それを記憶した表象が伴っている。

このような無数の映像の記憶、表象のうちのどれを取ってきているのか、という疑問が湧いてくる。〝りんご〟や〝自動車〟について話をする時、これらの無数の映像の記憶、表象のうちのどれをとってきて話が進むのか、ということである。それを代表するものがあるのか、あるいはそれらの無数のものを象徴する一個の、普遍的なりんごや自動車の映像、表象が存在するのであろうか、ということである。セザンヌの描いたりんごは全てのりんごをその中に、取り込めたものとして描かれているとも言われている。でもりんごの話をする時、セザンヌのりんごを思い浮かべる人は稀だろう。そのようなものが自分の中にあるのだろうかといろいろ思い描いてみても、何かはっきりしない、りんごらしいものがいくつか浮かんでくるが、なかなか目の前にさえも現れてはくれない。これはどうなっているのだろうか。

いや、そもそも、〝りんご〟という名詞が話の中に出てきて、それが中心になっていない時、りんごのイメージ、表象も思い浮かべることがなく話は進んでいるのではないだろうか、ということなのだ。

同じことはこの先に見た概念、あるいは意味にも同じことが言えるのではないだろうか。会話が進んでいる時、物語が話されている時、新聞を読んでいる時、次から次へと単語が出てきて、名詞も次から次へと、一分間に数個、いや十個近く出てくる時に、いろいろ、そのような映像や表象、概念や意味を浮かべて話は進まないのだ。このような時、人々の頭には言葉そのもの、名詞そのもの、つまり、会話の時には聴覚映像、言葉の音だけが、文章を読んでいる時は、その文字だけ浮かんできて、それで会話や物語は進んでいくのではないだろうか、ということである。

このことはとても不思議なことである。しかし、それでも会話は進んで、互いに理解でき、物語も面白く読み進まれているのではないのか、ということである。

このようなことがありながら、互いに理解できたり、物語に感動できる構造については他の品詞もよく見て、また文というもの、そして文章というものをよく見てからということになりそうである。

ここでヒント的に言えることは、中心になっている名詞、いや他の品詞も、それのイメージ、意味に他の単語が様々に付着して…ということではないだろうか、ということなのである。

ただ、右のようなイメージ、表象がほとんど伴わないで進むのは日常会話や物語、特に小説などの世界ではないだろうか。ただ、それでも、それらがないことを助けるように、物語や小説に挿絵を入れることもあるのだ。それ以上に漫画やアニメはずっとこれらを伴ったまま進んでいくのである。また、日常生活の中でも、様々な標識やポスターが日常生活の中の重要な様々な意味を、言語に伴うイメージ、表象を助ける形で使われているのではないだろうか。そして、これらの標識やポスターに使われている絵画、アニメ、写真などは、一つの言語がとても多くの意味を含んでいたように、とても多くの意味、言語、そして時には言語で言い表せないようなものを含んでいるのではないだろうか。

こんなところも手が届く限りで見ていこう。

また、日常会話でも、イメージや表象がはっきりと現れることがある。

「あの夜の、あの海の上の月、とてもすばらしかったよな」

などの会話では、海の上のその夜の月がはっきりとしたイメージとなって昇ってきた形で見えている。これは先程少しヒント的に触れた、〝中心に〟ということなのだろう。話の中心にその月がなっているのである。そして、付け加えておけば、その中心に持ってきているのは、〝あの〟という代名詞なのではないか、ということである。

ただ、これは単純でわかり易い形であって、先程〝中心に〟と言ったのは、複雑な会話や説明書、小説など長々と続く文章の中で〝中心〟になるイメージ、表象、それに様々な単語、文章、意味が付着する形で進むのでは、ということなのである。

整理のつかないまま進めてきたが、整理がつかないのはトライアルであり、そのトライアルに次から次へと様々なものが現れてきて、ということで許していただきたい。

ただ、この項をもう少し整理するとすれば、次の問題が中心になるということである。簡単に言えばプラトンのイデアは存在するのか、ということになる。言語と記憶を並べて見るこの論文であるが、ここではその代表とも言える品詞、名詞とその記憶を並べて考えることになる。そして、その名詞にはとても多く、無数の記憶が付着するように存在する。〝りんご〟という名詞に関しても、様々な場所で、様々な時に見たりんごの記憶が存在する。問題はこれらの多数の無限とも言っていい記憶の中から、それを代表するような、いや、それらの記憶を全てその中に保有するようなイメージ、表象、いや、イデアが存在するのか、ということである。プラトンの中には存在したとしていいであろう。しかし、プラトンから二千年を経た現代人の我々の中に、いやいや、様々な時代の人々の中、様々な個々の人々の中に、無数と言っていいくらい多く存在する名詞の一つ一つに、そのようなイデアが存在するのか、ということになる。この問題を解決するには、現代人の「我」が、様々な名詞を持ち出して〝りんご〟や〝自動車〟を思い浮かべて見ればいい。そんなにはっきりと思い浮かんでこないのではないだろうか。ぼんやりと、なんとなくしか浮かんでこないのではないだろうか。代表するものとか、すべてのそれらの〝りんご〟や〝自動車〟を含んだものとしてはなかなか見えてこないのではないだろうか。少なくともイメージとしては、脳に浮かべる表象としては、浮かんでこないのでは、となるはずである。そうではなく、いくつかの〝りんご〟や〝自動車〟の記憶、それもぼんやりとした、どこで見たのかもわからないようなものが、ふと浮かんで「ああ、りんご」「ああ、自動車」と納得して、それで終わりなのではないか、ということである。少なくとも日常会話ではそうなっているのではないだろうか。そして、多くの場合、イメージも、記憶さえも伴わないで、わかったものとして了解されたものとして、了解性として、言葉だけが、名詞だけが飛び交って、聴こえて、見えて、それで終わりになっているのではないだろうか。ここまで見ると、言語とはとても不思議なものに見えてくる。この不思議な言語だけの存在をプラトンはイデアと言ったのではないだろうか、とまで言えば早計すぎるだろう。

いや、プラトンのイデアは、本質とか意味なのでは？　という声も聴こえてくるが、少なくとも〝りんご〟や〝自動車〟の意味を常にすぐに言える人々はほとんどいないはずである。

とはいえ、多くの名詞のそれぞれに、それに伴った記憶がいくつも存在していることは事実なのである。そして、けっしてそれらを代表したり、全てを含んだりはしないが、また、多くの場合、それほどはっきりしないが、名詞に伴うイメージ、表象が存在することも事実なのである。

ここに、言語と記憶、その中間に存在するイメージ、表象、意味、概念などというものの複雑で、けっしてはっきりしない関係が存在するのである。

ⓑ　形容詞の連体形

言語の軸が主語述語であると考えるなら、述語の中心をなしている動詞を先に見るべきかもしれない。ただ、最初に名詞を見たこともあるが、ここではまだ、主語述語には向きあえない気になる。そこには重い、大きなものが存在するはずなのだ。というのは、本論は、言語と記憶の関係を見ることによって人間が向き合っている世界、その世界に向き合っている意識の中で言語と記憶がどのように世界を形造っているかを見ていきたいからなのだ。主語、述語まで見れば、この世界と意識の関係の大きな部分に向き合わねばならないことになるはずなのだ。名詞から出発したのも、名詞だけ見ることは、世界との関係が単純なものから出発できる気がしたからである。単純というのは、名詞は名詞としてそのまま見えてくるということにもなろう。他の品詞は他の単語との関係の上で存在しているからである。ここでは、まず、名詞にすぐに付着する形容詞から見ていこう。それは今まで見てきた名詞を補うことにもなる。というよりも、名詞は恒に修飾語を引きつけようとする傾向があると言ってもいいからである。この修飾語の中心になるのは、やはり形容詞である。ということは、ここでは形容詞をまず終止形としてではなく、連体形として見ていくことになる。

今まで見てきた中にも、「赤いりんご」「青いりんご」「小さいりんご」「甘いりんご」という形で形容詞を使わざるを得なかった。これを使ったのは〝りんご〟という名詞が様々なりんごを含んだものであることの例としてであった。その様々なりんごの一つ一つが、「青いりんご」や「小さいりんご」であったのだ。ただこの時は、〝青りんご〟や〝姫りんご〟として名詞化したものとして挙げたのである。形容詞＋名詞が一つの名詞になることはまた後に見よう。

名詞に負けないくらい形容詞は頻繁に使われる品詞である。そして、名詞に結びついて使われている、日常生活では「おいしい」「美しい」「つらい」などと形容詞だけで発せられるが、その時は主語になる名詞が省略されているだけで、「ごちそうがおいしい」「海が美しい」「仕事がつらい」であったはずなのだ。省略されても、それを聞いた相手が、理解できる世界を共有しているということである。

形容詞が形容するのは基本的には名詞だとしていいであろう。もちろん、連用形というのも「美しく踊っている」などもあるが、ただ、それは「バレリーナが美しく踊っている」や「美しく踊っているバレリーナ」であったりで、美しいのは名詞であるバレリーナである。

ここではまず連体形を見ていこう「赤いりんご」「青いりんご」や「小さいりんご」「甘いりんご」では、〝りんご〟に何が起きているのか、ということである。人間の認識においてである。そして、記憶との関係ではどうなのか、と見ていかねばならない。

形容詞の連体形と名詞の組み合わせである。りんごに形容詞が付いて、りんごがどのようなりんごなのかを言っているわけである。〝りんご〟はこの名詞だけなら、様々なりんごがあり、先程見たように話の中に出てきたなら、りんごのイメージさえも浮かばないで話が進むこともある。また、〝りんご〟という名詞を目の前に置いてりんごを浮かべてみても、いくつかの影のようなりんごのイメージがほんの少し見えてすぐに消えていってしまう。無理をして、それでも思い浮かべようとすると、邪魔をするように、子供が描いたような簡略化されたりんごが見えてきてしまったりする。これを「赤いりんご」にすると、目の前に赤い、りんごの形をしたイメージが暗闇の中にほんのり浮かんでくる。しかし、ほんのりだけで、すぐに消えてしまうのではないだろうか。そして、頭の中のどこかで、「りんごって赤いのに決まっているやろ」と声が聞こえそうになる。「赤いりんご」だけではなかなか記憶からイメージがやってきてくれないと言っていいであろう。ここまでくると、言語学において、言語機能の単位を文に置くということも少し理解されてきそうになる。「〇〇ちゃんが赤いりんごを食べました」となったら、確かにそれなりにはっきりしたイメージが見えてきそうになる。

これに「青いりんご」を置いてみると、人によって、話の流れによっては、「青いりんご?…りんごが青いことがあるの?」となる時もある。そして、「青りんごって知らないの?」と言うと「青りんごと言うけど、あれは青ではなくて緑色だろ」と返ってきたりもする。ここには二つの単語が結びついた時のニュアンスと言っていいものが現れているのであろうか。そして、このような会話によって「青いりんご」のイメージが現れないでしまうことにもなる。ただ、話の流れで、「青いりんご」が出てきた時、どこかで見た青りんごのイメージがふと浮かんできて、消えていくのではないだろうか。そして、多くの日本人、しかし、せいぜい五十才以上の人々はこの時、そのむこうに海と砂浜が浮かんできているのではないだろうか。というのは、昔、よく町内の海水浴で青りんごが配られたからである。これは余談のようでもあるが、言語の記憶として存在する時、その記憶の多くが幼い時、初めて見た時のものである、ということなのだ。もっと正確に言えば、多く存在する記憶の中でも、とても強い、一番強い力になっていることが多いということなのである。

ここに、「小さいりんご」を並べると、「ええ?小さなりんご?食べられるの?え?ああ、姫りんごのこと、あれ食べられるの?」と続いたりもする。また、姫りんごを見たことのない人は、「小さいりんご?」となって、ぼんやりと今まで見たりんごの中の小さなりんご、あるいは今まで見たりんごよりも、というより今までりんごとしていたイメージをより小さくしたものを浮かべ、やはり？となって話の流れによってはすぐに消えてしまうことになる。また、姫りんごを見たことのある人は、それを初めて見た時の木になっている様子や、それを見せてくれた人の指の先にある姫りんごを浮かべるかもしれない。また、両方浮かべる人もあるだろうし、時もあり、また、他のイメージや場面も浮かんでくる時もあろうし、また、まったく浮かんでこないで話が進む時もある。

また、「甘いりんご」と言われた時、多くの人はりんごの目に見える形のイメージではなく、下の奥の喉の先の甘い感覚、そしてそこに噛みくだかれたりんごの感覚、時にはそのイメージを浮かべるのではないだろうか。ここには、目に見える形の狭い意味でのイメージではなく、広い意味で、味覚や嗅覚も入れたイメージというものが見えてきている。もっと言えば、記憶が再生されていることになる。しかし、ここで問題になるのは、その記憶はいつの記憶なのか？となると、なかなか特定できないこともある。なぜなら、「甘いりんご」は何回も食べていて、その都度、正確な記憶が残っていることは稀で、よほどのことでなければ残っていないのである。特にこの場合は、視覚ではない記憶なのである。味覚や嗅覚はしっかりとした形で記憶に残っていないことが多いのである。ここには記憶と視覚の結びつき、そして他の感覚との結びつきというものが見えてきている。

たった四つのりんごを見ただけでなかなかややこしい話になっている。整理しないで議論を進めていることを叱られるかもしれない。ただ、ここでは手さぐりで進んでいると許しを請うておこう。

とはいえ、このややこしくなったことを整理しておくことはそれなりに意味があるはずである。

まずニュアンスと言っていいものが見えてきているとしていいであろう。というよりも、二つの単語が結びついた時、そのそれぞれの持つ意味が問題になっているということである。時には？が浮き出てきているのである。ここでは〝りんご〟という名詞に四つの形容詞が結びついたのであるが、〝りんご〟という名詞が持つ意味と、四つの形容詞、〝赤い〟〝青い〟〝小さい〟〝甘い〟が持つ意味、それらが結びついた時、新しい意味を作り出していくのであるが、そこに問題が見えてきているのである。〝りんご〟も〝赤い〟も〝青い〟も〝小さい〟も〝甘い〟も、人間社会ではとてもよく使われる普通の意味を持つ単語であるのにである。

「赤いりんご」から検討していけば、〝りんご〟は赤いものであるということが、ここでは大きな意味を持っている。そこにもう一度〝赤い〟が来たのである。だから、多くの人々はそれに反応を示さないで、イメージも浮かべることなく、話が進んでいってしまうことになるのではないだろうか。つまり「赤いりんご」は〝りんご〟に新しい意味をもたらさなかったのである。このような結びつきは多くあるとしていいであろう。それでも、これに〝とても〟という副詞が来て、「とても赤いりんご」ともなると、〝赤い〟が強いイメージで現れるし、その色の〝りんご〟も特別なものとして現れることになるはずである。

ここに「青いりんご」が来たのである。〝りんご〟の通常持つ赤い意味が否定されたのである。そこに？が生じたのである。こうして見てくると、〝りんご〟という単語がその背後に多くのりんご、その多くの種類を代表していて、その代表している〝りんご〟のイメージが存在し、多くの人々が共有していることが見えてくるのである。そのイメージは今まで見たりんごの多くの記憶と併存しているとしていいであろう。「青いりんご」はその代表しているイメージを否定したのである。しかし、青りんごを見たことのある人は、その代表するイメージの背後からこの青りんごを見た時の記憶を引き出し、「ああ」ということになるのである。

そして、ここに代表するイメージというものが出てきたが、このような代表するイメージを人々は意識して持っているわけではなく、なんとなく持っていて、しかも、そのなんとなく持っているイメージが多くの人々に共通しているということである。人々は同じ社会に住み、同じようにりんごを見ているということであろう。ただ、このなんとなく生まれている代表するイメージがどのように生み出されてくるかを見ることは言語というものを見る時、とても大きな意味を持っているはずである。名詞の最後のところでも見たが、これはプラトンのイデアでもセザンヌのりんごでもないはずである。そして、代表しているとは言っているが、多くははっきりした形象を持っていることはなく、ぼんやりと、そしてまさしくなんとなくなのである。これらはその単語に関する多くの記憶から生み出されたとしていいであろうが、そのうちの一つが固定されてそれが代表として現れ出るということは稀なはずである。そしてもう一つ、見ておくべきは単語に関係する記憶のほとんどははっきりしないでぼんやりしているのである。そもそも現象から記憶に移った時点で、現象からの光、鮮明さは失われてしまっているのである。そんなはっきりしない記憶の中から、代表はまさしくなんとなく生み出されているのである。

なんとなくであって、ほとんどと言っていいほど意識的にそのようなものが形造られることはないのである。ぼんやりとした記憶の幾つかから、やはりぼんやりとしたまま生み出されているのである。だから、代表としてとは言っているが、はっきりとしたものではなく、代表ということもやはりためらわれるものなのである。

ここに見えてきているのは〝印象〟という言葉ではないだろうか。印象とは心に感じたもので、しかし、けっして形として見えるものではないものとして、人々の間では使われているのではないだろうか。はっきりとした形ではなく、なんとなくそのような感覚として存在しているものを言っているのではないだろうか。ここではりんごは赤い、という印象が存在していたことになる。そのりんごは赤いという印象が否定されたのである。ただ、このあたりは、人々はこのようなことを意識して〝印象〟を使っているわけでもなく、また、もう一度振り返って〝りんご〟を思い浮かべてみると、やはり、そんなに強い赤ではなく、ぼんやりと、これもなんとなく赤そうなりんごの影のようなものが見えてきているだけなのではないだろうか。だから、この弱い赤色の存在はすぐに否定されて、「ああ、青りんごのことか」ともなるのである。

「小さいりんご」にも〝りんご〟のイメージ、感覚を、記憶の集積を否定するものがある。しかし、これは少し複雑である。なぜなら、多くの人々は、「小さいりんご」でイメージするのは姫りんごではない、通常の大きさの中のりんごの中の小さいもの、まだ大きく育ってないもの、育った中でも大きくならなかったもの、また、最近出ている大きくてとても甘い種類ではなく、昔売っていた、ただ〝りんご〟と言われていた種類のものを思い浮かべるからである。例え、姫りんごを知っている人でも、「姫りんごのこと言っとるのかな?」となるはずである。ここには混乱があるのである。「小さいりんご」だけではイメージが定まらないのである。だから、「小さいりんご? どんなりんごだよ?」と返ってくる時もあるのである。そして、「なに? ああ、姫りんごのことを言っとるのかよ。それなら、最初から姫りんごと言えよ」となる時もあるし、「姫りんごじゃない? どんなりんご? 見せてみろよ!」となる時もあるはずである。

ここに見えてきているのは、形容詞の連体形+名詞が作り出す言葉が、しっかりとした、確定したイメージを作り出さないで、どのようなりんごを指すか分からない混乱を引き起こしているということである。このような言葉の使い方は稀にはあるということである。そして、このような組み合わせでも、会話の中では混乱もなく使われる時もある。「りんごを買いに行ったんだけど、あそこのお店、小さいりんごしか売ってなくて」という時もあるのである。また、「あそこのお店に行ったら、姫りんご売ってて、でもほんとうに小さいりんご、可愛くって」と使われる時も混乱は起きていないということである。

ここに見えてきているのは、このようなあいまいな、混乱する言葉も会話の流れ、状況によってははっきり見えてきているということである。

そして、ここでもう一歩踏み込んでおけば、「小さいりんご」だけでは、このりんごの存在する状況、世界から切り離されているということである。それが「りんごを買いに行ったんだけど、あそこのお店、小さいりんごしか売ってなくて」と言えば、そこにその、小さいりんごの存在する世界が浮かび上がり、混乱を起こさせないでいるということなのだ。このことは文というものを暗示しているであろう。文になってはじめて言語は世界と結びつく、ということである。

このことはかなり大切なことである。そして、〝りんご〟も「赤いりんご」「青いりんご」「小さいりんご」「甘いりんご」は世界から切り離されたものとして存在しているのだ。つまり、単語だけ、あるいは二つや三つの単語の結びつきだけでは、言葉はまだ、世界から切り離されて存在しているということなのだ。そして、文というものになった時、そこに世界が現れるのでは？ということであるが、これは早計な結論でまだまだ検討が必要であろう。

ただ、ここで確認しておかねばならないことは、言語と記憶を並べて見てきているが、そのむこうに存在する世界との関係がとても重要なものとして見えてきていることである。ただ、ここで見落としてならないことは、言語が世界からも切り離されたものとして、独立したものとして存在していることである。抽象名詞というものがあるが、そういう意味ではなくて、ここに見えているのは次のことだろう。〝りんご〟という名詞は多くの記憶と、つまり現実に存在したりんごの記憶と結びついているが、けっしてその一つだけと結びついているということではないということである。つまり、〝りんご〟という単語は現実のりんご、そしてその記憶との特定の結びつきはしないで、それらのりんごの存在、そして記憶から離れたもの、浮かび上がったものとして、独立したものとして存在しているということである。そして、この独立したことが、そしてそのことによって自由にどのりんごにも付着することができることが、言語の働きにとってとても大切なことであることが見えてきているのである。そして、ここでは、この独立して離れたことが、「小さいりんご」となった時、そのむこうに現実に存在するりんご、それらの記憶と少し結びつきにくくなったことが見えてきたのである。そのことによって、「小さいりんご」が宙に浮かんでしまったように見えてきたのである。

「甘いりんご」に移ろう。今まで見てきた「赤いりんご」「青いりんご」「小さいりんご」が全て視覚的だったのに対して、「甘いりんご」は味覚の表現である。つまり〝赤い〟〝青い〟〝小さい〟は全て視覚を表す形容詞であったが、〝甘い〟は味覚を表しているのである。そして、味覚表現であることは、「甘いりんご」と言われた時、思い浮かべる表象、引き出してくる記憶が違った形になっているということである。〝表象〟という言葉を使ったが、表象が形だけを意味することだとすると、まちがいになるということである。同じことは聴覚、嗅覚、触覚にもついてまわることである。

そして、ここに見えてきているのは、人間の五感の中心は視覚にあり、記憶も視覚のものが圧倒的に多いし、記憶も形造りやすいということである。この「甘いりんご」も、そう言われた時、多くの人は舌の付け根、喉の奥の感覚を思い浮かべるであろうが、同時に、その舌の付け根や喉の奥の表象、その形を思い浮かべてしまうのではないだろうか。

とはいえ、「甘いりんご」はやはりしっかりとした力で、その甘いりんごの味覚を想起させてくる。甘いりんごを何回も食べた記憶は力として残っているのである。ただ、それを補うように、その味覚の記憶をとり巻くように、舌の付け根、喉の奥の映像が浮き上がってくるのである。味覚の記憶は、言語学の言い方をすれば味覚映像を取り巻いて視覚映像が浮き上がってきているのである。

人間は確かに視覚映像を中心に五感を働かせているのである。嗅覚を思い出す時も、それを嗅いだ鼻や、それが匂っていた場所や物を同時に思い出すし、触覚も触れた自分の指やそれが触れた対象を思い浮かべているのではないだろうか。聴覚も、その音を聴いた自分の耳と、その音を発した楽器や、それが聴こえた場面が浮かんでくるのではないだろうか。

言語に話を戻せば、「甘い香り」と聴いた時、この言葉があまりに多くの対象を思い出させるので、その匂いを放ちそうな花や果物や香水や、香水を付けている女性が匂いとともに、いや先に浮かんでくるのではないだろうか。

いや、言語はまさしく聴覚映像であるが、それを補うべく文字が、そしてそれが長く続く物語は挿絵やアニメが補っているのである。

四つのりんごを見ただけで、かなり議論が進んだ…？　横道にそれた？　…確かに早計ではあるが、見えてくるものを見ておくことは今後の展開の役に立つはずである。

そして、ここに見えてきているのは、同じ〝りんご〟という名詞に結びつく形容詞によって様々な、問題と言っていいようなことが起きていることである。それが起きたのは〝りんご〟という名詞が持っているりんごの特徴、印象、本論の流れとして言えば様々な記憶が存在し、そこに結びつく形容詞によって、様々な問題が起きた、ということである。このことはそれぞれの形容詞が持つ、意味、イメージ、与える印象が〝りんご〟の持つそれらのものとの結びつきに微妙な問題を生み出したということである。このことを一般化すれば、二つの語が結びつく時、それぞれが持つ意味、感覚、印象、イメージによって、様々な出来事が起き、そして今見たように、言語が隠し持っていると言っていい、本質と言っていいような構造を見えさせたということである。そして、記憶に関して言っておけば、〝りんご〟の持つ多くの記憶の一部と結びついて、「ああ、そうか」という形で問題を問題でなくさせる時もあるということである。つまり、問題に見えたのは、その背後に存在する記憶の中の多くあるものではない、稀なもの、端っこに存在しているものと結びつくにあたって、その稀なもの、端っこのものを捜すのに少し時間がかかり、時には?や混乱が起き、しかし、それが見つかることによって問題は問題ではなくなり、疑問も消え、落ち着いた形になるということである。

同じようなことは「速い自動車」「赤い自動車」「小さい自動車」「古い自動車」などでも起きるはずである。少しだけ見ておけば、「速い自動車」は「赤いりんご」と同じように自動車は早いものだというイメージと重なってしまい、何を言ってるの? ともなりそうであるが、一方では通りを速く走り抜ける自動車や、レース場を走り抜ける自動車が浮かんでくる。自動車の中でも、特別に速いものが浮かんでくるのである。そして、通りを走る「速い自動車」は真横から見たもの、レース場のものはその上から見たものになることが多いのではないだろうか。これは通りを抜ける「速い自動車」は真横から見た時はじめてスピードが見えてくるし、レース場のものは多くはテレビの撮影の視線が上からのものになっているからではないだろうか。

「赤い自動車」は消防自動車、そしてせいぜい郵便局の自動車が見えてきて視界を妨げ、他の自動車を見えなくしてしまうのでは、いや、いや、赤い乗用車もたくさんあるよ…

「小さい自動車」では軽四が、特軽トラが見えてくるのでは…

「古い自動車」では中古車が、しかも色も艶もなくしたしなびた車が思い浮かんでくるのではないだろうか。そして車の外観よりも、車内の座席、後部座席からの光景が浮かんでくるのではないだろうか、そして、そこになんとも言えない匂いも、…いや、いや、クラシックカーもあるよね…


ここに見えてきているのは、言語を使う「我」、言語を話し、聴く「我」が住む世界との関係、その中に自動車が「速い自動車」「赤い自動車」「小さい自動車」「古い自動車」の在り方が大きく力を持っていることだろう。「赤い自動車」で消防自動車が、「小さい自動車」で軽四が見えてくるのはそうだろう。それらの自動車が「我」の住む世界で力のある大きな存在、よく目にする存在であることも意味するだろう。それだけでなく、消防自動車や軽トラは「我」に強い刺激を与えていることも考えられる。そして「古い自動車」では嗅覚が、ここでは視覚に先行して現れてきているのである。

××　　××

二つの単語の組み合わせ、ここでは形容詞の連体形＋名詞を見てみたが、二つの単語が結びつくことによって、〝りんご〟や〝自動車〟というとても広い、その中に多くの種類を持つ単語を使い、時には種類を決定するようにしむけていることがまず見えてきているとしていいであろう。しかし、それだけでなく、形容詞が付くことによって、それまで余りに広くて漠然としたイメージがよりはっきりと見えてきていることにもなるであろう。そして、遠くの存在でぼんやりしていたイメージがより近い、接近したものにも見えてきていることにもなっている。このことは単語が二つ結びつくことによって一つの単語の時より、その言語が生まれ、使われている世界に接近してきたとも言えるであろう。しかし、その接近しようとした時、それに当たるものが見当たらなくて、？が起こり、混乱し、しかしそれが単語の持つとても多くの記憶のうちの、その端っこにあったようなものを見つけ出し、混乱を免れたことも見たのであった。この端っこのもののイメージが浮かんだことは、より世界に近づき、その端っこの存在を鮮明に見せたのではないだろうか。

また一方、強い刺激を持って存在するものは大きな力で持って現れ、他の存在を押しのけてしまうこともあることも見たのである。

もう一つ言えることは、〝りんご〟や〝自動車〟のような広い意味を持った名詞はその背後にとても多くの、無限に近い記憶、それに伴う表象、イメージ、意味を宿しているが、それらが形容詞と結びつく時、その都度、その記憶の中の一つ、一部を引き出してきて結びつくということである。〝青い〟が〝りんご〟と結びついた時、他のりんごの記憶は消えて、青りんごの記憶が引き出されることである。この時他の多くのりんごの記憶はほとんど邪魔をしていないのである。「我」はほとんど自由に青りんごの記憶やイメージを引き出してきているのである。時にはそこに子供の頃行った町内の海水浴の光景がぼんやり、これも邪魔しないように浮かび上がってくるのである。

とはいえ、「赤い自動車」で消防自動車が浮かんできてしまって、他の赤い自動車が浮かばないことも多々あるということである。

ここには言語、ここでは単語、名詞の在り方が、つまり「我」の住む世界での在り方が、形容詞と結びつくことによって、より近い鮮明な存在として浮かび上がってきたのである。

言語と世界の関係、もっと言えば言語はそれが生まれ使われている世界と大きな関係を持ち、また単語が二つ結びつくことによって、その関係が大きく変わることが見えてきているのである。そして、この見えてきているのは、言語を蓄積し、その世界を保存している記憶の働きであることは確認しておかねばならないのである。もっと言えば、それぞれの単語が記憶の中にどのように保存され、二つの単語の結びつきによってどのようなものをどのように引き出してくるかということなのである。

ⓒ　合成語

今まで論じてきた中で、「青いりんご」は青りんご、「小さいりんご」は姫りんご、「赤い自動車」は消防自動車、「小さい自動車」は軽四と一つの単語に置き換えられていることを見てきた。これらは合成語であると言っていいであろう。とはいえ、これら四つを取ってみても、その結びつきはなかなか複雑でその結びつき方は四つとも違っているのでは、とも思えてくる。そして最後の軽四に至っては、これが合成語？ともなる。

ここではこれらの合成語を見ていきたい。見ていくことは、二つの単語が結びついてどのような変化が生じたのかである。ここでは名詞の合成語だけに限るが、だからその変化とは元の名詞から生まれた名詞がどのようなものを指すようになったかということになるだろう。そして、その新しく生まれた名詞が指し示すものが、「我」にとってどのように見え、感じられ、それが「我」の住む世界との関係をどのように示しているかを見ていきたいのである。もちろん、ここには記憶がどのように働いているかを見ていきたいのである。

〝青りんご〟から見ていこう。〝青りんご〟は一つの単語であるが、〝青い〟と〝りんご〟が結びついた、二つの意味の単語が結びついた一つの単語である。それはりんごの種類、いや、まだ赤くなる前の少し酸っぱい夏のりんごを指す名詞である。「青いりんご」のところで見た時、「青いりんご…?」という疑問が起きることがあるが、その時、〝青りんご〟だと分かれば、その疑問や混乱は消える。〝青りんご〟になったことによって、しっかりと、赤くなる前の夏のりんごを指し示すのである。おまけに、その酸っぱい味も浮かんできたりするのである。これは「青いりんご」ではほとんど起きないことである。また、人によっては、何度もくり返すが、子供の頃の町内の海水浴の時の砂浜も浮かんできたりするのである。これは〝青りんご〟という一つの名詞になったことによるとしていいであろう。

〝りんご〟という多くのりんごの、そしてぼんやりとしたイメージ、記憶の中から〝青りんご〟になったことによってはっきりとしたイメージと、それに伴う記憶が浮かんでくるのである。

また、「青いりんご」での混乱、はっきりしない揺れから、時には「青いりんごなんかあるわけないやろ」という否定から、〝青りんご〟になったことによって、それらの混乱、揺れ、否定がおさまり、しっかりと確定したイメージが浮かんで来、納得し、落ち着けるのである。

〝姫りんご〟でも同じことが起きる。〝姫〟は王族の子供の女性を表し、可愛いとか小さいを表す語である。それがりんごにくっついて、りんごのとても多くあるイメージ、記憶の中から、そして、その多くのイメージの中でもなかなか浮かんでこない、多くの記憶の中からもなかなか引き出せないイメージを、記憶を「小さいりんご」ではほとんど浮かんでこなかったイメージ、記憶を一瞬にして浮かび上がらせるのである。会話では、「小さいりんご？ ええ？」が「小さいりんごって、姫りんごのことだよ、知らない？」となると、「ああ、そうだったのか」となるのである。

そして、イメージでは、姫りんごの小ささを示すように、皿の上に数個残った形で浮かんでくるのではないだろうか。そして、それに伴う記憶では木になっているのを実際に見た人はその様子を、また道の駅などで売っていたのを見た人は小さなりんごをいっぱい載せた皿が数皿並んでいた様子を思い浮かべるのではないだろうか。

ここでも〝りんご〟と名詞の持つとても多くのイメージ、記憶の中から、また「小さいりんご」の持つあまりはっきりしない混乱したイメージから、しっかりとしたはっきりとしたイメージと、それに伴う記憶が浮かんできているのである。

次に〝消防自動車〟と〝軽四〟を見ていこう。「赤い自動車」や「小さい自動車」を見た時に、その前に立ちはだかって他の自動車を見えなくした存在である。また、軽四は、軽四輪自動車の略称であるが、これから論じる主題にはそれほどの問題ではないので、これを使っていこう。

ここでこんなことを提案してみたい。〝消防自動車〟や〝軽四〟と言った時、それらが立ちはだかって見えなくなっていた他の赤い自動車や小さい自動車が逆に見えてくるのではないか、ということである。これは個人個人の様々に違ったことが起きることではあるが、実験のように浮かべてほしいということなのだ。つまり、〝消防自動車〟や〝軽四〟と言った時、それがしっかりとした一つのイメージとして浮かんできて、それまで確信のないままぼんやりと、しかもその他のイメージも影のように伴っていたものが、一つのある意味小さな固定された塊になって現れて、それまで影のようにはっきりしていなかった他の車のイメージが逆に見えてくるのでは、ということなのだ。もっとわかり易い使い方をすれば、「消防自動車じゃない赤い自動車」とか「軽四じゃない小さい自動車」という言い方に使えるということである。

このような否定の使い方によって、強くて大きな存在、邪魔をするような存在であった、消防自動車や軽四のイメージ、記憶が簡単に取り除かれているのである。そして、簡単に取り除くことができたのは「赤い自動車」や「小さい自動車」ではぼんやりとはっきりしなかった記憶やイメージが、〝消防自動車〟や〝軽四〟となることによって、しっかりとした、はっきりとしたものになることによってではないか、ということである。そして、ここに、記憶やイメージははっきりしたもの、確かなものの方が取り除き易いのでは、ということなのである。そしてまた、この時、取り除く時、〝消防自動車〟や〝軽四〟の名詞とともに、その名詞を追いやることで取り除かれているのでは、ということなのである。ここには、言語の力、言語が記憶やイメージをも支配しているのでは、とまで見えるものが現れてきているのである。もちろん、これだけ見ただけでは結論は出すべきではないだろう。一方、「赤い自動車」や「小さい自動車」のままだと、はっきりしない記憶、イメージのまま、逆に消防自動車や軽四が邪魔をしてしまうのでは、ということなのだ。

このあたりは、それぞれの単語に伴う、記憶やイメージを自分の中で浮かべたり、移動させたり、押しのけたりしてほんとうに実験してほしいところである。

以上、四つ見てきた合成語では、〝りんご〟や〝自動車〟という広い、その中にとても多くのイメージや記憶をかかえている名詞の中から、その一部の特定の種類、状態にあるりんごや自動車を指す名詞になっていることになる。このような合成語はまだまだ、ほんとうに無数と言っていいほど存在するであろう。〝道具〟という広い意味の名詞に〝大工道具〟や〝釣り道具〟が、ああ、〝飛び道具〟というのもある。これらは広い、とても多くの種類を含む道具の中のある一つの種類、特定のものに限定、狭めた意味で使っているとしていいであろう。

これらは人間を取り巻く、世界、社会には様々なものが層として存在していることを意味するだろう。とても広い意味を持つ存在の層がある。その下にまた特別な種類の層が存在し、特別な集まりを合成語で表しているということである。このような使い方で面白いのは、〝〇〇自動車〟〝〇〇新聞〟〝〇〇企画〟〝〇〇製作所〟などの企業の固有名詞に頻繁に使われていることである。

合成語にはまだまだ、違った成り立ちのものが多くあるはずである。合成したことによって、おや？とか、おお！とかというもの、微妙なニュアンスを与えるものもある。合成語と言っていいかわからないが、漢字の熟語などは、やはり意味の合成によって様々な意味を生み出している。そもそも漢字は一字一字が表意文字であり、それが二つや三つ続くことによって新しい意味を生み出しているのである。そもそも、〝自動車〟も三つのそれぞれに意味を持つ文字でできているのである。

漢字は、多くが一字だけで、とても広い、深い意味を持っている。それを使っている社会は、また一人一人が、一つの漢字に人生の理論、哲学的な意味をこめていることも少なくない。言語学はヨーロッパを起源としており、日本の本屋に並ぶ言語学の本に、漢字に向きあったものはなかなか見当たらない。

本論も、このような漢字の一字一字に向きあうには程遠いものを感じる。

本論はまだまだ、日常性における具体的な言語にしか取り組めない。抽象的、哲学的言語には遠い。抽象的とは、ここでは、イメージや表象が伴わないことを意味することになる。つまり五感からの映像が伴っていないのである。ここでは、逆に言えば、イメージや表象、そして五感からの映像からの記憶を伴った言語に取り組んでいかねばならないことになる。

××　××

ここでは合成語という形で見たが、ここで見ておくべきは、語には、特に名詞には、広い意味、狭い意味、そしてそれに伴うイメージや記憶にはぼんやりしたもの、はっきり、鮮明に見えるものが様々に存在しているということであろう。ここで見た〝りんご〟と〝自動車〟をとってみても、〝りんご〟にはもっと広いものでは果物があるだろうし、狭いものでは、つがる、デリシャス、蜜りんご、青りんご、姫りんご等がある。そして、それぞれに、皮、身、芯などの部分を表す名詞が存在している。〝自動車〟では、より広いのでは乗り物、狭いのでは、トラック、普通車、軽四、消防自動車、タクシーなどがあるだろう。そして、まだより狭い各社が売り出している様々な車種の名前が存在する。また部品としてはタイヤ、ハンドル、ドア、フロントガラス、ワイパーなどが存在する。

そして、それに伴うイメージや記憶は基本的には広いものではぼんやりとしてしまい、狭いものでははっきりと浮かんでくるとしていいであろう。また、これらのイメージや記憶はこれらの名詞だけでは、そして先に見た形容詞の連体形＋名詞の場合でも、現実の世界から浮き上がった、どこにでも存在するものとして見えてきているということである。これは単語全体に言えることであろう。〝走る〟や〝食べる〟の動詞でも、また〝赤い〟や〝美しい〟や〝大きい〟や〝遠い〟などの形容詞でも、また形容動詞でも言えることになる。これを世界に戻してやるためには、先にも見たとおり、「〇〇ちゃんがりんごを食べている」や、「〇〇さんが自動車に乗っている」という文の形にならなければならないだろう。そして、また、これをより具体的な個々の記憶に結びつけるためには、日時や場所の設定が必要になってくるのである。

××　××

ここまで読んできて、読者はかなり気になっていられるのではないだろうか。イメージと記憶の関係である。そして、表象や映像、イデア等というものも使ってきた。そして、ここに言語に関連するとても重要な概念が見えてきているのである。それだけでなく、これらを記憶がその中身とともに保存しているのである。これらの概念の言語、そして記憶の関係は、この論文にとってもたいへん重要な仕事になるはずである。しかし、それはまたとても難しい大きな仕事になるはずである。

まだこの段階ではこれらの概念を常識的な意味として使っていくしかないのである。今のところは、お許しのほど、というところである。

ⓓ　固有名詞

もっと狭いと言っていい固有名詞を見てみよう。固有名詞には個人の名前、企業の名前、国家の名前、県や市や町の名前、土地の名前、山の名前、海の名前などがあるだろう。また先にも見たが、企業の作り出した様々な製品の名前も固有名詞としていいのであろう。

固有名詞は、たった一つの存在につけた一つの固有の名前としていいであろう。だから、もっとも狭い、一個だけの存在を指し、だから、鮮明に浮かんでくるのが固有名詞ということになる。

固有名詞はソシュールは完全に沈黙しているし、ジョン・スチュアート・ミルは「固有名詞は対象の名にすぎず、いっさいの内包をもたない、したがって固有名詞には意味はない」と言っているそうである。そして、固有名詞を論じる者のほとんどがこのミルの「固有名詞＝無内容説」から出発しているそうである。とはいえ、そこには様々な議論、歴史があるそうである。豊かな内容を強調した議論も存在したという。（『現代言語論』立川健二　山田広昭著　新曜社（一九九〇年　p.100-101）

本論は、言語に記憶を並べて議論を進めてきている。言語とはその成立の大きな部分を記憶に負っているし、記憶がなければ、言語は存在しえない。ただ、記憶と言語を並べて議論を進めた言語学はほとんど見当たらない。記憶を添えて考えてみると、固有名詞も大きく違ったものとして見えてくる。そして、言語の持つ内容をそれにまとわりついた記憶として考えると、固有名詞はとんでもない内容を持つことが見えてくる。

これまでの言語学は、記憶を考慮に入れてこなかっただけでなく、言語の機能の面に絞って見てきているところがあるとしていいであろう。そうすれば、言語はやはり記号になってしまう。しかし、言語は「我」の住む世界、その「我」が集合して住む社会の中に存在し、そこに存在するほとんどの物体、人間、その行動、欲望、愛などなどを表現し、それだけでなく、ルールや法律を作り出し、物語を生み出し、歴史を語ってきたのである。そのようなものとして、この論文は言語に取り組みたいと思っている。欲望や愛、そしてルールや法律では言語は大きな力を持っているはずなのだ。

つまり、言語を記憶と並べて見ていく時、それはその記憶を蓄積している意識、そして、言語と記憶が結びついて進んでいく思考、そしてまた、それが体系化された精神、それほど体系化されていなくて、現象やそれからの記憶に様々に反応する心などとの関係を見ていくことになる。

このような見方をすれば、固有名詞とはとても大きな内容を持つことになる。固有名詞と言えばまず人名だが、その人名は「我」との人間関係によってはとても強い力になる。企業に勤めれば、上司の名前はとても強い力で支配してくる。営業にまわれば、お客さんの名前はとても大切で、頭を下げる対象になってしまう。そして、それは企業の体制の上での身分関係や、仕事の上での立場の関係だけでなく、日々の仕事の内容、その展開、結果によって、刻々と力が変化するのである。同じようなことは、子供達にとっての学校の先生の名前がそうであろう。ただ、学校の先生には子供を見る目、育てる気持ちの中に愛があり、その愛が欲しくて、ということになる。そんなことを言えば、上司やお客さんにも優しさや様々な気遣いが存在し、それによって救われる気持ちにもなる。

愛といえば、恋愛であろうし、また友情であろう。特に恋愛は人間として生まれてきて、最も難しい、しかし、最も大切な、大きな事件である。しかし、事件にまで至らなくて、片思いで、毎晩眠る前に、祈るように好きな相手の名前をつぶやきながら眠る若者も多いはずである。いや、若者だけではない、年いって、ふと若い頃の恋人の名前がやってきて、甘い気持ちがやってくることが多いのではないだろうか。恋愛には事件や混乱はつきものだが、友情ともなれば、淡々と一生続くものが多い。そんな時、その友達の名前だけで、何もかも信じられる気持ちになることも多い。もちろん、友達にも様々あるであろう。

ただ、これらの仕事や恋愛の人間関係においては、日々の出来事が前面に出てきて、その後ろに名前がさがってしまっていることも多い。しかし、そんな時も、それらの出来事、様々な記憶はその名前によって統合されていることは否定できないだろう。その名前の大きな袋の中に、様々な出来事、とんでもないことや、とてもデリケートなことも、記憶として入っているのではないだろうか。そして、このような袋によって、人間は無限と言っていい出来事の記憶やそれについての思考を整理しているのである。つまり、固有名詞の他にも、このような袋はとても多いのである。それらはまた後に…

いや、忘れている。人間にとって最も大切なのは、どんな欲望、どんな真理よりも大切なのは、家族の存在である。子供、特に小さな子供にとって親は全てである、と言ってもいいような存在である。ただ、子供はこの大切な存在を普通名詞で呼んでいる。親の方は、そうではなくて名前で呼んだり、それにちゃんを付けたり、名前を少し変形した呼び名で呼んでいる。親にとって子供は、子供が親を思う以上に大切な存在である。この存在の大切さから比べれば、呼び名や名前は記号にすぎないほどの存在になってしまうであろう。

しかし、親は子供が生まれた時、様々な思いをこめ、そして様々に思いをめぐらせ、時にはまわりの人に相談して、ほんとうに、この子がいい子になって、幸せになってくれるように願って名前を決めるのである。いや、キリスト教では司祭が、また様々な宗教でも、僧侶が新しく生まれた子供の名前を決めるのではないだろうか。このことは名前に大きな意味、大切な意味がこめられたということなのではないだろうか。また、宗教ではなくても、親族の中の信頼を集めた人や、地域の中の尊敬されている人に名前を付けてもらったこともあるであろう。だから、〝名付け親〟という言葉が残っているのである。

このような見方をすれば、やはり名前は単なる記号ではなくて、大きな意味を持つ、言語の中でも大切な意味を担った存在であることになる。特に漢字を使う文化圏では、漢字の一字一字に意味が存在し、万と存在するその漢字の中から、その一字を、二字を、三字を選んで名前を付けるのである。やはり、名前はその最初からとても重い、大切な、親の願い、思いを込めた存在なのである。

確かに、社会に出てしまえば、一人一人を区別する記号にしかすぎないものであるかもしれないが……それでも社会でも先にも見たように、人間関係によって名前は様々な意味、重さ、力を持っているはずなのである。

人間の名前は、言語の中でも、最も重い、最も大切な意味を持つとしていいであろう。そして、この意味とは人間存在にとっての、人間が生きていく上での、人間が生活していく上での意味なのである。言語学は、言語そのものに絞り込み、その機能と構造を追求していく学、少なくとも主流としてはそうであり、そうした場合、固有名詞の意味も違ったものになってしまうのである。

いや、人間の名前には、家族やその生活から少し離れたところに存在して、とても大きな意味を持つものがある。アイドル歌手や俳優、スポーツ選手の名前である。これらは人間存在にとってとても大きな意味、力を持っているとしていいであろう。ライブのチケットを買うために、朝早くから行列ができるのである。ただ、ここには面白いことが存在する。芸名である。歌手や俳優の多くは芸名で登場している。これは彼等が生まれ持ってきた名前ではなく、本人やプロダクションがつけた名前である。このように本名ではなく、違った名前で通用することは、言語学の言う、名前はやはり記号にすぎないのでは、ということにもなりそうである。しかし、一方、これを次のように考えると、また、それなりに重い意味が見えてくる。つまり、歌手や俳優になることを決心したことは、今までとは違った人生、人々の目の前に立つ、人々に喜んでもらえる自分を信じて生きることを決心したということで、そして、自分の魅力に合った、人々がその名前から魅力を感じられる名前に変えたとすれば、やはり名前は大きな意味を持つはずである。

いや、ここまで来ると、個人名だけでなく、グループ名や、チーム名はとても大きな意味を持っている。アイドルグループ、そして野球やサッカーのチーム名はある人間にはとても大きな意味を持っている。〝〇〇オタク〟という言葉もよく使われる。これは資本主義が発達して、人間の生活が豊かになった結果とも言えるが、確かに、人間の文明、文化にとって、やはりすばらしいことであるとしていいであろう。

これらの熱狂する人々には、グループやチームの存在、その活動、プレーそのものがとても大きな力を持っているであろうが、彼等はその名前にも大きな反応を示すのである。

様々なブランド名も大きな力を持っているとしていいであろう。ブランド名はその名前が付いているだけで、その商品の価値を保証するのである。時には同じような、よく似た商品の数倍の価格にもなるのである。このことはその固有名詞がその商品の集まり、その商品を造り出す企業の生産過程を代表し、保証していることを意味するはずである。名前がその名前の中に含まれる多くのことの価値の保証をしているのである。このことをブランドというのである。そして、このことを狙って、テレビのコマーシャルに代表される様々な宣伝では、企業名、商品名が大きく打ち出され、繰り返され、その名前を商品だけではなく、人々の心に焼きつくすのである。ここには固有名詞の大きな力が生み出され、また、人々に大きな力として働いているのである。

そして、このようなブランド名を考える時、企業や、それに携わる様々な人々、コンサルタント、時に広告代理店なども参加して、新しい商品の名前を、人々に覚えやすく、心に入り、そして価値の高いものに思われる名前が考え出されるのである。

この作業は、固有名詞の単なる記号であること、偶然性や恣意性を打ち消すべくものとして行われるのである。

まだある。多くの地名、海や山や、温泉や観光地の名前である。そこに行きたいのである。憧れの土地、そこにしかないすばらしいものがある土地なのである。多くの人々はそこへ旅行するために、日々の生活費の中から少しずつ貯金をしていくのである。また、そのために働いている人々も多くいるのである。そんな時、その土地の名前をくり返し、頑張るぞ！となるのである。そして、年いって、なかなか旅行も思うままにならなくなると、その地名を呟いて、ああ、よかったな、と人生の中のとても大切な時間を思い出すのである。

いや、人間の名前に戻らなければならない。まだまだ大きな意味を持った固有名詞が存在する。多くの芸術家の名前、ベートーヴェンやゴッホやドストエフスキーは人々の人生に大きな意味、力、奥深い、言葉にならない、なんと表現すれば良いかわからないものを与え続けてきているのだ。これらはアイドルや俳優と同じように心を惹きつけているとしても良いであろうが、その意味や力の根源になっているのは多くの作品の与えてくる力、意味なのである。そして、彼等の名前とともに、肖像画に残っている彼等の姿が浮かんでもきたりはするが、そしてその姿、顔は、やはり、それらの多くの作品の中からやってくるものと同じものを与えてくれている気もするが、その背後に彼等が作り出したものの、とても大きな意味、力が存在しているのである。だから、多くの場合、彼等が話題になったり、また一人で彼等のことを思い出して、考えに入り込む時、まず最初にやってくるのが、彼らの名前なのではないだろうか。というのは、彼等の名前の奥に存在して、彼等の名前に意味と力を与えているものは漠然としていて、しかも莫大で、また、どこかどんよりとした暗い陰のようで、それを目の前に引き出してこれるようなものではないからである。確かにゴッホの場合は視覚映像として、ひまわりや、彼の自画像などが浮かんで来、ベートーヴェンでは第九の出だしや、合唱の響き、そして第五の出だしも聴こえてきたりはするが、しかし、それは彼らの作品の一部であり、彼らの作品、生み出したもの全体から来る力、意味の全てではないのだ。ドストエフスキーも『罪と罰』や『カラマーゾフの兄弟』の題名や、その主人公達のイメージや暗い建物の階段や、サロンや広間が浮かんできたりするが、それもやはり部分であり全体ではないのだ。これらを人々は、好きになればなるほど、目の前に浮かばせることはできないのだ。だから芸術なのだ。そして、そこには、読んでいる時、聴いている時、見ている時、ええ！…？と感動とともに、今まで理解していた世界とは違ったもの、だから言葉に表せないし、理解できないものがそのまま、力としてだけ存在しているのである。だから、人々は、まずは彼等の名前を思い出し、その次に彼等の肖像画が浮かんできて、そのむこうに暗い、つかみどころのない、それでいて、自分をつかんで離さない漠然とした存在を感じ、そこからの力を感じ、という具合になるのではないだろうか。

つまり、言いたいのは固有名詞が先行しているのでは、ということなのだ。これは今後、様々に見ていかねばならないことであるが、言語、その使用において、つまり会話や、いや、様々な文章の中においても、その単語の持っているイメージや意味や記憶をほとんど持ち出さないで進み、それでいながら、会話や読書が進んでいくということなのだ。そして、一つの単語の意味を問う時は、その単語だけを対象にした意識をつくり出す。つまり、そこに意識を集中させてはじめて、その単語の持つイメージや意味や記憶が引き出せるということである。ここに見ている固有名詞ではとても大きな意味を持っていて、会話や読書の時もほとんどその名前だけ、固有名詞だけで進んでいるということである。このことは、やはり、言語の不思議、いや、人間の認識作用のとても不思議と言っていいことなのではないだろうか。そして、ここに見ている固有名詞に関してつけ加えておくならば、それに向かってその意味や記憶や、イメージを引き出そうとしても、あまりにもそれらが大きなものであり、そのほんの一部しか引き出せないでしまうことが多いということである。というよりも、その時々の必要な部分だけを取り上げて進んでいくということである。しかも、その必要な部分だけでさえもなかなか引き出せないのが、すばらしい芸術家達、その作品なのではないか、ということだ。

もっと大きな力、意味、いや、「我」の意識全体に、その隅々までにその力を及ぼす固有名詞が存在する。思想、イデオロギーや哲学や宗教の教祖である。

現在、この二十一世紀の世界では、このような強力なイデオロギーはもうほとんど存在していなくなってしまったのではないだろうか。かつて、共産主義、社会主義、自由主義、無政府主義、そして、また、民族主義やナチズムなどという強い力を持った政治上の主義が存在した時代があった。そして、その中で、マルクスやレーニン、毛沢東などの共産主義者、ヒットラーやムッソリーニなどのファシスト達の名前は大きな力を持っていたのではないだろうか。政治家としては、まだ様々にワシントンやリンカーン、そしてガンジーや、日本では聖徳太子や信長や、秀吉や家康があるだろう。ただ、こちらは、マルクスやレーニンと違って政治家としての理想、また様々な魅力、その人気としての固有名詞であろうが、マルクスやレーニンは大きな革命運動の指標としての固有名詞であり、それに関わった人間に大きな力を与えたということでは少し違うはずである。もちろん、これも人により様々なはずであろうが、つまり、それに関わった人間にイデオロギーとして働くかどうかということになる。

イデオロギーのように社会全体としては、大きな力を持たないが、多くは社会の片隅で、しかし、それに関わる、求め、学ぶ人には、時には生活の片隅にまで力を及ぼすのが哲学であろう。この人々は、自ら生きる道、人生の意味、いやその根源となる真理、絶対的真理を求め、世界を解釈し、世界を理解し、どのように生きるべきかを求める人々である。そして、このような人々にその教えを説いたのが、ソクラテス、プラトン、アリストテレス、デカルト、カント、ヘーゲル、そしてこの次にマルクス、エンゲルスが出てくるであろう。

ただ、これらの哲学を学ぶ人々は、それを勉強するのにとても長い時間がかかってしまい、たった一人の偉大な哲学者を勉強するにも、下手をすると一生かかってしまうことが珍しくない。だから、マルクス、エンゲルスの場合もあるが、多くはその教えが、その学ぶ人々の生活を支配するとまではいかなくて、それを勉強し、理解する目標として、固有名詞が存在していることになる。そして、これらの人々は多くは社会の片隅で、自らの勉強部屋でひっそりと、日々勉強し続けるのである。

社会でとても大きな力を持ち、時にはその社会、国家全体、全員に力を及ぼすのは宗教であろう。そして、その教祖、指導者の固有名詞は絶大な力を持つ。人々はそれを唱え、拝み、ひざまずき、全身全霊を捧げるのである。そして、生活の隅々まで、その教えが行き渡り、いわゆる箸の上げ下ろし、会話の仕方、道の歩き方、家の造り方にまで及ぶのである。

これらの教祖、指導者達の固有名詞を記号だと言えば、信者達の激しい怒りを買うのではないだろうか。信者達にとってはその固有名詞は絶対的不動のものであり、しかも、この世で最も尊いものである。その固有名詞の中に全世界が入っていると言っていいであろう。しかも、この全世界とは現在の全世界だけでなく、過去も未来も含めた全世界であり、しかも、宗教ではもっと大切な、いわゆるこの世ではない、天国や地獄、来世までも含まれているとしていいであろう。

×× ××

以上、見てきたように、固有名詞は言語の中でも、最も強い大きな、時には恐ろしい、また、一方では我が身に等しい、いやそれ以上に大切な、尊い大きな存在である。それらは人間の意識に入り込んで、時には、その人間を支配するに至ることもある。そして、それらの固有名詞はそれが入り込んだ人間にとっては交換不可能、絶対に不動のものとして存在することになる。

ただ、このような固有名詞は、子供の名前にはじまる家族の名前、恋人の名前、そして宗教上の名前、ということになるだろう。そして、それらの他の固有名詞は確かに記号として、変換も可能に見えている。実際、それを変換しても、社会の中において、機能的には問題なさそうである。とはいえ、子供の名前でも見たように、親はその命名にあたって、考え、願いを込め、子供の将来がすばらしいものであるように祈る気持ちでつけるのである。また、様々なメーカーが作り出す商品名も（これが固有名詞であるかの議論はあるだろうが）、よく売れ、愛され、ヒットしてほしいという思いで付けられるのである。また、地名なども様々な意味が込められているのが多いはずである。

ⓔ　名詞とその記憶からの同一性直観

ここまでそんなに多くはないが、つまり、ほんの少しだけ名詞というものを見てきた。そして、名詞とその記憶を並べて見てきたのであるが、そこに大きな問題が見えてきているのである。これは記憶だけでなく、その奥に人間の認識のとても不思議な大きな能力が存在しているのではないか、と思わせるものである。

それは、ここまで、様々なところで少しずつ触れてきたが、ここでそれに向かい合わねばならないのでは、ということである。それはりんごを見せられて、「りんごだよ」と言われただけで、時には一度だけ、そして、もっとの時は一個だけで、ほとんどは数度、そして数個見ただけで、次にりんごを見た時、「ああ、りんごだ」となる能力のことである。しかも、一回めに見せられた時はツガルであったとしても、他の種類のりんごでも、時には青りんごや姫りんごでも、「りんごだよね」となるのである。これは何によるか、ということである。

同じことは固有名詞で、もっとたいへんなことが起きているのである。人間という普通名詞の中の、無数に存在する男や女の中から、一度会って話しただけで、次に会った時は、「ああ、あの時は…」となるのである。そして、親しくしていた友達などは何年かも、時には二十年くらいも会っていなくて、顔も姿もかなり変わってしまっているのに、「おお、元気だったんか、おお…」となるのである。そしてもっと言えることは、日々親しくつきあっている者どうしは、後ろ姿や声だけや、歩き方を見ただけで、「よう」と声を掛けてしまうのである。これは何によるのであろうか、ということである。

ここでは、この能力を、記憶というものを傍に置いて考えてみよう。ここでは、記憶を並べ、傍に置いて見ることによって、その能力が記憶によるのか、記憶を超えた、違った能力なのか、それでは記憶とは別の能力だとするならば、それはどのように存在し、また記憶とどのような関係を持っているのかを見ていかねばならないのである。

りんごから見ていこう。りんごを最初に見せられた時、何が起きているのか、である。少なくとも日常生活を乱すような事件や出来事は起きていない。しかし、この最初に見たことによってずっと、ほとんど一生、りんごをりんごとして認識し続けるのである。

これは何によるのか。やはり、りんごというものがしっかりと記憶に残っているとしていいであろう。しかし、りんごとしての映像が記憶にしっかり残っているかと言えば、常にはそうではないだろう。少なくとも、りんごを見たからと言って、もう一度記憶の中に、その映像を浮かばせることは稀だとしていいであろう。それにもかかわらず、次にりんごを見た時、しかも、前のりんごと少し色が違っていたり、形も少し違っていても「あ、りんご」となるのである。これは何によるのであろうか。そして、この時も、先に見たりんごの記憶の中の映像を浮かべて、比べて見たりはしていないはずなのだ。

こう見てくると、同一性直観というものを考えざるを得なくなるのである。しかも、これは記憶の中に存在するはずなのだ。しかし、これは必ずしも映像、そのりんごの形や色を伴ったイメージ、あるいは表象というものを伴わないで、少なくとも、かなり不完全であったとしても、りんごをりんごとして識別することができるらしいのだ。

このあたりは多くの人に議論してもらいたいところだ。というのは、りんごだけではなくて、いろんなものを最初に見た時、その映像がどれだけ記憶に残り、そして、同じものを次に見せられた時、それをそうだと認識できるかは、人によりけり、時によりけりであるはずだからだ。そして、例えばりんごの中でも、ツガルやデリシャスはなかなか同一性直観とここで言っているものが働かない時があるのだ。ただ、主婦とかりんごが好きという人達はやはり働いているはずである。そして、この時、この見分けることのできる人々の記憶に残っているのは、りんごの中の皮の色や模様ということになるだろう。注目すべきところは違っていることになるし、それが記憶に残っている在り方も違っているのだ。

そして、ここに問題として見えてきているのは、記憶の中の映像の薄暗さ、あいまいさ、ぼんやりさ、ではないだろうか。多くの場合、多くの人々は、ほんの少し前に見せられたものを記憶の中に再現することは、特に完全に再現することはかなり難しいということなのだ。そもそも、記憶の世界は現在の世界、目の前の世界ほどの明るさを持たないのだ。そして、現在の明るい世界を再現しようとしても、かなりの薄暗さの中で浮かべるしかなく、しかも、その分、ぼんやりしてしまっているのだ。

とはいえ、その中で、あるものに焦点を当て、りんごを思い浮かべさせ、その皮の色は？　とか模様は？　とかと訊ねると、それだけが浮かんでくることがあることも確かなことなのだ。このように浮かんできた皮の色が、デリシャスとツガルを見分けることもあるだろう。

ここに見えてきているのは、また複雑な話になるが、りんごをりんごと見分ける方法と、ツガルやデリシャスを見分ける方法は少し違っているのではないだろうか、ということである。このことはやはり、後にかなり検討が必要なはずである。つまり、事物の同一性を見極めるには人間はいくつかの方法を持っているのでは、ということである。

右のような細かな分類、見極めという方法も存在するが、ここではやはり、同一性直観なるものに向かい合わねばならないのでは、ということだ。多くの事物はこの同一性直観と言っていいものによって見分けられているのでは、ということなのだ。

りんごや自動車、ヒト、手、足、顔、また、サル、花、などはほとんど一度見ただけで、それと同一性を断定できるのでは、ということなのだ。そういう能力が人間の認識機能の中に存在し、それが記憶の中に存在しているのでは、ということなのだ。つまり、人々は、何か、はじめてのものを見た時、その同一性を見極める能力を身につけ、それを記憶の中に保存し、次に同じものに出会った時、その記憶の中に保存されていたものによって、それと断定できるのでは、ということなのだ。

ただ、このはじめての出会いは、ほとんどが幼児期の出来事であり、これはまた、後に、幼児期と言語として見ていかねばならないはずだ。そこでは、どのように同一性直観が出来上がるのか、今ほどほとんど一度でと言ったが、幼児期では何度も何度もかもしれないのだ。このあたりはゆっくり見ていかねばならない。そして、これも今ほど例として挙げたりんごも自動車も、ヒトも手や足や顔、また馬、猿などはほとんど幼児期に獲得されてしまっているのだ。そこではゆっくり見ていかねばならないだろう。

この時点では、同一性直観として、同一性直観なるものをそれなりに見ていこう。

最後に挙げた花を見ていこう。花は人間は幼い時から知っている。そして、成長していくうちに色々な花に出会う。しかし、それらをほとんど何の疑いもなく、〝花〟と見分ける。

これはずっと続き、かなり老年になっても外国の観光地やまた地方都市にある植物園や温室で新しい種類に出会っても「ああ、変わった花」「とても不思議な花」と、花であることを受け入れていくのである。

そして、同一性直観に関して、一番驚くべきは、人間の一人一人に対する同一性であろう。

多くの人々は、二、三日くらいなら、一度会った人の顔を覚えている。時には、それが、都会の人通りの激しい場所で出会っても、挨拶を交わすこともある。もちろん、この時は名刺を交わし、それなりの時間、話をしていて、ということになるだろう。そして、親しくなった者同士は、数年会わなくても、時には十年、二十年、いや三十年、四十年を経て会って「おお」ということもある。人間は確かに、一人一人その顔が違い、その姿も違っている。しかし、同じ町や市には、何万人、何十万人、日本には一億人の人間が住んでいる。その中で、ほとんどまちがいなく、人物の同一性を確かめることができるのである。これはとても秀れた人間の認識能力と言えよう。

しかし、この同一性を何によって判断しているのかとなると、なかなか難しいことになる。多くの人々に尋ねても、〝感覚〟とか印象というあいまいな言葉しか返ってこない。これを科学的に根拠のあるものとして立証することはほとんど不可能なのではないだろうか。科学的にはまったく違った形で人間の同一性を照合しているとしていいだろう。指紋の照合や、眼球の中の光彩の線の並び方などによっている。これらは人間の認識とはかなりかけ離れている。

同一性直観は人間認識の基本であるとしていいであろう。しかし、これを科学的に解明した理論は存在していないとしていいであろう。科学的方法論からは同一性直観は遠いところにあるとしていいであろう。つまり、この人間の認識の基本に存在する同一性直観を科学は受け入れることができないのだ。この意味で科学的認識と人間の認識はこの一番基本となるところから大きく違っていることになる。

それでは哲学では？　哲学でも、不勉強かもしれないが、この同一性直観そのものに向き合った論文は目にしていない。哲学ではこの同一性直観を存在するもの、分かったものとして、これを基礎にして理論を展開しているとしていいであろう。

この同一性直観をこの論文では記憶という、人間の認識機能のとても大きな部分を占めるものを置いて、ほんの少しだけにしかならないが、トライして見ておこう。

今まで見てきたことの中で、記憶には様々な機能があるということである。この同一性直観も記憶の中に存在している。これが記憶以外のどのような機能から成り立っているかは、この論文のこの段階ではかなり難しい。

いや、この論文では扱えないものを含んでいるのでは、という予感が存在する。しかし、逆に、記憶が存在しなければ、この機能は働かなくなってしまう。年いって、アルツが進めば、「あんた誰け？」となるのである。ここでは同一性直観も記憶の中に含まれる機能として見ていこう。

記憶とは見たこと聴いたこと、五感で感じたことをそのまま保存する機能であると言える。これらの保存されたものを表象、あるいは映像と呼んでいいであろう。言語学には〝聴覚映像〟という訳語も存在するからである。これを広げれば、味覚や嗅覚や触覚にも適応可能である。この他に意味というものも保存される。五感から感じられるものとは違う、これを捨象した、つまり形を取り除いたものとして、人間どうしが伝えあう、伝えあわねばならないものを、しかも、人間の生活に大切な、もっと社会生活に大切なものとして存在する、これを保存するのである。いや、言語そのものが意味でできているとしていいのである。言語も記憶も、一体となって、映像と意味を保存し、伝え合っているのである。〝りんご〟を一つとっても、そこにはりんごの様々な映像の他に、それは人間が生活していく上で大切なビタミンを多く含み、またとてもおいしく、秋にとれ、などは、〝りんご〟に伴って保存されている意味であろう。

先の章では意味を追い続けてきた。ここでは品詞、特に名詞を見た上で、同一性直観と記憶の関係から意味が出てきたのである。これはここまで本論がたどってきたのとは違う、新しい側面の意味である。この意味はここでは見ることはできない。ここではまだ名詞をほんの少し見ただけだからである。形容詞や動詞を見た上ではじめて向き合うことができるのである。そして認識理論の多くが同一性と差異性からはじまっているとするならば、意味の大きな部分が、この同一性直観を基礎にしていることになるのである。それ以上に、そもそも様々な会話も、ものとものとの同一性と差異性、そのものがそれであり、あれでないことが定まらない限りは話が進まないはずなのである。その意味では、同一性直観こそは、意味というものの基礎、もっと言えば言語の基礎であるということになる。

ゆっくりと一歩一歩進もう。

ここでは同一性直観と記憶の中の映像がどのようになっているかだけを見ていこう。先にも見たとおり、〝りんご〟という名詞を挙げた時、そこにそれほどはっきりとした視覚映像や味覚映像が浮かんでは来ていないのである。そして、長く続く会話や文章の中では、これらはほとんど浮かんでくることなく、それでも会話は進み、文章は理解されていくのである。ここに見えるのは、〝りんご〟と聴こえる聴覚映像や〝りんご〟と書かれた平仮名の三文字による視覚映像だけで、会話や文章が進んでいることなのだ。つまり、言語だけが名詞だけが独立した形で存在しているのだ。そして、それだけで人間どうしの会話が進み、誰かが書いた文章が理解されているのだ。このことはとても言語にとって大切なことではないのだろうか。このことは、この論文のここではしっかりと確認しておこう。

ただ、今後、単語から文に進み、そして文章などを見ていく時、これらの独立した単語、名詞、そしてそれに伴っているはずの視覚映像や味覚映像がどのように消え、また残っているのかは見ていかねばならないことである。一つのヒントは、

「〇〇ちゃんがりんごを食べてる」

と短い文では〇〇ちゃんがりんごを食べている姿が浮かんでくるが、りんごは少なくとも中心としては浮かんで来ないということである。

ここではもっと大切なことを見ておこう。先程、少し、この同一性直観こそ、様々な意味の基礎、言語の基礎と述べたが、この同一性直観と言語、特にここでは名詞との関係をもう少し見ておこう。

同一性直観とは、りんごをりんごである、自動車を自動車である、多くの人間の中から〇〇氏、〇〇さんを見分ける力である。ここで言っておきたいのは、〝りんご〟という名詞に、〝自動車〟という名詞に、〝〇〇さん〟という固有名詞に対応しているのはこの同一性直観なのではないかということなのである。いや、もっと、この同一性直観に対して、それぞれの名詞や固有名詞がほとんど一対一的に対応しているのではないか、ということである。そして、それらの名詞、固有名詞に伴う様々な映像はただ伴っているだけであり、〝りんご〟や〝自動車〟や〝〇〇さん〟に対応しているのは同一性直観の方ではないのか、ということなのである。

ただ、この同一性直観なるものは機能としてだけ存在し、ほとんど目には見えないのだ。でも、これが存在することはやはり確かなことで認めなければならないはずなのだ。多くの果物の中から、〝りんご〟を、多くの人々の中から〝〇〇さん〟を見分ける能力なのだ。しかし、人々はこれが目に見えないので様々な映像で補っているのである。ソシュールの言語学でも、単語の横に挿絵が置いてあるのである。

この同一性直観に関して、言語学も哲学ももっと議論して欲しいと考えるものである。

そして、この同一性直観は記憶の中に存在しているのである。

二、世界と記憶と言語

人間は自分の意識の中に住んでいる、「我」として生きている。その意識の中にである。ただ、この意識は宇宙の果てまで広がっている。無限である。しかし、他人の意識の中には入り込めない。どれだけ愛し合っている恋人でも、また、それから生まれた母親の意識へも、また自分が生んだ子供の意識へも入ることはできない。つまり、人間どうしは各自が無限の意識を持ちながら、しかし、他者の意識へ入り込めない意識を伝え合うのに、言語は大きな役割を果たしている。

また、一方、人間は現在しか生きることができない。五感で感じられるのは現在だけである。だから、人間の意識は現在の無限として存在していることになる。過去は記憶の中にしか存在しないし、未来は空想とか推論の中にしか存在しない。これらの記憶や推論、空想も意識の中の働きとすれば、人間の意識は時間的にも無限の存在ということになる。そして、記憶のとても多くは言語から成り立っているし、空想と推論とかはほとんどが言語によって組み立てられているとしていいであろう。

ハイデガーはこのように人間の意識の在り方を世界＝内＝存在と名付けたとしていいであろう。

このあたりをもう少し、ゆっくりと落ち着いて見てみよう。

人間はいつも無限の彼方を空間的にも時間的にも生きていることは知っているが、人々は自分の部屋、仕事場、教室にいて、それらの机に向かい、機械に向かい、文字に向かい、部品に向かって勉強や仕事をしている。

人々は無限の意識を持ちながら、目の前の勉強や仕事に追われているのである。まさしく、追われているのである。勉強や仕事をしなければ、いわゆる、食っていけない、生きていけないのである。

ただ、それでも、自分が自分の部屋にいて、その部屋は家のどこにあり、また、自分の家は、何市の何町のどこにあり、何市は日本のどこにあり、日本は地球のどこにあり、地球は、…と無限の世界をそれなりに意識しながら、しかし、そこに注意を向けることなく、それでも、尋ねられればほとんど答えられる状態で意識しながら本を読んでいるとしていいであろう。また、読んでいる本についても誰が書いて、いつどこの本屋で買って、そして、その内容はどんなで、今どこの章で、などなどは、知っている、いや記憶の中に入っていながら、読み続けているのである。

これらの〝知っている〟、そして〝記憶の中に存在しながら〟は夢と比較してもらえば、意識を見る時、かなり大切なことであることはわかってもらえるはずである。夢の中では多くは、ほとんどこのような〝知っている〟や〝記憶の中に存在している〟が消えているのだ。夢の中では、自分がどこにいてぐらいまでしかわかっていないのだ。世界についての〝知っている〟やその世界についての様々な記憶は消えてしまっているのである。目が覚めている時は、仕事や勉強に向かいながらも、世界については、〝知っている〟や〝記憶の中に存在する〟状態が続いているのである。このような世界について、〝知っている〟や〝記憶の中に存在する〟状態、しかもその中で仕事や勉強をしている意識の在り方をこの論文では今後、世界＝意識と名付けて進んでいこう。もちろん、これらの世界についての〝知っている〟や〝記憶の中に存在している〟は仕事や勉強の背後に退いてしまっているとしていいであろう。

意識をどのように考えるかは哲学の大きな課題、いや哲学そのものであるとも言える。先ほどちらりと見たハイデガーの世界＝内＝存在もそうである。彼の世界＝内＝存在はこの世界＝意識とほぼ同じであると言っていいであろう。というよりも、この世界＝意識は大きく彼の『存在と時間』の影響を受けていることは認めなければならない。ただ、本論ではそこに記憶を、そして言語を取り入れて、見ていきたいのである。そして、世界＝意識としたが、この＝の中に大きく記憶が、そして、その中身を形造っている言語が入り込んでいる様を見ていきたいのである。

一方、ハイデガーと共に実存主義的哲学の大きな存在であるサルトルの『存在と無』の対自存在や対他存在も意識の在り方を述べてはいるが、このような背後に退いた世界は消えているとしていいであろう。

このあたりは、意識というものに対する考え方、または定義と言っていいものにあたるであろう。サルトルにおいては意識は「私はそれを知っていることを知っている」つまり、デカルトの「我思う故に我在り」から出発して、反省、反射の機能の働いているところだけを、ということは、意識が向かい合っていることによって、その向かい合っていることを知っていることだけを意識とすることになるのである。それに対し、この論文では、その向かい合っているものの外側に大きな広がりを持った世界も存在し、そのことを「我」は〝知っている〟、あるいは、少なくとも〝記憶の中には存在している〟と主張しているのである。そして、ここに問題となっているのは、この論文の〝知っている〟とサルトルの「それを知っていることを知っている」とはどう違っているのか、ということになる。この論文では、「我」が向かい合っている外側に、〝知っている〟あるいは〝記憶の中に存在する〟世界が存在し、そこに、記憶と言語が無限に存在する、それが「我」にとっての世界、「我」の意識、世界＝意識だと主張しているのである。

この世界＝意識、その＝の中に入り込んでいる記憶と言語を解明していくことは本論の大きな仕事になる。それをここで取り組んでみよう。

「我」は今、自分の家の自分の部屋にいて机に向かって本を読んでいる。「我」は自分の家に居ることを知っているし、自分の机に向かい、そして椅子に坐り、本を読んでいることを知っているのである。そして、これらのことには、〝自分の家〟、〝自分の部屋〟〝自分の机〟という言語が伴っているのである。ただ、これらの言語は記憶の中に存在しているだけで、本に向かってその内容を読み取ることに集中している「我」の意識の中のずっと背後に退いているとしていいであろう。

考えようによっては、やはり意識から消えてしまっているということにもなる。まして〝自分の家〟や〝自分の部屋〟や〝自分の机〟などの言語はまた、その奥に退いているのである。

とはいえ、これらの記憶の中に存在するものは必要となれば、いつでも引き出せるのである。三日後に、「あの時何していた？」と訊ねられても、「ああ、家で本読んでた」と答えられるし、そこには〝自分の部屋〟や〝自分の机〟が含まれているのである。ただ、言語で伝える必要がないから、〝家で本読んでた〟になるのである。それでも、それが必要になれば、いつでも〝自分の部屋〟〝自分の机〟も引き出してこれるのである。

ここに記憶の中の大切な機能、〝引き出し機能〟と言っていいものが見えてきて、それが問題にもなっているのである。この論文では記憶の中に残っているもの全てを意識として考えているのであるが、それを引き出してきた時、はじめて現在の「我」の目の前に現れるのである。そして、その無限の記憶の中から、必要なものだけを「我」は引き出し、目の前に置いているのである。

この引き出し機能は認識の上で、意識の中でとても大切なことはデカルトの「我思う故に我在り」を見てもらえば理解してもらえるはずである。デカルトは絶対的真理を求めて、何十年間考え続けていたが、ふとある時、この絶対的真理を探し続けている自分に思い当たったのである。デカルトの意識の中に、絶対的真理を求め続ける「我」の記憶が存在し、この時、その記憶を引き出し、「我」の目の前に置いて、「我在り」と言えたのである。

〝自分の家〟や〝自分の部屋〟や〝自分の机〟だけでなく、〝自分の街〟〝自分の市〟そして、〝自分の県〟〝自分の国〟〝自分の地球〟、いや、〝自分の〟だけでなく、〝隣の家〟〝隣の街〟そしてまた、〝よその街〟〝よその国〟など、いや、いや、地理的だけでなく、〝昨日の〟や〝昔の〟もあり、それだけでなく、〝自分の机〟の中にはどこに鉛筆が、コンパスや定規が、家の中にはどこにどんなものがあり、隣の街のどこにはどのような商店街があり、十五年前に行ったヨーロッパの街の、…つまり、世界中が、歴史が全て記憶の中に入っているのである。その記憶のほとんどは言語を伴っているのである。世界は記憶とそれに伴う言語で埋め尽くされているのである。それだけでなく、それらの記憶には社会の持っている法則や理論も含まれているのである。まだまだ、小学校から学校で学んだ算数、国語、理科、社会も全て入っているのだ。しかも、これらの法則や理論、勉強、学問のほとんどは言語によって語られ、書かれ、伝えられ、理解され、それは記憶の中に保存されているのである。

これらが記憶の中に保存され、必要な時に引き出される状態をも、本論では意識として見ていきたいのである。ここには異論、反対、批判も出てくるが、本論としては、これを根拠づけるものとして、夢を持ち出したいのだ。

夢の中では、これらの記憶のほとんどが消失していて、しかも引き出し機能はほとんど働かないのである。夢の中では、その夢の深さにもよるが、自分がどこにいるのかわからないのである。目の前の世界だけが存在し、その目の前の世界の外の世界がほとんど存在していないのである。夢の中では、ある建物の中の階段を昇っているが、その建物が何という街の、市のどこにあるのかということは無になってしまっているのである。しかし、覚醒時には、自分が昇っている階段は何という建物の中にあり、この建物は何という市のどこにあり、この市は…という具合に世界の中での位置づけがしっかりとなされているのである。世の中には夢中になっているという言葉が存在する。テニスやサッカーをしている時、ゲームやボールに集中していて、外の世界が消えたようになっている状態である。まさしく、夢の中、外の世界が消えているように思えるのである。しかし、覚醒時にはどんなに夢中になっていても、自分はどこのコートや競技場で試合をし、このコートや競技場は市のどこにあり…は分かっているのである。

もう一つ、次のようなことがある。毎日車で通っている道でほとんど分かったものとして、少なくとも注意して見ることもない道であるが、店の前の看板が変わっていたり、家の前にいつもは置いてない大きな箱が置いてあったりした時、「え?」とか「おや?」と反応するのである。これは、この毎日通っている道が記憶に入っていて、しかも、その記憶はいつもは背後に退いているが、その記憶とは違ったものがあったりすると、「我」の意識は反応しているのである。このことはやはり、記憶の存在は、意識の中の大切な構成物であることを示しているのではないだろうか。

同じことは毎日見ている顔に変化があったりすると、時には重大なことになることにもつながっている。いつも見ている上司の顔に、いつもはない怒りの眼の輝きが見えた時、部下達は大きな反応をしてしまう。それ以上に、お母さんが子供の顔を見ていて、いつもとは違う顔、少し赤らんで、眼がとろんと…大変だ、…体温計を探さなければならない。そしてこんな時にも、上司の怒りを感じた部下達は、「昨日なにかあったのかよ」と言語を使って考えはじめるし、子供の変化に気づいたお母さんは「体温計！　体温計！」と声をたててまで探しはじめるのである。

そして、このように、世界が記憶とそれに伴う言語で埋め尽くされていること、前に少し述べた言い方をすれば、世界＝意識の＝の中に、無限の記憶とそれに伴う言語が埋め尽くされていることは、言語活動にとってとても大切なことなのである。いや、記憶やそれに伴う言語だけでなく、その前に、世界を共有していること、その世界が、お互いに共通する記憶と言語で埋め尽くされていることが大切なのである。

例えば、子供がお母さんに、

「りんご、とって！」

と言う時、子供は部屋の中の棚の上にりんごがあり、そのことをお母さんも知っていることを知って言っているのである。子供はお母さんと同じ部屋にいて、お母さんも、棚の上にりんごがあることを知っているのである。つまり、子供とお母さんは部屋の中の世界を共有していることを知っているのである。この知っていることと、知っていることの上にコミュニケーションが成り立っているのである。そして今の場合、「棚の上にりんごあるでしょ」という言葉が省略されているのである。

同じようなことは、子供が学校へ行く時、

「行ってきまあす！」

と言って出ていく時もそうである。子供はお母さんが自分が学校へ行くことを知っていることを知っているのである。いや、それだけでなく、お母さんは学校が町のどこに在り、学校はどんな建物で、どんな先生がいて、子供の教室の担任の先生はどんな名前、どんな顔、どんな人、どんな教え方をするかも知っている、つまり記憶の中に入っているのである。その上で、「行ってらっしゃい！　でも、ちゃんと先生のお話聴いてるのよ！」と付け加えたりするのである。このことは子供とお母さんが世界を共有し、その世界の中にお互いの知っている記憶を共有していることを知っていることの上で成り立っているのである。これを世界＝意識を使ってもう少し正確に言えば、子供とお母さんは世界＝意識として学校という重なる部分を持ち、この重なる部分での＝の中の記憶、知識、つまり言語を共有していることの上でコミュニケーションが成り立っているのである。

世界を共有する、世界＝意識を重ね合っているとして見てきたが、人々はこの世界が、いつも変化するものとして、相手の世界＝意識が変化するものとしてコミュニケーションしている。

「お変わりありませんか？」とか「元気？」とかの挨拶は、このような変化を前提としている。そもそもコミュニケーションの多くはこの変化を確かめあっているのである。お母さんも、学校から帰ってきた子供に、今日学校であったことをいろいろ尋ねるのが日課なのだ。

1．感性と同一性直観

多くの哲学は感性（Sinnlichkeit）から始まっている。カントの『純粋理性批判』やヘーゲルの『精神現象学』

もそうである。ヘーゲルの『精神現象学』では、感性についてはほとんど議論されないまま、次の悟性に移ってしまう。カントの『純粋理性批判』においては、感性の純粋な部分、先天的（apriori）や先験的（tratzendental）にすぐに及んでしまい、私達が日常生活を営む時、恒に使い、頼りとしている感性は押しのけられてしまっている。そもそも純粋とはまた先天的とか先験的とかは天から与えられたもの、経験の先にあるもの、つまり日常生活の様々な出来事や経験を取り除いたもの、ということは、記憶を取り除いたもの、その先にあるものとして存在しているものを扱うということになるのである。

もちろん、カントやヘーゲルの業績は哲学史上、とても大切なものである。本論とても、それらを否定するものではない。しかし、本論としては、彼等が感性というものをほとんど素通りしていってしまったことは、人間の認識のとても大切なもの、しかももっとも基本にあるものを見逃しているのではないか、ということも訴えたいのである。そして、この感性がどのように出来ているかを見ることは、言語というものを見ていく上でとても大切な、基本になることを訴えたいのである。

彼等の感性が、科学が基礎とする感覚刺激なのか、そうでないのかは、これについても彼等はほとんど語っていない。

時には、哲学ではこのような感性にかわって直観（Anschaung）を使うこともある。しかし、これとても外界からの刺激を受け入れているとして、ほとんど説明がないとしていいであろう。ただ、このところはかなりあいまいで、見えてくるとおりのもの、その時、見えてくるとおりのものとは、感覚刺激なのか、それぞれの個物としてなのかは、ほとんど議論がなされていないはずなのである。

本論では、この感性及び直観を次のように見ていきたい。

人間は世界に向かって、あるいはその中に存在する対象に向かって、五感による刺激として受け入れることは稀で、多くは一個の個物として受け入れ、しかもそれにはほとんどは名前、名詞がついたものとして見ているのではないか、ということである。つまり、〝りんご〟として、〝自動車〟として見ているということである。十センチほどの塊の、上の方が赤が濃くて、下に行けば緑色が入り、などと見ることはとても稀で、りんごを写生する時くらいであるということである。りんごの部分である皮や芯を見ていても、それを〝皮〟として〝芯〟として理解し、そこには過去の皮をむいた時の記憶が存在し、理解し、いわゆる〝分かったもの〟として見ているということなのである。つまり、先に見た同一性直観が働いて、その物をそれとして認識しているということである。

とはいえ、このような記憶が働かず、名前が見つからない時もある。同一性直観が働かないのだ。このような時、人々はそのものをじっと見る。そして時には手にとって見て感触を確かめたり、重さ、そして匂いを嗅いだり、振って音を確かめたりもする。この時は感性や直観が働いているとしていいであろう。それで足りなくて、まわりに人がいれば尋ねたり、説明を受けたりをする。そうして理解し、〝分かったもの〟として受け入れ、ようやく落ち着くのである。

だから、このような意味では、本論は、哲学における感性や直観を否定するものではないのである。ただ、このような感性や直観が働くことは稀であり、多くはそのような感性や直観が働くと同時に、それが個物として、〝分かったもの〟として浮かんできて、感性や直観が働かなくなってしまっているのではないか、と言いたいのだ。

これらのことは、視覚の世界ではほとんどそうなっているのでは、ということである。つまり目に見える世界のほとんどを人々は〝分かったもの〟として、名前の付いたものとして理解して安心して、了解して生活しているということなのである。このようなことをこの論文では了解性と名付けて見ていきたい。

いや、ここはもう少し見なければならない。新しいもの、見たことのないものに出会った時、人は確かに感性や直観を働かせそうであるが、ここはほんとうによく見なければならない。今まで見たこともない、出会ったことのない動物を見た時、人々はどうするのだろうか。

まずは動物であることは理解している。そして、その形は見たことがない。その見たことのないことを、頭の形、胴体、角、皮、毛並み、それらを今までの知っているものの中で当てはめ、今まで知っているものとの変化、同じところをずっと調べる、理解することを進めるのではないだろうか。つまり、今までの記憶を引き出し、その名詞を当てはめ、その中での変化を見るはずなのである。その変化を見る時は名詞ではなく形容詞や他の修飾語が必要なのである。大きい、小さい、青い、赤い、美しい、汚い、強い、弱い、滑らか、ごつごつ、…こわい、かわいい、…だから、今まで見たことのあるものを見る時より、より記憶や名詞を使い、それとの比較が始まるのである。「大きな眼だね！　それに青い、大きくて美しい眼、長い角…　でも強そうよ、顔の形すごいもの」と観察が始まるのではないだろうか。そして、最後に、なんて名前の動物、と名前を探すのである。

同じようなことは、初めてお目にかかるりんごや自動車でも起きる。初めて見た人は、それがりんごや自動車であることを知っているのである。そして、それがどう違っているか、を見るのである。りんごでは皮の色の変化に目をやる。そして見る人は、皮の色を見ていることを知っているのである。その変化を見ているのである。

「こんなに赤い、美しい皮の色はじめて！」となるのである。そして、なんという名前のりんごだろう、とお店の人に訊いたり、時にはインターネットで探したりするのである。自動車の場合も、その大きさ、外観、ボンネット、フロントガラス、ドア、そして車好きならボンネットを開いてエンジンの変化を調べ出すのである。そして車種を確かめるのである。いや、その前にメーカーを調べ、そして車種名ということになる。これらのメーカーや車種名は車に付いているから、最初にそれを見てからということになるか…

ここで大切なことは、ここにも同一性直観が逆の形で働いていることなのだ。つまり、今まで見たことがない、とは、これまで「我」の記憶の中の同一性直観の中に見当たらないということなのだ。そして、その当てはまらないところを、皮や部品の変化を調べて、名前を知って、その新しい種類を、新しい個物として、同一性直観が働くものとして、今まで無限に近く保存してきた様々の個物の記憶とともに名前を伴い保存するということなのである。

同じようなことは、新しい人との出会いでも起きている。まずは名刺を交換し、挨拶をし、そして、お互いに向かい合い、話をして、顔を覚えていくのである。その話の中では、互いに自己紹介をしたり、また尋ねあったりしながら、相手の履歴や現在の仕事の内容を聞き取り、その顔とともに、本論のこの段階では、記憶と言語を積み重ねていくことにもなる。そして、同一性直観を築き上げるのである。その同一性直観と共に、相手の固有名詞と、相手の企業の固有名詞、役職、仕事の内容ということを言語によって記憶し、保存していくのである。

そしてもう一つ、ここでは先に了解性と名付けた同一性直観とそれに伴う言語とで埋まっている、変化のない、いつも見ている世界をもう一度見てみよう。

ここでは感性や直観がほとんど働いていないのでは、と先程は結論付けたのである。そして、感性や直観が働くと同時に、いや、その前に、同一性直観とそれに伴う言語が登場して、それで理解し、感性や直観が働かなくしているのでは、ということである。

しかし、ここでもう少し見ていくと、同一性直観や言語がそれほど働いたり、登場しているのか、ということである。毎日車で通っている通勤の道でも、ぼんやり景色を見ているだけで、通りそのものが、いつも通っている道で、その名前、地名などを思い出すことはないし、そこに並んでいる家や店もいつも見慣れたものとして、ほとんど見向きもせず通り過ぎていっているのではないか、ということなのである。そこに変化がなく、いつもの通りだったら、信号を見、対向車を見、歩道を歩く人に気をつけて通り過ぎていくということである。信号や対向車や歩行者は小さな変化、いや、いつも通りの動きとして受け入れ、まさしく了解して、車を運転しているということである。運転をしている「我」はそんなことより、朝は、ええと、今日は会社で…と、仕事や様々な予測される問題のことを考え、そちらに意識の対象がいってしまっているはずなのである。

だから、先程、了解性と名付けた世界では、その中は確かに個物を個物として認める同一性直観とそれに伴う言語で埋まってはいるが、それを引き出してくることは、そしてそれに向かいあうことなどほとんどなく、ただ、同一性直観とその言語が記憶された世界として存在しているということになる。

記憶は大人しく保存されたままになっている世界、これを了解性としていいであろう。

逆に小さな変化でもあった時、ええ？ あの店は？ とかあの家は？ とか、注意がそちらに向けられ、時にはその店や家の名前も引き出され、ええ、どうしたのだろう、となるということである。その店や家の名前が引き出され、ええ、どうしたのだろう、と同一性直観を持ち出して、その変化を見るということになるのだろう。つまり、同一性直観が働くのは、今までそれを見ていたものに変化があった特別な場合だけである、ということになる。同一性直観はこの特別な場合以外、ほとんど働いていないとしていいのである。とはいえ、ぼんやりと道を歩いている時、いや、仕事やゲームに集中している時も、おや？と思う時があるのは、やはり同一性直観が働くからである、としなければならないのではないだろうか。だから、記憶の中に、この同一性直観はやはり保存されているとしなければならないのではないだろうか。

このように見てくると、感性や直観そのものはほとんど働いていないかに見えてくる。とはいえ、毎日見ている世界がほとんど変化がない、あるいは変化があることを見るのはやはり感性とか直観ということになるだろう。しかし、そこには同時に、様々な個物を同一性直観でとらえ、そして、それに伴う名詞を保存した記憶の存在があるということである。しかし、それらの記憶はほとんど引き出されることなく了解性のまま存在し、ただ、少しの変化があった場合、すぐにその変化を感じとった同一性直観に関する記憶が引き出され、その変化を読み取るべく働くように、人間の認識機能は働いているということである。

ここで言いたいことは、感性や直観は存在するが、そこにはほとんど同時に、個物を個物として認識する同一性直観とそれに伴う名詞を保存する記憶が存在しているということである。けっして、科学でいうような感覚刺激のまま受け入れることは、人間の認識機能として、意識としてはほとんどありえないということである。

以上のことは、感性の中でも視覚に関してはおおよそ当てはまるとしていいであろう。視覚は目の前の世界に向き合った時、それら全体を感覚で受け止めもするが、それとほとんど同時に、それからくる刺激を一個一個の個物として見てしまうのではないか、ということなのである。

部屋の中で、坐ってまわりを見まわしても、そこに窓やカーテン、その下にあった掃除機、座布団、その上の本、として見てしまっているということである。視覚は個物を個物と見るように働くのでは、ということである。

そして、触覚や味覚はほとんどが視覚を伴っていて、味覚の場合は、正確には口に入れる前にそれを見ていて、視覚によって個物の何であるかを知った上で働いている。従って個物を個物として働いているのでは、ということになる。

これに対し、聴覚や嗅覚は視覚が伴っていないことが多く、「おや？ 何の音？」「ええ、何の匂いやろ？」ということが多く起こる。そして、それが発している個物を視覚で確かめるべく行動をするのでは、ということである。逆にこのことは、人間は世界からの感覚刺激を受け入れているのではなく、その中の一個一個の物として、その物の集まりとして世界を見ていることを示しているとも言える。

このことは人間は動物として、生きていくために、また生活するために世界を見ているのであり、そのために、生きていくために、生活するために必要なもの、道具として見ているということであろう。ハイデガーの〝世界＝内＝存在〟であり、道具＝存在である。

そして、この個物を個物として認めているのが、ここまで使ってきた同一性直観であるということである。そこに個物が存在している、ああ、本か座布団か、カーテンか、と名詞を伴って見ているということである。同一性直観をこのように広い意味で使っていいのかという議論にもなるだろうが、ここはこのまま進もう。

ただ、ここでは個物を個物として認める同一性直観として使ってきたが、そして、世界はこの同一性直観が認める個物とそれに伴う名詞、それらを保存する記憶で埋め尽くされているとしてきたが、このような世界についての言い方は、人間が自分が住む世界に向かっている、あるいは世界を世界と見た時の様子であると言えよう。

しかし、人々は日々刻々と仕事をし勉強し、スポーツをし、レジャーを楽しんでいるのである。世界を世界として見ることは、ぼんやりしている時、旅行に出かけて景色を見ている時、夕陽や星空がきれいで空を見ている時だけなのである。そんな時でも人々は何かと、つまり一つの対象に向かって見ているのである。

多くの人々は、多くの場合、何かに、対象に向かって、意識を集中しているのである。そんな時、世界はずっと背後に退いてしまっているのである。だから、こんな時、今ほど見てきた個物を個物として見る同一性直観や、それに伴う名詞はどこかで働き、使われているのではあるが、一方、それを保存する記憶がかなり退いてしまっていることが多いのではないだろうか。このあたりは、人間の意識、認識作用を見る時、この対象に向けられた意識を接近した形で見なければ、まったく不完全なものになるのではないだろうか。

2. 対象=意識と同一性直観

ここまで少なからぬ混乱をしながら展開してきたことを許されたい。その一つが直観と同一性直観の関係である。直観と同一性直観はどのような関係にあるのか、同一性直観は直観の一部、その中の機能の一つだとしても、それでは他の直観、他の機能は存在しないのか、という疑問は出てきているはずである。

これらの疑問は、これから見ていくことの中で、先程も少し触れた、人間が仕事や勉強やスポーツの時、意識を一点に、一つの対象に集中させながら生きている、対象=意識を見ていく中で、そしてまたその後に見なければならない、この対象＝意識を生み出している、科学では欲望と簡単に片付けられている、「我」の中の力を見ていく必要があるはずなのである。これらを見ていった時、はじめて直観や同一性直観、そして感性などがしっかりとした形で見えてくるとして、進んでいくことを許してもらいたいのである。

人間はほとんど一つの対象に意識を向けながら生活をしているとしていいであろう。この先に見た、感性や直観もこの一つの対象に向けられたものなのか、あるいは先に少し見た世界＝意識とした、世界に向けられたものなのかは、ここまででははっきりさせてきていない。そして、この世界＝意識の中には無限と言っていい同一性直観によって確定された個物が存在するという言い方をした時、この同一性直観によって確定された個物を感性や直観はどのように見、とらえ、理解しているのかは疑問として浮かんでいたのである。

これらを整理するために、一つの対象に向けられた意識、対象＝意識と世界＝意識の関係を見ていかねばならないことになる。

今まで世界＝意識を世界に向けられた意識のように述べてもきたが、正確には、これは世界に向けられた意識、世界を対象とした意識であり、対象＝意識の一つであるということになる。ここまで言ってしまえば、世界＝意識とは、世界の中に存在している意識、その在り方ということになる。この意味では、ハイデガーの世界＝内＝存在の方がより正確な表現とも言えよう。しかし、本論としては、意識存在として、世界に向かいあっている、というよりも世界そのものとして存在している意識という意味で世界＝意識としたと述べておきたい。意識はその「我」にとって世界と等しいのである。世界は「我」にとって知っている分だけ、宇宙の果ての知識も含めて、世界＝意識なのである。

これに対して、意識は目が覚めていれば、ほとんど何かに向けられている。この何か、その対象に向けられた意識を対象＝意識としたのである。わかり易いのは、スポーツをしている時、球技、例えば、テニスをしている時、その黄色いボールに向けられた意識ということになる。しかし、これもそれほど簡単ではない。ボールは恒に動いていて、プレーヤーはそれを追っているが、相手がサーブをしようとしている時は、どちらかと言えば、相手の顔を、その表情を見ていることが多いのでは、ということになる。つまり、次から次へと対象＝意識は移動しているのである。しかも、時には、サーブを受ける時、相手のサーブ、次に打つサーブを考えているのである。これは自らの記憶の中に対象＝意識を形造っているのである。わかり易いとは言ったが、これらを一つ一つ見ていかねばならないのである。そして本論としては、その時、言語がどのように働いているのか、どこまで働いているのか、働いていないのはどんな時かを見ていかねばならないのである。そしてまた、記憶はその時、どのように働いているのかを見ていかねばならないのである。

これを勉強している時で見ると、もっと複雑でわかりにくいものになる。教科書を開いて、そこに書いてあることを読んでいるのだ。読むということは次から次へと文字に対象＝意識を造り、しかも、次の瞬間には次の文字へ、全体としては文として理解している？…その文も次から次へと移り、次の頁へ、全体としては教科書を読んで勉強している…このあたりもゆっくり見たいものである。

仕事ではもっと複雑になりそうである。これもゆっくりと後に見てみよう。

テニスボールに集中する「我」の対象＝意識がどうなっているか、そして、その時、世界＝意識はどうなっているかを見ていこう。そして、この時、同一性直観がどのように働いているか。

あらゆる球技は瞬間瞬間の集中力が大切である。その中でも、ボールが来て、ボールをとらえ、ボールを打つ瞬間の集中力は大切である。

テニスクラブで、相手がサーブを打とうとしている瞬間から見ていこう。相手が身構えている。それを見て、相手がどのような回転のボールをどこへ打とうか考えているのが見える。そのことはそのまま、相手のサーブがどんな球で、どこのコースへ来るかの〝読み〟予想になる。ここには多くの記憶が引き出されている。相手がサーブで持っている球種、そしてどこへ打ってくるのか、今まで対戦した時の記憶がそれらを教えてくれる。時には一週間前、バックを読んでいたらフォアにフラットで速いボールを打たれ、エースをとられたことがよみがえってくる。しかし、このようなことは稀で、多くの対戦の中の記憶の中から、相手のボールを予想しながら待っている。そんなことより、相手の動作、顔の表情に集中する。この時は記憶は押しやられている。現在に集中だ。

ここに同一性直観を当てはめて見れば、対戦相手はまず先程試合を始めた時からずっと同じ相手であることは分かっている。つまり同一性直観が働いているのである。また黄色のボールも先程、相手が新しい缶を開けて出したニューボールであり、その鮮やかな黄色はプレーをしていても、時々その鮮やかさが目に入り、ニューボールであることを思ったりもする。そして、プレーヤーによっては、ニューボールは使い古したボールよりも少し重く、また球の感触、回転をかけた時のことに思いを寄せる者もいる。この時、「ニューボール」と自分に言い聞かせるプレーヤーもいるし、対戦相手の名前はずっと意識されている。

それ以上に、相手の同一性直観の中に、それに含まれる形で、一週間前に対戦した時の記憶、彼のストロークや、サーブの球種、回転のかかり方などが、また弱点、バックが弱いとか、ボレーがそれほど、とかが含まれるとしていいであろう。また、彼がどれ程テニスをやっていて、どのような戦績を持っているかも含まれるとしていいのである。このような記憶が対戦相手の同一性直観に含まれるとしていいであろう。

しかし、これらの同一性直観の中の記憶に、今考えている対象＝意識を少なくともゆっくりと形造るプレヤーはいないとしていいであろう。とはいえ、これらの記憶は引き出されているのである。このような記憶を引き出さないでは、スポーツはできないのだ。そして、これらの記憶からの予想が当たった時、喜びがやってきて、だからスポーツが面白いのだ。

ここに見えてきているのは、対象＝意識は少なくともスポーツではとても早く動いているということだ。そしてまた、目の前の現象、ボールや相手の動きだけでなく、とても多く自分の中の記憶へ向けられるということだ。

つまり、時間の経過があるのだ。相手がサーブのポジションに立った時、その時は相手の球種を読んでいるが、相手がボールをつかみ、身構えた時から、相手の動作に集中しているのだ。集中するとは、あらゆる記憶を押しのけて、現在の目の前の現象、しかも対象＝意識を造った対象を見えてくるそのままに見ることなのだ。この時、記憶だけでなく、相手を取り巻いている世界、隣のテニスコートのダブルスの声、ボールの音、いや、テニスクラブ全体の雰囲気は消えてしまっている。いや、まだまだ、このような時は、自分がフォアサイドに立っている時は、バックサイドのコートまでが消えていて、この瞬間、相手が立っているコートの片側と、自分のコートの自分が立っている片側だけが見えていて、その白線が少し見えていて、相手の動作に集中されてしまっている。

とはいえ、先程考えた相手の球種の読みはまだ力を持って「我」の中に生きているのだ。押しやられてはいるが、その記憶の力だけは「我」の中に生きているとしていいはずである。集中しているとはいえ、記憶を全て押しゃっているとはいえ、大切な記憶はいつでも引き出せる、いや、力を持って現在の意識に、力として存在しているのだ。複雑でややこしいが、人間の意識では瞬間瞬間、このようなことが起きているのではないだろうか。

そして、時々はそこへこの対象=意識を向けたりもするのだ。

偉大な二十世紀の哲学、現象学の創始者のフッサールは、現象を説明するのに目の前の木を見ている場面を持ち出すが、そんな純粋な現象は、現象を現象として見ようとする、現象学を説こうとするフッサールだからそのように見えているのだ。(フッサールも後には意識を流れとしてとらえている。これも後に見ていかねばならないが…)

多くの人々はこのように木を見ることはとても稀なことである。見ようとしていても、風が吹いてきて、木の葉が動いたら、意識はそちらに向けられ、それだけでなく、おお? 今日の天気予報は? となったりするのである。

そんなに風も吹いていなくて、木だけを見ていたら、いつの間にか、ええと… 今日これから、とか、そう言えばそうだ、昨日あいつはああ言ってたが、とか湧いてきて、というのが我々俗人達ではないだろうか。

つまり、言いたいのは、対象=意識は恒に運動しているということなのだ。移動し、細かく動きまわっているのだ。テニスに戻れば、相手がサーブを打つ瞬間も、相手の動き、表情、そして自分の記憶の中に戻って、相手のサーブの球種、今度はどこへ打つだろうかの推測、そして、打つ瞬間の集中、この時も、相手のラケットの動き、それによって打たれた球の回転、コースを読み、次の瞬間には黄色のボールを追い、その球の回転量、動き、コース、それとともに移動、ボールが着地した時は今日のサーフェスの状態、だから、ボールのバウンドの仕方、バックに打ち込まれたが、このボールならまわり込んで…

次から次へと対象＝意識は移動しているのだ。まさしく瞬間毎、相手やボールの動きだけでなく、記憶へも対象＝意識は形造られ、引き出され、しかし、次の瞬間には、ボールの動きへ、そして自らの体の動きへまで、…だから面白いのだろう。相手の苦手なバックへリターンが返ればヤッター、であるし、ミスしてネットしたり、相手の好きなフォアに、しかも打ち易いところへ返った時はチクショウ、なのだ。しかし、ラリーが続いていればそんなことはすぐに消えて、ボールに集中して、足を使って、…となるのだ。

このような状態をゲームに集中しているとしていいであろう。まさしく現在の現象の中で生きているとしていいのである。しかし、時々は相手の球種を読む時、過去の記憶も引き出されているのである。が、次の瞬間にはそれは消えて、…ボールに集中して、となっているのだ。

記憶に関して言っておけば、ここにはもっともっと記憶は働いているはずなのだ。相手のサーブの球種の読みだけではないのだ。ゲームカウントは大切だ。これによって球種の読みも違ってくる。また、それによってラケットの握り方を変える者もいる。いや、それだけではない。ゲームカウントの背後には、六ゲームマッチであり、今日の試合はクラブ内の公式の試合ではなく、遊びの試合で、いやいやいや、まだまだ、テニスのルールがしっかり記憶されているからゲームが続くのだ。そのルールの中には、自分が立っているコートの形、そのコートのどこに立って、そして技術、ストロークの打ち方、ボレーの打ち方、そしてこんな球はこうして、バックはこうして、こんな時にはロブをあげて、みんな記憶の中に入っていて次から次へと引き出され、そして、もっと広くは、今自分は市のこのクラブでテニスをして、このクラブは市のどこにあり、この市は日本のどこにあり、と世界まで広がっているはずなのだ。

しかし、これらの記憶はほとんど引き出されることなく、了解性として、わかったものとして、とはいえ、「我」は了解性として、世界の中のどこにいるかをしっかりと意識して生き続けているはずなのだ。

つまり、世界＝意識の中で対象＝意識を造り、しかし、その対象＝意識は世界＝意識の中でしっかりと位置づけられているということだ。

しかも、いくつかの層として存在しているということだ。そして人間はこれらの層を記憶の中で、それなりに整理しながら生活し、生きているということである。そして、これらの整理は多くの人々は生活の時間の中で整理しているのである。ここでは、まずはサーバーの表情、動きをとらえるという瞬間、そして、それよりも少し大きなレシーブをしているという自覚、それよりも広い、ここはゲームポイント3―2のサーティ・フォーティの場面であること、それを包んでテニスを今しているという意識、それを包んで今日は日曜日でテニスに来たのだということ、もっと広くは自分は〇〇という企業に勤め、今日は休日で、…となるのである。こちらは、世界＝時間＝意識の中での整理ということになるだろう。

これらの時間の中での整理では、次の項の科学で言う欲望、この論文ではそれらに義務感や社会のルール、生活からの必要などを記憶を通しての力として見た必要＝力＝意味として見る中で見ていくことになる。というのは、時間は我々、生活するものの中では生活としっかり結びついて、その中で、様々に人間を支配し、釘付けにし続けているからである。

そして、これらの層を形造っているのは同一性直観である、ということになる。自分が立っているテニスコートのクラブ名、自分が住んでいる市の名前、そしてその市は日本のどこにあり、日本は地球の、…となっているはずだ。つまり、対象＝意識と世界＝意識の層を同一性直観が埋めていることになる。いや、同一性直観はせいぜい自分の住む街の景色までだろう。市や国家や地球に関しては直観ではなくて、それらは知識というものだろう。ただ、これらは直観は伴わないが、自分の存在の位置の同一性を確かめるための知識ということになる。

そして、先に、世界＝意識を同一性直観する個物が埋めているとしたが、けっして文字通り埋め尽くしているということではなく、尽くしているのだとしても、多くあるという意味で、世界＝意識のとても多くは今見たような知識や空想が埋めているのである。これらのことは、またゆっくり、そして言語を重ねて見ていきたいものである。

さて、ここで、この論文での一番のテーマである言語について見てみよう。このレシーブのシーンで言語はどうなっているかである。

基本的には言語は止まっているとしていいであろう。集中している時、言語は出ないのである。くり返すが、集中とは現在の現象、その中の対象だけに五感を集中させることだからである。言語も過去からの記憶によってできているのである。それは止められてしまうのである。ただ、こんな時もプレーヤーによっては、自分の今日の課題、今一番進歩を心がけていること、先週コーチに注意されたことなどをたった一つの単語で、あるいは短い言葉で、いわゆる自分に言い聞かせている者もいる。ラケットの握り方を課題にしていれば、「握り！」と、また、ラケットの引き方を課題にしていれば「引き！」とか「深く引く！」と自分に言い聞かせるのである。いや、それよりもとても多くのプレーヤーは「集中！」と自分に言い聞かせ、いわゆる気合を入れていくのである。このような時に発せられる言語は、このプレーの緊張状態全体を一つの単語、短い言葉で、しかも自分に命令した形で言っているのである。そして、他の言語は押しとどめられているのである。

ただ、それでも、相手のボールを読む時、バックかフォアかを考え、しかし、それは言葉にならないでそのコートの、サービスラインのバックとフォアを目で見るだけになっているのである。この時言語が働いているかどうかは考え方、定義の問題であるが、やはり、記憶はなんらかの形で言語をとどめているとしていいであろう。ただ、このような時、言語は音として、つまり〝バック〟や〝フォア〟という単語の音としてではなく、意味としてだけ存在しているのではないか、ということである。そしてその意味の中には、バックの握り、ラケットの引き方、面の作り、また、相手のバックへのサーブの球種、弾道等が意味だけとして、集中された現在の、押しやられた記憶として、かなり遠い場所に出てきているとしていいのではないだろうか。この記憶によってボールが飛んできてバウンドした瞬間に体が動くのである。そして、くり返すが、このような時、言語は音や文字となる前の意味だけ、として、だから考えようによっては言語ではなく、その前の意味としてだけ存在しているとも言えるのである。

これらのことは言語にはなっていないと考えるにしても、言語を考える上ではとても大切なことのはずである。プレーヤー本人としてはいつでも、この場面の記憶があるうちは言葉にできるのである。しかし、この場面では言語はプレーに集中するために、押しとどめられているのである。しかし、言語になるべく意味の塊とでも言っていいものが存在しているのである。もし、このレシーブの場面が、大きな大会の、勝負を決める瞬間であったとすれば、この意味の塊はとても大きな強い力を持ち、プレーヤーは後々までも語るはずである。そして、自分自身でも後々、その場面を、今度は言葉にはしないで、じっと思い出すこともあるだろう。テニスのプレーヤーとしての対象である、対戦相手に、とても大切な場面で対象＝意識を形造った、そこでの様々な記憶としてである。

今度はスポーツとは反対と言っていい、ほとんど体を動かさない静かな部屋での読書を見てみよう。読書とは机に坐って本に対象＝意識を形造っている行為である。スポーツと似ていることは、これも仕事ではない余暇に、従って楽しみとして過ごす時間であるということである。

これを対象＝意識と世界＝意識の間の層と見れば、本に向けて対象＝意識を形造り、自分の部屋の机に向かい、自分の部屋は自分の家のどこにあり、自分の家は市のどこにあり、…という形になるだろう。このあたり、テニスの時に見た、それに伴う同一性直観が働いているとしていいであろう。そして、それ以上の世界＝意識への広がりは知識によることとは確認しておこう。

しかし、それでは読書を分析したことにはならないだろう。まず読書には本に向かっている以上に小さな対象、文字に向かっての対象＝意識というものが存在するのである。しかし、この文字は瞬間に次から次へと新しい文字へ移動されるのである。この移動の速さはたいへんなものである。それでも、ここでは日本語の読書を考えると、ひらがなやカタカナはその音だけを伝えているが、漢字の場合はその一個一個が意味として現れるとしていいであろう。しかし、その漢字の一個一個も多くは熟語となり、つまり単語として意味として現れるとしていいであろう。ひらがなやカタカナも、単語になった時、意味として現れる。単語は意味を持っているのである。一個一個意味を持っているのである。だから読者はその単語に対象＝意識を形造っているとしていい。だから、ここでは世界＝意識のところで見た個物に似た形で単語が現れているとも言える。ただ、世界＝意識の中で、一つ一つの個物に順番に対象＝意識が形造られることは稀であるが、読書の中の単語は順番に対象＝意識が形造られて、しかし、とても速いスピードで次の単語へ、次の単語へと移動し、文に到達する。文こそは一つの意味を持った、単語が幾つか集まって作った、より人間の世界に近い、深い大きな意味を持った単位とも言えるであろう。だから、言語学では、個物にあたるのは文だということにもなりそうである。ただ、読者は単語一つ一つに止まることがなかったようにとても速いスピードで次の文へ移っていく。文は文として、一つずつ意味を持っているのである。一つの文に次の文とつながり、また、その文も次の文と連なり、より大きな意味を形造り続ける。

この文の連なりを順次読んでいき、それを順次全体の意味へ編入していくことを理解というのだろう。

この間、対象＝意識は単語から単語へ、文から文へととても速いスピードで移動しているのである。しかし、読者の本当の対象＝意識は次から次へと現れ出て消えていく全体の意味に向けられているとしていいであろう。もっと言えば、読者の対象＝意識は本一冊が伝えてくる、生み出してくる全体の意味に向けられているとしていいであろう。分厚い本ともなると、何度も中断され、何日もかけて、時には数か月、数年をかけて読んでも、やはりその本の、時には数冊の、一つの物語、一つの論文等の全体の意味を理解することに向けられていることになる。これは昔の職人達が何か月も、何年もかけて一つのすばらしいものを造り出したのに似ているであろう。

ただ、読書の場合、ここではとても難しいことが、特にこの論文にとってどうしても向きあわなければならない難しいことが起きているのである。

この読書における全体の理解の時、どんなことが起きているのかを、記憶と言語の上で、何が起きているのかは見ておかねばならないのである。

小説や物語を考えてみよう。これらの一番簡単なのはおとぎ話や童話であろう。こんなふうに考えるとそれほど難しくなさそうである。

「むかし、むかし、あるところに、おじいさんとおばあさんがすんでいました。」は、時代と場所を漠然と設定し、主人公を紹介しているとしていいであろう。どんな昔で、どんなあるところかは、そして、どんなおじいさんとおばあさんであるかは、絵本の場合は絵がカバーしていることになる。

同じことは、オーソドックスな小説では、時代を告げ、そして主人公の住む場所を描き、主人公の姿、顔の表情、時には性格までに踏み込んで描きはじめる。ここでは絵本の絵の役目を文章で詳しく説明していくのである。

ここで、この論文のテーマである言語と記憶を持ち出せば、そして、読書をしている時の対象=意識を当ててみれば、文字から単語へ、そして文へ、と対象=意識は広がっているが、それは瞬間のことで、読者は、文章を読み始めると、文字や単語や意味の対象=意識から、脳の中に描かれた時代、そして主人公の住んでいる場所を描きはじめるのである。これは主人公の住む世界が現れ、それに対象=意識が当てられていることになる。そして、主人公が動きはじめれば、主人公が対象=意識として現れはじめる。

ここに言語というものが人間に与える大きな力、人間の認識機能に与える能力が見えてきているのである。

読者は二つの対象=意識を持っているのだ。一つは本の中の文字、単語、文、文章であり、もう一つは、脳の中に描かれる言語が作り出した対象=意識である。読書においてはこの二つの対象=意識が並行に進んでいるとしていいのである。

ここに混乱も見えてきそうである。対象=意識とは世界=意識の中で「我」は基本的には一つだけ作っていると言っていたではないか、それでは、世界=意識と対象=意識という二つの意識の立て方そのものがおかしいのでは？となりそうである。しかし、これに対して、世界＝意識の中に対象＝意識を立てたことによって、このようなものがはじめて見えてきたのだ、と、この論文としては主張したい。

これを逆に、これまでの哲学や認識論の中の主体と客体、主観と客観を当てはめた時、何も見えてこないはずなのである。もちろん、今まで、哲学書や認識論の中で、読書をしている場面に焦点を当てた著作には出会ったことはないが、である。言語学においても、このような言語の機能について述べたものには出会ったことはない。これは言語学で扱うべきものではないかもしれないが。

この対象＝意識の二重性は言語の機能としてはとても大切なものなのである。読書に限らず、〝話〟というものはそうなのではないだろうか。二人が今現在いる場面と違った、友達の〝話〟、昨日の出来事の〝話〟などは、会話をしている二人は基本的には相手の話す言語に対象＝意識を向けてはいるが、本当の対象＝意識はその言語が生み出す、その場面にはない世界、人物に対象＝意識が形造られているのである。

このことは、言語というものが、一つ一つの単語そのものにしても、それを指している一つ一つの個物を離れて、いつもは人間の記憶、あるいは記憶機能の中に存在していることによるとしていいであろう。言語は事物から離れて存在しているのだ。言語は、現在の現象の中の認識から離れて、記憶の中に存在し続けるのだ。そして、保存された言語は時を経て、もう一度引き出されてその時の現象を再現しうるのだ。

いや、もう少し正確に行こう。多くの現象は「我」によって言語によって記憶されることは稀である。多くの現象は現象としてそのまま、記憶に保存されている。そして、「我」も自分だけで思い出す時はその記憶を引き出し、その時の現象を表象として思い出す。しかし、その時の現象を人に伝える時は、その表象そのものは相手に伝えることはできない。その表象を言語で表して、それを聴き手に伝えるのである。（時には絵画や写真で伝えることはできるが、これらは正確には、「我」の中の表象を表現したもので、表象そのものではない。「我」の中の表象に対象＝意識を向けられるのは、「我」だけなのである）

このことによって聴き手の方も話し手と同じような表象を思い浮かべることができる。

この時も読書の時と同じように対象＝意識の二重性が生じている。聴き手は話し手に対象＝意識を向けているが、話し手が話している内容、その表象にも、そちらを中心に対象＝意識を形造っている。話し手も対象＝意識を聴き手に向けているが、その話している内容、その時経験した現象の表象に向け、言語でそれを表現するという活動をしている。これはまた延長すると机に向かって文章を書いている「我」にも当てはまる。机に向かいノートに対象＝意識を形造ってはいるが、対象＝意識は書かれている文章の内容になっているのである。

また、もう一つ付け加えておけば、先ほど少し言いかけたが、単語、特にその名詞はその事物を離れて存在しているのである。また、言語はその時の現象を離れて存在しうるのである。このことは単語と単語を組み合わせ、言語と言語を重ね合わせ、言語による世界、この世に存在したことのない世界、あるいはこの世に存在した世界に似た世界など、いわゆる架空の世界を造り出すことができるのである。ただ、これらのことはこの段階ではまだまだ取り組むことができない。

対象＝意識の二重性だけでなく、もう少し読書を見てみよう。言語と記憶に関してである。

読書という、文字が生み出す脳の中の対象＝意識に関してである。この対象＝意識は、ほんとうに人によりけり、読んでいる本によりけりであろう。確かに、小説などの場合は、その主人公が読者の脳の中に生きていて、笑ったり怒ったり泣いたり喜んだりする姿が見えてきそうな時もある。そして、主人公だけでなく、主人公を取り巻く人々、そしてまわりの世界、まさしく浮かんでくることもある。しかし、小説によっては主人公の心の内ばかりを書いていて、しかも、その心の内もなかなか複雑で、少なくとも、これというイメージが浮かんでこなくて、しかし、主人公の複雑な心境が伝わってくることもある。もっと言えば、論理的な文章を読んでいる時は、それを順番に理解していくだけで、ほんとうに、脳の中に対象＝意識など存在しているのか、という具合に、少なくともイメージとか表象などというものが現れ出ていないような時もある。

ただ、どのような本を読んでいるにしても、読書をしている時、読んで理解した内容は読者の中で記憶として蓄積されていることだけは確実である。しかも、ここでは先に読んだことが蓄積されていて、その蓄積されたことと今読んでいることが、噛みあい、結びつき、つまり理解されていくのである。そして、ここに、読書と記憶の大切なことが見えてきている。先に読んだことが記憶として保存されているからこそ、現在の読んでいることが生きてきて、読書が成り立っているということである。つまり、一字一句が理解され、新しく保存、蓄積されているのである。

ただ、ここで言語に向き合えば、この記憶の保存は確かに、言語によって、その文字、単語、そして文、文章として理解され入り込み、蓄積されているが、それがその通り、つまり、文字、単語、文、文章と、その書かれている通りかと言えば、まったくそうではないのである。これはテープレコーダーやコンピューターと大きく違うということである。読んだ言語そのままでは、天才と言われる人々でさえも、いや、頭が良いと言われる人程、ほとんど、書かれたとおり、いわゆる文字通り記憶はとどめていないのである。読書する人々は理解して記憶を蓄積していくのである。それでは、この蓄積されたものとはどんなものなのだろうか、ということになる。言語そのままでは蓄積されていないのだ。にもかかわらず、読者は〝読んだ〟と言い、本の最後までたどりつけば〝読み終わった〟と言い、時には〝面白かった〟〝すごかった〟〝すばらしかった〟と言うのである。これは何によるのだろうか。

ここには理解という、認識機能の中の記憶だけを見てきているこの論文にはなかなか到達できない、思考という能力を大きく取りまぜた作業が存在しているのである。これを記憶だけから見れば、記憶の蓄積された塊のようにしか見えないのである。一方、この論文のもう一つのテーマである言語を当ててみて、その記憶の蓄積の塊からは、少なくとも直接言語は見えてこないし、聴こえてはこない。ただ、その記憶の蓄積の塊を持っている読み終えた読者にその中身を聴くと、この記憶の蓄積の塊の中から、時には書かれていた単語や文章を持ち出して、話してくれる、言語にしてくれるのである。

この理解や思考については、この段階ではまだ遠くから見ているしかないであろう。ただ、この論文としては言語を見ていく上で、今の段階では単語、それも名詞だけを見ているが、言語の機能、動詞や形容詞、そして単語よりも文、そして文章を見ていく上で少しは取り組めるだろうと思っている。理解や思考はそのとても多くの機能を言語によっているはずだからである。

ここで、この項の最後に読書をこの節のテーマの一つである同一性直観を当てはめてみよう。

読書において同一性直観は、向かっている本に働いているとしていいであろう。一冊の読んでいる本は、ここ数週間それに向かっている同じ本である。読書している間は、この同じ本に対象＝意識が形造られているのである。そして、この同じ本を読んでいるという意識は意識のどこかに存在して、この数週間のこの本に対する記憶、それが同一性を保証するものとして働いていることになる。この本を中心に、机や部屋や家や街くらいまでは、世界＝意識へ広がる層としての同一性直観が働いているとしていいであろう。

ただ、対象＝意識は恒に移動しているので、ずっと本に向かって対象＝意識が形造られているように見える読書も一分か二分毎に頁はめくられるし、それよりも何よりも、次から次へと文字の上を移動して対象＝意識は形造られているのである。

この対象＝意識が恒に移動する読書、それよりも文章を読む、文を読むということに同一性直観を当てはめてみよう。

ここに見えてくるのは、文字は基本的には一個一個同一性直観が働いているとしていいであろう。日本語においてはひらがなやカタカナは完全に同一性直観の中に存在するとしていいであろう。また漢字に関しても多くの成人した人間には当用漢字くらいまでは同一性直観が働いて読み進むことができる。ただ、時には「ええ？なんという字だろう」と同一性直観が拒否される。この後見ていかねばならない差異性直観が働いて、辞書を、この時は漢和辞典をくらねばならないことにもなる。このような場合は別として、ほとんどの文字は同一性直観が働いて読み進むことができる。このことは世界＝意識の中での一つ一つの個物に同一性直観が働いていても、ほとんど働いていないのと同じで、了解性のまま、注意が向けられることもないままであることと似ているであろう。読書中、文字の一つに、しかも知っている文字に注意が向けられる、対象＝意識が形造られることはほとんどないとしていいであろう。

同じことは、単語にも言えるはずである。単語もほとんどが同一性直観が働いているはずである。しかし、文字の時と同じように特別に注意されることもなく、了解性のまま読み進められるのである。この時も、知らない単語に当たれば、同一性直観が拒否されて、つまり差異性直観が働いて、今度は国語辞典をくらねばならなくなる。

ただ、ここまで見てくると、言語というものを考える時、とても大切なことが見えてきているのだ。同一性直観が働くのは、この単語までだ、ということに。基本的には、これ以上の広がり、文にまで至れば、同一性直観は働かないことになる。ただ、慣用句と言われる、くり返し使われる二つ三つの単語の集まりや、交通ルールを筆頭とする様々な警句と言われるもの、そして短い詩など、特に、日本の俳句や和歌などは、そしてもっと広くは歌などは同一性直観が働き、また時には働き易いように作られているとしていいであろう。これらは繰り返しや、時には深い感動を与えることによって、記憶に残り、保存されることによって、同一性直観が働くことになるのである。ただ、これらは多く存在する、無限に存在する言語の中の稀な存在に違いないのである。というのは、人間の記憶力の保存は、基本的には、同一性直観が働く、つまり、この言葉は知っているぞ、と働くのは単語までだということである。

そして、もう一つ、文ともなると、それらの単語の組み合わせがより無限となり、同じものはほとんど、少なくとも、人間の記憶に残るほどには現れないことによるとしていいであろう。そして、文を読むことはこの無限の組み合わせの中から、基本的には一つだけの意味を得る、つまり理解するということである。今は読書を見ているが、もちろん、会話においても、つまり文字によって書かれていない文においても、これは当てはまるということである。

とはいえ、このたった一つの意味を読みとる、その前に伝えることとはどんなことなのかは見ていかねばならないはずである。これは言語の不思議に入ることになりそうである。

しかし、これは本論の大きなテーマ、最終の、と言っていい目標になるはずで、この段階では見通しだけにしかならない、ということになる。

×× ××

対象=意識を二つ見たが、これ以上は進まない方がいいだろう。というのは、この論文ではまだ、言語の名詞のみを見ただけで、ほんの少し言語に入り込んだだけだからである。

対象=意識は様々なところで、色々に造り出され、まさにどんなところでも生み出されている。それらを細かく見、そして言語と記憶がどのようになっているかを見る仕事は無限に存在することにもなる。しかし、それらを大きく分類していけば、ここで見たテニスプレーの時のものはスポーツの中に、読書は勉強の中に分類できるであろう。こう見ていくと、まだ仕事の時の対象=意識は大切な仕事として残っているし、対象=意識を人に向けている時も見なければならなくなる。そしてまた、人の中でも、特に自分に向けたものはまた、別に見なければならないだろう。これらの対象=意識が造り出された時、言語、そして記憶がどのようになっているか、言語と記憶の関係がどのようになっているか見なければならない仕事になるのである。これらの仕事はテニスや読書でもそうであったように、形容詞や動詞、そしてもっと、単語だけでなく、文によって、その中での助詞や助動詞などを見ていかねばならないのである。また、感動詞なども見なければならない。そして、文としては肯定文や疑問文、感嘆文なども見ていく必要があるのである。これらを見てはじめて、世界＝意識や対象＝意識が十分に見えてくるはずなのである。

とりあえずは、次は形容詞を見ていこう。言語の中での役割や存在感からすれば動詞では？との声も聴こえてきそうなのであるが、先に名詞を見た上では、それに直接結びついてくる形容詞を見ていく方が、よりよく言語というものが見えてくるし、見やすいように思われるからである。とはいえ、まさしく〝思われる〟だけではあるが…

三、形容詞、そして同一性と差異性

名詞を見た時、同一性直観の働きというものを見た。これはその名詞は、それが同じもの、同一であることを確認した上で使われることから見えてきたのである。これに対して形容詞は、差異性直観と言っていいものがそれを働かせるのではないか、と見えてくるのではないだろうか。

大きい、小さい。美しい、汚い。遠い、近い。おいしい、まずい。形容詞の多くは反対語を持っている。これらの多くは、今までの同一性直観が否定された時、生じてくるのではないだろうか。少なくとも形容詞が強い形で働く時はそうなのではないだろうか。今まで、同一性直観で確認していた、名詞が示す事物が、その同一性を否定する形で現れた時、形容詞が発せられるのである。

今まで象を見たことのない子供は、それを見た時、〝大きい〟というのである。つまり、今まで見てきた動物に働いていた同一性直観が否定されて、それを超える大きな動物が現れたのである。毎日見ている西の山が、夕陽が当たって幻想的に見えた時、〝美しい〟とか、〝すばらしい〟が出るのである。これは毎日見ていた西の山の同一性直観が否定されたとしていいのだ。

通常は、多くの名詞は同一性直観で確認されたまま、引き出されることもなく、対象＝意識が向けられることもなく、世界＝意識の中に了解性として記憶の中にだけ存在していたのに対し、このように形容詞が働く時はこの了解性が打ち破られ、そこに対象＝意識が形造られていることになる。しかもこのような時、対象となった事物の現象が、力を持って、その差異性を訴えかけ、「我」の注意をひきつけ、対象＝意識が形造られるのである。つまり、対象からの、現象からの力が大きく働いているのである。感動である。

そしてもう一つ付け加えておけば、同一性直観が否定されて差異性直観が現れるとしたが、同一性直観が否定される前には、そこに同一性直観が働いていて、少なくとも存在していて、それが破壊されたと考えるべきだろう。否定されることの中には、否定されるべき存在がそこにある必要があるのである。そして同じことは差異性直観にも言えるのである。差異性直観が働くためには、その差異のもとになるものの存在が必要なのである。

ただ、このような形ばかりで形容詞が働く、発せられるとするならば、やはり非難されるであろう。形容詞は日常生活では、次のような形で頻繁に使われているのである。

たくさんのりんごがあって、その中で大きなりんご、小さなりんご、赤いりんご、美しいりんご、として使われ、三十人、四十人の教室の中で、大きい生徒、小さい生徒、優しい生徒、美しい生徒、として使われ、また、背の高い生徒、背の低い生徒、頭の良い生徒、けんかの強い生徒など、比較される対象が明示されることもある。

これらは同じ類の中の多くのものの中の比較によるのである。このような時、比較の対象となっている類の中の存在が名詞として下につき、連体形になって使われることが多いはずである。

先程の同一性直観が否定されて差異性直観が現れる時は終止形が使われていたのである。

この類の中の比較にも同一性直観と差異性直観は次のように働いているとしていいであろう。類とは同一性直観が働く個物の集合であるということである。ただ、ここでは同一性直観は否定されることなく、それが働いたまま、そこに存在する個物の差異性に対象=意識が働いているということになる。同一性として現れる個物どうしの比較による差異性、そこに形容詞が使われていることになる。

また、同じ、つまり同一性直観が働いている一つの個物に対して、最初に見た感動という形ではなく、比較という形で大きい、小さい。美しい、汚い。早い、遅い。などの形容詞は使われていることが多いであろう。そして、今日は早いね、とか、今日は美しいね、という形で、昨日までの比較される同一性直観の働いている個物を暗示し、今日という比較される日時を限定する言葉を付けて使っていることになる。

とはいえ、形容詞が使われる時、名詞の所で見た了解性は大きく後退していると言っていいであろう。

最初に見た感動の時はもちろん、その対象の変化、その大きさ、すごさに心を奪われ、対象＝意識は形造られるのである。また、同じ類の中の比較の時も、比較するためには対象＝意識が形造られねばならないのである。時には、なかなか比較が難しく、つまり同じように見えるが、それでも違いを見極める必要があり、二つの個物を並べて、じっと見る、つまり対象＝意識を形造り続けることもあるのである。まったく同じに見えるりんごを二つ並べて、どちらが赤いだろうか、おいしいだろうかと見比べることはよくあることである。この時、二つの個物に対象＝意識は交互に向けられ、また、両方同時に対象＝意識を形造り、比較されていることになる。

また、三番めに見た、同じ一つの個体の時間の経過の中での比較でも、今日、あるいは現在見ている対象をよく見て、つまり対象＝意識をしっかり形造り、比較することが多いはずである。この時、目の前に存在するものと比較されているのは、記憶の中に存在する、同一性直観の働いている個物であるということになる。この時、対象＝意識は目の前の個物と、記憶の中の個物の交互に向けられていることになる。

しかし、これも時によりけりで、過去の同一性直観はほとんど引き出されることなく、つまり対象＝意識が当てられることはなく、ほとんど了解性のまま、目の前の個物にだけ対象＝意識が形造られ、それで言葉が発せられることも多々あるはずである。ただ、この時は感動に近い形になることになる。

以上見てきて言えることは、形容詞が使われる時は、なんらかの心の動きが存在しているということである。感動の時はもちろん、比較する時も、対象＝意識を形造り、そこへ注意を向けるということで、心、あるいは意識の中の動きがあるとしていいのである。

以上見てきたことから、形容詞が使われる時の多くは対象＝意識が形造られているとしていいのである。とはいえ、それでは、世界＝意識に対して、形容詞は使われないか、と言えばけっしてそうではない。これから見ていこう。

1. 世界＝意識と形容詞

世界＝意識に対して形容詞は使われている。その代表であり最もわかり易いのは、風景に向けての形容詞であろう。この風景とは、世界＝意識に向けて対象＝意識が形造られた、いや、厳密には世界に向けて、しかも現在の「我」の存在している世界に向けられた対象＝意識であると言っていいはずである。いや、それだけでなく、意識そのものに向けられたものもある。気分とか感情とか、時には精神状態と言われるものである。これらは世界＝意識とは、なかなか言いにくいところもあるが、この論文では意識そのものを世界＝意識と言っているのである。このあたりも、もう少し厳密に見ながら取り組みたいと思っている。

ⓐ 風景

旅行に出た時、人々は、風景、景色をずっと見ている。電車の窓から、車の中から、歩きながら。これらは、これまで住んでいた自分の街の風景とは違う、新しい世界である。その新しさだけではなく、そこには観光地のそれぞれの、人々を惹きつける美しさ、すばらしさがあるのである。それに心を奪われているのだ。まさしく、現在、自分が存在している世界に、対象＝意識が向けられているのだ。ただ、世界全体ではなく、今見えている、目が向いている、しかし、その見えている全体に向けられているとしていいであろう。その全体がすばらしいのだ。そして、心が奪われているのだ。心を奪われているので、なかなか言葉は出てこない。ただ、小さな声で、いや声にもならないで、自分に向かって、時々、「すばらしい」「美しい」が出てくる。見えている世界全体、その広さに対して、ただ、ほんの一言だけだ。しかし、それで全てを表しているのだ。それで充分なのだ。後の言葉はいらないのだ。それ以上言えば、この目の前の風景のすばらしさ、美しさが壊れてしまう。

時には風景の中に、真っ赤になった太陽が落ちていき、その赤い太陽に対象＝意識が向けられるが、それは瞬間であり、すぐその後、太陽が真っ赤に染める世界全体に、世界＝意識に対象＝意識が形造られ、言葉も、「すばらしい」を超えて、ずっと無言が続いてしまうこともある。心を奪われ、言葉を失ってしまったのだ。

しかし、この場面は大きな力で記憶には残るのである。そして、いつまでも、時には数十年経って、ふとその光景を思い出すのである。その時は記憶も、年を経て、風化されてはいるが、それでも、その時の感動、すばらしさが甦るのである。また、この時も、言葉は過去形になった形容詞の一言「すばらしかったな」となるのである。

ここには記憶と言語の複雑な関係が見えてきているとしていいであろう。こんな言語に表せない記憶を残すのに、現代人はカメラやスマホで映すのである。記憶は薄れるもの忘却するものであり、その時の感動も薄れていくが、写真の画像はほぼ永遠に残るからである。言語ではたった一つの言葉でしか表せないものを、その現象のまま、映像に残すのである。ただ、それでも多くの人々には、この写真とは別の、この時の記憶が残っているのではないだろうか。それは写真とは別の記憶の中の、いや、その時の感動、心の動きを、写真とは違った、純粋な形で残しているのではないだろうか。その感動、心の動きをより強く、より純粋に残すよう努力しているのが写真芸術家なのであろう。いや、多くのシャッターを切ろうとしている人々もその瞬間には、これを残すことに懸命だと言っていいであろう。

そして、また、芸術と言えば、これらの情景を、言語で伝えようとしたのが、詩であり、日本で言えば、和歌や俳句である。この詩や和歌や俳句は写真と違い、その時のそこにおかれた、それを眺めている作者の心の中をも映し出しているのである。まさしく、世界＝意識を描き出しているのである。だから芸術なのである。また写真芸術も、同じように、映像だけでなく、目に見える世界だけでなく、世界＝意識を、つまりその時のシャッターを切る本人の心の中をも伝えようと懸命に努力しているのではないだろうか。だからこそ、芸術であり、芸術のすばらしさであり、取り組む努力の価値があるのである。このようなことは絵画ではあたり前であり、写真より、より容易に表現、到達できると言えば叱られるだろうか。絵画もやはり基本的には映像を映す、写生であり、それに心の動きを入り込ませるのは、それほど簡単ではないはずである。ここで言っていることは印象派だけでなく、とても多くの絵画に当てはまるはずである。

右のようなことは、旅行に行かなくても、毎日暮らしている自分の街の、毎日見ている風景においても、年に二、三回は起きるのではないだろうか。夕陽、朝陽、月の夜などである。最近はイルミネーションによる催しもある。自分が住んでいる街は生活の場であり、生活をしていく時、人々は、ほとんど対象＝意識だけを形造って生きているとしていいであろう。それが太陽の光や月の光によって別の世界、特別な世界に見え、人々は自分の住む街の風景に対象を向ける、まさしく世界＝意識が対象＝意識になるのである。そして、そんな時、人々は「ああ、すばらしい」と呟くのである。時には形容詞さえも出なくて、「ああ、…」とだけ呟くのである。これらの呟きは自分が見ている風景からの美しさ、その訴えてくるものの強さを受け止めた、真実のと言っていい、やはり言語なのだろう。このような毎日暮らしている街の特別な光景はそれなりに記憶には残るが、旅行に行って見た風景ほど、何年も、何十年も残ることは珍しいはずである。というのは、それらのすばらしい光景も、毎日見ている街のそれであり、しかも、同じような光景は年に二、三度は起きるとなると、一度だけの記憶は薄れていくのである。記憶は同じものの、同一性のくり返しには弱いのである。薄れていってしまうのである。もちろん、一度一度の光景はそれなりに違い、特徴を持っているのであるが、その違いの一つ一つを覚えているほど、多くの人々の記憶に余裕はないのである。記憶のとても多くは生活のために、生きていくために使われてしまっているのである。

すばらしい、美しい風景だけでなく、毎日くり返して見ている街の風景も時にはそれが風景として入ってくることがある。疲れてぼんやりしている時などである。やはり世界＝意識が対象＝意識になっているのである。これらは疲れすぎて、生活のための世界＝意識が形造れなくなってしまっているからとも言えるのである。こんな時、人々の眼には、毎日見ていた、わかったものとして見ていた、つまりこの論文での了解性としていた世界が風景として入ってくるのである。こんな時、人々はほとんど、「ああ」としか呟かないのである。毎日見ている街の風景はすばらしくもないのである。そして、時には「疲れた」と世界＝意識の中の自分の意識からの言葉を発するのである。これは次のところでゆっくり見るべきものの一つになる。

ただ、時には、人は、この毎日見ている風景を見て、「すばらしい」と言い、次に「頑張るぞ」と自分に言い聞かせることもあるのである。そんな時、このような人の記憶の中には、子供達を中心とした家族の顔が浮かんでいるのではないだろうか。

いや、まだ忘れている。反対の現象に対する世界＝意識である。美しいとかすばらしいという風景だけでなく、台風や地震などに出会った時の世界＝意識である。「恐ろしい」「恐い」が出てきて、「危ない」が出て、次に動詞の「逃げろ！」や「助けて！」が来る時もある。また、光化学スモッグがやってきた時などは「汚い」が出てくる。また、旅行に出た時、予想や、噂やパンフレットによる宣伝に反して、見た風景がたいしたことがなかった時、「つまらない」や「面白くない」などの否定の形で現れる時もある。これらは予想や噂やパンフレットによる宣伝が脳の中に作り出した期待の現象を否定した形、自分が毎日生活している街の風景にそれほど違わない風景が現れたことによるだろう。

世界もいろいろ、それに向けて発せられる形容詞もいろいろであるということである。

ⓑ　気分、感情

ⓐで見た世界＝意識は、現象が強く訴えてきて、その現象に心を奪われた時のものだったとしていいであろう。だから、そこでも、少し述べたが、世界＝意識の意識の方は現象に心を奪われ、まさしく、世界と意識が一体となり、通常、人々が自分の中に持っているとする意識や心が空っぽになった時のことだったのである。

しかし、こんな時にも、人によっては、また時によっては、自分の気持ちや心の変化に気づき、「うれしい」とか「楽しい」とか、また形容詞ではなく「幸せだ」と発する時、人もある。そしてまたこのような風景、現象に心を奪われて、その時言葉を発しなかった人も、その場を離れた時、また、二、三日経ってから、その時の自分の気持ちや心の在り方を振り返って「すばらしかった」とか「楽しかった」とか「幸せだった」とか発することもあるのである。つまり、その時の世界＝意識の記憶が残り、それがまた大きな力を持って「我」に働きかけているのである。

以上のような特別な時だけでなく、それほどでない、毎日続くような現象、天候においても形容詞は発せられる。そして、その時は人々は自分の意識、心の中をも表現している。冬の寒さが終わり、暖かい日が続く時、「ああ、気持ちいい」と出てくる。これは今日の世界がすばらしいだけでなく、気持ち、意識もすばらしいことを表現している。まさしく、世界＝意識を表現しているのである。反対に、梅雨のじとじとと雨が降り続く日には「気持ち悪い」や「気分悪い」が出てきてしまう。それよりももっと簡単に冬の寒い日、夏の暑い日には「寒い」「暑い」が出てくる。これは気温が低いとか高いとかだけでなく、特に年寄りなどが発する時、まさしく肉体にとってたいへんなこと、そして、それによって気分まで、気持ちまでがたいへんなことを伝えているはずである。だから、この後に、「もう、やりきれないわ」と続くこともあるのである。これは気温から来る刺激の強さが肉体と精神に与える力、そして、それに対応するその肉体と精神の状態を表す言葉なのである。まさしく、世界＝意識の表現である。

いや、天候だけでなく、仕事や勉強がうまくいっている時、「気分いい」「うれしい」が自然と出てくるのである。これは仕事や勉強が世界＝意識を形造っている、核であるということによるであろう。つまり、仕事や勉強がうまくいっていることは、世界全体がうまくいっているように感じられるのである。そして、それを感じている心も良い状態になっているのである。そして、「幸せ」という言葉も出てくるのである。逆にうまくいかない時、「気分悪い」や「苦しい」「辛い」が出てきてしまうのである。まさしく、世界＝意識が表現されているのである。

仕事や勉強とは少し、場所を違えているが、スポーツや遊びにおいても、それをやっているだけで「うれしい」「楽しい」が出てきて、また、「面白い」「すごい」などが出てくるのである。そしてこれらの全ての形容詞を含んだ名詞として「幸せ」が出てくる時もある。しかし、それらはうまくいっている時で、スポーツや遊びでもうまくいかない時があり、特にスポーツは勝負がかかっていて、負けそうになったりすると、「辛い」とか「苦しい」とか「悲しい」が出てきて、「幸せ」の反対の「不幸だ」はあまり出てこないが、「チキショウ」や「頭に来た」が出てくる時もある。これらの言葉もやはり心の状態を形容詞とは違った形で表している言葉である。

これらのスポーツや遊びも、この時はそのスポーツや遊びを核にした、世界＝意識をその時の心情が埋め尽くしているとしていいであろう。そして、そこには形容詞を中心とした様々な言語が生じてくるのである。

ただ、これらは名詞のところでも見たように、一球一球や一文字一文字、また一つの部品や、一つの遊具に対象＝意識を形造ってもいるのである。これらはやはりゆっくりと、対象＝意識として見ていかねばならないのである。その時は対象＝意識を中心とした、いくつかの意識の層として、そしてそれが広がって世界＝意識に届くまでを見ていく必要があるのである。

×× ××

以上、形容詞あるいは修飾語と世界＝意識の関係を見てきたが、これくらいで、というところであろう。そして、ここまで見てきて気がつくのは、名詞を当てはめて見た時の世界＝意識との違いである。名詞を当てはめて見た時、世界＝意識は個物の集まりとして見えてきて、その個物とは、本来は世界＝意識ではなく、対象＝意識が当てられるべき存在であり、一方、世界＝意識として見た時、それらは対象＝意識が当てられることもなく、了解性として、退いたものとして見えてきていたのである。少なくとも、そこでは個物というものに対してかなり議論しなければならなかった。しかし、この形容詞のところでは、個物についてほとんど述べる必要がなく、世界＝意識はそのままの形の風景として、個物は遠く退いたものとして、世界そのものとして見えてきたのである。

これは言語というものに向きあう上では、とても大切なことではないだろうか。ここには、形容詞は世界＝意識に、名詞は対象＝意識に向けて、という公式が見えてきそうであるが、しかし、それは早計であるし、そのような簡単な公式は言語というとても複雑な存在では、なかなか、というところが現在の正確さを求める、慎重な態度ということになろう。

そして、この形容詞を見たところでは、世界＝意識の世界に向けてだけでなく、その意識の状態についても形容詞が使われていることが見えてきたのである。世界＝意識というものは世界と意識が基本的には分離できないものとしての＝をつけての表示であるが、それは、そのそれぞれに向かいあう、つまり対象＝意識を形造れば、世界と意識を分離して、というよりも誤解のないように言えば別々に見ることができるのである。この別々に見たことは、多くの哲学での主観と客観の対立であったろう。ここでは、そのような対立としてではなく、世界＝意識の両面に別々に対象を当てて見たということにしておこう。そして、その意識の方へ形容詞を当てはめて見た時、意識の方は世界からの力、風景からやってくる心や、意識への力を受け止めて、それが反応して、そこにも形容詞が使われていることが見えてきたのであった。その意味ではまさしく世界＝意識として＝は生きているのである。ただ、この＝としての一体化は、その風景、その現象から離れてもまだ力を持って生きていることが多いのである。印象とか感動というものは、その場を離れても、力を持って生き続けるのである。記憶によってである。このことはまた、世界＝意識における世界と意識の分離の要素にもなっているのである。つまり、世界＝意識においては、世界が変化しても、そこでの記憶はその記憶が生まれた世界が存在しなくなっても、まだ存在し続けているのである。だから、記憶なのである。

2. 対象＝意識と形容詞、あるいは修飾語

先に名詞を見た際には、人間は現象に向かいあう時、それから来る光や音の刺激として科学が言うような光の波長や音波としてではなく、それに向かいあって、つまり対象＝意識を形造るべく個物として、あるいは個物の集合として見るということを述べた。その意味では、対象＝意識が形造られる、働くところでは、まず名詞が現れることになる。そして、その上で形容詞の連体形が「赤いりんご」「青いりんご」「大きいりんご」「小さいりんご」などと同じもののたくさん集まったもの、あるいは類の中から、違ったものを区別したり、特徴づけたりする時に使うことを見たのである。そしてこの時は多くのりんごの中の「赤いりんご」や「大きいりんご」に対象＝意識が形造られ、また、類の中からも、「青いりんご」や「小さいりんご」が区別されて使われていることになる。この区別する機能は、つまり、違いを見つけること、差異性を見つける能力を、差異性直観とすれば、形容詞は人間の認識機能の中では、差異性直観に根拠を置いているのでは、ということになる。そして、先に名詞を見たところでは、そこでは同一性直観が働いているのである。

同一性直観が働くところでは名詞が、差異性直観が働くところでは形容詞が使われるという公式が見えてきそうであるが、やはり早計すぎるであろう。少なくとも、学問とか、科学のレベルからはほど遠い。ここはもう少し、詳しく見ていかねばならない。

ここをもう少し整理して見ると、次のようになるだろう。りんごという種を類別する直観を類的同一性直観とし、個物同一性直観を一個一個のりんごを識別する直観に分けて見れば、類的同一性直観の中から個物同一性直

観を働かせる時、この働く過程で見えてくるものに発せられるのが形容詞ということになる。もっと簡単に言えば、類としてのりんごの集まりの中から、一個一個の個としてのりんごを識別する時に、小さいや大きいや青いや赤いが、つまり形容詞が発せられる、ということになる。

これらはある程度の公式とはなるであろう。自動車でも、大きいや小さい、速いや遅い、古いや新しい、高いや安い、は形容詞として使われ、類の中からの個を決定する時に使われているとしていいであろう。これは多くの地上の類として存在するものの中の個物を決定するのに使われているとしていいであろう。しかもこの類は層を持っていて、類の下のもう少し小さい集まりを種とすれば、つまり、りんごで例を挙げれば、りんごという類の下のデリシャスやフジやツガルという種への移行にも使われているとしていいであろう。

しかし、ここまで見てくると、ここで見ている公式は大きく崩れてくる。デリシャスやフジやツガルの識別は決して形容詞だけではすまされないからである。そこにはりんごの皮の持っている様々な模様など、かなり複雑なものがからんで出てきているのである。だから、右に見た公式はおおよそ当てはまるのでは、ということになる。

そして、ここにもっと大切な、複雑なものが見えてきている。このことは、個物同一性直観を人間のそれに当てはめて見ると、はっきりと見えてくる。個物同一性直観を当てはめるということは、人間の場合、一人の個人に当てはめるということである。一人の個人を識別するこの同一性直観はとてもすばらしいレベルの高い能力である。田舎者どうしが、大都会の繁華街で出会っても「おお」となるし、数十年会っていなかった友達も、再会すると、まちがいのない相手の顔を識別できるのである。これに対して、類的同一性直観は、人間を人間として見る直観になるだろう。

そして、これらの二つの同一性直観、個物同一性直観と類的同一性直観の間にも様々な形容詞や修飾語が飛びかっている。クラスの一人を言い表すのにも、背が高いや低い、体重が重い軽い、鼻が高い、低い、そして、人間の場合は性格が良い、悪い、頭が良い、悪い、性格が明るい、暗いなど多くのものが出てくる。しかし、これらをどれだけ集めても、一個人を特定する、個物同一性直観にはほとんど至っていないのである。人間が一人、その人間として持っている特徴を言語はほとんど言い表せないのである。多くの形容詞や修飾語を並べたてても、そのむこうに存在する一個人の存在、それからやってくる直観にはほとんど至らないのである。ここにも言語の限界が存在しているとしていいであろう。

確かに、そうは言っても、クラスの中での三十人とか五十人の中では、いくつかの形容詞とか修飾語を並べたてれば、その人間は特定できる。それはクラスの人間の中に、並べたてられた形容詞や修飾語に当てはまる人間がいなくなってしまっているからである。このように使われて、クラスの者どうしの噂話などがはじまるが、このような形容詞や修飾語で特定された人間の個物同一性直観から得られた記憶によって、この直観を思い浮かべながら話は進むのである。このような形容詞や修飾語を退けて個物同一性直観に直接結びついているのが、固有名詞なのである。固有名詞は個物同一性直観をそのまま引き出してくるのである。

だから、クラスの噂話も正確には、この固有名詞をまず引き出して、その上で様々なこの個人の特徴を、形容詞と修飾語を持ち出して話がはずむのである。固有名詞が後に出てくるのは、クラスがえが行われてまだ、名前をしっかり覚えていない時や、何十年も経たクラス会で欠席した者の名前がなかなか出てこない時くらいであろう。

同じようなことは、類の中から種を決める時にも起きている。例えば動物という類の中から、象とか熊とか狐やうさぎを決める時である。象は鼻が長い、うさぎは耳が長い、でおおよそ決まるが、狐や熊はどのようにして決まるのだろうか。狐の場合は、眼がつり上がって、長い犬歯が両側に出て、よりも、人をだますというおとぎ話の方で決め手になる。熊…？となるだろうか。これらも、写真を持ってくれば、ほとんどの動物は〝決まり〟となる。

このことは、人間がこれだけ沢山持ち、複雑に使っている言語も、一枚の映像にはかなわない、追いついていないことを意味することになろう。そして、写真のなかった時代には、多くの絵画がその役目をしていたのではないだろうか。そして、これらの絵画は決して写実的ではなかったのだ。これらの多くの絵画は、動物や花や風景や人物の特徴をとらえているのだ。というよりも、言葉と同じ〝意味〟というものを伝えていたのではないだろうか。しかも、言葉に表せない意味あるいは、多くの言葉を必要とする意味を、たった一枚の絵で表していたのでは…？となる。このように見てくると、多くの昔からの絵画がまさしく〝意味を持って〟迫ってくる。より近いものとして見えてくるのではないだろうか。そして、それらの絵画からは多くの意味が、けっして言葉にはならない意味が、力としてだけやってくるのではないだろうか。その代表的なものは宗教画であろう。ここにはとても多くの言葉にならない意味、それが大きな力を持って、それを見る人にやってくる。宗教画だけでなく、多くの人物像、風景画も、そこから大きな意味、力を持つ意味がやってきているのだ。まさしく、人物像は、特にルネサンスの絵画などでは、その同一性がしっかりとその絵画の中で写し出されているとしていいのではないだろうか。また多くの風景画も、ある場所のある瞬間、つまり同一性を大きな意味として伝えてきているから心を動かされるのである。ハイデガーが同一性を語る時、すぐに存在を持ち出してしまうが、それがわかってくるような気になるのがこれらのすぐれた絵画である。

以上を記憶と言語を押し当てて見ると、同一性を保証しているものは、その個物からの記憶であるということになる。そして、人間の場合は、視覚表象、視覚から得た表象が中心になっていることになる。人間の場合は、と言ったが、犬などは嗅覚が、また聴覚が同一性の決め手になっている動物もいるのではないか、ということである。これは動物学者の意見を聴いてみたいところである。

そして、人間の場合は、その同一性直観を保証している記憶と言語、特に名詞、そして固有名詞が結びついているのは、先の名詞の章で見たのであった。また、ここで見ている形容詞や修飾語は、その名詞の背後に存在する同一性直観を保証する記憶からの変化や移動があった時に使われるのでは、ということになる。つまり、目の前の現象の中に存在する個物がそれまで保存されていた同一性直観とは違っている時、ただし、それがまちがいなく、同一性直観が保証する個物、つまり同一性を持つ個物に違いはないが、それでいながら、それを保証する記憶とは違っていることがある時、その違いを形容詞や修飾語が表しているということになる。

3. 同一性直観と記憶

そして、ここに、ここまで進んできて、哲学、あるいは認識論にとってとても大きな問題が見えてきているのである。それは認識の基本に関わる問題である。ここに形容詞や修飾語が使われて、個物が変化しているにもかかわらず、それを見ている「我」はその変化した個物を同じ存在の変化したものだと見抜いていることである。

これは何によるのか、ということである。

これこそは人間の認識、それを扱う認識論、それから出発する哲学にとって最も基本的であり、重要な問題のはずである。それが、ここでは、その個物からの記憶とその変化、そしてその変化にも拘わらず、その個物を同一物だと見る、認識に向かいあうことになる。今までの議論からはかなり道を外れるが見てみよう。

形式論理学を持ち出せば、Aという個物が変化してA⁺になってしまった時点で、同一性は崩れてしまっている。もっと言えば、Aという存在も次の瞬間には、時間の中の存在と考えればその時間が変化してしまったことでA⁺になり、同一性は崩れていることになる。しかし、これらは単なる論理の形式によるものだけで、生活をして、人生を生きている人間にとっては単なる遊び、お笑い草にすぎない。人生を生きる人間にとって同一性はもっと違った現れ方をする。数十年経て再会した友人どうしはその様々な変化、差異性の中に、幽かな、しかし、やはり絶対にまちがいのない同一性を見つけ出し、涙を出し、手と手を取り合って喜び合う。また、営業マンにとってお客様の同一性は非常に大切な問題である。これには、しっかりと固有名詞を結びつけて覚えておかねばならない。この同一性を見失ったら、そしてまた、それに結びついた固有名詞が出てこなかったら、一大事である。

対人間だけでなく、小学生になると、毎日同じ時間に同じ道を通り、同じ学校へ行き、同じ教室の同じ席に坐らねばならない。これらは同一性で埋められていることになる。人間の生活は同一性で埋められていると言ってもいい。そして、埋められた同一性を人々はあたり前のこととして、気にもしないで、差異性に直面した時だけ反応するようになっている。これらは人間の認識機能の中でまだまだ議論されて様々なことが追求されてもいいのではないだろうか。

人間にとって同一性はとても大切なものなのだ。この同一性が認識機能の、特に、本論の探求の中では認識機能の中で大切な役割をしていると考える記憶とどのような関係になっているのかはとても重大な問題のはずなのだ。確かに、そこには記憶は大きな役割を果たしているはずなのだ。そして、この記憶にあまり外れていなければ、つまり、それほど差異性が強い形で働かなければ、生活は順調に進んでいるとして良い。

しかし、一方、世界は時間とともに変化している。この変化の中で、同一性はどのようになっているのかは見ていかねばならない。


先に、名詞の章で、人間は光や音の刺激の前に、個物を個物として認識しているのでは、と述べたが、そのことと同じ程度にこの同一性の認識、一つの個物を目を離して、時を経て見ても、それが同じものであることを認める認識は、認識論の基礎としてとても大切なものである。これがどのように成り立っているのか、特に記憶を中心に理論を進めていく時はとても大切な議論である。そして、そこにはすぐに、次のような問題が並んで現れてくるのである。つまり、それは、差異性、類似性、誤認という問題である。これは幼い時、子供は親から、

「これはあれと違うわ。わかるでしょう」

「そう、確かに、これとあれは似てるわね。でも、別のものなのよ」

「違う、これとあれを一緒にしちゃまちがいよ。違ったものなのだから」

などと教えられてきていることでもあるのである。ここには、論理学とはほど遠い、いや、科学とか学問と言われるものからも遠い、真理などという言葉を知らない、様々な人間が日常生活で普通のこととして使っている、

学者と言われる人々も日常生活ではあたり前に使っている理論の、その基礎とも言えるものが見えてきているのである。

少し手を広げすぎている。同一性そのものに戻ろう。個物に記憶を重ねて、同じものであることを判断するのである。これらの判断をする時、人々は記憶を取り出して、それを表象として、つまり記憶が保存している映像を取り出して、それを見比べることはほとんどないのである。多くの場合、当たり前のこととして判断さえもしなくて、生活は進んでいるのである。机に坐り読書をする時でも、自分の机がそれであることを判断することなく、ほとんど自動的に坐り、昨日の夜読んでいた本を、そこにあるものとして取り上げるのである。そして、昨日はさんでおいたしおりのところを開き、昨日まで読んだ所を確認し、読書をはじめるのである。この時、判断が働くのは、本をしおりをはさんである頁で開いて、昨日まで読んだ行を確かめる時ぐらいである。この時判断力が働くのは、まちがいの可能性があるからである。

いや、ここはもう少し見る必要がある。ここには、頁というほとんど同一性と言っていいものが続き、また、この頁の中には文字という遠くから見ていれば同一性と言っていい、少なくとも文字という言葉で一括しているもので埋められている中で、昨日はしおりをはさむという差異性をつくり上げていたのではないか、ということなのだ。また、同じ頁の中でも、昨日読んだところまで鉛筆で印をつけておいたとすれば、やはり差異性を生み出していたのである。こうして見ると、人間は同一性の中に差異性を造り出しながら生きているのか、ということも思えてくる。(ここで、注意をしておくと、この頁と文字が並んでいる同一性は今見ている記憶の中の同一性とは違う、りんごがいくつも目の前に並んでいる同一性と同じ空間の中での同一性である)

こう見てくると、人間は差異性を利用して生きているのか、と思い浮かんでくる。ということは、人間は同一性に反応できないからなのか、とまで思えてきてしまう。そして、少なくとも、生活の中では、同一性に反応する必要がないのでは、と断定してもよさそうに思えてくる。

確かに、人間は同一性にはほとんど反応しないで、差異性には敏感に反応することは、ほぼまちがいのないことである。読書をしようと思って、机に坐り、そこに昨日置いておいた本とは別の本が置いてあれば、「あれ?!」となり、時には大騒ぎになる。同じように、毎日通っている通学路や通勤路に、「工事中」と看板が立っていれば、「おや?」となる。そもそも看板とは差異性を生み出し、人々に反応させる道具と言えるだろう。ここまで見ると、そもそも繁華街とはこの差異性に満ちあふれた場所であり、冒険とは、差異性を求める旅であり、いや、旅とは差異性を求めて、ということが見えてくる。

飛躍である。読書に戻ろう。しおりによる差異性を見つけ、鉛筆による印の差異性を見つけ、読書ははじまる。しかし、このしおりをはさんだことは差異性をつくり出したかもしれないが、そのしおりを見つけて、昨日まで読んだところを確認したことは、昨日の記憶を確認した、同一性を確認したことになるのだ。しおりをはさんだ記憶と、鉛筆で印をつけた記憶との同一性を確認したのだ。

同一性の確認ということもありうるのだ。今の場合は頁という同一性の集まりの中から、文字という同一性の集合の中から、自分にとって大切な同一性を確認していることになる。そして、その大切な同一性を確認するために、しおりをはさむ、や、鉛筆でチェック、などという差異性が使われたのだ。このことは同一性の確認の手段として、差異性が使われたことになる。このことは同一性の並ぶ、広がる中では、同一性が確認しにくいということが挙げられるのである。そこに同一性を崩すべく、しおりと鉛筆による差異性が生み出されたことになる。（ここでも、もう一度注意しておけば、しおりと鉛筆によって、差異性をつくり出したことは、頁と文字という同じ空間内の同一性の中の差異性を生み出したことである。そして次の日、しおりと鉛筆のマークを確認したことは記憶による同一性の確認である）

ここに見えてくるのは、人間の認識機能はやはり同一性に反応しにくいことなのである。そして、もう一つ、本論がテーマにしている記憶機能も働きにくいのでは、とまで見えてきてしまう。しかし、ここは、この場面では、認識機能の働きが悪いので、記憶機能の働きも鈍くなっているのでは、ということになるだろう。

そして、ここでもう一つ確認しておけば、同一性が並んで広がる頁や文字の中で、しおりや鉛筆によって差異性をつくり出したが、この差異性はしっかりと記憶されて、その次の日、昨日つくり出した差異性の同一性が確認されて読書がはじまったということなのである。

ここでは、新しく確認しやすい同一性と、しにくい同一性が存在し、必要となったら確認しやすい形が生み出されて、同一性は確認されていることも見えてきている。

単純そうに見えた同一性と差異性はなかなか複雑にからみあっているのである。ここには同一性を確認するために、認識機能が同一性よりよりよく反応する差異性が利用されていることが見えているのである。

そして、確認すべきは、認識機能全体が記憶機能も含めて、差異性によりよく反応している事実である。差異性の背後に、同一性は退いているかに見えるのである。このことを聴いた多くの人々は、「それはあたり前だろう。差異性って、違っていることだろ、同一性って、ずっと同じことなんやろ、違っていれば、人間はそれに気が付き、反応するのに決まってるやろ」と返ってきそうなのである。つまり、同一性より差異性に反応するのはあたり前なのである。そして、まだ、人によっては、「そんなのあたり前に決まってるやろ、人間にとって、同じであることは安心で、何もすることはないんや、違っていたら、それは多くはたいへんなんだよ、何かせんとあかんのや、時にはほんとうにたいへんなことになるんや、毎日住んどる家が火事にでもなったら、…そんなあたり前のこと、何を言うとんねやわ」と言う人もいそうである。そして、これを聴いた時、この同一性と差異性の議論にたいへんなことが起きているのである。つまり、これらの人々の言葉の中に、同一性と差異性を議論する上で、とても重大なことが述べられているのである。火事は少したいへんすぎるが、これらの人々が言わんとすることは、「人間は生活しとるんだぞ、生きていかんな、あかんのやぞ」ということなのだ。

つまり、同一性と差異性の議論の前に、生活や生きることという問題が存在しているのではないか、ということである。生活や生きること、と言ったが、科学はこれを欲望という言葉で一つにまとめている。人間を生物学的に見た時、生活や人生の様々な活動は、その根源を欲望によって説明できるとするのである。このことについて、この論文としても、反対するところはない。ただ、『言語と記憶』というテーマのもとに議論を進めていく上では、これらを欲望として見るのではなく、生活や人生の上での様々な必要、そして、その背後の意味として見ていかねばならないのでは、ということになるのである。つまり、人間の場合、それほど簡単に欲望は、つまり、ストレートに出てくることはないのでは、ということなのである。人間は社会を作って生きていて、そこにはルールがあり、また、それを守る義務があり、欲望を抑圧し、違った形にしているのである。人々の認識も欲望だけでは説明は難しく、それらを、人々は必要とか意味とかという言葉で、そしてそれから来る力としてとらえているのでは、ということで、欲望にかわり、本論では必要＝力＝意味として議論を進めたいと思うのである。

つまり、同一性と差異性の根底には、科学で言う、欲望、この論文の必要＝力＝意味というものが存在しているのである。

同一性と差異性だけでなく、認識全体の根底には、この必要＝力＝意味が存在していると考えなければならないのである。本論が一番最初に見た個物も、個物が個物として見えるのは、そこに、この必要＝力＝意味が働いているからなのである。毎日使っている機械も、故障して修理しなければならなくなった時、その中のボルトやナットや様々な部品が個物として現れるのである。つまり、修理しなければならないという必要＝力＝意味が働いたために、機械という大きな個物の中の部品が個物として現れるのである。そして、この個物の一つ一つに人々は名前をつけ、名詞として使っているのである。その意味では、名詞の持つ意味は、この必要＝力＝意味からの意味であるということにもなる。必要＝力＝意味が働いて、個物を個物として認識させ、名詞をつけていくのである。そして、この名詞は記憶の中に、その個物とともに保存されているのである。そして、この個物の記憶と名詞が、次に同じものに出会った時、同一性を確認するのである。そして、その同一性の確認とともに名詞が呼び出されるのである。その意味では、個物につけられた名詞は同一性の表現をしているのである。そして、この同一性が確認された上で、この名詞とともに保存されていた記憶から変化している時、つまり差異性に気づいた時、形容詞が使われるのである。そして、この同一性と差異性の決定に、大きな影響を与えているのが、必要＝力＝意味なのである。同じ個物を見ていても、どこまで同一性として見るか、どこから差異性として見るかは必要＝力＝意味が大きく働いているはずなのである。その意味で、同一性を示す名詞と同じように、形容詞にもこの必要＝力＝意味からの意味が付与されているのである。

ただ、ここで見落としてはならないのは、言語はこれらの個物を離れて、また、その時々のその個物を個物と見、その同一性と差異性を見極めさせていた必要＝力＝意味からも離れて存在しているのである。しかも、意味を持った存在として存在しているのである。そして、単語の一つ一つは、人々の記憶の中に個物として存在し、それに対応する個物が外界に存在するのが見えれば、引き出され、同一性が確認され、使われるのである。そして、その同一性の確認の上で、そこに差異性が見えれば、形容詞や修飾語を使い、差異性を確認していることになる。

そして、ここで言語と記憶にとってとても大切なことが起きているのである。少なくとも単語では次のようなことが起きているのである。単語、特に名詞では、〝りんご〟は、家のテーブルの上のりんごをスーパーで売っている時も、木になっているのを見ても、すべて〝りんご〟なのである。しかも、様々な種類や、時には皮をむいた、小さく切ったのも、また、口の中で噛み砕いているのも〝りんご〟なのである。ここには瞬間の、その時、その場所での記憶は退いてしまっているのである。〝りんご〟という単語は多くの記憶から独立して存在し、また、今までりんごに出会ったことのない場所で出会っても〝りんご〟と認識しているのである。つまり、同一性を確認しているのである。個々の記憶を離れて、同一性は確認されているし、単語は使われているのである。

今まで記憶を言語、そしてまた認識の中での同一性を見てきたが、ここに見えているのは、少なくとも個々の記憶を離れて、独立している同一性、そして、それに使われる単語が存在していることなのである。

ここに見えているのは、記憶はけっしてその瞬間の一度だけの記憶として存在しているのではなく、〝りんご〟を見た時、その特徴というか印象、いや同一性そのものと言っていいような〝なにか〟を見てしまっているのではないか、ということなのだ。その〝なにか〟が記憶の中に残っているのではないか、そして、一度一度の記憶は数日もすれば力をなくし、忘却はされるが、この〝なにか〟はずっと残っているのでは、ということなのだ。この〝なにか〟とは何か？…不思議な…神秘主義に傾いている？…でも、言えることは、哲学や認識論でこの〝なにか〟に触れた、それを目の前の現象からの認識、そしてそれがその記憶などによって説明した書物は存在しないのである。確かにプラトンのイデアやほとんどの哲学が使っている本質は、この〝なにか〟を指しているとも考えられる。しかし、それを認識の成立する過程では説明しないで、すぐにイデアや本質が飛び出してきているのである。

プラトンのイデアや哲学の本質がどのようなものであるか、そして、ここで見ている同一性を確認する〝なにか〟と同じであるか、違っているか、またどのような関係にあるかは、ここでは入り込めない。ここではこの同一性の〝なにか〟がどのようなものであるかだけは見ていこう。

今まで見てきたところでは、この〝なにか〟は確かに記憶の中に存在するが、けっして一個の個別の、ある時点での現象からの記憶ではないのである。それではそれらの個別の多くの記憶の集まった平均値的なものなのか、と言ったら、その可能性もありそうであるが、けっして言い切れない。確かに記憶はそれが空想になったりするように変形し、それを確認できる個物、その現象に出会い、過去の記憶と混ざり合い、溶け合い、新しい混合物を、本人の意図や意志とは違ったところで、その脳の中で自動的に生み出すようなことも考えられる。そして、新しい種類のりんごを見た時は、今まで見たりんごとは違ったイメージが浮かんできそうでもある。これは考えられるし、その可能性もありそうである。

しかし、そうだろうか。ここは各自でふり返ってほしいところであるが、多くの場合、今まで見たりんごの幾つかの記憶、いや、それなりに変形していて、イメージ、しかもかなりぼんやりとしたイメージが浮かんでき、その手前に、最近見た新しい種類のりんごがかなりはっきりとした記憶として現れるだけではないだろうか。いや、もっと正確に見れば、というか多くの場合は、それまで見てきたりんごはただ一つのぼんやりとしたイメージとして浮かんでくるだけで、なんとなく、りんごを思わせるだけではないだろうか。そして、このぼんやりとしたイメージはそれまでの見たりんごのトータルな代表とか平均値ではけっしてなく、ただりんごのイメージをなんとなく思わせるだけではないか、ということになる。そして、ここでの問題は、最近見た新しい種類のりんごの記憶が少し時間を経た後、このぼんやりとしたこれまでのイメージに影響を与え、変形させるかどうか、ということになる。

やはり、ここにも公式をたてることはできないだろう。この新しいりんごの「我」に対する現れ方、現象の仕方によって様々に異なるだろう。この新しいりんごがとても美しいとか、とても大きいとか、特別な特徴を持って現れるか、今まで見てきたりんごとそれほど変わることなく、「おや?」という程度であるかによって違うであろう。「おや?」という程度であれば、いつの間にか、それまでの多くのりんごの印象が生み出した、ぼんやりとしたイメージの中に入り込んでしまうとしていいであろう。そして、特別な印象を与えた時は、かなり長い間、そのりんごの記憶が鮮やかな形で、今までのぼんやりとしたイメージと並行して、混ざることなく存在していて、〝りんご〟という名詞とともに呼び出される時、この二つが浮かんでくることが多いのではないだろうか。そして、このような特別な、強い印象のりんごがいくつも存在する時もあるだろう。りんごの時はいくつもというのは稀で、一番わかり易い例としては、親しくつきあっている友人などは、そのぼんやりとした顔のイメージとともに、いくつかのシーンでのその友達の様々なシーンでの姿や表情が浮かんでくるのではないだろうか。つまり、時によりけりであろうが、多くの個物、そして種や類についての記憶はけっして整理されることなく、しかも、多くの場合、複数が存在しているということになる。そして、同一性の問題に帰れば、この複雑な記憶が存在したまま、整理されることのないまま、同一性の判断がくだされることになる。

ここまで来ると問題はこの複数の記憶の中に、同一性を決定する〝なにか〟が存在するのか、となる。これらの多くの記憶はどれも、それなりに違った表象、イメージとして現れてはくるが、全て〝りんご〟、〝友達A〟という名詞と固有名詞でくくられることになる。それでは、これらの中に共通の〝なにか〟が存在するのか？となる。ここに見えているのは、特別な印象を与えた時の記憶は、その時の現象の保存されたままの記憶であり、〝りんご〟や〝友達A〟が決定され、その後での記憶だということだ。つまり、これらの特別な記憶が保存される前に、〝りんご〟や〝友達A〟が決定され、それで保存されているということになる。問題は、この特別な印象として残っている記憶が保存された時の現象において、どのようにして〝りんご〟や〝友達A〟が同一性として決定されたかになる。となると、その先のぼんやりとしたイメージがやはり問題になってくる。

このぼんやりとしたイメージは、今まで見た多くのりんごや〝友達A〟の今まで何度も見てきた、それらの多くの記憶が一緒にされ、その一個一個の記憶が月日を経るうちにぼんやりしてしまって、そのぼんやりとしたまま、その中から、なんとなく浮かび上がっているものなのではないだろうか。だから、はっきりとしない、しかし、それでいて、まちがいなく〝りんご〟であり、〝友達A〟であるのだ。このぼんやりしたものが同一性の判断に使われているということになる。このぼんやりとした、はっきりしないことは、そのまま、様々なりんご、変わったりんご、〝友達A〟の様々な変化のある姿や表情を入れる広さを持っていることに思えてくる。そして、はじめて見る種類のりんごや、友達Aが今までとは違った服装や表情をしても受け入れる広さを持っているように思えてくる。
もう少し違った例を見てみよう。自動車はどうだろうか。自動車となるとかなり広い類になる。だから、自動車のイメージは、よりぼんやりと思い浮かべれば、タイヤ、これもそれほどはっきりしないが見えてきて、その上に乗用車のらしい車体が灰青色で見えてきそうになるが、それを否定して、ああ、バスやトラックもあるんだとなって、バスやトラックが浮かんできて、混乱して、やはり、となって先の乗用車のイメージが、今度は車の正面のボンネットのあたりがもう一度浮かんで、混乱が続いてしまう。このような広い様々なものが入った名詞には、固定したイメージが伴わないと言わなければならないのだろうか、となる。同じように果物を思い浮かべようとすると、りんごや柿やバナナやいちじくが浮かんでくるがなかなかまとまらない。これは何を意味するのだろうか。

確かにこのような広い類に対して、いかにぼんやりしていても、一つの固定したと言えるイメージは浮かんでこないのである。今見てきている同一性直観として記憶、そのイメージ表象はどうも、このような広い類にはしっかりと現れてはくれないのである。これは、同一性直観なるものが、あまり広い類には適応しないことを意味していることになる。そもそも直観というものは、現象に向かい合ったものであり、それはその時の、その場でのものであり、同一性直観が基礎を置く記憶も、そもそもはこの現象からのものであり、記憶はそれなりに変形するものだとしても、バスやトラックや乗用車を一つにまとめるようには変形はしないということになる。果物の場合も、柿やりんごやいちじく、そこにメロンやパイナップルともなると、とてもとても、となってしまうのである。このような広い類は、生活の経験上、そしてそれから発達した思考が、時には科学による分類のものであり、今向き合っている同一性直観はそこまでは広がらないということになる。そして、もう少し狭くした、バスやトラック、乗用車、そして柿やりんごやメロンにはそれなりにはっきりしたイメージが浮かんでくるのである。ここまで狭くすると、その名詞とともにかなり早く、さっと、そして、それなりにはっきりとした形で、イメージは浮かんでくる。そして、このそれなりにはっきりしたイメージは、同一性直観の成立に役立っていそうである。少し見てみよう。

今程見た自動車から見てみよう。車を運転していると、バスやトラック、乗用車はひっきりなしにやってくる。時には数秒の間に何台も、何十台も通り過ぎる。これらはそれなりに「バスだ」「トラックだ」「乗用車だ」と思って見ていそうではあるが、そんなにしっかり見ていれば、逆に混乱して、事故が起きてしまう。これらは車の流れとして、その一台一台は、その動きの方が大事で、右折してくる車や、追い越しをかけてくる車の動きが大切なのである。ここには目的地へ行こうという、そして、事故を起こしてはいけない、という必要＝力＝意味が大きく働いていることになる。それでは同一性直観が働いていないか、と言えば、そうでもなさそうである。

急に右折してきた車は、その危険な動きに気を取られてはいるが、その車がトラックであるか乗用車であるかはもちろん、特にその車種まで、三日ほどは覚えているのである。このような緊張した場面ではなくても、車を運転しながら前を走る車がトラックであることや、対向車が乗用車であることは注意をしていなくても見ているとしていいであろう。

車のようなスピードを出しているものではなく、果物に移ろう。こちらは、目の前に出されれば、すぐに同一性は確認される。つまり、りんごであり柿であり、いちじくという種であることの確認である。これらは、テーブルの上に出されて「今日の果物はこれよ」とお母さんが言えば、子供達はすぐに、「ああ、りんごだ」とか

「柿だ」とかなる。そして、ここではこの〝すぐに〟が問題になる。というのは、子供達は何度か食べたことがあれば、ほんとうに、ほとんど見た瞬間に答える。つまり、同一性を確認しているのだ。この時、これまでずっと追ってきた種を代表する、あの、ぼんやりとしたイメージが使われているのか、ということになる。答えはノーのはずである。車の運転の時もそうであったように、あのぼんやりとしたイメージは使われることはないのだ。そして、日常生活を振り返って見ても、このぼんやりとしたイメージを思い出して、同一性が確認されることはなかなか思い出せないのだ。日常生活はなかなか忙しいし、そんなことを思い出している暇もないのだ。そして、必要もないのだ。

この必要もないことは、認識論にとってとても大きなこと、重要なことなのではないだろうか。同一性の確認に、記憶が使われていないのだ。いや、記憶から集められ生み出されたぼんやりとしたイメージが使われていないのだ。記憶は使われているのだ。記憶が使われていることはまちがいのないことだ。記憶がなければ、けっして同一性は確認できないのだ。はじめて見る果物を出されると、じっと見ていて、「なんて果物？ はじめて、こんなの」となるのだ。この時も、すぐに差異性は確認できるし、これまで見た多くの果物のイメージが引き出されることはほとんどないと言っていいはずである。それでは記憶の何なのか？

…？ となってしまう。

ここに大きな問題がある。人間は同一性を確認する時、記憶の何によっているのだろう、ということになる。記憶が使われていることはまちがいのないことである。しかし、記憶の何が？

ここに、記憶に関する大きな問題が存在する。どんな問題？…

記憶とは、見たり聴いたり、つまり五感で感じた現象を保存し、そして再生し、引き出されるものである、と多くの人々は考えている。記憶とは思い出されるものなのだ。記憶とは、保存されて、思い出されて、思い浮かべるものなのだ。しかし、ここでは、記憶され、保存されたまま、思い出されることなく、つまり引き出し機能と言っていいものが使われることなく、記憶はまちがいなく使われている。いや、働いているのだ。しかも、とても多く記憶、無限にと言っていい、無数の記憶が存在する中から、その中から探されることもなく、すぐに同一性は確認できるのだ。簡単な言い方をすれば、「見たことがある」なのだ。いや、それよりも、「りんご」「柿」「いちじく」と名詞が先に出てきてしまうのだ。ここには、意志とか意図なども働いていないのではないか、とまで思われる。少なくとも記憶を引き出そうとか、同一性を確認しようという心の動きはない。目の前のりんごやみかんや柿そのものが、「りんご」「柿」「いちじく」という名詞を引き出してきていると言ってもいいほどなのだ。この時、記憶の中の、あるいは意識の中の動きというものがあるのだろうか、とまで思えてくる。少なくとも、無限に蓄積された記憶、その中の果物、その中の様々な記憶、という具合に引き出されることはほとんどない、と言っていいのだ。多くは見た瞬間に、時には数秒、じっと見ていることもある。この時も、記憶とか意識の中を探すような努力はほとんどなされないのではないだろうか。やはり、じっと見続けていることによって……

このあたりはなかなか大切だ。もう少し見てみよう。

みかんの仲間に、だいだいという、食用にはあまりならない、ただし、時々庭に植えられていて、大きな見事な実をつけているものがある。これを採ってきて、テーブルの上に置き、子供達に見せると、「これなあに」「知らない」「はじめて見る」と返ってくる。大人の半分ほどもそうである。そして、よく知っている連中はすぐに、

「ああ、だいだいだ」と答えが出てくる。しかし、時には、二、三回しか見たことがなく、なかなか思い出せなくて、じっと見て、数秒して、「ああ、だいだいだったな」というのもいる。この時もけっして、記憶や意識の中は働いていないで、ただじっと見ていることが多いのではないだろうか。じっと見ていることで、それが目から意識の中に入り、記憶装置の中に入り込み、それが〝だいだい〟という名詞を引き出してくるのである。そしてこの時、この目の前の果物に照らし合わせるような記憶はけっして引き出されていないのでは、となるのだ。ただ、過去の記憶の中の〝だいだい〟と合致はしているはずなのだ。この合致が同一性の確認なのだ…

ここで言えることは、イメージや表象は動いていないし、現れてもいないということだ。これは何によるのだろう。考えられるのは、というよりも想像してみると、記憶の中には、型紙のようなものがあり、それは色彩も、しかも輪郭線も見えるものではないが、じっと見ていることによって、その型紙のようなものが動いてきて、目の前の同一性を確認すべく個物と一致して…と思いたくなってしまう。それ以上に、じっと見ることによって、その個物が、現象として意識の中に入り込み、記憶の中に入り込み、その型紙にたどりつく…こちらの方が、より近い気持ちになってくる。

ここはほんとうに見えない部分である。意識と記憶の中で何が起きているのか。この意識や記憶はそれを保持している「我」の中にしか存在しない。「我」の外へは現れない。しかし、その「我」もそこで起きていることを見ることも、感じることもできないのだ。これはどうしたらいいのだろうか。この型紙のようなものは、哲学で言う本質でも、プラトンのイデアでもないはずだ。プラトンのイデアは思い浮かべれば見えるものであり、哲学上の本質は、様々に文章で説明できるものなのだ。こちらは、型紙のようなとしか言えな、見えない、存在を確かめることのできないものなのだ。見えないもの、感じられないものは、科学でも、学問でも扱えない…

ただ、この科学でも学問でも扱えないことは日々瞬間毎に起きているのだ。町中を歩いていると、次から次へと様々なものが現れるが、それらは〝分かったもの〟として注意も払われない。しかし、それでもやはり見えているし、見られているのだ。それらは〝分かったもの〟として見られているのだ。これらの風景、その中の個物は〝分かったもの〟として、もっと言えば分かっていればいいので、つまり、生命活動には問題はないことであり、この論文の言い方をすれば、必要＝力＝意味は働く必要がなく、だから、注意したり、見る必要もないことなのだ。ただ、見えていることには違いなく、同一性は確認されているのだろう。いや、確認ということまでには至らなく、それでも、同一性、もっと言えば「同じだ」として見られているのだ。というのは、そこに差異性が存在すれば、「おや?」となって、すぐに注意は向けられるからだ。つまり差異性が確認されたのは、そこに同一性についての記憶があり、それから外れたからなのだ。

ここでもう一つ見ておかねばならない。というのは、この町を歩いている時、それぞれの個物、例えば家の形や店の看板などの個物の同一性の確認とまではいかなくても、やはり、「同じ」だと思われて通り過ぎていくのであるが、この時、これらの一つ一つに先程見た〝型紙のようなもの〟が引き出されているのか、ということなのである。そもそも、〝型紙のようなもの〟の存在そのものが怪しいのであるが、ここではこれらの町中の個物にはこの〝型紙のようなもの〟が引き出されてくることは稀であるとしたいのである。これも時により、人によりであろうが、ここでは見落としてはならない重要なことが起きているのである。ここでは今、歩いていて、見えている町の風景全体の型紙が現れて、いや引き出されているのではないか、ということなのだ。つまり、毎日見ている、この目の前の町の風景の残像、いや像ではない型紙が「我」の前に広がって、それで町の風景を見ているのではないか、ということなのだ。そして、その中の個物は、その中の一つの存在、全体の中の個であり、町の風景の中の一要素として見られているのでは、ということなのだ。だから、この風景の全体に変化がなければ、そのまま通り過ぎていってしまうのである。しかし、変化があった時、つまり、型紙とは違ったものが存在した時、「あれ?!」となってそこに注意が向かい、今度はその変化のあった個物についての型紙が引き出されるのではないか、ということなのだ。

ここで注目したいのは、この風景全体の型紙なのだ。もちろんこの型紙の中には、行き交う車や人の動き、そして、空の雲の形は除外されているとしていいであろう。この型紙は変化があるはずがないもののそれなのである。それは大きな模様のようなものとして存在しているのだ。そして、その模様から外れていたら、「あれ?!」なのだ。しかも、この模様はかなり細かなところまでもの模様なのだ。

ここまで見てくると、先程のだいだいのところへ引き戻される。だいだいは部屋のテーブルの上に出される。全体の風景は部屋の風景である。その中でだいだいはいつもはないものとして、差異性として存在する。だから、「我」はそのだいだいを注意して見る。だいだいそのものも、同一性が確かめられない。だからじっと見る。じっと見ることによって、そのだいだいの形、そして皮の持つ紋様がはっきりと見えてくる。そして、この見えてきた時、「あ、だいだいだ」となる。この時、だいだいの皮の持つ紋様と形が、〝だいだい〟という名詞を引き出してきたのである。まさしく、じっと見ることによって、目の前の紋様が、過去の記憶の中の、〝だいだい〟の紋様を引き出してきて、それが一致して、名詞が飛び出したのである。

実際には、町の風景の時も、だいだいの時も、型紙のようなものも、紋様も存在しないのだろう。ただ、「見たことがある」という反応を記憶はするのだ。それがだいだいの時は同一性が確かでないため、じっと見られることによって、過去の記憶の中のだいだいと一致するまで時間がかかったのである。だいだいも町の風景も記憶があることは確かなのである。そして、その記憶が目の前の風景や果物の存在と一致していることも確かなのである。しかし、それがどのように引き出されているかは意識の中に、その動きは感じられていないのである。多くの場合、一瞬にして、というよりも、目の前の存在、それを見たことが、記憶を引き出してしまっているのであろう。だいだいの場合は同一性が確認されないまま、じっと見ていて、確かに、記憶を引き出すのに時間がかかっていそうであるが、その形と紋様が見えてきた瞬間に、記憶も登場し、まさしく、引き出されるのではなく登場し、「だいだいだ」が出てきたのである。この時、記憶よりも、目の前の現象が力を持ち、過去のだいだいを見た時の記憶を引き出させ、いや、登場させているのである。

ここに、記憶と現象の不思議な、いや、ありふれて、いつも起きているが、あまり気づかれていない、ほとんど議論されたことのないことが起きているのである。つまり、現象が記憶を引き出す、いや、登場させる、しかも瞬時に登場させているのである。そして、このことは現象に向き合っている「我」にもほとんど気づかれないで、意識されることなく起きているのである。記憶は無限にあるのである。その無限の記憶の中から、ほとんど瞬時に登場するのである。

ただ、この瞬時にもそれなりの長さの違いがあるのは町の風景とだいだいを見た時の違いとして見てきたところである。町の風景は同一性として、だいだいは差異性として登場してきたことによるとしていいであろう。

ここはもう少し整理しておかねばならないだろう。町の風景、家や部屋、そして会社や工場の全体の見え方、やはり風景と言っていいものは、その視界として見えているもの全体が、それを見た時、その全体の記憶がもう登場しているということである。つまり、そこに向き合ったと同時にその記憶が登場し、いわゆる記憶の被いによって、その風景を見ているのである。そして、一歩一歩歩いて、個物に出会っても、その個物はその風景の中の個物であり、その個物の記憶もすぐに登場を待っているのである。わかり易いのは工場の風景であろう。工場に入り、全体を見渡した時、その時、工場全体の記憶が被いをつくっている。そして、一歩一歩進んでいくと様々な機械が見えてくるが、それらは工場全体の風景の中の決まった場所に存在し、記憶の中でも、その決まった場所で登場するので、まさしく瞬時になるのである。

それ以上に、工場や会社へ行く、そして町を運転して通る、これらはやはり、生活の中の目的や計画の中での動きなのである。そして、町を通っている時、工場へ向かっている時、これから工場へ行くんだぞ、これから運転をして町を通るのだぞ、という意図、気持ちが存在するのである。これらの意図や気持ち、意識の動きの中で自動的に記憶も用意されていることは考えられるのである。しかし、この記憶の動きを意識を持ってなしている人間はほとんどいないはずである。せいぜい自動的に動いているとしか考えられないのである。実際自動的に、しかもとてもスムーズに、瞬時に動いているのである。

もっと言えば、「我」は世界＝意識として自分の世界の隅々まで、かなり詳しい記憶で埋め尽くし、そのどこへ行くかを決めているのだ。それに伴って、記憶も…

しかし、ほんとうだろうか、とも思えてくる。ここには記憶の動きはほとんど意識されていないのである。

これらをもう少し見るため、ここで、先程のだいだいを見てみよう。だいだいはテーブルの上に出されるのである。テーブルは、町の風景や工場の風景とは違って変化、差異性を受け入れる場所である。つまり、テーブルは食事のために使われるにしても、そこへ毎日違った料理が出され、それが片付けられ、何もなくなって、という変化、差異性を受け入れ、許容する場所である。町の風景の中でも、工場の風景の中でも、道路や出荷場などはたえず変化し、変化、差異性を許容する場所である。逆に、このだいだいが置かれるテーブルは、部屋の中では特別なことがない限り同じ場所にあり、そして、それを取り巻く部屋の風景もおおよそ変化がない、同一性を保っているとしていいであろう。

このテーブルの上にだいだいが置かれるのである。テーブルの上は片付けられ、きれいにされているとしておこう。テーブルの上にだいだいが一個だけ置かれたのである。当然、「我」はこのテーブルの上の果物を個物として見る。そこに対象＝意識を形造るのである。お母さんと子供の場面であれば、「この果物見たことある？よーく見てみなさいよ」「ええ？……」となるであろう。ここでは、成人した人間が、部屋に入ってきて、誰かが置いていったらしい、果物、柑橘類が一個置かれていることにしよう。成人した「我」はそれをじっと見るのである。これを、「我」の世界＝意識から見てみると、「我」は今世界の中にいて、またその中の食事をする部屋にいて、そのテーブルに向かって、ここまでは同一性の記憶が埋めているとしていいであろう。ただ、その同一性の中に、テーブルの上に果物が、柑橘類が一個存在するのである。テーブルは先にも見たとおり、差異性を受け入れる、変化の場所である。そこに差異性の果物、柑橘類、…記憶が引き出せないのだ。じっと見ているのだ。いや、見たことがありそうだ。しかし、記憶が引き出せない。じっと見て、そして数秒後、「あ、だいだい」となるのである。

問題はこの数秒間である。何が起きているのか、である。「我」は、じっとその果物を見ているのである。その形、そしてやはり皮の模様、独特の、その皮の小さな波状の、やはり模様としかいいようのないその様子に目をやっているのである。

そして、この時、記憶が引き寄せられているというのだろうか。少なくとも「我」は記憶についてはほとんど意識していない。もちろん、時には、「ええと…これどこで見たのかなあ」となるが、それはじっと見た後、その模様が確定しているが、名前が出てこない、その前に同一性が確定していない時である。いや、じっと見ている時をもう少し見てみよう。


この時、記憶はどうなっているのか。それが本論の仕事のはずである。つまり、じっと見ている間に、記憶はどのような動きをしているのか、なのである。動きと言ったが、動いているのか、どうか。少なくとも、「我」はその動きを感じていないのである。これを現象学的還元によって、つまり反省によって、この時の「我」の中をさぐってみても、やはり動きは感じられないはずなのである。また、「我」も記憶の中をさぐろう、探してみようという意図は持っていないのである。ただ、じっと見ているのである。

この時、じっと見ていることによって、そのだいだいの肌の紋様をじっと見ていることによって、その紋様がくっきり浮かんでくるのである。そのくっきり浮かんだ瞬間、「だいだいだ！」となるのである。この時、確かに〝だいだい〟を教えたのは記憶のはずなのだ。記憶はまちがいなく使用されたのである。この時、無限の記憶の中から少なくとも多くの果物の記憶の中から、そして、いくつかの柑橘類の記憶の中から、人によっては、この分類された記憶の中をいろいろ探してみる者もいるだろう。しかし、この「我」はじっと見ているだけなのである。それでも、「だいだいだ！」となるのである。これはどうなっているのであろうか。

ここは想像するしかないのである。だいだいの肌の紋様がくっきり浮かんだ瞬間、それに反応するように、過去に見ただいだいのその肌の紋様が反応したかのように、そして、それに一致したかのように、「我」の意識も反応して、「だいだいだ！」となったのである。（いや、反応したように、と比喩的表現を用いたが、まさしく、現象に記憶が反応したのではないか、とも思えるのである。このことはかなり重要なことなのではないか。同一性直観の決め手はこの反応にあるのではないか、これは後に見てみよう。）

ここで言えることは、記憶を引き出す時、ほとんどの場合、瞬間に引き出され、しかも、まったく意識されることなく引き出されているということなのである。毎日遊んでいる友達の顔は瞬間に引き出され、同一性は確認できてしまうのである。この時、記憶を引き出そうという意図もまったく働いていないのである。しかし、記憶はまちがいなく働いているのである。記憶がなければ、昨日会った人間も誰かはわからないはずなのである。

そして、このだいだいの場合、瞬間ではなく、二、三秒、時には十秒ほどかかるのである。これは、同一性があやうい状態だったからである。そして多くの場合、記憶の中をさぐるということはしないで、じっと見ているだけなのである。

これとよく似ているのが、何十年会っていなかった友達との再会の場面であろう。友達はずいぶん変わっている。つまり差異性に包まれているのだ。その差異性の中をじっと覗き込むのだ。覗き込むのは同一性を見つけ出すためにである。その差異性の中に、確かに心を惹きつける、見たことのある、つまり記憶が反応する〝なにか〟が見えているのだ。じっと見ているのは、この〝なにか〟をよく見るためだ。それをじっと見ていると、差異性の中によりはっきりと同一性が浮き上がってくる。それがはっきりした時、記憶がピクリと反応する。「おお！」となる。まさしく、記憶が反応したのだ。

この時、人によっては、記憶の中を様々にめぐり歩く者もいるだろう。でも多くの人はじっと見ているだけなのではないだろうか。というよりも、なにか心を惹きつけるものを感じ、じっと見てしまうのだ。この惹きつけるものが、見たことのある、記憶が反応している〝なにか〟なのだ。そして、しばらくじっと見ていると、その〝なにか〟の中から、はっきりとしたものが、「ああ、そうか」という心の中の声とともに見えてくる。そのはっきりしたものが、よりはっきりして、しっかりと固定されたようになって、「おお！」となるのだ。

記憶が引き寄せられたのだろうか。少なくとも「我」は、そのようなことをしたつもりはない。でも、無限の、そして友達の、特にその頃つきあっていた多くの友達の記憶の中から、一つが引き寄せられて、その目の前の〝なにか〟と向き合って、反応して、一致して「おお！」となるのだ。〝引き寄せられた〟と言ったが、「我」は少なくとも記憶のそのような動きは感じていない。正確に言えば、目の前の〝なにか〟に記憶全体が反応して、その反応の震源地である記憶がその波長を一致させるように現れて、同じ震動をし、「おお！」となるのだ。

これとよく似ているな、と思ったのは、最近、スマホに音楽を聴かせると、次の瞬間に、題名や演奏家が出てくるのだ。これも、スマホが音に反応して、その中の無数と言っていい録音の中の一つが反応して、次の瞬間、画面上に題名や演奏家名を映し出す仕組みである。パソコンやスマホには詳しくないが、そのような印象を受けたのである。

つまり、現象に記憶が反応するのでは？ということなのだ。少なくとも、それに近いことが起きているのでは…と問いかけたいのだ。そして、この反応が同一性の決め手になっているのでは？ということなのだ。ほんとうに議論してほしいのである。

そして、現象に記憶が反応した時、この反応はそれなりに「我」に感じられ、「おお！」とか「ん」とか「なるほど」という声が出て、同一性が確認できたという思いが「我」の中を走るのである。つまり、この時の反応はそれなりに力を持っていて、その力が「我」に、同一性の確認ができたと思わせるのである。そして、この反応の強さが、同一性の確信へつながるのである。この反応を、同一性直観としてもいいであろう。過去の記憶と目の前の現象が一致したという反応である。もちろん、このような反応は、「我」に確信を与えるだけで、絶対的真理の保証ではない。時には、それがまちがい、錯覚ということもあるだろう。しかし、多くの場合、「我」はこの反応から確信を得たと思い込むのである。そして、生活は続けられるのである。少なくとも、絶対的真理を求める哲学者ではない、庶民の生活は続くのである。

まちがいが起きることがあるのは、反応した記憶が違ったものの記憶であったということになるのであるが、この違ったものの記憶がどうして反応するかは、ここでは、〝よく似たものの記憶〟とぐらいにしか言いようがないであろう。この後、類似性やまた種や類と個の同一性の違いや、また記憶そのものの変形などを見た時、問題にしてみたいものである。

ここでもう一つ確認しておかねばならないのは、このような現象に対して記憶の反応がそれなりに力を持って起こることは、やはり同一性の確認がすぐにできない、だいだいの時のように、記憶が遠のいていてなかなか反応しない、しかし、それでも反応した時や、何十年ぶりの再会のように、差異性の中に包まれている同一性を見つけ出すのが難しい時、つまり、やっと同一性が確認できた時である。人間の行動の中で、やっと、つまりとても難しいものが達成できた時、同一性でなくても大きな反応があるのは常識である。

反面、街を歩いている時の風景や、部屋や工場の中の風景の時、このような反応はほとんど力を持たず、差異性があった時だけ反応が起こり、同一性の確認はあたり前のこととして、いや確認しているという自覚もないまま、生活は進んでいくということである。

この反応の力の大小、いやまったく反応など起きていると思わない時など、これらを左右しているのは「我」の中の必要＝力＝意味であることは、今後の見ていかねばならない大きな課題であるということである。

そもそも、同一性の確認のために対象に向かわせるのは、この必要＝力＝意味のはずなのである。


ここで少し、必要＝力＝意味に向き合った方がいいであろう。というのは、認識機能の根底には、この必要＝力＝意味が存在するとしたが、そのことは、様々な言語とその機能の根底に、この必要＝力＝意味が存在することになるからであある。特にこの先で見ていかねばならない動詞は、その根底を大きく、この必要＝力＝意味によって支配されているのは、わかってもらえるであろう。動詞と必要＝力＝意味の結びつきは、そこへ行った時見るにしても、ここではまだまだ、必要＝力＝意味というものを見ておかねばならないはずなのである。

まず、科学で欲望で説明されている人間の行動とこの必要＝力＝意味の違いを見ておかねばならないはずなのである。

人間が少なくとも直接的には欲望によって行動していないことはよくわかってもらえるはずである。仕事や勉強を好きでやっている人々はやはりとても少ないはずなのである。多くの人々はしなければならないからしているのである。つまり、ここには義務感や責任感というものが存在しているのである。ここには社会の制度が持つ力が大きく働いているのである。科学はこの義務感や責任感の根底に欲望が存在すると説明するのである。この論文では、そのことは否定はしないが、記憶というものを見ていくと、このような社会の制度、それからの義務感や責任からの力、そしてまだまだ様々な力が記憶と結びついて、欲望以上の力を持って人間の中で働いている、時には人間を支配していることが見えてくるのである。簡単な例を挙げれば、江戸時代の赤穂浪士、第二次世界大戦の特攻隊、そして現代のＩＳを見ればわかってもらえるはずである。ここには人間の欲望を超える社会の持つ力が見えてきているのである。その中でも、信条や信仰、そして宗教というものが、欲望をはるかに超えて力を持っているのでは、と見えてきているのである。これは幼い子供達の遊びのルールから始まり、交通ルール、そして慣習や法律に至り、人間を支配する力を持っているのである。

これとは別に、愛というものもある。これも、科学では、生殖欲や繁殖欲などの欲望で説明しているが、この論文はやはり、別物として議論を進めていきたい。そして、母親の子供達に対する愛情は、どんな欲望よりも強いのでは、とも考えている。また、子供達の母親の愛への気持ちも、食欲などと一体となった、やはり、とても強い力を持ったものと考えている。そして、親子の愛だけでなく、家族への愛、隣人への愛、郷土愛、国家や民族への愛、そして人間愛というものの存在を記憶とともに考えていくと、記憶の持つ力として、人間の中の力としても考えていくことができるのである。最初に見た仕事や勉強をしなければならない気持ちの中にも、愛はとても大きな力で入り込んでいるはずなのである。しかし、これらの愛が単純にストレートに力を発していくには、人類の歴史はあまりに厳しすぎたのである。人間は夫婦二人で、子供を十人前後生むことができるが、人類の歴史の中で経済成長率は数世紀に一、二パーセントだった時代がとても長く続いたのである。医学が発達していなくて、恐ろしい病気に多くの人々が倒れていったとしても、やはり、経済力に対する人口増加は大きな問題であったはずである。ここには父権をはじめ様々な権力、暴力、戦争などが、愛を大きく制限してきたはずなのである。これらの力も、必要＝力＝意味の中に大きな場を持っていたはずなのだ。

以上のように、必要＝力＝意味を見てくると、この必要＝力＝意味は人間社会の力とともに、そして、人間の歴史とともに、「我」の中に大きな、とても広い、意識や精神と言われるものの隅々にまで力を持っていることが見えてくるのである。まさしく、認識の根底に存在し、認識を大きく左右しているはずなのである。これまで見てきた同一性と差異性も、この必要＝力＝意味に大きく左右されているのである。この必要＝力＝意味によっては、同一性と差異性の境界線が大きく移動しているはずなのだ。これらも見ていかねばならない。

そして、まだ、先に見た対象＝意識はほとんどが、この必要＝力＝意味によって形造られているのは、多くの人々はすぐに納得がいくはずなのである。人間が対象に向かう時、そこには欲望が存在するとしたのが今までの科学であったが、この論文ではもっと広い形での必要＝力＝意味として見ていきたいのである。

大きく道を外れたことになったが、この外れた道は今後の議論には大切な、欠かせないものであったはずである。

4．必要＝力＝意味と、同一性と差異性

いや、もう少し、同一性を、そして差異性を、必要＝力＝意味を基礎にして見ておこう。同一性と差異性の関

係に、この必要＝力＝意味は大きな力を持っているからである。

今まで、何度か「我」は同一性にはほとんど反応しないで、差異性には大きく反応すると言ってきた。とはいえ、何十年ぶりの友達との再会は、差異性の中にうずもれた同一性を見つけ出し、大きく心を揺さぶられてしまうのである。人間は時には、様々な同一性に、様々な反応をしているのである。逆に、道路を行き交う車の流れは、次から次への差異性ではあるが、人々はそれほどには反応しないのである。同一性に反応するかしないか、差異性に反応するかしないかは、その根底に働いている必要＝力＝意味によって左右されているのである。

何十年ぶりに会った友達の顔の中の同一性は、その頃つきあっていた友達との関係の懐かしさ、様々な記憶が大切なものとしてこみ上げてくるのである。まさしく記憶が大きな力を持って「我」を突き動かすのである。それ以上に、友達の顔の中の同一性、それに反応した記憶、同一性を確認する記憶の反応そのものが、とても大きな言葉には表せない力として、「我」を突き動かしているはずなのである。

逆の、道路を行き交う車の次から次への差異性は、基本的には「我」の生活にはほとんど、少なくとも直接には関係のない差異性なので反応しないのである。しかし、そこへ今まで見たこともないかっこいいスポーツカーが通り過ぎたとすれば、車好きの人間は「おお?!」となるのである。この車好きとは、人間の欲望を底辺にはしているが、やはり、様々な車についての記憶の積み重ねによる必要＝力＝意味のはずである。しかし、ここに逆に自分の会社の車が走っていったら、その同一性は「ええ? どんな仕事でここを通っていったんだよ」とやはり、仕事上の必要＝力＝意味が働くのである。

必要＝力＝意味が働くことによって、同一性と差異性は移動しあうのである。

スーパーに並んでいるりんごは、今日はりんごは家にまだ何個もあるからいらないと思えば、「ああ、りんごか、けっこう並んでるな。もう秋も深いからな」とりんごという同一性が並んでいるのを確認するだけである。しかし、今日りんごを買わなければと思ったら、一個一個を丁寧に調べて、つまり差異性を追って、同一性として並んでいるりんごの中から、一番おいしそうなのを選ぶのである。買うという必要＝力＝意味が働いたのである。

大通りの車の流れを、車を運転する者は、その差異性には恒に注目しているとしていいであろう。つまり今日は混んでいる、空いているはドライバーにとってとても大切なことなのだ。目的地へ時刻どおりに行かねばならないという必要＝力＝意味が働いているのである。しかし、同じ車の流れの中にも、おかあさんに迎えに来てもらう約束になっている子供は、その差異性の次から次へとやってくる中で、ママの車という同一性を求め続けているのである。

流れ作業で同じ部品を作り続けている工場の現場では、同一性の確認は大切な仕事である。その中に差異性が混ざっていれば、不良品として取り除かれなければならない。しかし、それらの部品が組み合わされて製品となり、商品として売るお店では、様々な差異性を並べて、お客の心を惹きつけるのである。それでも、同じケースに入っている商品は同一性がしっかり守られていなければならないのである。

毎朝、子供の顔を見る時、お母さんは、この同一性と差異性を確認するのである。いつもと同じように元気なら、つまり同一性はＯＫだ、しかし、この一週間風邪をひいて、元気がなかったなら、その元気のなさが変わって元気そうになっていたら、つまり求めていた差異性がやってきたら、ああ、やっと、うれしい！　なのだ。元気だけでなく、学校から帰ってきて、その姿を見て、また宿題もしないで遊びにいくつもり？ となると、つまりまた同一性にがっかり、それよりも今日は少しきつく言っておかなくっちゃ、になる。そんな子供も、時には、学校から帰ってきたなり机に向かっていて、「珍しい、どうしたの？」と声をかけると、「今日いっぱい宿題出たから」とか「明日試験だから」とか返ってくれれば、珍しい＝差異性は喜びになる。母親はずっと子供の顔色を見ているのだ。つまり、その顔の、同一性と差異性を見守っているとしていいのである。そして、その底辺には、この子が元気でいい子供に育ってほしいという願い、必要＝力＝意味が存在しているのである。

顔色といえば、部下はいつも上司の顔色をうかがっていなければならないし、営業マンはお客の顔色をうかがっているのである。たまに会ったお客には、「いつもお世話になっています。お変わりないみたいで、お元気そうで…ああ、それにしても先日はたいへんお世話になりまして…」と挨拶をするが、いつも＝同一性、お変わりなくて＝同一性、それにしても＝差異性の言葉が使われているのである。そして、この言葉を使う営業マンの底辺には、売り上げを挙げたい、しかし、そんなにストレートには言えない、というなかなか複雑な必要＝力＝意味が存在しているのである。

顔色に、顔色だけでなく、相手の同一性と差異性に最高に敏感になる、時には過剰に敏感になるのが、恋愛だろう。相手の顔色の、表情の一つ一つ、その変化とその奥の相手の心の動きを読みとろうと、恋する者は必死なのだ。相手の眼の動き一つで、その晩、眠れないこともあるのだ。しかし、また、ほんの小さな頬と唇がつくり出す笑みがまた、大きな幸せをもたらすのだ。この差異性の一つ一つに心を動かされながら、恋する者が求めているのは、永遠の愛＝同一性なのだ。そしてこの愛こそ、人生の最高の、人間が求めるもっとも大切な、必要＝力＝意味なのである。

以上のように見ていくと、同一性と差異性はほとんど無限な、まさに様々なところで、様々な形で現れ、存在していることになる。これらを整理すると、必要＝力＝意味は、「我」の世界＝意識の中に、幾つもの層を持って存在しているのである。「我」の世界＝意識の一番広い層では、まず「生きること」についての必要＝力＝意味が存在しているはずである。その下には、「生活すること」またその下には「仕事をすること」や「勉強をすること」の層が存在し、この外側には「遊ぶこと」や「旅行をすること」や「スポーツをすること」の層が存在しているのである。そしてまた、その下には「仕事をすること」の層の下には、「会社に行くこと」の層が、その下には、「機械に向かうこと」その下にはいわゆるマニュアルと言われる様々な細かな動きが、義務とか責任とともに、必要＝力＝意味となって働くのである。そして、一番細かな形では、機械の動きに合わせた、小さな指先までの動きが注意力とともに働いているのである。そしてここでは商品という同一性を作り続け、不良品という差異性に大きな注意を払われているのである。「スポーツをすること」の下にも、「グラウンドに行くこと」や「クラブに行くこと」そして、その下には「サッカーをすること」や「テニスをすること」があり、その下には様々なルールに従い、様々な技を細かな点まで、それに必要な記憶力や判断、決心を瞬間毎に行っていくのである。そして、その全般に勝利をしたいという必要＝力＝意味が強く働いているのである。そして、ここにも、理想とするフォームや球種を身につけて、打とうという同一性の追求があり、また、相手の読みをかわすという差異性の追求、いや、様々なところで同一性と差異性は求められ、また判断を決定しているのである。

そして、ここまで来れば、同一性と差異性だけでなく、あらゆる認識の底辺にこの必要＝力＝意味が働いていることが見えてくるのである。ということは、この論文の最初に見た、個物の認識そのものも、必要＝力＝意味が大きく働いているのである。どの個物に向きあうかは、必要＝力＝意味によるのである。しかも、層として存在する必要＝力＝意味によってなのである。

世界＝意識の中の、大きな町の風景の中の工場へ行き、その工場の中の機械に向かい、その機械の中の動いている先端に、その横に置かれた箱の中から加工すべき部品を取り出し…ということはその一つ一つに層としての必要＝力＝意味を見ることができるのである。この向かい合った個物に、恒に同一性と差異性は問題になり、追求されていくのである。

そして、これから、まだまだ、認識そのものについても見ていく時、そこにどのような必要＝力＝意味が働いているかはしっかりと理解して見ていかねばならないということなのである。

×× ××

以上、長々と認識論に入り込んでしまったが、言語というものを見る時、以上の考察は無駄にはならなかったはずである。そして、認識の基本となる同一性を中心に見てきたが、この同一性と記憶の関係もそれなり見えてきたはずである。そして、同一性直観とは、まさに現象の中の対象と記憶との合体、その反応であることを見たが、その反応はまさに多くの科学や哲学では欲望で説明していた、またフッサールの現象学では志向性とされていた、そして本論では何よりも記憶、そして、それらの記憶や認識全体を支配する生活や社会の規則、そしてまた宗教などが持つ力をも含んだ意味での必要＝力＝意味が左右していることも見たのである。

そして、これらの考察は、これからまだまだ見ていかねばならない。差異性についても、大切なものになっていくはずなのである。

というのは、抽象的議論を持ち出せば、あらゆる存在、そして、それなりの現象は時間の経緯の内では変化、つまり差異性として存在しているのである。しかし、そこに差異性を見るか同一性を見るかは、「我」の中の必要＝力＝意味によるとしていいのである。とはいえ、「我」はそれでは自分の中の必要＝力＝意味を意識しているかと言えば、けっしてそうではないのである。多くの「我」は、これらを自分の置かれた立場、場面、状況として感じて、つまり現象に向き合っている自分の在り方で理解しているのである。この立場とか場面とか、状況そのものも、広い意味での必要＝力＝意味なはずなのである。これらはまだまだ、これから見ていかねばならないのである。

さすがに、このあたりでケリをつけた方が良いであろう。差異性と形容詞の関係を見ていこう。その時、必要＝力＝意味の考察もその都度見ていく必要があるはずである。もちろん、この必要＝力＝意味も大きく言語に影響を与えており、しかも、とても多くが言語とともに成り立っていて、そして、その結びつきがとても大きな力に、時にはなったりしているのである。…まだまだ

5．差異性直観

認識論を終了し、言語について向きあう、ということは、順序から言えば、形容詞、そしてもっと広く修飾語を見ていくことになる。そして、これらは差異性を表す言語であるということである。今まで同一性と並んだ形で差異性はその都度見てきた。しかし、差異性そのものについてはそれほど向き合ってはきていないのである。

ここでは、少し、差異性そのものに、そしてまた、差異性直観をも、同一性直観をみ見た時と同じレベルで見ていかねばならない。

同一性を確認できるのは、そこにそれを確認すべく、照らしあうべく過去の記憶が存在するからである。そして、これから見ていく差異性そのものも、それを確認するためには、そこで照らしあって違っていることを見るべく、過去の記憶が存在していなければならないのである。しかも、その記憶は同一性を確認したと同じ記憶であるということである。というよりも、差異性の多くは、同一性を確認しようと思っていると、「あれ?! 違っている」と現れるということなのである。この「あれ?!」の心の動き、「違っている」の内容を、形容詞や修飾語が表現しているということなのである。

そして、もう一つ確認しておくべきは、同一性は基本的にはそれが過去の記憶と同じものであることの確認、ということはただ一つの確認であったが、差異性は同一性とは違っている様々なあり方が存在するということである。同一性の一つに対し、差異性はそのまわりを取り囲むようにとても多くあるということである。まわりを取り囲むように、と言ったが、差異性の変化には多くの場合、反対方向を持っているということである。大きい↕小さい、古い↕新しい、暗い↕明るい、などの形容詞が反対語を持っていることはそれを表しているのである。これだけでなく、この形容詞に動詞が付いて、大きくなった↕小さくなった、古くなった↕新しくなった、暗くなった↕明るくなった、などが使われるのである。これに、同一性を確認しようと思っていた個物の名詞や固有名詞を上につければ、○○は大きくなった↕○○は小さくなった、○○は古くなった↕○○は新しくなった、○○は暗くなった↕○○は明るくなった、となり、主語述語を持った文にまで行ってしまうのである。ただ、ここに現れた〝なった〟は、変化を意味する動詞の過去形であり、単に変化を表し、動詞本来の様々な動作を表す言葉でないとして、まだまだ動詞には接近しないでおこう。

それ以上に、ここで見ておかねばならない大切なことは、差異性直観そのものを見ることである。ここで、認識の上で、かなり大切なことが起きているのだ。そして、それがどのように言語を生み出し、また言語に力を与えているかを見ておかねばならないのだ。

差異性直観は多くの場合、同一性直観の否定として現れるのである。ということは、差異性の前に同一性が存在していなければならないのだ。そして、少し早まわって言えば、否定された同一性は記憶の中にだけ存在しているのだ。ただ、それほど単純ではない。

これまで見てきた同一性直観の否定であるとすれば、先に見た反応、過去の記憶と目の前の現象の一致が起こらないで、この記憶と現象の間にずれを感じている時だということになる。同一性を確認すべく記憶が、目の前の現象との一致の反応をしないのだ。ずれているのだ。違っているのだ。そして、「おや?」となっているのだ。「我」はこの時、やはりじっと見ているはずである。そして、同一性直観を見た時と同じ、このじっとして見る時に、過去の同一性を確認すべく記憶をわざわざ見比べて、それを表象として、つまり形として思い浮かべているることは稀なはずである。じっと見ているのである。つまり、目の前の現象に集中しているのである。それにもかかわらず、違いが見えてくるのである。けっして、過去の記憶を浮かべてはいないのであるが、違いが見えてきているのだ。同一性直観の時も、けっして過去の記憶は思い浮かべられてはいなかった。少なくとも思い浮かべようとする努力はほとんど稀にしか起こらない。しかし、過去の同一性を確認すべく記憶は確かに意識の中に引き出されているのだ。そして、同一性直観の時見たように、「我」はこの引き出しを意識的には行っていないのだ。行うことは稀なのだ。つまり、自動的に過去の記憶は、そして今目の前の現象の中の個物と比較されるべく記憶は意識の中に引き出されているのだ。

しかし、それは「我」には形としては見えていないのだ。「我」が見ているのは、目の前の現象の中の個物だけなのだ。しかし、そこにその見えていない過去の記憶と、目の前の現象の中の個物の違いが見えてきているのだ。同一性直観を見た時、版木とか型紙という比喩を使ったが、それと同じものが意識の中に出てきて、今度はそれとの違いを教えているのだ。そして、同一性の時のような反応はしないで、その違いに目がいってしまっているのだ。つまり、「我」は過去の記憶を通して、それが版木や型紙のような役目をして、違いを教えてくれているのだ。

もちろん、いつもはそうでなく、しっかりと昔の記憶を思い出してから差異性を見るとか、母親が子供に、「ちゃんと前に見たのを思い出して、どう違っているか見てね」と言うような場合もあるし、それでは足りなくて、昔の記録や写真を用意することもあるだろう。しかし、これらの多くは、差異性が問題になっている、少なくとも差異性がなかなか確認できない時ではないだろうか。

多くの場合、差異性はむこうからやってきているのではないだろうか。しかも、同一性そのものも問題になっていなくて、なんとなく見ていると「ええ?!」となることが多いのだ。そして、この論文もはじめの方では、同一性は問題にならなくて、とか、気づかなくて、とか、反応しなくて、とか差異性だけに反応し、同一性に反応するのは特別な場合であるという具合に述べていたのだ。このことは、ここに至っても、やはり同じ見解に立って見ていくべきなのである。「我」はほとんど差異性に反応し、同一性に反応するのは同一性が問題になっている時だけだと言っても、それほど間違っていないのだ。だいだいの場面や、何十年ぶりの友との再会の場面は同一性そのものが問題になっていた稀な例なのだ。同一性と差異性に限って見れば、「我」は圧倒的に差異性に反応しているのだ。そして、差異性はほとんどむこうからやってくるのだ。なんとなく見ていると、「あれ?!」となるのだ。

そして、ここには過去の同一性を検証する記憶が持ち出されていることはないのだ。少なくとも、意識的には記憶は引き出されている、たぐり寄せられていることなどないのだ。しかし、差異性が差異性として見えてくるには、やはり、そこにはその先に見た同一性を保証する記憶が存在していなければならないはずなのだ。ここにも認識、そして、記憶に関しての不思議が…まあ、それほどでもないだろう…。

いや、ここでもっと、哲学や認識論にとってとてもたいへんなことが見えてきているのだ。哲学や認識論をやってこられた方はそれなりに気づいておられると思う。ここで見ている同一性直観、そして差異性直観は、哲学や認識論では直観とは認められないはずなのだ。哲学や認識論では直観とは、現象に向き合い、その現象だけを感性で受け止めることなのだ。ところが、ここで見ている同一性直観にも差異性直観にも、記憶が入り込んでしまっているのだ、ということは直観ではないのだ。これは大きな問題であるはずである。

結論から先に言えば、哲学や認識論はこのような記憶の存在についてほとんど踏み込んではきていないのだ。現象と言った場合、科学ならば、感性的刺激から出発するが、ヘーゲルの『精神現象学』もこのような感性的刺激からは出発していない。目の前の個物から出発しているのだ。これはヘーゲルの時代の科学思想との関係も問題にはなるだろうが、ヘーゲルも、直観と言った場合、つまり「我」が目の前のものを見る時、けっして科学の言うような感性的刺激としてではなく、様々な個物、そしてその集まりとして見ることを認めていたのではないか、と考えていいはずなのである。『精神現象学』の最初、A意識の項の冒頭にも自我が対するものとして、事物や対象やこのものという訳語が並ぶのである。（ただ、これらは直接的（無媒介）として存在しているとなっているが、これらの単語は記憶の存在を否定しているのかは、議論しなければならないはずである。一方、この最初の項の題名は感覚的確信、このものと思い込みになっていることは、記憶の存在を思わせるが…）二十世紀最大の哲学者とみられているフッサールも、現象を語る時、目の前に見える樹木という言い方を多く使っている。樹木が樹木として見えるには、過去の記憶が大きく働いているのでは、個物が個物として見えるには、記憶が働いていなければならないはずなのだ。ここは論争してほしいところである。

そして、少なくとも、同一性直観や、差異性直観と言った場合、これまで見たように、どうしても記憶は入り込んできているのだ。そもそも、同一性、差異性とは、それが比較されることを含んでいる限り、論理的にもそこには記憶は存在していなければならないはずなのだ。

これで、といきたいところであるが、まだ続けなければならない。このままでは誤解を与えてしまう。というのは、これまでのように述べてくれば、同一性や差異性を見極めるために使われる過去の記憶がたった一つであるかのように思われてしまうはずなのだ。それはいくつもあり、しかもけっして整理されたものではないのだ。その中から、ほとんど意識されることなく、あたかも、その中の一つ、あるいは代表するものが引き出され、それで、「同じだ」「違っている」と区別されているということなのだ。そして、この時、見ている「我」の方も、いつのどこでの記憶かはほとんど意識することなく引き出されているということなのだ。

そして、時には、その中の一つがぴったりあって、「そっくりだ！」とか、「おお、あの時とまったく一緒だ！」となったりするし、どのような記憶にも当てはまらず、遠くかけ離れていれば、「ぜんぜん違う」になるし、時にはその中の一つに近いが、やはり違っていれば、「あの時のに似ているが、やはり違ったもんだな」となるのである。

そして、ここまで見てくれれば、次のことも見なければならないのである。この同一性と差異性の区別を確認する多くの記憶は、厳密にはそれぞれ、差異性を持って存在しているのである。友達の顔を上げれば一番わかり易いだろう。毎日毎日会っている友達の顔は日々変化しているのである。女性の場合は、化粧によって大きく変わるし、男だって、髪や髭で変わる。それ以上に毎日の健康や気持ちで、また成長するにつれ、大きく変わるのである。しかし、それらの全ての記憶を一つにまとめて、「あいつの顔」「あの人の顔」となっているのである。一つにまとめているのは、同じ人間の、同一の人間の顔としてである。同じようなことは、人間の顔だけでなく、動物や植物、そして機械や道具などの一個の、個物の変化と、それに伴う記憶を一つにまとめていることは多々あるとしていいであろう。また、種や類についての個々の、それらの一つ一つの記憶を、種や類として一つにまとめているとしていいであろう。いや、それだけでなく、自分が住んでいる町の日々の移り変わり行く光景、また旅行に行った時の様々な景色、それ以上にテレビのドラマや読んだ小説の場面場面を、それらの様々な記憶を人々は一つにまとめて保存しながら、生活を続けているのである。つまり、一つ一つの個物の、または類の存在、これらも記憶なのである。その個物や類の記憶の中に、様々な記憶をまとめているのである。〝まとめている〟と言ったが、ほんとうに意識的にまとめている人間などほとんどいないはずなのである。そして、昨日会った友達と会えば、瞬間に「おお」とか「ああ」となるのである。この時、このまとめられた記憶のどれが使われたなどとはけっして言えないのである。記憶が使われたとも少なくとも本人はまったく意識していないのである。ただ、理論的には、過去の記憶がまったく無ければ、けっして「おお」や「ああ」とはならないはずなのである。また、十年経って、二十年経って再会し、「おお」や「ああ」となったとしても、過去の中のどの記憶がとは特定できないし、また、それらをまとめた代表的なものなどは考えられないし、少なくとも庶民には、哲学でいう本質など考える人はいないのである。ただ、ここまで来ると、哲学における本質については考えざるを得ないし、かなり近いところまで来ていそうなのである。しかし、一方、多くの人は、そして多くの時、過去の記憶には違いないが、どの時のどこの記憶ではないし、代表的、そして本質とかというものを表す記憶など持ち合わせていないのである。

もちろん、ここに、メルロー・ポンティも言っている、フッサールの本質直観、思い浮かべる作業、それによる像も見えてきそうであるが、少しここでは早いだろう。多くの人々も時々は友達の顔を思い浮かべたりはするが、ほとんどの場合、ぼんやりとして、しかも、なかなか固定されないで、ということが多いはずなのである。これをしっかりと固定したように見る人は、そして、それが本質直観であるという人々は、ほとんどいないのである。

本質、そして本質直観にはまだ、この段階では踏み込めない。踏み込んではいけないだろう。本質や本質直観には、他の場所でそれを主題に真正面から取り組む必要があるだろう。ここでは記憶だけを見ているからか、とても本質など、本質直観などは見えてこないのである。

そして、ここまで見てきた同一性、差異性、そして、同一性直観、差異性直観に関しては、そこには過去からの記憶が存在していなければならないはずであるが、それが意識の上ではほとんど確認されることはなく、また確認される時も、どの時の、どの場面のとか、代表的とか、まして本質などと言われる形ではなかなか現れていないということである。

つまり、ここには、はっきりしない、あいまいな、ぼんやりとしたと言っていいような、それでいてしっかりと働いている、少なくともこの段階では同一性、差異性をしっかりと確認できる働きをしていることが見えてきているのである。

そして、ここに言語が登場してきているのではないだろうか。このあいまいで、はっきりしない記憶の先に、言語が、特に同一性の場合は、名詞そして固有名詞が登場し、差異性の場合は形容詞や修飾語が登場して、そして、言語が登場するとともに、ぼんやりとあいまいであった記憶は完全に消えてしまっているのではないだろうか。ここはもちろん、場面や時によりけりで、かつ人によりけりであろうが、確認してもらいたいところである。

そして、ここでもう一つ整理しておけば、言語もそもそも記憶なのである。その意味では、これまで見てきた同一性と差異性の確認のために登場してきているはずの、しかし、あいまいではっきりしないと見てきた記憶と同じものとも言えるのである。しかし、その違いを見ると、言語の方は、音や文字でできていて、確認すべき現象の中の個物の形をしていない、その意味では抽象的存在であるのに対し、確認のための、しかし、あいまいではっきりしない記憶の方は、確認すべき個物の表象であり、この個物の映像、今見てきたのはほとんど視覚的映像であるが、時には聴覚や味覚や嗅覚や触覚の映像、残存物であるということである。そしてここに見えてきているのは、これらの映像、残存物ははっきりしない、あいまいであるが、言語の方は、多くの場合は音として、時には文字として、それらの個物の映像や残存物とは言えないが、はっきりと登場し、それらの個物の映像や残存物と言えるものを追い出すように登場してくるということである。

このことからも、言語が人間生活に持つ大きな力というものが存在することが言えてくるのである。言語が、その個物にとって大切と言っていい、少なくとも同一性と差異性の確認には欠かせない大切な存在である記憶、映像、残存物と言っていい表象記憶の方を押しのけて登場してきているのである。

このことがどうして起こるかは、この時点では人間の生活では、その言語で充分役に立っているということと言っていいであろう。つまり、言語の方が便利で使いやすいし、人に伝えることも簡単であるし、言語だけで充分であるということなのである。つまり、必要＝力＝意味が言語を選んでいるということなのである。言語は、生活していく人間にとってとても便利な道具になっているということだ。

そして、ここに見えているのは、過去の記憶の代替物としての言語なのではないだろうか。そして、多くの人々は「ええと、誰だったけ？」とか、「何だったけ？」と、記憶を引き出そうとする時、まず名前、つまり固有名詞や名詞を引き出そうとするのではないだろうか。そして、ばったりとか、ふと出会った人物や物で、それが過去の記憶とつながらない、つまり過去の記憶を引き出せない、しかしながら、自分の中に存在する過去の型紙が反応している時、多くの人々はまずは、固有名詞や名詞を思い出そうとするのではないだろうか。そして、固有名詞や名詞が出てきた瞬間に、会話がはじまり、はずみ出したり、生活の中の様々な出来事がよりよく進行するのではないだろうか。そして、固有名詞や名詞が思い出された瞬間に、その固有名詞や名詞とともに過去の記憶がどっと出てくるのではないだろうか。いわゆる昔話になったり、様々なそれに伴う思い出や、必要な大切な、使用上の注意とかが出てくるのだ。こう見てくると、言語は記憶の代替物なだけでなく、記憶の貯蔵庫になっているのではと思えてくるのである。そして、ここまで来ると、先程見ていた、人物や個物についての多くの記憶を〝まとめている〟ことを見たが、そしてその時は、人物や個物の肉体的存在や物質的存在にくるめて、〝まとめている〟ように見ていたが、それよりずっと多く、人々は固有名詞や名詞によってまとめている、つまり、言語という音や文字による、つまり記号という抽象的存在によって〝まとめている〟ことが多いのではないだろうか、と思えてくるのである。まさに言語が貯蔵庫になっているのである。

いや、まだある。この言語という貯蔵庫が見つかったことによって、それまではっきりしなかった、あいまいだった記憶が、かなりはっきりと、安心した形で出てくるのだ。その意味では、言語が出てきたことによって、〝ぴったり〟と過去の記憶と目の前の現象の中の人物や個物があてはまり…

…ということは、ここでも先程見た、過去の記憶との型紙との一致以上に、しかも、あいまいではっきりしない記憶によるのではなく、言語というはっきりとした記号によって、すべてがくっきり見えてくるのではないだろうか。このことは言語のとても重要な、大切な機能、道具としての機能であるということになる。

先に見た「だいだいだ！」と呟いた時、同一性の確認という過去の記憶との一致は瞬間のことで、〝だいだい〟という音の響きが広まって明るい閃きとともに安心に似た気持ち、落ち着きが広がって全てが解決したような気持ちになるのではないだろうか。

また、何十年ぶりの再会の時も、「おお！」「ああ！」となっても、名前が出てこないことも多々ある。そんな時、相手の顔色を見ていて、自分の名前やあだ名を言ってやればもう一度「おお！」と今度はより高い大きい声になって、まさに手を取り合って、感激が高まり、そして、それとともに昔の多くの思い出が湧き出してくることになるのだ。つまり、同一性の確認という、過去の記憶との一致の時の「おお！」「ああ！」よりも、もっと強い力で名前の確認がなされるということなのだ。

ここには記憶と言語の複雑な力関係が存在しているとしていいのである。言語そのものが記憶から成り立っているが、そして、落ち着いて考えてみれば、この言語も過去の記憶の一つなのである。何十年ぶりに会った友人の名前は考えてみれば、友達の様々な記憶の一つなのである。しかし、それは、それらの多くの記憶の代表をしている、店の前の看板のような役割を持っているのだ。それだけでなく、多くの他の記憶を自らの中に貯え、そして、その貯えた記憶の代表、まさしく看板の役目をしているのだ。だからこそ、その看板である言語を、ここでは名詞、代名詞を思い出した時、全てを思い出したような気持ちになるのだ。そして、この名詞や代名詞の登場は、過去の記憶との同一性の確認以上に力を持ち、そして、全てが思い出されたような、全てが解決したような輝かしい、そして安心の気持ちになるのではないだろうか。

そして、名前が出てきてから、その名前とともに湧き出てきた様々な思い出に花が咲くのである。

もちろん、友達付き合いにはこの名前以上にとても大きな力を持った思い出も存在する。このような思い出は時として、名前の前に登場して話がそこではずむこともある。また後に出てきたとしても、名前を確認した時以上に大きな感動がやってきて、話がはずみ、興奮状態にもなる。こんな思い出が次から次へと出てきて…まさしく友情なのである。


以上見てきたことで言語と記憶の関係がかなり見えてきたはずである。まず確認すべきは、言語も記憶の一つであること。しかも、他の記憶、普通の記憶と違い、抽象的な記号であること。つまり、他の記憶は具体的な、現象の形象を映像としてとどめているが、単なる音や文字でできていて、それが指し示す個物や現象とはほとんど無関係と言っていい、少なくとも、それらの個物や現象の形象をまったくと言っていいほど含んでいない抽象物であるということである。しかし、この抽象的存在が、他の様々な記憶の代表者、看板として使われているのである。しかも、それらの記憶を押しのけているようなところもあるのである。同一性を確認している時も、その時は言語でない、過去の記憶の一つ、あるいはいくつかが出てきて、確認の働きをしているに違いないのであるが、それらの記憶はあいまいではっきりしないで、そして、ほとんど意識されないで、それでも、「ああ」とか「おお」とか、「あっ」とか「おぅ」とかの声と共に確認された瞬間に、名詞や代名詞が、それらの確認したはずの記憶を押しのけるように、まさしく登場してくるのである。いつもではないが、日常生活ではとても多いのである。

また、もう一つ言語と記憶との関係で大切な確認すべきことは、この代表、あるいは看板である抽象的存在である言語は、これが指し示す個物や現象の様々な記憶の貯蔵庫になっているということである。多くの個物や現象の記憶は、この代表、看板になっている抽象的存在である言語の中に貯蔵されているように見えてくるのである。まさに、個物や現象の記憶がそこに取り込まれたかのように、まとめられたかのように、言語とそれらの記憶は存在しているということなのである。これは、言語のとても大切な機能であるはずである。

以上を見てくると、先に少し見た、同一性直観や差異性直観には過去の記憶が含まれていなければならないはずなのに、哲学や認識論がほとんど触れていないのも、なるほど、と思えてくる…と言ったら、やはり叱られるだろうか。

そして、ここでもう一歩踏み込んでおけば、記憶は「我」の脳の中に保存されているが、それを「我」の意志で引き出したり、「我」の意志にもよらず浮かび上がったりして、「我」には見えるもの、感じられるもの、つまり対象化できるものとして機能を果たしているが、ここで見てきた同一性の確認には、このような対象化されることのない、単に機能としてだけ働く機能が存在するのではないか、ということが見えかけているのである。これらは昨日会った友人の同一性、そして毎日歩いている街の風景などで働いているのでは、という考えが浮かんできてしまうのである。もし、このようなものが存在するとすれば、感覚対象や知覚対象にもならず、科学でも、少なくとも今までの哲学でも向き合えないものになるのでは、と思えてくるのである。まさしく、議論が欲しいところである。

ああ、少し同一性に戻りすぎていたようだ。ここは差異性を見て進むところであったはずだ。しかし、差異性を見る時は、どうしても同一性を押さえておかねばならない、ということでお許し願いたい。そして、この押さえた同一性についての中身で、差異性を見ることは、それだけ差異性がよく見えてくることを意味するはずなのである。理論的には差異性は同一性が存在して、はじめて存在しているはずなのである。同一性とは違ったもの、同一性から変化したものが差異性であるからである。

具体的には、とても多くの場合、同一性を確認している時、それが変化していることに気づく、差異性に気づくのである。この時、同一性を確認すべく記憶は脳の中にあり、それと一致するはずの目の前の現象が、その記憶と違っているということである。同一性を確認すべく記憶は過去からの存在であり、差異性を表しているのは、現在の現象の中の存在であることになる。

「ええ？…違っている…」となるのである。「我」はこの時、同一性の根拠となる過去の記憶を自らの中に持っているのである。そして、それとは違っている目の前の個物、現象を見ているのである。そして、その違いをじっと、しばらく見る、目で追っていくこともあるのである。その違っている場所を見るのである。そして、この見ていることは、過去の記憶と見比べていることになる。その過去の記憶は先に同一性を見た時の型紙のような働きをしているのである。しかし、この型紙を思い浮かべて、脳の中で引き出して見比べることはとても少ないはずである。これも同一性の時と同じく、ほとんど対象化されることなく、思い浮かべられることなく、しかし、しっかりと型紙の役目を果たして存在していることが多いのである。つまり、表象とか残像とかという形をとらないで、しかしながら、しっかりと役目、その機能を果たしている、ということは存在している、そのはずなのである。

同一性の場合はそれでも、確かめるために、「我」はその確かめるべく記憶に志向性（引き出すことも、思い浮かべるようなこともなく、ただ、その過去の記憶に向かい合っているという意味で、この言葉を使わせてもらう）を働かせる、それに向き合おうとすることもあるだろうが、差異性の場合は「我」の志向性はずっと目の前の現象に向かい続けることが多いとしていいであろう。それでも、少しは過去の記憶に向かうこともあろうが、その時は同一性と差異性がはっきりしない時が多いはずである。差異性が一瞬に分かった時は、やはり「我」は目の前の現象の中の対象に目を向け続けることになる。差異性は同一性よりもずっと生活の様々なこと、生きていくことに影響することが多いからである。時にはその中の差異性をたどるように視線を動かしていく。そして、この時は、視線の動きは過去の記憶とか目の前の対象との違いをたどるように、同一性の時見た型紙の上をたどるように、見ていくはずである。だから、ここにも過去からの記憶はまちがいなく存在しているはずである。その型紙の通りたどり、色が違っているだけだったら、その色を「青い」とか「黄色い」とか「赤い」とか、あるいは「青くなっている」や「黄色くなっている」とか「赤くなっている」と言葉が出てくる。また、時間の経過が感じられれば、「古くなったなあ」と過去形が使われるはずである。ということは型紙の中に存在している色彩と違っていたら、その中の輝きを失っていたということなのである。

型紙の形そのもの、線が違っている時もある。そんな時は、「曲がっている」とか「壊れている」とか「新しく作り直されている」という動詞が使われ、その違った原因が述べられてしまう。このことは線や型を表すのに、少なくとも日本語ではあまり形容詞が使われていないし、その変化は多くは人間や自然の運動を原因としていることによるだろう。

つまり、差異性は同一性からの変化であり、その変化には、人間の働きかけや自然からの力が働いており、それは動詞になってしまうということなのである。

いや、それだけでなく、生活の中では、また、その中の仕事の中では、そして家事の中では、差異性を読み取ることは、とても大切なことになってくる。毎日動いている機械の音が違っているとたいへんなことになる。耳を澄まし、その音がどこから出ているのか、そして、それはどんな音の変化なのか、その中の微妙な変化、差異性に職人は意識を集中させる。そして、ベテランの職人ならば、「おお、これは!」と思い当たることがある。思い当たる、は、彼の記憶の中の同一性に至りついたのだ。ずいぶん昔に、やはり、この機械、いやこれとよく似た機械で…と、それを参考に、その壊れた場所に向かい合い…

家事でも、…毎日炊くお米も、洗っている時、その中の差異性、異物が入っていないか洗いながら、主婦は水の下の米から目を離さない。魚の場合は、買う時から真剣である。魚などは、一匹一匹が差異性として存在しているし、その差異性が問題なのである。その目の色、うろこの輝き、尻尾や鰓の形、色を見る人もいる。少しでも新しくて、…それがおいしさにつながる…。

これらの目を持っている…ということは食材を見る時にその見る目の後ろに過去の記憶、経験が存在しているということなのだ。同じ料理をするにも、プロの料理人ともなると、この経験、記憶がどっさりで、食材を見る時、この記憶と照らし合わせながら見ているのだ。しかも、この記憶の中には、同じ種類の魚でも様々な記憶があり、つまり差異性を色々持った記憶があり、この一つ一つが意味を持っていて、目の前の食材に合わせて、その中の一つ、時には幾つかを引き出してくるのである。この時は、同一性や差異性を見た時のような、あいまいではっきりしないものではなく、一つ一つが鮮明で、しかも、こんな時、こんな場面でとまでしっかりした記憶を引き出してくるのである。つまり、これと似た、つまり同一性に近い記憶を引き出し、かつ、その記憶と目の前の食材との差異性をじっと見続けるのである。この記憶をしっかりとして引き出せるのが職人の技であるとも言える。技も、その多くの部分は記憶なのである。同一性、差異性の根底にある記憶も、そのまた根底には、生活の中での必要＝力＝意味が大きく働いていることなのである。とはいえ、これらの職人たちが発する言語はそれほど多くはない。「まあまあ」「こんなもんやろ」がとても多い。時には、「あかん！こんなもんが魚かい」となったりする。そして、時には、「おお、こりゃすごいわ」となる。そして、ほとんど細かなことは言わない。この言語の使い方も必要＝力＝意味がマイナスの方に働いているのだ。必要ないのだ。一つ一つの記憶は彼等にはとても大切なのだ。プロ野球選手でも〝職人技〟と言われる選手は、多くの場面の記憶をしっかりと持ち、それを様々に生かしている者達のはずなのだ。

昔は中小企業には、とても多くの職人がいた。彼等は脳の中の記憶だけでなく、〝体が覚えている〟という記憶を多く持っていた。そして、彼等はその記憶を言語で表現することは苦手で、というよりも好まず、「人に教えろ」と言われれば、教えなければならない人間に、「見て盗め」と言って、自分で作業して見せて、その教えられる人間の中に自分と同じ記憶を生み出し、保存させようとしたのだ。

しかし、これは昔の話だ。今の時代にこのようなことをしていると、品質にばらつきが出て、作る人間によって違ったものができてしまい、様々な問題が生じてしまう。現代ではこのような記憶は文章化され、パソコンに入れられ、基本的にはそれを読んだ人間は誰でもが同じ製品を作れるようになっている。もちろん、これらの文章は職人達の脳の中の差異性を取り除き、企業内のただ一つのもの、同一性になっている。そして、職人達のつぶやきのような、独り言のような言語は、長々とした文章になり、数頁、時には一冊の本ほどにもなっている。

時代の変化、生産、ものづくりの変化、そして、人間の中の記憶も大きく変わってしまっている。最近は中小企業にも職人はほとんど見られなくなってしまった。

現代の企業では同一商品の大量生産が行われているとしていいであろう。これらの同一性の決定には、品質管理のための長々とした文章が続いている。また、そしてそこでの差異性は許容範囲と許容範囲外に分けられ、これらについても長々とした説明が文章で綴られる。それで足りなくて、何枚もの写真が添付されている。

先に見た同一性には名詞が、差異性には形容詞や修飾語が、という公式はふっとんでしまっている。

しかし、これはたいへんな、すばらしい製品を生み出している企業のことであって、そこで働いている人々も、帰りにいつも見ている西の山に、まっ赤な夕陽がかかっていると、「美しい」とか「すばらしい」と呟き、そして夕食に最近にないごちそうが出ていれば、「うめえ」とか「すごい」とか、形容詞の終止形が飛び出してくるのである。つまり心が動かされた時、その心を動かした差異性に対して、心の奥から出てくるのは形容詞、その終止形である、ということになる。そして、これを対象となった個物の差異性にくっつけた時、その連体形と名詞が連続する。この時、差異性に動かされた心は、対象である個物にも目が行っていて、その分、動かされた心は静かになっているとしていいだろう。そして、差異性の現象そのものではなく、差異性が生み出された変化、運動を述べるとなると、その変化や運動を表現する修飾語が使われ、そこには動詞の活用が使われることになる。こうなると差異性に動かされた心は冷静になってしまっている。

以上を「美しい」「美しい空」「晴れた空」「青く晴れた空」などを当てはめて、自らの心で実験してみて欲しいところである。

そもそも、生活の中で、それ以上に仕事の中で、心が動かされていると仕事が進まない。生活の中では、そして仕事や勉強の中では、冷静さが大切なのだ。心は動かしてはならないのだ。そこでは先に見たように、冷静に、そして長い文章が、人間の心を押さえるように、実際、工場の中では、この長い文章が心を押さえて品質管理がされるのである。

6．形容詞と心の情態

今まで、同一性と差異性を追ってきて、差異性の結果として形容詞が使われるように見てきたが、これだけで終わらせればやはり誤解を招くことになる。

確かに差異性は変化をもたらし、その結果、「我」は反応し、心が動き、その心を表す形容詞が使われるのは事実である。しかし、形容詞は、そもそも心の情態を表現する言葉であり、変化を表現しているわけではけっしてない。変化が生じ、その結果、その差異性に心が動いた、その心の情態を表しているのが形容詞なのである。だから、変化が生じていなくても、あるいはずっと同じ心の情態であっても形容詞は使われるのである。だから、冬には何度も「寒い」が出てくるし、夏には「暑い」が繰り返される。それはその都度、心が感じているのである。ただ、〝感じる〟ことはそもそも心の動きであるととらえると、また、かなり微妙な話になってくる。それほど微妙ではなくても、春には「暖かい」秋には「涼しい」が出てくる。これらは感覚刺激としては「寒い」や「暑い」などのように強くはなく、その強さが弱まったことを言っているが、と同時にその中に、その刺激の強さが弱まった喜びが入っているとしていいであろう。

季節の変化の下には、人間として生きている、生活を続けている、そのため仕事をしなければならない、その仕事もなかなかうまくいかない、そんな心がずっと続いている人々は、「辛い」「苦しい」がぽつりぽつりと出てしまう。そんな人々にも、なにかいいことがあったり、テレビの中が面白かったり、応援しているチームがすばらしい勝利を収めた時は、「楽しい」や「面白い」や「すげえ」が出てくるだろう。しかし、この人々の多くは、「辛い」や「苦しい」の同一性の中の差異性として「楽しい」や「面白い」や「すげえ」を感じているのではないだろうか。とはいえ、こんな人々も、子供達や愛する家族の笑顔を見て、「すばらしい」と、これは辛い仕事、生活の中のいつも存在する別の場所の心として持っているといいであろう。

いずれにしろ、このような心の奥、心の中核から湧き出てくる形容詞はそれほど多くはないだろう。多くの人々は、このような心の奥、中核をじっと暖め、自分だけで抱きしめ、そして、ほんとうに少ない言葉で、呟くように繰り返すだけのはずなのだ。というのは、社会では、このような心の奥底の、深刻な心の存在を認めない、少なくとも言葉で伝え合うことは許さない、いかにも社会は軽やかにうまくいっているようにふるまわなければならない風潮が強く存在しているからだ。それだけでなく、「我」自身も、このような心の奥底に人には入り込まれたくない、乱されたくない、乱されれば、一層生活が難しくなるということを知っているからである。このような心の奥底を多くの人々は、自分自身の存在であるかのように抱きしめながら、自分だけに語りかけるように、それも少ない言葉で言い表して、生き続けているとしていいであろう。

ただ、ここで、もう一度、言葉をくつがえす、理論を反対に転ずることを言っておかねばならないだろう。右のように心の奥底を表現する、そしてずっと長く続く心の状態を表現する言葉、この多くはやはり形容詞ではあるが、やはり差異性を表現しているのでは、という議論なのである。

というのは、これらのずっと続く心の奥底からの言葉も、やはり差異性としてとらえられ、表現されているのでは、ということなのだ。「辛い」や「苦しい」は、やはり、自分の在るべき存在、人間としての在り方からの差異性として表現されているのでは、ということなのだ。ということは、多くの人々は、心のどこかに、人間の在り方、自分の在り方についての考え、いや、感覚のようなものを持ち、今現在の心の情態、しかし、ずっと長く続いている心の情態を差異性としてとらえて、それで言葉を発しているのでは、ということなのだ。

これらのことは、やはり、各自で、自らに問うて欲しいところである。言いたいのは、人間はそれぞれ、自分の中に、自分の存在、そしてまた、あるべき存在についての感覚を持って生き続けているのでは、ということなのだ。ただ、これらの感覚を、多くの言葉で表現しているのは、宗教や思想であって、少なくとも宗教の力がほとんど及んでいない現代人は感覚だけで受け止めながら生き続けているのでは、ということである。そして、今も、〝自分の存在〟と〝自分のあるべき存在〟そのものはやはり別物なのであるが、それを言わずに並べてしまったが、多くの人々も、そんなに区別をすることなく持ち続けているのでは、ということなのである。そして多くの人々は、その時々によって、このどちらかとの差異性として形容詞を使っているのでは、と言いたいのである。

「暑い」や「寒い」も、自分のおかれた存在、本来の存在、そしてまた、あるべき存在からの差異性として感じられ、発せられているはずである。「美しい」や「すばらしい」は、「我」の存在ではなく、「我」が向き合っている現象や世界、あるいは個物、または人物などが「我」が持っている世界や現象に対する感覚とは違っている、つまり差異性として感じられ、発せられているとしていいのである。その反対の「汚い」や「ひどい」はそれらの感覚とは違った方向に差異性を感じ、発せられていることになる。

ここまで見てくると、人間の感覚、いや動物全体の感覚とは、差異性を感じる道具なのでは、とまで言えそうだし、言いたくなってくる。「痛い」や「熱い」や「冷たい」はまさしく感覚が刺激、つまりとても強い刺激を感じた時、発せられるのである。

ただ、右に見ていたのは、心の奥底からの言語であったはずである。それらは、ほんとうに心の深いところから、多くは形容詞の終止形で発せられるのでは、ということである。そして、それを見たのは、差異性としては発せられるのではなく、心の情態を発しているのでは、と見たのではあるが、いや、そうではなく、やはり差異性なのでは、というところへ進んでしまったのである。

ここまで、かなり長く、差異性と形容詞、そして修飾語について見てき、また差異性を見るため、同一性と並べて、いや、同一性そのものを見直したのであるが、まだ、大きな仕事が残っている。類である。これはなかなかたいへんな仕事のはずである。

7. 類と同一性と差異性

類に関しては、哲学や認識論はそれほど多く議論していない、と言ったら、やはり不勉強と叱られるだろうか。ただ、ここに、記憶というものを置いて見ると、なかなか厄介な話になってくる。問題はもちろん、類を決定するものは何か、である。

また、りんごに向き合ってみよう。

二、三歳の子供でもりんごは識別できる。しかも、いろいろと色や形が変化していても、「あ、りんごだ」となる。また、絵に描いたりんごも、りんごとして認識できるし、マンガや童話にはりんごは多く出てくる。

類を識別できるのも、同一性の時と同じく記憶の存在をぬいては考えられない。二個並んだりんごを、同じ類であると判断するには、一個のりんごの記憶が存在し、次のりんごを見て判断…少し待てよ…となる。りんごなどは、五、六個、皿や籠の中に入っていても、そして、それらが様々にいろいろな形や色をしていても、みんなりんごであると判断できる。「それは、りんごというものを知っているから、あたり前だろう」とも言えるが、はじめて出会った果物でも、数個、時には数十個、籠や袋に入っていても、みんな同じだ、となる。こんな時、一個一個を見ることはほとんどなく、多くは瞬間的に同じ種類の果物であると判断してしまう。

これは何なのだろう。かなり大きな問題である。類には記憶は関わっていないのか、となる。そして、これまで見てきた同一性に関しても、記憶の役割が疑われてきそうになる。

まず、ビニール袋に十数個入った果物から見てみよう。遠くから、部屋に入った時に、テーブルの上に袋があって、その中に果物らしいものが入っているのを見ている「我」は、すぐにそれらが同じ種類の果物であることがわかる。しかし、その種類は今のところ分からない。つまり、同じ類であることが、その果物が何であるかの先に見えているのである。ここでは、「我」の向き合っている対象は、個物の集まりである十数個の果物である。確かに、部屋に入った瞬間に、「我」は対象＝意識をビニール袋に、そしてその中身に形造ったかもしれない。しかし、それはまさしく瞬間のことで、ビニール袋を透かして見える十数個の果物に移っているのである。この時、もう既に、同じ種類であることは見えているのである。もちろんこの時に、その大きさや形や色や皮の肌が見えているのである。それらが同じなのだ。しかし、それは近づいてよく見えるようになってからだ。その先に、同じようなもの、同じ類のものが十数個入っていることは見えているのではないだろうか。つまり、類の判断が先に来ているのだ。それは、もちろん、形や大きさが同じことが見えているからだろう。

少し混乱している。

形や大きさや色までは瞬間に目に入る。しかも、それは一個一個の形や大きさや色としてではなく、十数個の全体として、少なくとも袋の中のこちら側の数個は見えていて、同時に同じ種類であることが見えているのである。これらは瞬間で同時であるとしていいであろう。そして、この次の瞬間に、種類を知っていれば、「ああ、キウイか」「え？ いちじくか」と種の判断もやってくることが多いはずである。少なくとも、一歩か二歩進んだ時には判断している。この判断は過去の記憶による。しかし、ここで大切なのは、種の特定の先に類の判断が先に来ているということである。

そして、見なければならないのは、この瞬間の同時であるはずだ。

この瞬間に、一瞬にして、「我」は同じものが袋の中に入っていることを見ているのである。こんなことは多々ある。川原で石ころが並んでいる。大小さまざま、形も色々でも、同じものが並んでいることを一瞬にして見てしまう。これは、大きさも様々、形も様々、時には、色も違う。でも、それらの様々なものが石である、しかもかなり大きな石であることを見ているからであろう。となると、「我」は、この目の前にたくさん広がる石ころが石であること、石とは何であるか、どんなものであるかを知っている、つまり記憶の中に蓄積していることになる。石とは何であるか、どんなものであるかを知っているのだ。ただし、多くの人々は、この何であるかは言語で表わすことはなかなか難しいのであり、感覚で知っているだけなのである。

同じことは袋に入った果物にも言えたのではないか。果物では形や大きさ、色が同じであることから、類であると判断するとしたが、もう少し近づいて見ると、その果物の肌の紋様を見、もう少し近づくと、「キウイだ」「え？ いちじく？」となるのだが、この時はキウイやいちじくを知っていることが…

また、混乱している。川原の石ころも、その形や大きさは違うが、その様々な形が、同じような滑らかな曲線を持っていることで、石ころであることに気づく前に同じものが並んでいる…いや、無理がある。…ほとんどの人はそれらを見た瞬間に石ころであることを見抜いてしまうのだ。もっと言えば、川原に来れば、石ころがあることを知ってしまっているのだ。…実験になっていない。

例をもう少し捜そう。海辺の砂埃の無限の砂、夜空の星、街の人の流れ、車の流れ、これらを「我」はそこにそれらが多数あることを知ってしまっているのだ。

何が存在するかは知らないところ…いや、そんなところは、ある程度の大人になるとなかなかない。正確には、何に出会うかはわからないが、近づいて見ると、その類が確認できるもの、遠くになっている木の実。…冬になると山沿いの道を車を走らせていると、枯れかかった枝や、木の葉をなくしてしまった枝に赤い実がたくさんなっているのを見ることがある。ほとんど種類もわからない。そして、それらはかなりの種類があることは、その実の大きさや、実のつき方によってわかるが、その名前は知らないまま、確認しないまま、通り過ぎてしまう。

やはり、ここでは類が、同一性が並んだものの認識が先に来ているとしていいであろう。もちろん、ここでも、〝赤い実〟であることは知っているのだ。しかし、だからと言って、その実の一つ一つやその房の一つ一つに目がいっていることはほとんどない。先によく似た赤い実がたくさんなっているのが目に入ってくるのである。だから、ここで、個物として認識すると同じように、同じものが並んだ、類としての認識が成り立っていると結論していいであろう。

夜空の星を眺める時、その星の一つ一つに目が行く前に、空に散りばめられたたくさんの星が見えてきているのだ。そして、その後に、星空や、特別に輝く星に目がいく。焦点があてられるとしていいのであろう。もちろん、そうではなくて、宵の明星、明けの明星などは、他の星がまだ、また、もうぼんやりしてしまっていることもあって、先にこちらに目がいき、その後に、夜空の星を眺めることもあろう。

一個の個物に焦点が行くが、同じようなものが並んでいるものの、その全体に焦点が合わせられるかは、「我」の目の前に存在するものの存在の仕方によるだろうし、もちろん、我の欲望や、本論での必要＝力＝意味によって様々であるということであろう。

そして、星空の時のように、個物と類へは交互に焦点が合わせられる、対象＝意識が形造られるとしていいであろう。

同じようなことは、スーパーで買い物をする時だろう。ただ、こちらは類が何層も重なっており、複雑である。スーパーに入ると商品という大きな類が待っている。その中でりんごを買おうと、果物のコーナーへ行くと、果物というこれもかなり大きな類が待っている。この中でりんごの場所を見つけても、ここにはりんごという籠や皿や袋に入った様々な個数の様々な値段のりんごが並んでいる。その前で、少し迷って、ということは差異性を見届けて、今日はやはり一九八円で三個の中から選ぼうと決める。ここからはりんごの個を一つ一つ見つめ、その一つ一つの差異性を、よく熟れているか、つまりおいしそうかどうか、傷がついていないかどうか、大きさは？ と見比べて、一番良さそうなのを、ああ、ここで主婦なら、いや買い慣れている人間は賞味期限や消費期限、生産日なども確かめる。いや、一番最初に生産地も見ていて、…まあ、まあ…と決める。

この時、言語は「高い」「安い」「きれい」「汚い」「良い」「悪い」などの形容詞や、「ダメ」「マル」とか、「傷ひどい」とか、「今日はこれで我慢かな」とかその時々によって出てくる。

これらは、「今日はりんごを食べたい」という欲望から、そして「今日りんごを買っておかねば」という必要＝力＝意味から、そして、必要＝力＝意味の中のとても大切な要素である財布との相談から、いや、その背後には栄養のバランスについての考えやらが存在し、そして、りんごの前に立てば、袋づめの一袋一袋の差異性、その中の一個一個の差異性に対して、言語が出てきていることになる。

類に関しては、人間は無限の個物をいつもの類に分け、そしてまた幾層もの類に分け、整理しながら社会をつくり、生活を続けているとしていいであろう。

果物→りんご→ツガル→青森産→一九八円→一個一個、となるのである。

動物や植物の分類は小学校の理科で、社会では地理や歴史でも…これらも時代や地方の分類、つまり類に分けていることになる。

地球→大陸→国→地方→県→市→町→番地　となっているのである。これらには全て名前がついているのである。言語を使って整理しているとしてもよい。


ただ、ここで忘れてはいけないのは、類を見分けるのは、これまで見たような同時の、同一の空間の存在だけではなく、本論の主題である記憶による類の認識である。りんごを一個見て、これをりんごであると認識するのである。ここには、りんごに関する記憶が存在しているはずである。これも、記憶の中のどのようなものが、そう判断させるのかは認識論の大きな問題のはずである。同一性の時は〝型紙のようなもの〟とかなりあいまいな表現で逃げたが、この類においてもそのようなものが存在するはずなのである。ただ、個の同一性と違い、少し緩やかな、甘い、広がりを持ったもののはずである。

そして、ここでは、今程見た、同じ瞬間の、同じ空間に並んだ類を見た時と同じようなことが記憶の中で興っているのでは、ということが見えてきているのである。というのは、一個のりんごを見た時、頭の中に、幾つかのりんごの像、表象が浮かんできて、「ああ、りんごだ」となっているのではないか、ということなのだ。となると、〝型紙のようなもの〟というものが否定されてしまい、目の前の同じ空間に並んだりんごと同じ、ただそれらは、目の前の一個のりんごの他は、全て脳の中の記憶として浮かんだ表象と並んでいる、もっと正確には見比べていることによって、しかし、目の前に幾つも並んだりんごと同じように、一瞬にしてりんごと判断しているのでは、ということになる。

これは、同一性のところで見たことを否定する、少なくとも〝型紙のようなもの〟を否定する、本論としてはたいへんな問題をつきつけられていることになる。というのは、同一性の時も、単に表象を思い浮かべただけで、それで同一性を判断、認識していたのでは、ということになるからなのだ。〝型紙のようなもの〟は存在していなかった、少なくとも「我」はそのような型紙のようなものを持ちだしたりは絶対にしていないのでは、ということになるのである。

これは、問題である。同一性のところで見たことを見直さねばならないことになる。

もちろん、〝型紙のようなもの〟というのは比喩的表現であり、それとしか言いようがなかったからである。現実に、記憶の中にも、また、空想などの脳の中の全ての表象を見ても、そんなものが存在しているわけではない。同一性の時も、存在したのは人の顔や様々な個物の表象だけだったのだ。それらはほとんどが過去の記憶の表象であったからだ。ほとんどと言うのは、記憶は一定程度、時間や様々な要因で変化したり、融合したりするからだ。ただ、この変化や融合については、本論はまだまだ取り組んでいないのである。

そして、〝型紙のようなもの〟と言いはじめたのは、数十年ぶりの再会で、顔をじっと見ていると、「あっ」と声を出したくなり、「ぴったしだ」と言える、そのまま、当てはまるようなもの、感覚が湧いてくることから言っていたはずである。そして、また、こんな時は、ほとんど過去からの記憶の表象を持ち出して、それと比べたりはしていないのである。しかも、数十年の月日で、確かめるべく相手の顔はそのほとんどが大きく変わっているのに、である。

また、日常生活の中での同一性の確認の多くは、ほとんど記憶からの表象を思い浮かべることもなく、思い浮かべたとしても、ぼんやりとあいまいなものしか思い浮かべていないことも見て、同一性の確認には、けっして、少なくともほとんど、記憶からの表象が使われていないのではないか、そうすれば、何が？ということになり、一度、あるいは数度、もっと言えば何度も見ることによって、脳の中に〝型紙のようなもの〟が出来るのでは、と議論を進めていたのである。

ここでもう少し議論を進めれば、記憶には、表象に先立つものが存在するのではないか、ということが見えてきているのである。そして、表象もそこから出てきているのでは、ということなのだ。それは、一度見たことがあるものが残像とか表象とかの以前に、そのような形をとらないで、〝見たことがある〟そのものが残るのではないか、ということなのだ。そして、この〝見たことがある〟そのものが、同一性の確認に使われているのではないか、ということなのだ。〝見たことがある〟そのものが、それと同じものが現れた時、ぴったりと当てはまり、つまり〝型紙のようなもの〟として働き、同一性を確認するのでは、ということなのだ。

表象とか残像、つまり像、形をとらないとすれば、何なのか。しかも、それは、論理的にも経験的にも記憶の中に存在しているはずなのである。ただ、それは見えない、もちろん脳の中に記憶の中に存在しているはずであるが、機能としてだけ存在しているのである。これはやはり、同一性直観と名付けるしかないのである。

同一性直観というものの存在を、この論文としても認めなければならないのだ。表象とか像という形としては存在していないが、機能として存在するのだ。表象とか、様々な像はここから引き出し機能によって引き出されているのでは、ということなのだ。そして、ここでは表象とか像という言葉を使っているが、これらは聴覚、嗅覚、味覚、触覚にも当てはまるのでは、ということなのだ。

音楽は一度聴いたことがあれば、「聴いたことがある」となり、メロディに合わせて体が動きだしたりまですることがあるが、決して、そのメロディを、この時に思い浮かべることはしていないはずなのだ。味覚も、一度食べた料理や、果物の味は覚えていて、「あっ、これ食べたことがある」ということも時にはあるのである。これも、口に入った時はじめて、このような反応がおこるので、食べる前から、味を思い出して、ということはなかなかないし、そのようなことをしていなくても反応は起こるのだ。嗅覚や触覚も同じことが言えるはずである。しかし、これらは人間の中ではあまり発達していないから、と省略を許してもらおう。

そして、ここでもう一つ付け加えておかねばならないことがある。ここで同一性直観として名付けるしかないとした機能、その中の記憶は、引き出された表象や像、（これをここでは、他の感覚にも広げて使っていきたい）よりも、かなり正確で、きちんと保存されているということなのだ。引き出された表象があいまいでぼんやりしていても、同一性を確認すべく記憶はしっかりと残っているのでは、ということなのだ。一度聴いたメロディをもう一度口ずさむのはなかなか難しいが、聴いたことはまちがいないのだ。もっと簡単に言えば、引き出し機能の前に、記憶はしっかりと保存されているということなのだ。一番わかり易い例を挙げれば、年がいって固有名詞や名詞でさえもなかなか出てこないが、それを人から言われて聴いたら、ああ、そうか、となるのである。

そして、ここで重要なのは、この保存された記憶がそのまま同一性直観として働いているということなのだ。また、この機能として働いている記憶を、その存在を確かめようとしても、引き出し機能を働かせるしかないということであり、この引き出し機能もなかなか正確には働かない時が多いということなのだ。そして、この引き出された表象や像より、記憶のままに存在しているものは、かなり正確なものとして存在しているのでは、ということ…各自確かめてほしいところである。

これまで見た上で、類に戻ろう。ここまで見てきたこの同一性直観を類にまで広げた場合、また、大きな動揺がやってくるのである。類的直観なるものを、つまり、そこに多くの個物が入っている類に範囲を広げた場合、今まで、〝型紙のようなもの〟として見てきたものが、危うくなってしまうのである。りんごやみかんのような果物を見ても、犬や猫などの動物を見ても、まして人間というものに当てはめると、〝型紙のようなもの〟はふっとんでしまうのである。そこには様々の形や大きさのものがあり、色や紋様も違い、人間に至っては…となるのである。だから、同一性直観を類的直観に広げることそのものが問題があった、してはいけないことであるかのようにも見えてくるのである。

とはいえ、類的直観も、やはり記憶をその機能としていることにはまちがいのないことであり、かなり同じような、少し広がりを持っただけに見えることも本当なのである。そして、一方で、同一性直観にしたところで、毎日会っている友達も、服装や表情が違っているし、まして数十年の再会の時は…と思い至ると…

ここは腰を落ち着けて見ていくしかないのである。ということは、同一性直観をもう少し見直さなければならないのである。同一性直観もかなり広がりのある、巾のあるものとして見直さなければならないのでは、ということなのである。〝型紙のようなもの〟という表現も、たとえ比喩的だと言っても見直さなければならないのである。

毎日仲良くしている友達の同一性直観に戻ろう。毎日会っているので、そこには様々な記憶が残っているのである。顔も真正面からだけのものではなく、横顔だけでなく、様々な角度、それが毎秒様々な動きをしているのである。顔だけでなく全体の姿ともなると、服装や髪形、女の子は化粧、そして、様々な動作、歩いている、走っている、球技をしている、縄跳びをしている、…無限に存在するのである。これらのうちのどれが同一性直観となっているのか、ということである。長くつきあっていれば、後ろ姿からでも、遠くで走っている姿を見ても、視覚だけでなく足音からも「ああ、あいつだ」とか「あ、あの人」となるのである。それなら同一性直観は一人の人物に対しても一つではなく、無限にあるということになる。確かに無限のと言っていいほどの様々な記憶が存在しているのである。それらは「我」の中に少なくとも新しいもの、また印象に残ったものは保存され続けていることになる。

ただ、それがバラバラにまとまりなく保存されているのか、というと、ここは難しいところではあるが、そうではないのでは、となってくる。Aという一人の人物の記憶はひとまとめになっているのでは、…ここはほんとうに難しいところである。…少なくとも「我」はこれをひとまとめにするような作業、努力などはほとんどしていないのである。しかし、Aという人物にこれから会うとか、Aという人間が話題になって話が進んだりすると、これらの無限と言った記憶が少なくともいくつかは集まって、すぐに思い浮かんだり、引き出しやすい形になっているのでは…となる。そして、Aという人物を思い浮かべようとすれば、なんとなく、ぼんやりと、しかし、一人の人間として、その気になれば体全体が浮かんでくるのである。ただ、これらは、けっして、一つ一つの記憶の集まりではなく、空想ではないだろうが、記憶のいくつかはやはり変形されて、全体像を形造っているのでは、ということなのだ。これらは、その時その時、場合場合、また人によりけりということになるはずである。そしてこの時、あの時、この場合、あの場合によってかなり変化するということなのだ。つまり、その時々、場合場合によって同一性を確かめる場所が様々であり、後ろ姿を見た時に、その姿の過去の記憶が、また、話がAの笑顔や怒った顔になった時には、その像の頭の部分にそれが大写しに現れ、という具合に、しかし、Aをなんとなく思い浮かべたときは、ぼんやりとした全体像が思い浮かぶ時があるはずなのである。つまり、その時の働いている必要＝力＝意味によって、浮かび出る過去からの記憶が違っているということなのである。それでも、あいまいで、ぼんやりとした形であれ、Aという人物の像は見ようと思えば見えるし、その中で眼や唇に焦点を合わせれば、それらの記憶の一つが、あるいは多くの記憶の中の代表のようなものが引き出され、浮かんできて、となるし、その眼や唇も笑った時や怒った時に焦点を合わせれば、それらが出てくるということなのだ。

そして、ここで断っておかねばならないのは、このように引き出される記憶は、ある時点の、ある場面の正確な記憶であることはほとんどなく、多くの記憶の混ざりあった、それらを融合した、悪い言い方をすれば平均したようなものであるということなのだ。ここには記憶の保存のされ方、時間とともにぼんやり、はっきりしなくなり、力を失くしていく性質が加わっているということである。そのような性質の上で溶け合うように、それらしいイメージというものが形造られていくのである。

ここで見ている限りでは、このような像、イメージは、プラトンのイデアや、哲学の本質直観からはまだまだ遠いのである。

そして、また、このような表象、像は日常生活の中では、少なくとも仕事中は、なかなか思い浮かんではこない、引き出されることはないということだ。ぼんやりした時、旅に出た時、仕事中でも、同じ仕事が続いた時、そんな意味では、勉強をしている時など、向こうの方からやってくる、つまり浮かんでくることが多いのでは、ということになる。まったくと言っていい程浮かんでこないのは、スポーツや遊びに夢中になっている時だろう。これらははっきりとした像の形を作ることも珍しく、多くは記憶の集合体として、なんとなく集まっていて、必要な時に引き出しやすい形になっていると言っていいのではないだろうか。そして、これから出会う人物や場面や出来事に対して、けっして意識的ではないが、それなりの準備のように、これらの集合体は形造られているのではないだろうか。このような準備ができていない時、街角を歩いていて、後ろ姿を見て、「あれ！　誰だろう」と思い、少し近づいていって、でも、まだ後ろ姿のまま、「ああ、そうか」となるのは、はっきりと見えてきたこともあるだろうが、記憶が引き寄せられるための時間であったとも考えられるのである。

そして、ここで、この論文の最も重要なテーマである言語に戻れば、これらの無限と言っていい記憶、それだけでなく像やイメージの全体を包み込んで貯蔵しているのは、言語では、ここで見てきた友達の記憶、そして像、イメージをも貯蔵しているのは言語では、と言えるのではないか、ということなのだ。

確かに今程も、人物Aの過去の記憶の貯蔵庫として、人物の全体像、イメージというものも役に立っているとしても良いし、そのようなこともあるのであるが、これらの像やイメージは決してはっきりしない、ぼんやりしたものなのだ。しかも、これを思い浮かべるのには、それなりの努力とまでいかなくても、意識、意図が存在しなければならないのだ。そして、これらははっきりしないだけでなく、その時々、違ったものも浮かんでくるのだ。このはっきりしない、ぼんやりした、時々変わる存在に対して、代替物の役割をしているのが言語、ここでは固有名詞なのでは、ということなのだ。固有名詞は像やイメージの数倍引き出しやすいし、早く出てきて、はっきりしていて、また変形することがないのだ。とても使い易いし、使っていてまちがいのないはっきりとした機能を持つ道具なのだ。少なくとも、会話の中では、圧倒的にこちらが使われているし、その後に像もイメージもついてきて、過去の記憶も引き出されているはずなのだ。しかも、像やイメージは「我」の中の、脳の中の存在でしかなく、伝えにくいが、固有名詞はみんなで共有できるのだ。

類に戻ろう。これだけ同一性を確認しておけば、類的同一性直観にかなり近いものが見えてきているし、また、混同も避けられるはずである。

類には、同一性の時以上に、無数の、しかも広がりを持った記憶が積み重ねられていることが考えられる。そして、ここには、様々な形や色や大きさのものが、ほとんど整理されることなく集まり、それなりに集められ、保存されていると考えていいであろう。ただ、ここでは、同一性直観の時、人物で見たような一つの個体に集合されることなく、様々な形や色や大きさのものが雑然と保存され、その時々、確認すべき個体に近いものが、二、三引き出され、「確かに！」ということになるだろう。そしてまた、これらが、その時々に引き出されるかと言えば、同一性直観の時にもそうであったように、ほとんど引き出されることなく、「あ、りんごだ」「あ、みかんだ」となっているはずである。そして、これらの記憶の集合体も、それを整理して集められることは、同一性直観の時以上にほとんどなく、だから、集合体などと言われるものではない、とも言わなければならないはずである。

とはいえ、その時々で、話がその類のことに及んだりすれば、幾つかの記憶が、また、話の内容によってはある瞬間の特別な記憶が引き出されたり浮かんだりもするのである。魚釣りなどではよくある話である。ある種の魚について話していれば、かならずと言って過去に釣り上げた大物が浮かんでくるのである。この時の釣りの場面やその大きさがかなりはっきり浮かんできたりするのである。

類的直観の背後には、それを裏付けるべく様々な、やはり無限に近い記憶の保存が存在すると考えていいであろう。ただ、この無限の存在が全て、類を特定するのに使われていることはもちろんない。そして、類を特定する時、これらの中の代表する幾つかが浮かんできて、ということもほとんど稀である。りんごやみかんや犬や人間は、どんな人でも、見た瞬間に、ああ、それだ、と分かっているのである。ここにも、同一性直観の時見た、〝型紙のようなもの〟としか言いようのないものが存在する…でも、そんなものを考えざるを得ないのである。ただ、この〝型紙のようなもの〟は無限の記憶とどのような関係になっているのか、と言えばまた難しい問題が出てくるのである。

同一性直観の時見たように、像とかイメージとかというものは確かに、類的直観の場合にも存在する。りんごやみかんを思い描こうとすれば、どのような人々もそれは思い浮かんでくる。ただ、それは多くの場合、ぼんやりとした、はっきりとしないもののはずである。そして、この像やイメージが、類を特定する時に使われるかと言えば、けっしてそうではないはずなのである。りんごやみかんや犬や人間は、このような像やイメージを浮かべるのは特別な場合であって、瞬間的に判断してしまっているのである。とはいえ、これは大きな類を見ているからである。類の下の種ともなると、なかなか判断は難しいのである。記憶をたどってということもあるし、様々な選別方法もあるし、図鑑とかカタログというのも存在するのである。これらは後にまた、腰を落ち着けてみなければならないのである。しかし、ここでは類的直観、広い、種よりももっと広い、類に絞って見ていこう。ここには認識の、そして記憶との関係で大切な、やはり見落としてはいけないことが存在するはずなのである。

種が出てきたので、ついでに言っておけば、りんごやみかんの像やイメージを思い浮かべようとすると、この中の幾つかの種が思い浮かぶこともある。しかし、これらの種を思い浮かべる前に、りんごやみかんは特定できるのである。

ここで大切なことは、類を特定する時、過去の記憶が機能として働いていなければならないはずなのであるが、少なくとも、それらからやってくる、代表するような表象や像、イメージなどというものは、まったくと言っていいほど使われていないということなのである。それでは何が使われているのか、〝型紙のようなもの〟…え え？ 本質直観？ イデア？ …この段階では飛躍のはずである。それでは何が？

先に同一性直観で見た、表象や像を引き出す前の記憶そのものの働き、…ここには、やはり、たいへんなもの、近づけないものが存在しているのでは…

少しだけ近づいてみよう。とりあえず、同一性直観と比較して進んでみよう。

同一性直観と比較した時、すぐ出てくるのは同一性直観で見た、〝ピッタシ〟がこの類的直観にはないのではないか、ということだ。そこにはズレがあり、幅広さがあり、差異性が存在するのだ。しかし、今は、差異性は問題にならず、無視されているということだ。つまり、類として見る時、りんごやみかんの場合は、りんごやみかんとして、ということは、りんごやみかんの味を楽しんで食べられるかどうかということが、類として見る前提にあるということだ。その前提とは、りんごやみかんという味を楽しみたいという欲望、この論文の必要＝力＝意味が働いていることになる。もちろん、その後には、五個並んだりんごやみかんのどれが一番熟れていておいしいか、今日はどれから先に食べようかという差異性の問題は出てくるが、それは類が決定されているからである。

ここで覚えておかねばならないことは、ここには差異性が存在しているということなのだ。一個一個の差異性が存在し、しかも同時空間的に存在しているということなのだ。しかし、その差異性を包んで類というものが存在するということなのだ。今ほど同一性の時とは違い、そこにはズレがあり、幅広さがあるとしたが、このズレ、幅広さとは差異性を許容しているということだったのだ。この差異性を許容して、類的直観は働いているということなのだ。そして、同一性直観の時見た、〝型紙のようなもの〟からもズレが存在し、差異性がそこには許容されているということなのだ。

ここまで見ると、ますます、〝型紙のようなもの〟が、例え比喩的だと言われても怪しくなってくるのだ。少なくとも類的直観には、そのような型紙のようなものは働いていないのでは、ということになってきそうなのだ。ここは問題である。かなり難しい問題である。類的直観もまちがいなく、過去の記憶が存在してはじめて成立しているはずである。それではどのような記憶が存在して、同じ類だと言えるのか、ということになる。

同じことは同一性直観でも、時間の経過や様々な変化を受け入れていることを見た。その時は記憶がぼんやりしたり、混ざりあったり、変形することを考えた。ここでも、そのことを考えなければならないだろう。しかし、ここでは、もう一つ、次のような記憶の性質を考えてみたいのである。それは似たものどうし、類似したものは惹きつけあうのでは、ということなのだ。これには、類推という言葉もあり、よく似ているが、これは推論というここでは扱っていないことの上での話である。

あるもの、特に見知らぬものを見た時、それに似たものが浮かんでくるのでは、ということなのだ。りんごやみかんではあまりないが、それでもはじめて見る種類を見た時、それに似た種が浮かんできて、その記憶と見比べて、「でも、違う、まあ同じ仲間には違いないだろうが…」となるのではないだろうか。魚では、同じような、よく似た種類がたくさんある。これを見比べて特定するのは漁師、そして板前さんの知識、記憶である。これらの人々は、ほとんどの魚を知り尽くしていて、種の特定はプロの技術の一つである。釣り師ともなると、ピンからキリで、年に一度や二度は「これ、なんて魚だろう」というのが釣れ、「○○に似ているけど違うな、同じ仲間なんやろうけど」ということがあるはずである。ただ、これは次に見なければならない種について多く起ることとしていいであろう。ここで見ている広い類では、やはり、とても様々な記憶がその中には存在し、それらが融けあったり、変形したりして、大きな広い枠を作っているとしていいだろう。そして、りんごやみかんや犬といった言語とともに思い出せるのは、なんとなくぼんやりとした、はっきりとしない像、イメージなのではないだろうか。この場合、〝ぼんやりとした〟〝はっきりとしない〟はその許容範囲の広さを示しているとしていいであろう。そして、〝型紙のようなもの〟という比喩はここではもう使ってはならないだろう。拡大や縮小が様々にでき、また形や色も様々に変形できる、パソコン上の画像ということになるのだろうか。ただ、記憶だけを見れば、このような拡大縮小や変形はそんなに簡単ではなく、この広い類の中では、様々に違った種類の代表のイメージがいくつか並んで、それらを取り囲むように、それらはほとんど浮かんでくることはないが、無数の様々な記憶を入れる枠が存在しているのではないだろうか。

この記憶を入れる枠であると見た、像やイメージはけっしてはっきりしないのである。

とはいえ、今見ているりんごやみかん、そして犬や人間に対して、このような類的直観を支えるような記憶の貯蔵庫が存在すると感じている人々はほとんどいないだろう。これらはまさしく推論によっているとしか言いようがないはずなのである。というのは、これらのりんごやみかんや犬や人間に対しては、同一性直観のところで見た、毎日会っている友達と同じように、いや、それ以上に、見た瞬間にそれと分かり、このような記憶が浮かんだり、それが入り込んだりすることはまったくありえないし、必要がないと感じながら生活は進んでいるからである。というよりも、もっと、類的直観など働いているの？という具合に、日々の生活は進んでいるのである。ほとんどが瞬間に判断され、次のことへ進んでいくのである。ただ、このような直観、いや、その上の判断が働くのは、遠くにあってあまりはっきり見えないとか、新しい種類のものに出会い、これはやはり…りんごの種類なんだよな…とか、みかんの仲間なんだろな…となる時だけだとしていいであろう。

しかしながら、過去の記憶が皆無ならば、理論的にはこれらの直観が働くはずがないのである。理論的には絶対に過去の記憶が存在していなければならないのである。その上に類的直観というものも働いているはずである。ここにも人間の記憶、そしてその上の認識の不思議なものが見えているのである。何度も見ているもの、毎日見ているものについては、このような記憶の存在、それ以上にその上に残っている類的直観という認識の働きでさえも、ほとんど働いていないかのように、人間の認識活動は進みながら、生活は続いているということなのである。もっと言えば、このような類的直観が働いていると感じられる、意識されるとすれば、生活上に支障をきたしてしまうということなのだ。日々の生活の中では、認識は瞬間瞬間、新しいものに出会いながら進んでいるのであり、そのための最短の距離をとりながら、認識は進んでいて、記憶の介在どころか、類的直観の働きそのものも、ほとんど働いていない、存在しないかのように生活は進んでいるし、進まなければならないということなのだ。

ただ、この論文としては、やはり、ここには類的直観が働き、その底には記憶の存在が必要のはずなのだ、とする理論は絶対に否定できないはずであると言っておきたいのである。

そして、ここでも、言語の機能を見ておけば、先に固有名詞で見た時と同じように、〝りんご〟や〝みかん〟や〝犬〟や〝人間〟という普通名詞は、それらの中に様々な過去の記憶、そして、これから見ていく様々な細かな種を貯蔵し、何度も見た像やイメージというぼんやりとした、しかも「我」の中だけのものに替わり、会話の上で、いや、様々に「我」の中だけの思考の中でしっかりとした道具として使われているということなのだ。ここでは少し飛躍するが、思考の中ではほとんど、これらの名詞が使われているということなのだ。そして、名詞に伴う、像やイメージを、また、過去の様々な記憶を引き出していては思考にならないのだ。思考はほとんど言語だけを使ってなされているとしていいのである。ただ、これらのことは、まだまだ後にゆっくり見なければならない、今のところかなり遠いところの存在である。

そしてまた、ここで使った貯蔵庫という言い方も、比喩的表現である。ただ、その中に、過去の様々な記憶や表象やイメージが入っていそうな気になるだけだと言っても良いくらいなのである。〝りんご〟や〝みかん〟という名詞とともにぽっと浮かんでくるのはせいぜい三つか四つのそれらしいぼんやりとした表象だと言っていいであろう。しかし、話が〝りんご〟や〝みかん〟になれば、その話に関した様々な記憶や像やイメージが次から次へと湧き出てくるのも事実なのである。この時まちがいなく〝りんご〟や〝みかん〟という名詞は使われ続けているのである。そして、その話の中では様々な差異性を持ったりんごやみかんが登場して、形容詞や修飾語も次々と使われ続けるのである。だからと言って、ほんとうに貯蔵庫かと言えば議論にもなるはずである。その議論の手段として、言語というものがそれ自身、記憶や様々な像、イメージをそれらに伴う意味を惹きつける力を持っているのだということを暗示することで、ここは先へ進ませてもらおう。

8．種に関する同一性直観と記憶と言語

先に類的直観という言葉を使いながら、ここでは種的直観というものを使わなかった。そして、〝種に関する同一性直観〟としたのである。

そもそも、同一性直観というものは個についてのものであろう。ただ、類についての同一性、また種についての同一性を認識しながら、人間の生活は続いていることも確かである。だから、先に類的同一性直観としても良かったのである。ただ、これは今まで見てきたとおり、同一性という言葉がそれほど強い意味を持って使われていないし、類を特定するのがほとんど瞬時のことであり、そのむこうには様々な種が見えてきていて、同一性はなかなか使えなかったし、また世間でも〝類的同一性直観〟はほとんど使われていないのである。世間で使われていないのも今見たような意味だと考えてもいいはずである。

これに対して、種となるとなかなかたいへんなのである。そして、〝同一性直観〟という言葉を使っていいのかと、逆のことが見えてきているのである。というのは、種を特定するのに、これから見ていくのであるが、なかなか直観だけではすまないことが多いのである。りんごやみかんの類の特定はほとんど直観ですみそうであるが、デリシャスとツガル、また蜜りんごという種の見極めは、男達にはなかなか難しい、そこには直観とは違った、それを分別する、皮の紋様やその色彩についての知識が必要なのである。また先にも見たが、魚の種ともなると、釣り師達にもなかなか特定できないものが釣れたりするし、山菜やきのこともなると、種の見極めは大切な技術と経験になってくる。

つまり、直観だけでは種が特定できないことが多いし、特定してはいけない、きのこなどは危険が伴うし、山

菜では食べられないことになることも多いということなのである。時には図鑑などを持ち出して判断しなければならないのである。それでは、〝種に関する同一性直観〟とは何なのか、ということにもなるが、それでも、やはり、そう言っていいものが存在するのではないか、と議論を進めていきたいのである。

もうお気づきのことと思うが、これらの点に関して本論は最初から混乱していたのである。最初に同一性直観を見た時に、だいだいを例に挙げて、かなり長い議論をしてきていたのである。あれこそは、正確に見れば、まさしく、〝種に関する同一性直観〟であったのである。それをまさしく、同一性直観の例として見て、同一性直観の議論を進めてきているのである。

ただ、居直って言わせてもらえば、果物、りんごやみかんの仲間に関しては、種の特定は人間どうしの一人一人の個の特定と同じように、種の判断はなされているのではないか、ということなのである。もっと言わせてもらえれば、果物の一個一個についての、個についての判断は人間の、特に日常生活においてはほとんど関心が向けられない、つまり対象＝意識が形造られないのである。ただ、これも先に見た、スーパーで買い物をする時ぐらいは、個に関心が向けられるのである。これも厳密に言えば、同一性の判断よりも、差異性に目が行っているのである。しかも、この時は個そのものについてではなく、個の持つ価値、食べた時おいしいかどうか、どれだけその量があるかに対象＝意識は向けられているということなのである。

だから、最初のところでの混乱は許されるものとして進んでいきたいのである。

実際、日常生活もそのように進んでいるし、認識機能もそのように働いているのである。実際、人物についての同一性判断と同じように種についての同一性判断は働いているのである。

とはいえ、ここまで進んできた議論をふまえ、そして、種というものを考慮に入れ、〝種に関する同一性〟としてだいだいを見てみよう。

先に見た時、だいだいの同一性を見るのに、「我」はじっと見ていて、「だいだいだ！」となったのである。このじっと見るということはやはり、一個のだいだいの全体像を見ていたことになるだろう。それをじっと見ていて、過去に何回か見ていただいだいについての記憶を引き出してきていたのである。その引き出してきた記憶を目の前の柑橘類の像がピッタシとなったのである。この時も、やはり、これまで多く見てきたように、過去の記憶の表象が引き出されたわけでなく、〝型紙のようなもの〟もっと正確には記憶そのものが引き出され、それとピッタシになったのである。この時、考えられるのは個の同一性の時とは違い、このピッタシもけっして大きさや、ところどころの形の違い、時には色の違いも無視、というよりも押しのけられてのピッタシであったはずである。少なくとも、その可能性がとても大きいということである。

つまり、ここにも見えてきていることは、〝型紙のようなもの〟の様々な融通性、許容範囲の広さなのである。少しくらい大きさが変わっても、形や色が変わっても、ピッタシ、いや時にはそれでなくても、「だいだいだ！」にはなるのである。そして、もう一歩踏み込んで、ここで種として見ると、全体をじっと見ていたが、この時、このようなことが起きているのでは…ということなのだ。そのじっと見ている時、「我」はまずは全体の形を見、何かを感じ、その時、それらしい過去の記憶は近づいていて、しかし、それでも、まだじっと見続けていて、この時、目は肌の特徴に移っていき、その肌の独特の起伏、いぼ状の模様に行き、それを見ているうちに、「だいだいだ！」となったのではないか、ということなのだ。つまり、全体像を見ていたが、決め手になったのはその皮の肌の紋様なのではないか、ということなのだ。

このように見てくると、何十年ぶりに出会った友人の同一性直観にも同じようなことが言えるのではないか、となってくる。目の前にある過去の友人の姿は差異性に包まれているのである。髪の毛はもちろん、肌には皺が深い。顔の輪郭も少し小さくなっている。ただ、その輪郭は何かを呼んできそうだ。その輪郭の中の眼の輝きもとても暗い。しかし、その輝き方の中に、何かが…口もと…、これも昔見たような表情を表している。そう言えば、眼の輝きが表している表情…、ここまで来た時、ふと、…いや、すーと、…その時、その人によるだろうが…昔の顔が、面影が…ふと、すーと、…気づいてみると、手を取り合って。

確かに表情は変わらなくて、いや、目の前の顔の表情は変わってしまっているのだろうが、その変わっている表情が、思い浮かばせてくれるものがあるのだ…表情も確かに変わっているのだ、それは長い年月を経て、少し疲れて、それ以上に苦労したらしい暗さ、しかし、その奥に、表情の輪郭…のようなもの、顔の輪郭には似ているが少し違って、表情の輪郭、やはりまた型紙…〝型紙のようなもの〟…けっしていい比喩ではない、…・しかし、それらしいものが浮かんで見えてきて…

確かに、目の前の現象の奥にあるものなのだろう。だからと言って、これらを本質とかイデアとか…いや、あまりにおぼろげで、やっとつかみかけているのだ…本質とか、イデアとかはもっとはっきりとして、不動の、時には輝き、まわりを圧し…どうでもいい、…このやっと浮かんできている、やっととらえているものが「我」にとってとても大切なのだ…。

議論に戻ろう。この表情はだいだいの皮の肌の紋様に当たるのだろう。でも、この表情を表しているのは、口元の…眼の輝きの…そして、全体の輪郭も、いや、そのようなことを言えば、眼の形や眉や鼻や…やはり全体から、…とても難しい。

だいだいだって、皮の肌の紋様だけでなく、全体の輪郭も、これは確かに大きさの違いはあっても、…少なくとも過去の記憶を浮かび上がらせる、いや、あっと思わせる…

とても難しい。

右の議論は同一性直観がとても危うい、怪しい、やっとの状態に置かれている例なのである。ああ、だいだいは、今、種の同一性直観として見ているのだ…しかし、とても、やはり、似ているのだ…

もう少し、違った、種の見極め、特定を見てみよう…とはいえ、これもそんなに簡単ではない。かなりたいへんなことなのだ。

春になると色々な花が咲く。最初に咲くのは梅である。梅が咲くと春である。そこで、梅園へ行くと、ほんの小さな梅園へ行っても、すぐに十種類ほどの梅が咲いている。いや、早咲きのものは散りかけ、遅咲きのものはちらほら、という具合で、咲きほこっているのも何種類もある。そして、一本一本の木には名札がついていて、それぞれ名前が書いてある。多くの人々は、それだけで満足して、「ああ、来てよかった。春やなあ。春は梅やな」と呟いて帰る。つまり種を覚えないで帰ってしまうのだ。中には深紅の深い鮮やかな色に惹かれ、その名札を見て覚えて、…と思っても二、三日して、それでも覚えていたとしても、次の年に行けばなんだっけ…となってしまっている。日々の生活の中で思い出すこともないし、その必要もないのだ。このような多くの種類は、園芸品種も混ざっているからなのだろうか。ただ、梅園の札には地名がついた名前もいくつかある。色々な地方からの梅も集められているのだろう。園芸品種といえば、最近では洋蘭もとても多くの種類に出会う。洋蘭が類なら、シンビジュームや胡蝶蘭は種になるだろうか。しかし、花屋さんに行けば、そして、温室のある植物園に行けば、とても多くの種類に出会う。これらはそれぞれ名前がついていて、その花だけでも、全て特徴があり、趣味人や花屋さんはそれらを覚えているのかもしれない。ただ一般の人々は、名札を見て、いや見ないことも多く、花のそれぞれを見て、美しいな、と言って気に入れば買うが、植物園などでは、美しかった、で終わってしまうのだ。

何を言いたいかと言えば、これらの種に関しては、普通の人々は種についての同一性直観を作り出さないということだ。同一性直観を形造る人々はよほどの趣味人かプロであることになる。

もう少しわかり易いのを見よう。花ともなると、ほんとうに最近では様々な種類になってしまっている。魚を見てみよう。魚もとても多くの種類がある。その中でも見分け易い、一目で分かる、…黒鯛はどうだろう。これなら、ほとんどの人々は一目で分かる。鯛の仲間はとても多いが、少なくとも日本の近海では、これとまぎらわしい魚はいない。そして、ほとんどの人々は黒鯛を種として識別できる。ということは同一性直観が存在するということになる。

この黒鯛の同一性直観というものを見てみよう。これはほんとうに、ほとんどの人は、一目で見て分かるのだ。その全体像は一目で黒鯛と分かる。その形、色、鱗の付き方、背鰭、尾鰭の特徴は一体となって飛び込んできて黒鯛だと分かる。そしてほとんど見間違いがない。見間違うような魚はいないと言っていいのだ。形としてはほとんど同じの赤鯛とは、その色ではっきりと区別ができる。これらのことは、種として見る時、その部分的特徴によって特定できるのでは、ということはくつがえってしまう。釣り師達や、魚屋さんには、その色だけ、鱗の付き方だけ、また背鰭や尾鰭の形だけでも、時にはその眼を見ただけでも、黒鯛だと断定する人もいるだろう。

それだけ、他の魚とは、一つ一つの部分をとってもしっかりと違っている、特徴を持っていることになる。とは言っても、これらの部分によって識別しなければならないということではない。ずっと全体の像の方が識別しやすいということになる。つまり全体の姿を見れば、一瞬にして、見分けることができるのである。同じことは、グレと言われる、メジナにも言えるだろう。また川魚では鯉や鮎もそうなるはずである。

とはいえ、メジナや鮎に近い、同じではないが、よく似た形をした、しかし、それでも鱗の色や付き方、鰭の形がそれなりに違っている近縁の魚はないでもないが、それでまちがってしまいそうなものはいない。鯉にもドイツ鯉などよく似た形の、しかし、鱗のまったく違った、無いと見える種もあるが、はっきりと見分けがつく。ただ、鯉には観賞用の様々な色鯉が開発されていて、その種となると、なかなか、となる。

これらは一目見ただけで見分けられる種ということである。

しっかりと、〝種に関する同一性直観〟は形造られているとしていいであろう。

しかし、このような種だけではないのである。最近少ないが、何年に一度か二度は「毒茸を食べて、食中毒」という記事を見る。これはけっこう慣れた人がまちがって食べてなるということになるだろう。ということは、同一性直観が裏切られた、ということになるだろう。茸狩りに行けば、その全体の特徴だけで判断してはいけない、その部分部分、その傘の裏の襞の紋様のくわしい見分け方、時にはその襞の根本のところの特徴、形など様々に先輩に教えられる。それでも、結論は「怪しいと思ったら食べたらあかん」なのだ。怪しいということは同一性直観が揺らいでいる、同一性が見極められない、ということである。つまり、同じような、似た種が多いということなのだ。そして、その見分けるというのは、その部分の見分け易い特徴を見て、ということになるのだろう。だから、先輩が教えてくれるのも、多くはその部分の特徴なのだ。

だから、これらの事実が教えることは、種によっては同一性直観が役に立たない、怪しい、揺らいでいる時があるということなのだ。少なくとも、その全体像による同一性直観には頼ってはいけないということなのだ。つまり、同一性直観が成立していないとまでも言えることなのだ。そして、その種を明確に表している部分についての、やはりこれも同一性直観と言っていいものが、全体の個体の同一性直観としての働きをするということなのである。

様々な植物図鑑でも、全体像の横にその特徴を表している部分を大映しにしたものが載っているのではないだろうか。そして、その下には、全体像の説明、生えている場所、花の咲く季節等々の説明とともに類似品種との差異、その見極め方も載っていることが多いのではないだろうか。

この部分の説明は、差異性を表現する言語として見てきた、形容詞や修飾語とは違い、かなりの長さを持ったいくつかの文ということになるのではないだろうか。そして、それらの説明よりも、その部分を写した写真の方がよく分かる、ということも出てくるであろう。また、逆に、その写真にも負けないで上手に、わかり易く説明するのが専門家の技能であるとも言えるであろう。

このような植物図鑑の説明とは別に、人間として生きている「我」は様々な接し方から、この種に対する記憶と言語を保存しているということになる。

まず、種の名前から見ていこう。

ここに見えてきているのは、同一性直観が揺らぐことがあるという事実である。しかし、その揺らいでいる同一性直観に対して名前、言語の方はしっかりと固定したものとして存在しているということである。そして、茸の例を見たが、茸の場合は、この名前に、毒がある、食用になる、おいしい、まずい、という形容詞や修飾語がついてまわっているのである。ここまでは採取者はしっかりとした知識を持っているのである。しかし、そのしっかりと固定した言語に対して、その対象となる種は同一性直観が揺らいでしまうのである。そして、その同一性直観をしっかりとしたもの、固定したものにしようと思えば、つまり、毒茸と食べられる茸の差異性をしっかりと見極める同一性直観を確立しようとすれば、先輩の長々とした詳しい説明や、図鑑の写真と、やはり長々とした説明が必要になるのである。形容詞や簡単な修飾語は役に立たない、難しい、明確ではないものがそこには存在しているのである。

茸だけではなく、種の特定はなかなかたいへんなのである。世の中には、美しい花を咲かせる植物が多くあるが、人々はその中のごく一部だけ知って生活をしているのである。魚も数えきれない種類が存在しているが、「我」が知っているのはごく一部なのである。ただ、社会、あるいは世の中は、これらの「我」の知らない種をしっかりと名前を付け、そして、図鑑ではそれらの写真を載せ、長々とした説明を載せているのである。しかし、「我」が知っているのはそのごく一部なのである。名前は知っていても見分けがつかない、同一性直観が成立しないことも多々あるのである。逆に「ええ？ これ何？ 何という種？」という出会いも多いのである。つまり、「我」にとって、「我」の世界、自らの小さな世界に入り込んできていないもの、それが時には入り込んでくるもの、名前だけが存在しているものなどが、種としては存在しているということなのである。

このことは、「我」が日々生活している小さな世界では、ほんの一部の種だけで充分であるということであろう。りんごやみかんでも、様々な種類が存在するが、多くの人々はその一部だけを知って生活しているということなのだ。今の子供達、いや、成人しているそれなりに若い連中も、紅玉や姫りんごと言えば、「それ何？」となったりするのである。みかんの類も、ばんぺいゆなどという南の大きな品種を知らない人々は多くあるはずである。からたち、は名前を知っているが、その実をみたことがない人も多いはずである。だいだいはその境に存在するか、いや、少し外の方に存在するとしていいであろう。

要するに、人々は生活に必要な分だけ、つまり必要＝力＝意味が働く分だけの知識で生活を送っているのである。

その意味では、先に見た、同一性直観がはっきりと形造られる鯛や鮎はその分、必要＝力＝意味が働いて対象＝意識が形造られ、よく食卓にもあがり、同一性直観を日常性の中で造り上げているとしていいであろう。もちろん、その為にはそれらの魚がおいしいとか、よく採れる、釣れるとか、その形が他の魚から際立ってはっきりしているとかの、魚そのものが持っている特徴、必要＝力＝意味を形造る特徴を持っていることもあげられるだろう。もう一つ忘れてはならないのは、釣り人にとって鯛釣りや鮎釣りは他の魚よりも難しくて面白いのだ。

つまり、同一性直観がしっかりと形造られるには、その根底に強い必要＝力＝意味が形造られる、そしてまたその同一性直観が造り出される対象そのものが、必要＝力＝意味を形造るべく大きな力を持っているということなのだ。

このようなことを見てくると、先に何度も見た、何十年ぶりに出会った旧友も、昔は毎日出会い、同一性直観が強固に形造られる間柄だったということなのだ。

だから、種を見る時は、その種が「我」にとって、人間にとってどのような関係にあるかは大きな要因になるということである。これまでの議論から言えば、同一性直観がしっかり造り出されている種は、身近なものであり、日々よく話し、また、必要＝力＝意味もしっかり造るべく力を持った存在であり、その上では、本論の主題である記憶や言語もその中に多く積み上げているのでは、ということになる。

鯛や鮎も、大きい、小さい、おいしい、まずい、新しい、古い、そして、どこの産地か、どこの海、川で釣ったか、どのように釣れたか、餌は何か、どこの店で食べたか、様々な言語や記憶がからみあっているのである。おいしかった魚は、その味をかなり長い間記憶にとどめているし、大きい魚が釣れた時はこの感触をいつまでも覚えているのである。ただ、この味や感触を表す言葉は〝すごかった〟が一番適格であり、また〝舌がとろけるようだった〟という比喩的表現や〝体中がふるえた〟という少しオーバーな表現が精一杯で、その味や感触そのものを伝える言語を、多く「我」は持っていないのではないだろうか。

反面、同一性直観がはっきりと形造られない種はやはり「我」にとって遠い存在なのである。同一性直観が形造られないのは、見る機会が少ないということだろう。ということは、必要＝力＝意味が働くことがほとんどなく、それを見ることが日々の生活の中で起きないということになる。ただ、これも公式的には言えないはずで、世の中で珍しいもの、希少価値のあるものとされるものは、それそのものが、大きな価値、また興味をそそるものであって、なかなか数が少ない、庶民にはなかなか見ることができないものである。これらは、一度だけでも、また数度だけでも、出会った「我」には大きな力で記憶に残り、強い形で同一性直観をもつくるのである。また釣りの話になるが、釣りでは、時々、外道として、つまり狙っている種類以外の魚として、大物が釣れ、釣った本人は何だろう、と思っていると、一緒に行った仲間、先輩が、「おお、これはすごい、これはなかなか釣れんもんや、食べたら、またうまいんや」と言って外の仲間も入れ、大騒ぎになる。これは釣った「我」の大きな思い出になる。いつまでも心に、記憶に残っている。そして、また、このような幸運に恵まれると、過去に一度しか出会っていないのに、「おお、これは！」となる。同じことは、茸狩りや、山菜採りでも起きるはずである。逆の場合もある。外道として釣れる魚は、多くの釣り人は特に小物ならば、種も確かめないで捨ててしまう。これらの魚は、よく出会っていても、種の名前もはっきりしないし、名前は知っているが、どれがどれかわからない、つまり同一性直観が形造れないままになっている。山菜採りや茸狩りでも、食べられるおいしい種はしっかりとした同一性直観が形造られるが、それ以外の種は見向きもされない、手に取って見られることがないから、同一性直観はほとんど形造られない。

よく似たことは動植物の愛好家にもあるだろう。自分の好きな類の中の種は詳しく見極められる。つまり、〝種に関する同一性直観〟が働くのである。しかし、他の類は、ほとんどわからない。洋蘭の愛好家は、バラの品種はほとんど分からないし、逆にバラ好きは、洋蘭はわからない、となる。

そして、同一性直観の形造られ方は、そのまま、それに伴う、記憶や言語にも及んでいる。貴重な大物を釣った記憶は、それが釣れた瞬間の感覚、食べた時の味、それだけでなく、釣れた場所、その時の餌、浮き下、つまり水深などを細かに覚えているのである。そして、それが数度になっても、その一つ一つを記憶しているのである。そして、それに伴う言語も多くあるのである。「すばらしかった！」「すごかった！」はもちろん、釣れた時の話や食べた時の話は、長々と続く。つまり、〝すばらしい〟〝すごい〟の形容詞の内容を細かく、文章として述べ続けるのである。

逆に同一性直観が形造られない種に関してはその名前も混乱しているし、記憶はどこかで見たな、程度であるし、たまにはその種について友達から説明を受けたりしても、また図鑑などで見て、また説明を読んだりしても、ああ、そうか、と思っても、なかなかその種の名前と表象、それの中身の説明などは、それぞれが弱い力で存在し、結びつく力も弱く、そのうち、またあやふやになってしまうのである。

だから、先に見た類的直観や同一性直観がしっかりと立てられる種などの時と違い、その種の名前、名詞は記憶や言語の貯蔵庫、容器にはなってくれないのだ。その種に対する場面も少なく、従ってその種についての記憶も少なく、また種の中から、種の名前とともに湧き出てくる言語も少ないこともあるが、その種の名前そのものが記憶や言語を寄せ付けていないのではないか、とまで思われてしまうのである。というよりも、記憶や言語はその種の名前の外側にしか、存在しえないのではないか、とまで思われてしまうのである。というのは、その種の名前を思い出すと、その種の姿を現す表象がちらりと浮かぶが、その種を教えてくれた友達や先輩の説明している姿や、また図鑑などで調べた時のその種の写真の載ったページなどが浮かんでくるのが先で、その種そのものの中身がなかなか現れてくれないのである。そして、その中身があったとしても、それは友達や先輩の言葉、あるいは図鑑の中の説明文として、つまり、友達や先輩や図鑑の名前や記憶からそれらはやってくるのである。もちろん、それでも、その種に何度か実際に出会ったり、どこかで見つけたことがあり、それらの記憶も浮かんできそうであるが、浮かんできてもその出会った場所の風景や旅行に行って見た時などは、その旅行に行った時見た、やはり風景などが先に浮かんできて、その中から、さぐり当てるように、その種のイメージや表象が浮かんでくるのではないだろうか。これらはまだいい方であり、なぜならば浮かんできているからで、浮かばないで、思い出そうとして、かなり意識的に引き出し作業をしなければならないことが多いのではないだろうか。

ただ、これらも特別な場合であろう。多くの必要＝力＝意味が強く働かない種に関しては、その名前を聴いても、何かはっきりしない、あやふやなイメージ、表象が浮かんですぐ消えてしまうのが日常なのではないだろうか。そして、それに伴う言語もほとんどなく、先に見た類や同一性直観がしっかりしている種などの時のような形容詞や修飾語はほとんど出てこないのでは、ということになる。

こう見てくると、同一性直観という認識、そしてそれに伴う記憶や言語も、大きく、必要＝力＝意味に左右されていることになる。

次の節に移っていいだろう。

9．本質直観への挑戦

ここで、本質直観としているのは、基本的には、フッサールの『イデーン』における本質直観である。本質直観については、他の多くの哲学、哲学者によっても語られ、追求されてきている。しかし、二十世紀を経て、二十一世紀の現在、二十世紀初頭にフッサールの唱えた現象学が、やはり一番大きな力を持っているとしていいはずである。なぜなら、二十世紀の哲学者と言えば、ハイデガー、サルトル、メルロー・ポンティなどはいずれもフッサールの現象学に大きな影響を受けた人々であったからである。また、もう一方、マルクス主義もとても強い力で存在していたのであるが、一九八〇年代後半からのソ連と東欧諸国の共産主義の崩壊を経て、現在残っている共産主義国も、マルクス、エンゲルスの理想とした、そして彼等の思想を支援していた人々の理想からはあまりにも遠い、非人間的国家になってしまっているのである。そもそも、二十一世紀の現在、哲学の存在そのものが、危うい状態にあると言っていいのではないだろうか。

二十一世紀の現在、まだ力を持っている、人々に、哲学を志す人々に少しは影響力を持っているのは、やはりフッサールの起こした現象学だとしていいのではないだろうか。そして、フッサールはそれまでの哲学全てを、事実学、自然的態度の学問として否定しきったのである。また、フッサールも、自らの現象学を、本質学と言い切っており、その意味で、彼の現象学は本質の探究で埋め尽くされているとも見ていいのである。

ところで、今までこの論文で見てきた、認識を見る上での支柱としてきた記憶であるが、少なくとも今まで見てきた範囲では、フッサールが「事実学」としてまた〝自然的態度〟として否定した、事物の実在性のみを見ることができる機能ではないか、ということが浮かび上がってくるのである。簡単に言えば、記憶とは、見たもの、聴いたもの、五感で感じたものを保存するだけの機能ではないか、ということなのである。だから、今までも、何度か、本質に出会う、そして本質直観に向き合えそうになっていながら、まだまだ、まだ遠い、となってしまったのではないか、ということなのである。

ここには、本論の大きな限界が横たわっているのである。今まで、本論としては、同一性と差異性を、そしてそれに伴う直観を見てきたが、これは確かに、保存された記憶との比較によって成立するが、これ以上に進めないのではないか、少なくとも、本質には近づけないのではないか、近づくには他の機能を考えなければいけないのではないか、ということが目の前に現れ出ているのである。

ただ、ここでの議論としては、次のように言って、ここを切り抜けたいのである。記憶とは、これまで見てきたような、見ること、聴くこと、五感で直接感じたことだけの保存機能ではないということなのである。簡単な例をあげれば、空想や想像と言われるもの、それが作り出した表象や像を記憶は保存しているのである。いや、それだけでなく、思考というものも、その結果だけでなく、それがたどった足跡もしっかりと保存しているのである。いや、それにもまして、思考とは、一つ一つの記憶を積み重ねていくことではないか、とまで言えるはずなのである。ただ、その積み上げる作業は記憶だけではけっしてなされていないことも事実なのである。この記憶ではない機能は何によるのかを見ていかねばならないのである。

そして、それに近づく一つの道として、これは先にも見たことであるが、記憶は記憶どうしくっつきあう、近づきあう力を持っていること、また、それ以上に、記憶は変形することがある、そしてまた、「我」の意志によって変形することが可能である、ということを挙げることができるのである。

とはいえ、これらはまだまだ遠いし、もしかしたら、本質というものを理解した上ではじめて、…というものではないか、ということにもなりかねないのである。

とはいえ、これらの記憶どうしの結びつき、変形はやはり視野の上に持っていなければならない。これらの視野の上で様々なことを見ていかねばならないのである。そもそも言語というものは、音声記憶と、視覚などの、五感で受け止めた表象記憶の結びつきなのである。この結びつきはあたり前のこととして、まったく「我」本人も意識することなく、人々の生活は進められているのである。

そして、この表象記憶と音声記憶の間に、〝意味〟というこの論文が先の章ではそれなりに見たが、この章ではまだほとんど向き合ってきていない、人間にとってとても大きな海が存在するのだ。海と言ったが、それは巨大な蓄積の場を指して言ったまでのことで、この意味は人間にとって「我」にとって力を持って存在するのである。そして、この意味そのものも、記憶によって保存されているのである。「我」の生活だけでなく、人間社会はこの意味記憶で満ちあふれているのである。その意味ではまさしく海なのだ。信号の青、黄、赤は大きな意味とその力で「我」、人間を支配しているのである。とても多くの人々が、学校や会社の時間に合わせて行動している。これらを人々は記憶していて、その力によって動かされているのである。つまり、この論文での必要＝力＝意味である。フッサールで言えば志向性にあたるであろうか。

この必要＝力＝意味を見ていかねばならないのである。この必要＝力＝意味は記憶の結びつきだけでなく、記憶の変形にもかかわっているはずなのである。

この必要＝力＝意味を見ていけば、本質直観が見えてくるのではないだろうか…この時点では断言できない。少なくとも、フッサールの本質直観はまだまだ遠いはずである。なぜなら、彼の本質直観に届くためには、〝現象学的還元〟によって〝超越論的〟と言われる世界を引き出してこなければならないのである。それでは、…ただ、その他の哲学が本質と言ってきたもの、いや、その前に、世間で、庶民の間で本質と言われるもの、…そんなものには向き合えそうだし、向き合わねばならないだろう。

ところで、庶民、一般の人々に本質の話をすると、「本質？」「え？ 本質ってなんですか？…」と返ってくることも多いだろう。そんな人でも、「〇〇の本質は…」という言い方を使っている場合もある。でも、本質だけを取り上げ、本質そのものについて話すとなると、なかなかたいへんになる。まして、〝本質直観〟ともなると、「それなんですか？」となってくる。

つまり、世の中、世間と言われるところでは、本質は〝〇〇の本質〟としては使われるが、本質そのものを問いただすことはほとんどないということなのである。本質そのものを問い、求めるのは、やはり、真理を、絶対的真理を求める、哲学、哲学者であるということなのだ。つまり、ここには、絶対的真理を求める意志、フッサールの志向性、この論文での必要＝力＝意味の上で、ということになるのである。そして、このような意志、志向性、必要＝力＝意味を持つ人間は、世の中では稀な存在なのである。世の中の人々の多くは、毎日の仕事や勉強で頭がいっぱいなのである。ここには真理を求めるよりもっと強い必要＝力＝意味が働いていて、とじこめられたようになっているのである。そして、これらの力から解放された時は、多くの人々は、スポーツや趣味、遊びに頭が行って心と体を休めているのである。いや、もっともっと大きな強い力の必要＝力＝意味が存在しているのだ。恋する者にとって、恋する相手の心を知りたいのは、絶対的真理を知りたいの数百倍の力を持っているし、子供を持つ親にとっては、子供の安全幸福は何をさしおいても一番の必要＝力＝意味なのだ。

いや、いや、いや、本論としても、愛や恋は絶対的真理を求めることの数百倍大切なことを認めるものである。しかし、それでも、やはり、真理は、人類の持つ、科学や学問にとって中心となるものであり、人類はやはり科学や学問によって進歩してきたのである。そして、今、ここでもやはり、本質というものに向き合わねばならないのである。そして、それを見るためには、必要＝力＝意味というもの、そのものを見ていかねばならないのである。必要＝力＝意味を見るということで、横道に外れてしまったことを許していただきたい。

この必要＝力＝意味は、本質へ近づける道となるかもしれない。記憶どうしの結びつき、記憶の変形の底辺に存在して、力を与えているのではないか、ということなのである。

いや、それだけでなく、必要＝力＝意味は認識全般に大きな力を与えている底辺であり、もっと言えば、今ま

ではなく、本質直観によって判断しているのではないか、という疑問、問題点、議論の種はまだまだ消し去ることはできないのである。

やはり、人間には本質直観という能力は存在するはずなのである。ただ、この論文のこの段階ではなかなかそこへは遠いのである。

フッサールが言う、本質直観が事物だけでなく、空想上のものにも存在するという、最もわかり易い典型的な例は、似顔絵ではないだろうか。あのように変形されたものが、そのままの記憶からかなり遠い変形されたものが、その人物を特定できるのである。これは、その似顔絵が本質をとらえている、その人物の本質がそこに存在するからなのである。あれは人を表現しているのである。しかし、そこへはほんとうにまだまだ遠いのである。

四、必要＝力＝意味と言語

前の節で、本質、そして本質直観に向かい、それを見ていくためには、必要＝力＝意味というものを見なければならないのではないか、という暗示的、いやもう少し、手探り的な結論に達したのである。

暗示的、とか手探り的とか言うのには、二つの意味がある。その一つは必要＝力＝意味と本質、そして本質直観はかなり違い、そこへたどりつくにはかなり難しい問題が多く横たわっているのでは、という予感である。前の節で見たとおり、必要＝力＝意味のほとんどは、生活の中で働き、動いているのである。しかし、本質は、特に、前の節で見たフッサールの本質は、絶対的真理を求める、〝現象学的〟〝超越論的〟と言われる方法によって得られるものなのである。そして、フッサールはそれまでの全ての哲学で求められた本質を否定までしているのである。つまり、フッサールに言わせれば、彼の方法論に従ってでなければほんとうの本質を得られないのだ。こうなってくると気の遠くなってくる話になってしまう。もうここで諦め、…ということにもなりかねない。

しかし、一方、生活に追いまわされている人々、つまり哲学者ではない一般の人々も、本質という言葉は使っているし、本質直観と言えば、「ええ？ それ、なに？」と返ってきそうであるが、それほど説明しなくても、「まあ、わからんこともないけどな」となるはずである。この論文としては、この世間で使われている本質というものに、まず向き合って見ていこう。それでも、ここにはとても面白いものが見えてきそうなのである。それらを見てから…まあ、まあ、これらも、とてもたいへんな、大量な仕事のはずなのである。世間で、世の中で、となると、言語はとても多様に、定義などなくて使われているのだ。この定義のない多様なところも見ていかねばならない。それはそれなりに面白いものが見えてきそう…まあ、まあ。

もう一つ、本質への道を遠くしているのは、必要＝力＝意味そのものが、まだまだはっきりしていない、これそのものを見ていかねばならないということなのだ。フッサールの本質のことを言ったが、この必要＝力＝意味はまさしく本論だけのものである。しかも、簡単な説明だけで終わっている。これをしっかりと見てからでないと、いかに、世の中、世間での本質と言えども、やはりつかむことができないはずなのである。土台がくずれてしまっていることになるのである。

必要＝力＝意味は、ほとんどの科学では欲望として説明してきたものにあたる。フッサールの現象学では志向性にあたるとしていいであろう。ただ、本論は、その根幹、土台を記憶に置いているのである。そして、記憶も力を持つものとして、大きく認識に力を与え、いや、それだけでなく、欲望や愛と結びついて大きな力を持ち、また一方、慣習や道徳や法律と結びついて、欲望や愛を抑制し、抑圧しているのではないかと議論を進めてきているのである。だから、人間の行動が、いや認識そのものも、けっして欲望では説明できないし、フッサールも、記憶や記憶の力に、ほとんど向き合っていないと言っていいのである。

ここでは、これらのことをかなり詳しく見ていかねばならないのである。人間が持っている、本来、その根本に持っている欲望と、人間の日常性の中の行動、認識は、かなり遠い、時には対立し、抑圧しているのである。これらの関係を見ていかねばならないのである。そして、ここに、言語が大きな力を与えているのである。とても多くの時、人間は自らの欲望ではなく、言語に従って生活を送っているのである。「人は右、車は左」から始まって、様々な言語、文章が、職場にも、学校にも、街にも張り出され、人間を支配しているのである。それ以上に、法律や憲法というものがある。昔は、聖書や経典というものがあったのである。これらは大きく人々、しかも人間の行動の、認識の隅々にまで力を及ぼしているのである。これらのことを科学は、それでも、その根底には人間の欲望が存在し、それらに従うことは結局は欲望を達成する一番の近道であると説明してきているのである。しかし、その近道にはとても複雑なことがほんとうに多くあるのである。それらは、やはり見ていく必要があるはずである。

ここで、この節をはじめるためにも、もう少し、必要＝力＝意味を分析して、説明する必要があるはずである。必要＝力＝意味は科学で、人間の行動の根源の力として考えられている欲望と同じものである。しかし、この論文では、その欲望に、人間という動物の場合は、記憶というものがとても大きな力を持っていて、そんなに単純には説明できないのでは、と言いたいのだ。そして、時には、欲望そのものを抑制、抑圧する力も人間の中に存在しているのである。ここには、記憶の力、いや、その上に築かれた意志や根性、そして、理論や理性の力、また社会からの慣習や法律の力が存在していることを見なければならないと主張するのである。そして、それらの意志や根性、理論や理性、慣習や法律は、やはり記憶を土台にしていることを見ていかねばならないのである。そしてまた、この記憶の大きな道具、力になっているのが言語なのである。

簡単な例で見れば、子供は小さい時から、「〇〇しちゃだめ！」「〇〇しなさい！」と幼い時から言われて育つのである。そして、欲望を充実させるはずの食事の時も、「お行儀よく食べなきゃだめ！」「しっかりと噛んでね！」と様々に圧力が加えられているのである。

これらは、言語によって伝えられ、記憶として大きな力を持ち、ずっと大人になっても力を持ち続けるのである。

これらのことを様々に見ていかねばならないのである。そして、性欲には、フロイト達が、精神分析が、また、民俗学などの様々な社会科学が教えるように、とても複雑な構造を人類は持っているのである。

これらを後に、ゆっくりと、記憶と言語というものを通して見ていきたいのである。

しかし、ここでは、もう一度、この〝必要＝力＝意味〟なるものを説明していかねばならないはずである。この三つの〝必要〟と〝力〟と〝意味〟を＝で結んでいることの説明は求められるはずである。とはいえ、これまでにそれなりの説明はしているし、また、三つの単語、結びつきを、それなりに理解してもらってここまで来ているものと思っている。

必要から見ていこう。必要とは、「○○する必要がある」から来ていることは多くの人々には理解してもらえることである。ただ、ここでは、「○○しなければならない」「○○しよう」も含んだ意味であり、また欲望の「○○したい」も入っている。ただ、これも先にも見たとおり、食欲を満たすためにも、行儀や食べ方、いや場所、時間などを守らなければならないし、また食事を作る方はもっとたいへんなことが必要になってくるのである。子供の遊びでさえも、時間と場所だけでなく、服装や、遊びのマナー、してはいけないことなどでいっぱいなのである。

いや、もっと、人間の生活はこの必要で満たされているのではないだろうか。子供が学校へ行く道のりを見ればわかるはずである。八時五分に友達が来る。それまでには食事を終えて、今日の授業に合わせた教科書とノートの入ったランドセルをかついで、戸口では「行ってきまあす！」この声の出し方も親から言われている子も多いはずである。道路に出れば道路の右端を一列に、友達との会話、これは楽しい、〝必要〟はあまり働いていない。あ、近所のおばさんに会ったら、おはようございます、その前に学校への道順、交差点、信号を見て、青になったらしっかり横断歩道を歩いて、それでも、車には気をつけて…

瞬間毎に〝必要〟は働いているのだ。これらは欲望からはかなり遠いのだ。子供でこれだけだったら、車で通勤している大人はもっとである。左側通行、信号機だけでなく、様々な標識が瞬間毎に現れる。それだけでなく、歩行者、自転車、対向車、前の車、追い越しをかけてくる車、車間距離、…きりがない。いや、それだけでなく、目の前の道路だけでなく、頭の中には、今日会社に着いたら、まず、いや、それよりも、昨日ファックスで入ってきたあの図面…となっているのだ。…学校や会社に入ってしまうと、もっと、もっとたいへんである…こう見ると、人間の生活はこの必要で埋め尽くされていることになる。欲望?そんなことを考えていたら仕事になりまへん、…となる。

次の力は、今ほど見た必要が大きな力を持っていること、それが人間である「我」を大きく支配していることからも少しは理解してもらえるだろうが、後にまわそう。その場所にまで来れば、後にまわした理由もわかってもらえるはずである。

意味の方を先に見ていこう。意味は、今まで見てきた〝必要〟がその力によって向かわせた対象が力を持って「我」を支配することだとも言えるであろう。こう言えば、フッサールを勉強したことのある人は、ノエシスとノエマの関係を思い出すであろう。しかし、一方、今まで見てきた必要そのものも大きな意味を持っているのである。必要からのほとんど命令的な力の中に、意味がしっかりと含まれているから、「我」はその意味を理解し、いわゆる納得して従って、支障なく行動し、生活を進めているのである。この必要の中の意味は、「我」の生命活動とかなりのつながりを持ち、ということは、欲望とも深い関係にあるのである。このことは、この章で見ていかねばならない、大きな仕事である。

最初に言いかけたが、必要が向かわせた対象が意味を持っていること、そしてわかり易い意味を持っていることも事実である。信号の赤は大きな意味を持つ。りんごに向かえば、そのおいしそうな中身が、意味が伝わってくる。食べればもっと、口の中、体の中に、その意味が充ちてくる。いや、もっと、すばらしい、美しい異性を見ただけで、全身に大きな力が走る。こう見てくると、〝意味〟とは、生命活動につながるもの、また欲望につながるもの、とも解されそうになってくる。

しかし、世の中に、本というものが存在する。これは意味に満ちあふれている。意味そのものとも言える。そして、その中を埋めている文字、それが作り出す単語、言語も、まさしく意味そのものである。いや、もっと新しくは、パソコンこそは意味を、世界の意味をほとんど集めているとも言える。「我」の知らない意味も、それを操作すれば教えてくれる。言いたいのは、これらの本やパソコン、そして文字は、けっして、少なくとも直接的には、生命活動や欲望にはつながっていない。

ここまで読んできて、「おや、少し、おかしくない？……」と思われた読者は、やはりすばらしい読者であるとしなければならないだろう。そもそも、必要＝力＝意味とは、「我」の中の欲望や意図や意志にあたるものであるからで、なぜ、対象、「我」が向かい合っている対象の意味が論ぜられなければならないのか、という疑問、いや批判が出てきてもおかしくないからである。つまり、必要＝力＝意味が向かい合っている対象、本論で対象

＝意識としてきたものの中の対象と必要＝力＝意味は別々のもので、ここでは必要＝力＝意味を論じているので、対象の意味を論じることはまちがっているのでは？ということなのだ。

ここまでもそう考えてきたし、その考えは今も変えているつもりはない。ほとんどと言っていい哲学書も、主観と客観とを分けた上で議論を進めていく。これをはっきりと分けることを批判するかのように議論されているのは、ハイデガーの世界＝内＝存在であろう。本論も、彼の、この世界＝内＝存在から大きな影響を受けている。ただ、本論は、記憶というものを中心に議論を進めていて、やはり、ハイデガーの哲学とは大きく違っているのである。この違っていることは、ここではとても重要なことになっているのである。

対象の持つ意味は、本論としては、必要＝力＝意味にとても大きな力を持っていると考えるのである。それは記憶というものを通して、その記憶からの力によってであると言いたいのだ。

簡単な例であげれば、一週間前に釣れた場所はとても大きな力を、意味を、必要＝力＝意味の中で持っているのである。それ以上に、好きな彼女、彼氏は、別れた時、とても大きな意味、力として、記憶の中に存在し、必要＝力＝意味の中に大きな力、意味として存在し続けるのである。

だから、正確な議論のためには、この〝記憶を通して〟を最初から言っておかねばならなかったのである。とはいえ、ほとんど同時的、瞬間的に、対象の持つ意味が「我」に力を与え、行動につながることも、とても多いのである。信号の赤…これはそれほどいい例ではないだろう。また、釣りの話に戻れば、浮きの浮き沈み、…これを見て、「我」は判断し、決断を下す…確かに…直観からの直接的行動とも受け取れないことも…いや、いや、…このあたりは、本論としても、とても大切なところのはずである。ああ、もっと、いい例がある。世の中には、気を遣う、とか、相手の顔色を見て、という言葉がある。上司や仕事をたくさんもらっているお客さんと話をする時である。もちろん、相手を怒らせてはいけない。相手の言葉の意味一つ一つをかみしめて、ということはその意味を理解し、それだけでなく、その言葉の意味の内容の深さをもよく理解するために、相手の顔の表情の表しているその意味をもくみ取って、より深い理解をして、そして言葉を選びながら、〝選ぶ〟ということは、「我」の必要＝力＝意味を働かせながら、話を進めていくのである。これは、対象の持つ意味が、そのまま、ほとんど瞬間的に、「我」の必要＝力＝意味の中に入り込んでいることになるだろう。ただ、ここには、上司やお客さんと話をしなければならない、そのためには気を遣い、顔色を見ながら話を進めなければならない、という、強い必要＝力＝意味が、話をしている時に、その話の内容、意味を、顔色の表す意味を受け止めて、ということは、必要＝力＝意味の中に入れて、そして新しくなった必要＝力＝意味によって、言葉を選んで、話を進める、いや話について行く、ということになるのだ。これらは、フッサールの絶対的真理からはあまりにも遠い話ではあるが、「我」が生きていく上にはとても大切なことなのである。ある種の人間達には毎日のように起きている出来事なのである。まだもっとわかり易い例がある。討論会である。討論というのは、発言している人間の言葉を聴きながら、つまり、意味を取り入れながら、思考して、ということは、「我」の必要＝力＝意味に取り入れながら、発言するかしないか、発言する時は、また新たに必要＝力＝意味を働かせて、という具合に進んでいくのである。

こう見ていくと、「我」は必要＝力＝意味を働かせながら、恒に、（いや、まだ、決定はできないが、だから時に、かもしれないが）対象の持つ意味を取り入れながら、ということは、それによって新しく必要＝力＝意味を形造りながら、生活が進んでいるのではないか、ということが見えてくるのである。

これらのことも見ていかねばならないが、その前にはまだとても多くのことを見ていかねばならないはずである。まずは必要＝力＝意味の中の、そこにもう存在している意味を見ていく必要がある。そして、この先に見た必要そのものも意味で満ちあふれているはずなのである。それらを見ていかねばならないのである。いや、必要とは、その言葉の中に、意味というものを含んでいると言ってもいいのである。これらのことを、つまり必要と意味の関係も含めて、いろいろなことを見ていかねばならないのである。

必要＝力＝意味の中には、記憶とともに蓄えられ、蓄積されたとても多くの意味が存在するのである。仕事や勉強をすることの意味、また、仕事や勉強の一つ一つの細かなこと、それぞれの意味を見ていかねばならないのである。世の中には、マナーや義務や法律があり、それらが全て大きな意味を持って「我」の中の必要＝力＝意味の中で働いているのである。

しかし、その前に、欲望である。この必要＝力＝意味は、先にも述べたとおり、科学では欲望として説明されてきたものである。しかし、人間は、そして人間社会は決して素直に、直接的には欲望に従って生きる、生活することを許さない、そこにはまさに、色々な変形、そしてまた、欲望を抑制、抑圧する様々な仕組みを「我」は記憶によって、また記憶を基礎にした思考によって取り入れているというので必要＝力＝意味と置き換えたのである。そして、変形としては、記憶と欲望の結びつきを見ていかねばならないのである。この結びつきには意味が大きな力として存在しているはずなのである。これらを見ていかねばならないのである。そして、意味だけでなく、必要＝力＝意味そのものと欲望の関係をしっかり見ていかねばならないのである。

意味といえば言語なのである。人々は意味のほとんどを言語として表している。その巨大な量は、広辞苑などの辞書の分厚さが示しているだろう。この巨大な量の全てを「我」は知っているわけではなく、知らない時は、これをくって理解し、覚えていく。ということは、「我」の住む社会は「我」の知らない言葉もいっぱい持っているのだ。それらを少しずつ、知って自分のものにしていくことが、成長の一つの過程なのである。これらの言葉を知識として理解することによって、「我」は社会を、世界を理解していくのである。しかし、辞書とは単語の意味だけをのせている。社会には、世界には、無数の、数えきれない本が存在しているのである。これらを読むことによって「我」は社会を、世界を理解していく、社会の、世界の意味を獲得していくのである。そして、辞書は、これらの本を読んでいく時、分からない単語があったら手助けをする存在なのである。これらの本を読んで「我」は、社会の、世界の、いや自分が生きる人生の様々な、奥深い意味を理解し、獲得していく。そして、必要＝力＝意味の中に蓄積していくのである。だから、必要＝力＝意味は、これらの意味で埋まっているのである。そして、本には、宗教や道徳や、人生観についての本など、とても大きな力で、「我」を支配する本も存在する。多くの本のたった一冊が、必要＝力＝意味の中核になっていることもある。これらを、後にゆっくりと、しかし、それらは世の中に存在するもののほんの一部にしかならないが、とはいえ、本論の視点で見ていこう。

もちろん、言語にならない意味も、「我」は多く感じ、また時には大切に保存しているのである。いわゆる、言葉では言い尽くせない意味である。これらのことを含めて必要＝力＝意味の中で言語と、言語にならない意味がどのような働きをしているか、時には言語にならない意味もとても大きな力を持って「我」を支配していることも見ていかねばならないのである。

そして、最後にまわした力である。ここまで読んでもらっていればなぜ、最後にまわしたかを理解してもらっているはずである。ここに至るまでも、何回も〝力〟を使ってきているのである。必要も意味も、「我」にとっては力として存在しているのである。しかも、その多くは「我」を支配する力として存在しているのである。ただ、それが欲望などと、あるいは意志とか意図と結びついた時、そして根性とか気力の中に入り込んだ時は、「我」の中の力として存在しているのである。そして、これらの両者、「我」の外側の社会や世界、内側の欲望や生命の両者を結びつけているのが愛なのではないだろうか。愛は、基本的には子供や恋人、自分の生命の延長、自分の心と一つのものという身近な、自らの欲望や生命の延長のものとして存在しているとしていいであろう。そして、また、それは「我」の中からの力である。しかし、それはまた、自分の外側、少なくとも自分の肉体の外側に存在するものへの力である。そして、それは「我」の中の欲望や生命からの力にも劣らない、時にはそれを超える力でもある。愛とは、自分の外の、肉体の外の存在の欲望や生命の力が満たされることを願う力なのである。

そして、それは自分の子供や家族、肉親、そして恋人などだけでなく、近所の子供やお年寄りを心配したり、可愛がったり、見守ったりする力でもあり、それが広まれば同胞愛、民俗愛、そして、もっと広まれば、人間愛、人類愛にもなる。そして、それは神への愛となり、また神からの愛も感じるのである。いや、人間は、人間どうしだけでなく、ペットや様々な動物、草木にも愛を感じて生きているのである。これは、ほんとうに大きな、とても広い力なのである。

この愛とは反対に、憎しみや怒りもとても大きな力として存在するのである。これらは見ていかねばならないのである。これらは、愛とちょうど反対の力を持って、「我」の中に存在し、「我」の外に放たれ、また「我」の外から「我」に向かって放たれるのである。

これらも見ていかねばならないのである。

膨大なものになるが、そして、なかなかまとめることも難しいが、必要＝力＝意味とは、全ての人間が自らの原動力として持っているものであるから膨大なものになり、また、それぞれの人間達はそれをほとんど整理することなく持っているから、まとまらないのである。

以上、たいへんな仕事が待っているが、頑張らなければならない。そして、最後に＝である。この＝こそ、疑問に思う人も多いはずである。外側どうしで結びついているが、必要と意味は等しいとなっているのである。確かに重なり合うところも多くあるだろうが、けっして全てが等しいわけでもない、と声があがりそうである。言い訳をさせてもらえば、「我」が行動する時は、ほとんどは一つのものとして、一つの力として働いているのではないか、ということなのである。そうして、この必要と意味の中に入っているのが力なのである。必要と意味は「我」の中で、一つの力として働いているのではないか、ということなのである。ただ、これらのことも後にしっかりと見ていかねばならないのである。

そして、この力をまた助けているのが、言語であることも見ていかねばならないのである。言語がまさしく、力となっているのである。そしてまた、言語は「我」と「我」を結びつけ、社会を結びつけ、同一言語を話す民族を結びつけてきたのである。そしてまた、この言語が通じないことが歴史の上では敵対の原因になり、戦争を生み出してもきたのである。これらも見ていかねばならないのである。

また、もう一つ付け加えさせてもらいたい。そもそもこの章をはじめたきっかけ、大きな原因は、本質を見出すためだったことも忘れてはいけないのである。その前に必要＝力＝意味と対象である。対象の中の本質を見る時、この必要＝力＝意味が大きな影響を与えているのではないか、という予感からこの章に入ったと言ってもいいのである。つまり、同じりんごを見ていても、必要＝力＝意味の働きによっては、その味が焦点になったり、皮の色が焦点になったり、また、その形そのものが焦点になったりするはずである。この焦点の移動によって本質は違ってくるのでは、という予感が存在したのである。ここはほんとうに大切なところである。この論文だけでなく、認識を見る時、つまり認識論にとって、そしてまた哲学にとってもとても大切なことのはずである。そして、また、このような上で、本質と言語の関係も見ていかねばならないのである。

いや、ここはもう少し見ておく必要があるだろう。必要＝力＝意味と対象＝意識の関係をである。そして、その上で、対象＝意識で形造られた、「我」が向かっている対象の中の本質の関係、構造をである。

ここまで見てきたことの中から、必要＝力＝意味と対象＝意識の関係はかなり見えてきている、いや、まだ近づいているだけの状態であろう。必要＝力＝意味の中の必要と意味が力となって対象＝意識を形造っていることはほぼ、同意を得るであろう。そして、先程も見たように、対象＝意識の対象も意味を持って存在しているのである。そして、その対象からの意味を「我」は必要＝力＝意味で受け止めて、その中へ吸収しているのである。いや、その前に、必要＝力＝意味は、自らの記憶の中の、そもそも、必要＝力＝意味はその中身を多く記憶で埋めているが、その記憶の中の意味、そして必要でもって対象を求め決定しているのである。そして、この時の記憶からの対象を求め、決定する過程をその中に流れる意味、そして必要を通して見なければならないはずなのだ。そしてまた、ここに言語がどのようにからみあい、力を持っているかを見なければならないのである。今まで何度も見たとおり、意味のとても多くを「我」は、そして人間社会は、言語に置きかえて保存しているからである。

その上で、ここに、これらの意味、そして必要の流れから、本質というものが、どのように浮かび上がってくるか、も見なければならないのである。いや、これまでも何度も見てきたように、本質など浮かび上がらないで、言語での置き換えや、その言語でさえ浮かんではこない時も多々あるはずなのである。そもそも、とても多くの人々は、「本質？ え？ それ何？ …そんな暇なこと言うとるんか」となるのである。本論では、このようになることも、生活の中から見ていかねばならないのである。それでも本質…向き合っていきたい、…とても難しい…

1. 必要＝力＝意味と欲望の関係

最初は必要＝力＝意味と欲望の関係は見ていかねばならないだろう。この関係を見ることによって、必要＝力＝意味そのものもよく見えてくるし、科学が人間の行動の原因としてきた欲望とどのように違うかが、見えてくるのである。

欲望と言えば、まずは食欲、性欲、そして、人間の場合は金銭欲などもある。いや、まだまだ、遊びたい、スポーツがしたい、趣味で様々なものを集める人々もいる。そして、忘れてはならないのは愛である。子供達は、お母さんの愛が欲しいのである。また、親達も、子供が可愛くて可愛くて、何より一番なのである。ただ、ここでは、欲望とは別に愛を考え、もう少し後で見ていくことにしよう。

見易い順に、ⓐ食欲 ⓑ性欲 ⓒ金銭欲 ⓓ名誉欲 ⓔスポーツへの意欲 ⓕ必要＝力＝意味と芸術 と見ていこう。見ていくということは、この論文では、記憶と言語によって、そして、ここでは必要＝力＝意味とどのような関係を持っているかを見ていかねばならないのである。

ⓐ　必要＝力＝意味と食欲

人間の中では、食欲はやはり、性欲と並ぶ、とても大きな欲望である。いや、人間だけでなく、全ての動物にとってであろう。これは「腹へった！」「〇〇が食べたい」と直接的に意識もされている。しかし、「腹へった！」と「〇〇が食べたい」との間に記憶が入り込んできているのだ。つまり、〇〇を記憶の中に存在する特定のものが、食べたいのだ。「カレーが食べたい」「りんごが食べたい」「すき焼きが食べたい」なのだ。それだけではない。あそこの店のカレー、あの肉を使ったすき焼き、りんごも種類を特定している時があるのだ。ただ、このように考えた時、すぐにやってくるのが、ふところ具合、今持っている自由に使える金の量なのだ。ここには、大きく記憶が力を貸しているのだ。

欲望は、特にここで見る食欲は人間の中で大きな力を持っている。この力は直接「我」に感じられるので、ここで見なければならない必要や意味からは少し離れた存在である。

特に、世の中で、一般に使われている〝必要〟を世の中での言葉そのままでとらえれば、食欲との関係は、「十二時か、そろそろ食事やな」となるだろう。人間社会のほとんどでは、昼の十二時は食事の時間なのだ。だから、十二時になったら食事をする必要があるのだ。だから、この時、少し離れたところに存在する食欲に問いかけることがある。「十二時か、確かに腹減ったな」とか、「おお、十二時？ おかしいな、まだ腹減っとらんな」とか、「十二時なのに、ぜんぜん腹減ってない」などである。もちろん、食欲が先行していて、「やっと十二時かよ、腹減っとったあ…」ということもある。人間は社会生活をしている限り、なかなか十二時前には食欲を満たすことはできないのだ。

〝必要〟としては、多くの人間は、食事を摂る、食欲を満たさなければならないことを知っている。この〝必要〟は、やはり少し食欲とは離れているが、それでも、十二時を過ぎても食事がとれなくて、とか、なかなか食料が手に入らない、食糧危機や、貧困の場合は、食欲と必要は重なって、食事を摂らなければいけない、食物を探さなければならない、どうしたらメシが食えるのか、と必死になる。つまり、必要と食欲の力は重なって、「我」を大きく突き動かすのである。

また、現代人ともなると、栄養のバランスを考えて食事を選ばなければならないことも知っている。これも〝必要〟であろう。そして、食事のメニューを食欲とは別に、この必要に合わせて選ぶこともある。それでも、「おお、最近、肉食っとらんだな、肉は食べとかんな、あかんのや、おお、今日肉か、久しぶりや、よっしゃ」ともなると、食欲と必要は重なって、やはり大きな力になってくる。

しかし、食欲にとって、一番大きな必要は、それを満たすために働かねばならない、稼がなければならないことだ。いわゆるオマンマの為に働かねばならないのだ。金を稼がねばならないし、また、家庭では料理を作る必要があるのだ。この必要は、食欲とも結びついているが、その背後に大きな金銭欲をも生み出しもする。金さえあれば、食欲は満たされ、しかも、おいしい食事で満たされるのだ。

ただ、食欲だけでなく、全ての欲望を満たすものとし、金銭を考えるのは資本主義が発達した現代人だけ、その一部だけなのではないだろうか。資本主義が発達する以前の中世の農耕社会では食欲を満たしてくれる食糧は大きく天候に左右され、その天候は神様の考え、心によると考えられていたのだ。もちろん、中世にもそれなりに金銭は存在したが、その背後に神様が存在すると考えられていたのだ。だから、食糧、そして食事は神からのいただきものだったのだ。だから、「いただきます！」なのだ。それだけでなく、食事は様々な礼儀や作法に取り囲まれて進められていったとしていいであろう。ここでの見方で言えば、食事は神からの強い必要に包まれて進められた、ということになる。

これらの食事を取り巻く様々な礼儀作法は、現代の資本主義社会においても様々なマナーとして引き継がれ、食事を支配する力になっているはずである。もちろん、それらは資本主義社会の論理である合理性や資本主義を生み出した科学の様々な知識によって塗り替えられ、新しい形になってもいる。しかし、食事が様々な規則、それからの力の中で進められていることはやはりほとんどが変化していないはずである。食欲は強い力を持った必要に取り囲まれて満たされていくのである。

次に意味である。

食欲そのものは、食事をしたい、何かを食べたいという意味を持っているとしていいであろう。しかし、多くの人々は「お腹が空いたな」と思った次の瞬間に、様々なメニューが、つまり、カレーやすき焼き、お刺身、サラダなどが浮かび、それだけでなく、刺身やサラダでは、こんな魚が、今日はマグロ、それもトロが、いや、もっとあっさりとヒラメかヤリイカか、サラダでは、中に入るレタスやトマトは常連だが、そこに様々な種類を思い浮かべるのではないだろうか。これらもやはり、意味としていいであろう。意味が、メニューの名前や食品名に置き換えられているのである。食欲が記憶の中の意味をさぐり、その中に存在するメニューや食材を探り当て、その名前、名詞を自分に言い、確認して、それを得ようと努力するのである。記憶の中の意味が力を持ち、その意味を持った対象を求めて努力するのである。ここで忘れてならないのは、食欲の中で一番大きな根源的な意味とは空腹であり、これはあらゆる食べ物に対する欲望であるが、その中には、おいしいもの、このような味のものを食べたいという力が存在する。つまり、食欲の中においしさ、味という意味が存在するのである。空腹の力がおいしさ、味を求めるのである。しかし、ここでは、それらを飛び越えてすぐにメニューが来てしまっているのである。これも、言語の力、いや、その前に、一つ一つのメニュー、食材を食べた記憶が、味やおいしさを超えて、様々な味のトータルなものとして存在して、力になっているとしていいであろう。食欲の力が様々な味をトータルに持った、つまり一つの意味になったメニューや食材をひきつけるのである。

ただ、現代人は、このような食欲にストレートに、食べたいもの、味わいたいものに素直に近づかないことが多いのである。多くの人々は栄養バランスを考えて、それを考慮に入れながら、食欲を満たしているのである。子供の頃から、親からも、学校からも、栄養のバランスを教えられる。多くの人々はタンパク質、炭水化物、ビタミンなどを、そしてその分量を意識しながら、食事を摂っているのである。食卓の上に出された食べ物を、この分類に従って見分け、この量を考えながら食べているのである。肉が好きだからとか、刺身が好きだからと言って、そればかり食べると病気になると教えられているのである。実際、肥満やコレステロールや中性脂肪などの数値を、健康診断や医師に突きつけられて、食べ物に気を遣いながら食事をしている人々は多くいるのである。これらの肥満度、コレステロール値、中性脂肪値などの言語が大きな力、つまり、強い意味を持った力を持ち、タンパク質、炭水化物、ビタミンなどの意味の下に食卓の食材を分類し、その量を考えさせながら食事は進められていることになる。そして、栄養のバランスについての教育は言語を通じて教えられるのである。それ以来、子供は、食料をこれで教えられた分類に従って眺め、また、自分の食欲をもこれでコントロールしていくのである。

記憶の中で、これらの言語が意味として力を持ち、その意味に従って食材や、食卓に並べられた料理、つまり対象の持つ意味を分類しながら食事は進むということである。

ああ、世の中にはグルメというのがある。おいしいと評判の店を食べ歩くのだ。評判とは、言語の大きな力である。昔は人から人への言い伝えを言ったが、最近ではインターネットの上での書き込みが主であろう。店の名前、シェフの名前、メニュー、そしてレシピ、これらは大きな力、価値を持つ。そして、ここでは、食欲を超えて、食欲の中に大きな意味、おいしい味が特化してしまい、店やシェフの名前にしっかり結びつき、大きな力になってしまっているのである。そして、このような店で食べるには、大量の金銭が必要なのである。あらゆる欲望を、食欲もほとんどそれによってかなえてくれるお金が大量に必要なのである。だから、自分の生活の中でその大量の金銭を使える人間、金持ちしか行けないのである。一般庶民はよほどの犠牲を払わないと行けないのである。だから、グルメの店へ行けたということはステータスになる。おいしい料理を食べられたこと以上にステータスになる。ステータスとは食欲からほど遠い名誉欲ということになろう。

とはいえ、このようなグルメと言われる人々の中にも、空腹からのものではないが、味を求める、しかも高度なおいしい味を求める欲望があり、それがより高度な味を求め、様々な店やシェフを探して、彼等の中の食欲を満たしているとしていいであろう。そして、これらの人々の味を求める欲望、食欲は、本論的に言えば過去に食べた高級なおいしい料理の記憶ではないか、ということである。記憶が大きな力を持って欲望を形造っているのである。それらの味は大きな意味を持って、力となってそれらの意味を持つ対象を求めさせるということなのだ。そして、その対象としては、過去にそのような味を与えてくれた店へもう一度行きたい、あるいは様々な情報から、それらを超える味を提供してくれる店へ行きたいという欲望を生み出しているとも言えるはずなのである。また、このような店は、味だけでなく、部屋の様子や、庭の風景にも奥深く工夫がこらされており、それらは、提供する味を包み込むように、大きなすばらしさを与えてくれるのである。このような場所での食事はまた大きな記憶の力を生み出し、次の欲望を生み出していくのである。

とはいえ、グルメにもいろいろあり、自分でグルメとは意識しなくても、自分で栽培した野菜や、自分で釣ってきた魚、自分で山で採ってきた山菜や茸を料理して、堪能して食べている人々も多くある。これらの人々も空腹からではない、過去に味わった料理、食材の味を記憶が強い力のまま保存し、その力に動かされているとしていいであろう。これらの人々の食欲は、テーブルの上の皿に残った料理へ向かわないで、畑や野山や川や海へ向かっていくのではないだろうか。こちらも、やはり記憶の力が大きく食欲に働き、畑や野山や川や海が大きな意味を持って存在しているのである。そして、これらの食材を得られた場所がそのまま味と結びついて見えてくるのである。そして、食欲はまた、これらの場所へ行きたい欲望と採取、もっと言えば狩猟本能と結びついていることになる。

食欲も様々であり、様々な意味を持っているということになる。

最後に食欲を力として見てみよう。

食欲は「我」の中のとても大きな力である。「我」は空腹には耐えられない。様々な形で食料を見つけようとする。しかし、食欲の意味として見てきた味、それを求める味覚を満足させようという力もとても大きいものとして存在している。また、必要のところで見た、食事の時間やマナーなども、食欲に重なったり、それを抑制したりと、様々な力を持っている。ただ、これらの力にもかかわらず、生活の中では、少なくとも現代社会では、スムーズに満たされている、というか、それぞれの力がそれほど大きな力を持つことなく、また、それほど意識されることなく、生活は進んでいる。

このことは振り返って見ると、我々の人間の生活は、ほとんどどの国において十二時に食事をし、どの家庭でも一日に三回食事をし、その時間は、朝昼晩に振り分けられている、そのような時間制で進められているということである。この三度の食事と、睡眠時間を意識した形で、家庭も学校も会社も、だから、社会全体も動いているということである。

つまり、食欲に合わせるように社会全体が動いているのである。これは大きな力である。食欲からの力が、社会全体の時間の流れを決定しているのである。テレビの番組もこの時間の流れに合わせた形で組み立てられているのではないだろうか。「我」の中では空腹の時、そして、少しグルメになって味覚を楽しみたいと思う時だけしか意識されない食欲であるが、こう見てみると、社会全体にとても大きな力を持っているのである。逆に言えば、あまり食欲を意識させないように、社会は時間の流れを、時間割を組んでいるということにもなるだろう。つまり、決まった時間に食欲は満たされる社会が形造られているということである。このことは一方では「腹が減っとっては仕事にならんわい」ということからも来ているであろう。つまり、食欲と仕事や勉強がうまく調和するように時間の流れ、時間割が決められているということである。そして、また、これらの時間割、時間の流れは食欲を土台にしてつくられているはずなのであるが、これ以外の時に食事を摂ることを禁止もしているのである。学校や会社で、十二時前に弁当をひろげれば大きな罪になる。学校や会社の共同生活のためには、十二時に食欲を満たすように決められているのである。それを外れてはいけないのだ。その意味では、これらの時間割や時間の流れは、食欲からは出てきているが、それを抑える働きをしていることになる。

こう見てくると、マナーなどの意味も見えてくる。食事の時のマナーは、一緒に食事をする者のみんなの食欲がそれぞれ満たされるように、というのが基本なのではないか、ということだ。つまり、誰か一人が、自分の食べたい料理を独り占めなどしないように、好きだからと言って、横に座った人の皿に箸やフォークやナイフを入れないように、というのが食事のマナーの基本、第一歩なのではないか、と見えてくる。もっと言えば、腹が減ったからと言って、他人の家へ入って食べ物を食べてはいけないのだ。これも、大切な社会のルールである。このようなルールは、法律として慣習として社会の隅々にまで張りめぐらされているのである。食料をはじめ、多くの商品は欲しい時にはお金を出して買わねばならないし、また、お金も欲しいからといって人のものを取ってはいけないのだ。お金に関しては家族の中でもしっかりと所有が決められているのだ。親の財布からもお金を勝手に取れば叱られるのである。このお金も、大人達は、労働時間に合わせてもらっているのだ。その労働時間に合わせてもらったお金は、スーパーや商店に行けば、それぞれの商品に、それぞれの価格がついていて、それを分散するように買い物をしなければならないのだ。そして、この商品の価格も、それなりにそれを作り出した労働者の労働時間に合わせてつけられているとしていいであろう。つまり、人間達は、少なくとも現代社会では、自らと家族の食欲を満たすために働くが、それは一度、お金に換えられ、そして、そのお金で、また色々なものを買って食欲を満たしていることになる。この賃金と価格の関係は、社会の隅々に張りめぐらされているのである。その根底には、食欲という人間の欲望が大きく存在しているのである。食欲の力は世界に張りめぐらされているとしてもいいのである。ただ、この食欲も、全ての欲望と同じ、表に、直接的に出すことは多くの場合禁じられていて、社会という組織ではそのままはなかなか見えてこないのである。

いきなり、食欲の力と社会の関係を見てしまったが、個人ではもっとわかり易い形になっている。勉強するのも働くのも、そもそも、この食欲を満たすためなのである。人間には、次に見る性欲や、遊びたい、いい家に住みたい、旅行がしたいなど様々な欲望が存在するが、まずは食欲なのである。食欲が満たされて、はじめて、他の欲望にも目が向く、向き合えるのである。だから、人間の活動のまず第一は食欲によって動かされているのである。食欲の力が個人の生活の、その動きの根底に大きく占めているのである。そして、親達も、子供には、まずは食欲を自ら満たすことができるようにと教育していくのである。しかし、「オマンマを食うためには働かねばならん。その働くためには勉強せねばならん」とはなかなか、親にもよるだろうが、教えないのである。そうではなく、まじめ、とか、努力とか、義務という道徳的な言葉で教えていくのではないだろうか。具体的には、「宿題ちゃんとやったの？」とか「だめ！早くしないと、遅刻しちゃうよ！」とか、「ええ？これでちゃんと時間割の教科書とノート入っているの？」とか、こまごまとしたしつけによって教えていくということになる。現代の豊かな社会では、食欲は満たされる、それほど努力しなくても大丈夫ということも子供も見てとって、親もなかなか直接的には言えなくなっているということもある。ただ、ここで確認しておきたいのは、努力とか義務という道徳的、言語の背景には、やはり食欲が存在するということである。ただ、一方では、この根底にある食欲を多くの時、努力や義務は抑え込んでいるということも見落としてはいけないのだ。

とはいえ、とても多くの人々は、この努力とか義務という言葉を食欲と結びつけて考えることはないはずなのだ。というのは、これらの努力や義務は日常生活では、ほとんどが食欲を抑制する言葉になってしまっているのである。「腹減っても我慢してガンバレ！」なのだ。その都度その都度の食欲は、これらの言葉によって抑圧されているのだ。義務や努力が食欲と結びつくのは長い時間の経過を通してなのだ。今やっている勉強が食欲と直接結びつくとしたら、学校を卒業して、就職して、それが就職試験や就職してからの仕事の知識として生きてはじめてなのだ。これも、豊かになった現代では、なかなか食欲と結びつくものではなく、勉強していい会社に就職して、せいぜい高級な食事、グルメな食事をしたいという食欲を満たすことぐらいにしかつながらないのである。多くの子供達が努力するのは、いい家に住み、いい車に乗って、という、いや、もっとテニスやゴルフや海外旅行に行けて、という、食欲からは遠い欲望の達成を考えているのだ。それ以上に、勉強するのは、自分の就きたい仕事、職業、自分の好きな仕事ができるようにという夢が大きな力を持っているのである。確かに、豊かな時代になっているのである。

でも、このような夢を、もっと端的に、お金と解釈することもできる。お金があれば、どんな欲望も夢もみんな買えると考えるのだ。そして子供でさえも、夢を、「お金持ちになること」と言う者もいる。ある意味で、よく現実を見ていることになる。食欲も基本的には金次第、金があればほとんど満たされる。だから、食欲はそのまま金銭欲を引きつれてくる。そして、金銭は食欲だけでなく、他の欲望も満たしてくれる。「金さえあれば」ということになる。しかも、食欲だけでなく、他の欲望、この後に見る性欲なども、ある程度満たされたら、満足、これ以上はいらない、ということになるが、金銭欲だけはキリがない、昔から、守銭奴という言葉もある。ためてもためてもキリがないのである。いや、たまればたまるほど欲望は大きくなっていくようにも見える。欲望は無限に広がる。そして、これまで食欲を見る中で、金銭欲というものが見えてきたのであるが、この金銭欲はこの根源であるはずの食欲を抑えるのだ。お金のために、食事を切り詰めるのだ。金銭欲は食欲に敵対するのだ。いや、食欲だけでなく、あらゆる欲望、性欲や遊びへの欲望や、いい服を着たい、いい家に住みたい、旅行に行きたいなどの欲望を、無駄だと禁じてしまうのである。あらゆる欲望の代替である金銭、その欲望がそのあらゆる欲望を抑え込むのである。それだけでなく、家族の、子供達の食事や衣服をもケチるようになる。金が第一なのだ。家族への愛でさえも抑え込むのだ。ともなれば、隣人や人類に対する愛も抑え込む。だから、このような欲望を、仏教やキリスト教、いや他の多くの宗教でもたしなめる教えが強い力を持っていた。いや、宗教だけでなく、社会全体が金銭欲に対して様々な批判を持ち、様々なところでその批判を展開してきた。様々な童話や物語、劇などでこれを展開している。〝欲張りじいさん〟〝ベニスの商人〟などすぐに浮かんでくる。しかし、現代、一九七〇年代以後、世界に広まった新自由主義の流れは、大きくこの金銭欲を助長したのだ。多くの企業、個人が利益第一主義に走ったのだ。この主義に基礎を与えているのは、アダム・スミスの、各個人の利益追求が市場の論理によって全体の富の増加につながる、という思想であるが、そして、リーマン・ショックまではこの自由市場が投機市場にも広まり、それが、リーマン・ショックをもたらし、世界経済を混乱、低迷に導いたのである。リーマン・ショックの後は、この市場の自由はそれなりに規制され、株式市場などもそれなりに緊張感をもって動いているように見えるが、企業や個人の利益第一主義はまだまだ力を持っているとしていいであろう。これを体現しているのが、現在のアメリカの大統領であるとしていいであろう。彼のかかげる〝アメリカ第一〟を指示する多くの人々もいるのである。自らの金銭を無限に追求していく主義としていいであろう。食欲からはあまりにも遠い欲望である。

またしても広がりすぎた。食欲に戻ろう。「我」の食欲に戻ろう。食欲から、世界秩序や金銭欲などまで見てしまったが、そして、それらが逆に食欲を抑え込むことまでも見たが、そしてまた、現代人においては食欲は多く満たされ、他の欲望への力が強く働いていることも見たが、やはり、そのような現代人の中でも、食欲は欲望の中の最も強い、「我」を最も強く動かす力であることはかわりない。

空腹は、まだまだ、現代人の中でも強い力を持っている。この力は、しかし、先に見た様々な力と拮抗、対立した形で出てくる。「腹減ったな」となっても、「ええ、まだ十一時かよ」となってしまうのである。空腹を感じながらも、後一時間はそれを我慢しなければならないのだ。休日などは、空腹を感じ、目の前にすばらしいレストランがあり、車を止めて、ショーウインドウに飾ってある、料理とその下の価格を見て、「高っ！　これは手が出んわ」となってもう少し走らせて、コンビニで、ということもある。食欲が金銭欲に、…ということでもないが、自分の懐具合を計算して、やはり、抑えられたとしていいであろう。ただ、抑えられはしたが食欲はやはり、力を持っていることには変わりないのである。しかし、それは、外部の、社会の持つ枠組み、秩序からの力と拮抗、対立、調整であるということである。

この章のテーマである必要＝力＝意味にかえれば、食欲の力は、社会の持つ枠組み、秩序から必要とその力によって大きく抑えられていることになる。一方、食欲そのものも、食べないと仕事ができなくなるだけでなく、あまりの空腹は体に悪いなどの意味や必要を持っているが、それが抑えられていることになる。ただ、十二時になれば、これらの抑圧はなくなり、食欲は存分な力で満たされる。…？　まあ、時によりけり、人によりけり、給食で出たメニューが好きでない、嫌い、時にはアレルギー…また、会社で取ってくれる弁当も、…外食も、懐具合との計算…それだけでなく、現代人ならダイエット中や肥満を指摘されたりしていれば、やはり、食欲は大きく抑圧される。欲望とは、そんなに簡単に満たされるものではないのだ。

味についても同じことが言える。グルメを求めれば、庶民には金との戦いになる。つまり、食欲の力と自分の持っている金からの制限との戦いである。両者の力がぶつかりあい、その力の強い方が、「我」の選択を決定していく。ある意味では食欲と金銭欲のぶつかりあいともとれる。しかし、「我」の中はそれほど単純ではない。

「我」の中には理性というものが大きな力を持っている。これは、見方によっては、あらゆる欲望の敵である。あらゆる欲望を抑えるために理性というものが存在しているとしてもいい。食欲が大きな力を持ち、それに走り、ということは食欲の力が我を動かそうとする時、待ったをかけるのである。食欲に走ることによって、特にここではグルメに走ることによって、今後の「我」の生活を困ったものにするようでは困る、そのことを教え、注意するのが理性である。理性とは、「我」が生きていく、長い目で人生全体を見渡す目であるとも言える。そして、「我」だけでなく、自分の家族や、時には隣人達や、親戚、そしてもっと広くは人類がより多く生きていけることも考える能力である。これに反し、食欲などの多くの欲望は瞬間に大きな力を持っているのである。それだけでなく、欲望とは「我」の中でのみ大きな力を持っているのである。この欲望の持つ瞬間だけの、そして「我」だけの力を抑え、長い目、広い目で判断するのが、理性の働きなのである。この先に見た空腹の時も、十二時にならなければ満たされないことを教えるのは理性であるし、様々な社会秩序やマナーを教えるのも理性であるとして良い。しかし、空腹という食欲はとても強い力を持っていて、理性といういつも静かさを保っている、もちろん、それでもとても強い力を持っているが、それ以上に、瞬間的には強い力となって、考え方によっては理性の矛先でもある、我慢が大きく抑えているのである。ここで、理性が浮かんできたのは、グルメという欲望は、空腹などのように瞬間的ではなく、それを達成するためには、まずは様々な情報を取り入れ、しかも、それなりの長い時間をかけた計画をたて、もちろん、自分の持っている金、もっと正確には自分の貯金との兼ね合い（これこそ、理性の役割、少なくとも庶民では…）を考えに入れた、理性の力によって達成できる、考え方によっては理性的な欲望であるとも言えるのである。

グルメのお店だけでなく、おいしい食材に対する欲望にもやはり大きく理性は働いている。おいしい食材に関しては過去の記憶、それを食べた時の味は大きな力になっているが、その食材の産地や生産の仕方、売っている店、また季節、食べ頃などの様々な情報、知識がその記憶に密着するように存在している。その上で、お金との相談である。どれだけかかるか、そしてまたその上で、他の欲望との兼ね合いである。これを買ってしまったら、何を我慢しなければならないか、今度の日曜日の旅行、いや、これは旅行が優先、それでは何をあきらめるか、それにしても、やはり高いな、でも一年に一度は食べておきたいな、ま、今週は飲みに出るのは止める…まあ、まあ、と自分の中の他の多くの欲望と自由になる金銭との相談になる。一つの欲望と、他の欲望達、そして自由になるお金との計算が進むのである。自分の置かれた状況全般と、その欲望との計算になるのである。そして、結論としては自分の最大の満足を追求する形になる。ある意味では、自らの中の市場の論理の中で、最大幸福を追求していることになる。まさしく、理性的である。理性は、「我」の中の様々な価値観を整理してまとめて、最大限の欲望、幸福の達成をはかっているのである。

これまで、食欲だけを見てきたが、これだけでも、社会の枠組み、秩序、マナー、慣習、そしてとても大きな力を持つ金銭、またその上で、これら全てと、欲望を冷静に、自分にとってかなり広い、かなり長い目で見た最もな満足を追求する理性といったものが、欲望に大きな力を与えていることが見えてきた。人間は、ほとんどの場合、よほどのことがなければ、例えば三日間何も食べていない、ともいうことにならなければ、これらの力との総体を考え、計算して、欲望を満足させながら生活しているということになる。

そして、最後に見た理性は、これら全ての力、そして欲望の力全体を考えて、「我」の最大限の満足を追求する。この意味では「我」の中では最も強い力を持った道具、機械、計算機ということになる。

ということは、必要＝力＝意味の中では、理性がとても強い力で働いていることにもなる。このことは、本論としては、次のようなことにも進まなければならない。理性はその骨格を理論によって成り立たせている。理論はその中身をほとんど言語で埋めている。ということは、必要＝力＝意味のとても大きな部分を言語が占めているとも言えることになる。とはいえ、必要＝力＝意味全体を眺めると、言語による理論だけではない部分が多く見えてくる。この理性↓理論↓言語が、いや言語↓理論↓理性と言った方が良いだろうが、これらの外に一番最初に見えてくるのが、これまで見てきた欲望、特に、食欲はそうである。こうまで言うと、矛盾、混乱が指摘されそうであるが、整理して述べれば、言語から成り立っている理論、理論が大きく占める理性は必要＝力＝意味の支配者とも言うべき大きな力を持っている。その大きな支配力の下で、時々、いたずら坊主のように、また時には、甘えっ子のように、ウロウロ、チョロチョロと顔を出し、そして、支配の力を持った理性様に叱られて静まりかえり、シュンとなるのが欲望なのである、とも言える。しかし、時には我慢がならなくて、ギャーとわめき出し、理性様をも困らしめるのも欲望のいたずらっ子なのである。そしてまた、この後に見る性欲のように、この理性様の裏をかくように、というよりも、理性の敵である、秘密の、暗闇の、悪への道の理論とも言っていいものと共謀して、時には理性にも負けないくらい緻密な理論や計画をたてて目的を達成しようとするものもあるのである。

また、もう一つ、批判や誤解を招くことに対する言い訳をしておけば、理性は理論によって、理論は言語によって、その大きな部分が成立しているとは言ったが、この必要＝力＝意味の中では、この中の理論はけっして長々とした文章からできてはいないということである。もちろん、ここで言っている理性は、カントやヘーゲルの分厚い哲学書の中のそれを言っているのではない。ここで言っているのは、必要＝力＝意味が恒に働いている、生活する者達の中の日常の中の理性である。これをもう一度くり返せば、広い目で見て、長い目で見て、「我」が、いや「我」の家族も含めて、よりよく幸せに、満足のいく生活をするための道具、機能であるのが理性である。そして、これらは、この中に、それなりの理論を持っているのである。というか詳しく説明しはじめれば、それなりの文章にもなるはずなのである。しかし、このような長々とした文章、理論をその都度考えていれば、生活にはならないのである。人々は、これらを短い標語にして「ガンバレ！」「努力！」「ガマン！」などと自分に言い聞かせながら生活を続けているのである。そして、時には、「楽あれば苦あり」とか、「人のふり見て我がふり直せ」などのようなことわざのような形で使っているのである。ただ、これらの標語やことわざの背後には、それなりの理論が存在しているはずであるが、人々はそんなことはいちいち思い出さないで生活しているのである。特にそれらの理論を述べはじめる者達を、理屈ぽい奴や！とそしりながら、社会をつくっているのである。

食欲との直接的な関係を見ると、グルメの店の名前や高級食材の名前と、「お金は大事に！」とか、「無駄遣いはやめろ！」とかがぶつかりあい、そして時には「たまにはいいやろ！」と妥協の言葉が出ることもあるのである。

日常生活の中の言語の使われ方と言っていいであろう。

ただ、このような理性や理論や言語の在り方も、人それぞれで、自らの中にしっかりとした理論を持って、その都度その理論に従って生きている人々。ほとんど理論を持っていないで、幾つかの言語を信じて、その都度、その言語を自分に言い聞かせ生きている人々。理論をしっかり持っていても、それをほとんど人には言わないで、黙々と生きている人々。自分の理論を他人に聴かせ、正しいことを見せながら生きる人々。また、このような理論を求めて、本や先生を求めて生きる人々。人生は様々である。

しかし、これは現代の話である。宗教が大きな力を持っていた時代には、このような理性も理論も言語もすべて神の教えだったのである。だから、同じ宗教を信じ、同じ国、同じ地域に住む人々は同じ理論、神からの教えを「我」の中に持っていたのである。しかも、この教えは、全ての人々を細かな点まで支配していたのである。いわゆる、箸の上げ下ろしに至るまで様々な礼儀作法、祈りの言葉は、全ての人々に共通に存在していたのである。これから外れる者は、厳しい戒め、罰を受けたのである。

「神が死んだ」現代では、この教えは大きく退き、人々は自らの、それぞれの理論、それも完全な形ではないことも多く、生き続けているのである。そして、様々な価値観を持ち、その都度、状況を見て、自らの理論で、時には他人に教えられた理論で生き続けているのである。

ここで確認しておくべきことは、科学での欲望に替わるものとして使ってきた必要＝力＝意味、それは人間の行動を決定する、「我」の中に存在する根源的な力なのであるが、理性や理論や言語が大きく欲望を支配し、隅に追いやっているということである。もちろん、これらの理性や理論や言語の根底には、科学の言うように、より広く、より長く、問題をなるべく小さくし、矛盾は避けるようにして、最大限の欲望を追求しようという意図、意志が存在することも確かなことである。しかし、理性や理論や言語が大きな力を持って「我」の中に働いていることも事実なのである。そして、この理性や理論や言語は自らの欲望だけでなく、自らの外に力を持って存在する社会の様々な仕組み、秩序をも考慮に入れながら働いているのである。そして、また、欲望を達成する大きな道具である金銭とも様々な価値観、そして欲望と、まさしく相談しながら、人々は生き続けているのである。

少なくとも直接的には、欲望はなかなか力を持ち得ないのである。

ⓑ　必要＝力＝意味と性欲

食欲を見ただけでもたいへん複雑で、長々とした議論になってしまったが、性欲はもっと複雑で、難しい欲望である。そもそも、社会は原則として、この欲望を禁止していると言ってもいいのだ。少なくとも、社会に住む人々に見えてはいけないのだ。タブーや禁止などの社会制度を持ち出すまでもなく、「裸で道を歩いてはいけない」からはじまって、親は子供に様々なことを小さな時から教えていくのである。それらは、マナーや慣習として、細かなところまで、生活のすみずみに入り込んでいるのである。いや、それだけでなく、恋人どうし、長くつきあっていても、なかなかセックスの話を持ち出せないペアも多くいるのだ。そして、これに加えて、フロイト達の精神分析が教えるところでは、人間は、性欲を無意識に追い込んでしまって生活を続けているのだ。そして、このことが原因で、時には病気になるということなのだ。

だから、性欲を見る時、これらの抑圧、その装置、社会秩序を見なければならないのだ。そして、ここで見ている必要＝力＝意味の中の性欲を見る時も、これらの装置や秩序がその中にどのように存在し、力を加えているかを見なければならないのだ。フロイト達の説から考えれば、「我」は自らの性欲をほとんど意識もしないで、これらの抑圧の装置や秩序が大きな力を加えていることになるのである。とはいえ、多くの人々は自らの中に性欲を感じ、しかし、すぐにそれを抑えて生活を続けているのだ。この感じた性欲は、フロイト達の説がほんとうなら、とても大きな性欲の一部分で、他は抑圧されてしまっているとも考えられるのである。これが実際にはどうなっているのかは見てみたいものだが、とても難しい話になってくるだろう。

これらの複雑さ、難しさを視野に入れて、ほんの少ししか入り込めないだろうが、必要＝力＝意と性欲を見てみよう。

㋐　必要

食欲の時見たように、ここでも必要という単語の意味するところから、性欲を見てみよう。そうすると、すぐに性欲に対する自らの抑圧、自制、禁止、我慢が浮かんでくる。性欲に対しては、ほとんどの「我」はとても多くの時、それを抑制しようとするのである。そして、仕事や勉強に集中するのである。「我」の中に性欲が大きな力を持っていては、勉強にも仕事にもならないのである。性欲は抑える必要があるのである。しかし、この性欲を自らの考えで、勉強に、仕事に集中するためとして抑圧する人間達もそれなりにいるだろうが、特にまだまだ若い、ようやく思春期に入り始めた者達は、性欲はだめなもの、悪いものという、社会や親達や先輩やに教えられた言葉で抑圧もしているはずなのである。もうここでは抑圧は必要を超えて、命令形になっているのである。

自らの中に感じられる性欲だけでなく、性欲の禁止の必要は様々なところへ現れる。街を歩いていて、きれいな、あるいはかっこいい、異性が歩いていたからと言って、それをまじまじとじっと見てはいけないのである。そして、会話の中では、性欲、セックスに対する、また性器に関する話も持ち込んではならないのである。それがたとえ、オシッコの話だったとしても、性器の単語は慎まなければならないのである。このような必要を感じながら、話をしなければならないのである。社会は、性欲、セックス、性器の見えることを厳しく禁じているのである。エチケットである。社会は服装や会話からはじまって、部屋や家の造り方や街の外観に至るまで、性的なものが見えることは禁じているのである。

それでも最近は、特に、資本主義の先進国では、性の解放が進み、服装もそれなりに性的なものが流行し、多くの人々はセクシーと言われる服装をするようになったとしていいであろう。そして、セクシーは美として取り入れられているのである。それだけでなく、テレビや映画やアニメや漫画にもセクシーな人物、裸体、性の場面は多く登場する。それでも日本ではまだまだ、性器そのものは禁止されている。欧米では完全な性の解放がなされたはずであるが、それでも、それは本や写真集の中だけになっているのではないだろうか。

少なくとも、街角の看板やポスターにはそれなりの配慮がなされているのではないだろうか。

こう見てくると、性欲に対しては必要＝力＝意味において必要という言葉の意味で見た時、抑圧だけが働いているかに見えてしまう。とはいえ、やはり、性欲を満足させるために、もう少し、性欲を達成するために、もっとセックスをする必要というものを感じる、そして考えることもないわけではない。それなりに長い間つきあっているペアでは、ある時期から、性的関係を発展させなければならないのでは、という考えが少しずつ芽生えてくるのではないだろうか。これもペアによって様々で、すぐにホテルへというのもあれば、キスからはじまって順番に、というのもあり、時にはかなり深まってはいるものの、最後の段階へはどうしても、というのもある。これらの期間はどれだけ性的な関係を求めるか、また許すかは、二人にとってとても重要な問題になるはずである。これらに対する気遣いや考えは、デートをしている時だけでなく、別れた後も、夜寝る前まで、いや眠りにつく寸前はそれでいっぱいになるくらい、大きな力で働いているはずである。このように性的関係を難しくしているのは、やはり抑圧をしている社会からの圧力、そして、そのような社会で育てられた「我」の中の様々な知識や心情が力として働いているとしていいであろう。また、一方では、互いの心の中に存在する結婚に対する考え、結婚をするのかしないのか、するのだったらいつするのか、というのもあるだろう。

そのようなまじめな恋人どうしばかりではなく、世の中には遊び人というのも存在し、このような連中は、最初のデートの時からホテルへ、とか、最後まで、とかを必要と考えている。そして、両者が遊び人であるのではなく、一人だけが遊び人で、その遊び人は何も知らない相手に教えてやる必要を感じながら誘うこともある。しかし、これも簡単そうに見えて、なかなか難しい様々なパターンが出てくるのが、恋である。もちろん、遊び人は恋ではなく、遊びだと考えているであろうが、それでもいろいろなことが起きてくるのである。遊び人の肩を持つ言い方をすれば、性の抑圧に従って生きていることはバカげた間違ったことで、一生は一度しかなく、その中の性欲はとても大きな大切なもので、それを満たしてやることが自分に忠実に生きることだ、となるだろう。しかし、このような遊び人も、突如として、今までとは違った相手に会い、今まで知らなかった恋の世界に入り込んで…ということも多々あることである。それで結婚して、というのもあれば、失恋して一生…というのもある話である。

ほんとうに恋も性も様々である。

もう一つ、性欲と必要の関係が肯定的なのは夫婦の間であろう。夫婦の間では性欲は、そしてセックスは大切な事柄である。夫婦はセックスによってより一層愛を確かめ合い、愛を深めていくことにもなる。そして、何よりも愛の結晶はセックスによって生まれるのだ。だから、夫婦の間ではセックスはしなければならないし、性欲はそのためにも必要なのだ。夫婦の間で互いに性的欲望を持っていることは大切ですばらしいことで、必要なことなのだ。

しかし、そんなに簡単ではないのが、夫婦の間であり、セックスもそうであり、性欲もとても複雑な状態にあると言っていい。毎日顔を合わせていると、刺激が少なくなり、倦怠期というものが来ることになる。性欲には刺激が必要なのだが、毎日顔を合わせていることによって、その刺激が生まれてこないのだ。それに生活が、そして、子育てが大きな力を加えてくる。また、ここに社会からの抑圧がかかってくる。子供が横で眠っている時、どこでセックスをすればいいの？という難しい問題もでてくる。それでも、こっそりと静かに、…しかし、主婦には食事の後片付け、夫には残業などもある。ほんとうに難しいのだ。そして、夫婦も少しずつ年をとっていくと、性欲も少しずつ弱くなり、回数も少しずつ少なくなり、間も遠のいていく。こんな時、家庭の外の異性が目にちらついてきたりする…難しいのだ。…だから、こそ、夫婦の間では性欲は大切な必要なもの…でも、ほんとうに難しいのだ。

最近では夫婦の間にセックスレスという言葉も存在している。なかなか、奥深い意味を持っている言葉にもなっている。性的交わりがなくても、夫婦には愛があり、家族には幸せが、ともとれるし、そのような愛はなくて、幸福は子供達に見えるようにだけで、本当は冷めきって…というのもある。

夫婦は、恋愛よりももっと、一番難しい人間関係だと言ってもいいだろう。その二人を結びつけているはずの性欲は、必要なのだが、…とても難しいのだ。

㋑　意味

性欲を意味としてとらえれば、それはそのまま性的欲望になるだろう。しかし、それは同義反復であり、性欲の、人間にとっての、社会にとっての大きな意味を見失うことになってしまう。フロイトによれば、人間の行動、生命活動の原動力としてリビドーが存在するが、そのリビドーに力を与えているのは性欲である、ということになる。彼の説に従って人間の活動の全般を、性欲として、その意味として見ていくことは、様々な面白い、興味のあることが見えてくることにさせるとも言える。しかし、それを学問的な裏付け、絶対に正しいものとしてとらえようとすると、そして、それに科学的な証明というものを求めようとすると、とても難しい話になる。多くの場合、議論だけに終わりそうである。

とはいえ、フロイトの説に従って様々なもの、少なくともそのように見えるものを見ていくことは、それなりに意味がある、意味をもたらすことになるはずである。このようにすぐに浮かんでくるのが、おしゃれや化粧、服装である。これらには、確かに異性を惹きつけようという要素が大きく存在している。ただ、こう考えるとすぐに、フロイトのもう一つの説、性欲は恒に抑圧されている、も浮かんでくる。おしゃれも化粧も服装も大きくこの抑圧が働いているのだ。服を着る大きな目的は、寒暖の調節にもあるが、もう一つは性器を隠すことにあるのである。おしゃれも化粧もセクシーなものを追求する時もあるが、性的欲望を引き出す、誘い出すことと、抑圧の緊張状態の上に成り立っているのではないだろうか。この緊張状態をうまくとらえた時、きれいとかかっこいいとか、すばらしいとかの言葉を誘い出してくるのではないだろうか。

この見方の延長には、美というものも見えてきそうになるのである。フロイトの説を延長していけば、美にはかなり性的要素が、様々なものを美しいと見る心の中には多分に性欲が入り込んでいるのでは、となりそうな気になってくる。しかし、一方、人類の多くの人々は、性器そのものをなかなか美しいとは思えないはずなのだ。

これらの見方をまだまだ進歩させ、美を追求していけば、面白い、そして人類にとってとても大切なものも見えてきそうになるが、一方、それの根拠、裏付けとなるとなかなか難しそうで、下手をすれば世間話で終わってしまうことになる。

またしても広がりすぎた。いや、遠くへ行きすぎている。もう少し、よく見える性欲の、意味というものを見なければいけない。しかし、性欲は抑圧され、多くは見えないように被われているのだ。性欲が見えることは例外なのだ。この例外としてすぐ浮かんでくるのが、夜の街の店の女性達の美しさであろう。彼女達の美しさは確かに性的で、男達はその性的なものに惹かれて通う。ここには、確かに、性欲を惹きつける性的な美しさ、魅力が存在する。かと言って、性交に至ることは禁じられているし、彼女達の美しさも、乳房や性器はしっかりと隠されたものになっている。それでも多くの男達は通い続けている。男達の性欲が彼女達の美しさに惹きつけられているのである。一方、女性達の方は、少し借金があって、昼も夜も働かなくては返せなくて、とか、離婚して、子供を育てていくには、やはりこちらの方が給料も高いし、幸い、子供は親達が見ていてくれるから、とかで、という金銭的事情が力になっていることがかなり多い。ここは抑圧されている性欲の例外的に許されている場所での、金銭との複雑な関係、そして、人間社会の持つ、大きくて複雑な矛盾が現象しているともとれるはずである。

性欲はやはり抑圧されているのだ。性欲の意味はまずこの抑圧されていることを見ることにあり、そして、その抑圧された性欲がどうなっているかを見ることにあるはずなのだ。

性欲がなぜ抑圧されなければならないのかは、そして、人類が性欲をずっと抑圧してきたのはどのような理由によるのか、これらには多くの議論がある。すぐ浮かんでくるのはフロイトの子供達の近親相姦願望であろう。子供達は生まれるとすぐに男の子は母親に、女の子は父親に性的欲望を感じるが、それは多くは無意識に追いやられていて、しかし、その無意識に追いやられた願望が時にはとても強くなって、時には病気になる人々もいる。この説は、とても大きな意味を持っているし、人類全体にとても大きな意味を投げかけているとしていいであろう。

性欲の意味を考える時、そして、その抑圧を考える時、このフロイトの説は避けて通れないものである。ただ、これはあまりにも大きな意味を持ち、論じれば、とても大きな論文にならなければならないし、それ以上にこれまでとても多く論じられているということで、これは、ここではこれ以上は…ということにしていこう。

ただ、この説は、やはりとても大きな意味、大きな力を持った意味として存在していることだけは確認しておかねばならないはずである。

それにしても性の抑圧は社会全般、そして家庭生活へも深く入り込んできている。幸福な家庭というものを考えても、フロイトの言う、子供達の親に対する性的欲望を考えないとしても、夫婦は他の男性や女性と交わってはいけないのだ。夫が他の女性とつきあっている、あるいは主婦が他の男とつきあっているということを相手が知った時、それで家庭生活が幸せに進行することは皆無であるとしていいであろう。性欲というものは、けっして夫婦の間だけのものではないはずなのだ。性欲というものは、基本的には異性全般に向けられるはずのものなのだ。しかし、それを素直に向ければ家庭の幸せはふっとんでしまう。もちろん、ここには夫婦の間の愛、信頼、そして子供達への愛、生活の維持などとても難しい複雑な問題が存在する。しかし、結婚している男女が他の異性とつきあっていては、絶対と言っていいほど家庭に幸せは来ないのである。そして、社会も浮気とか不倫と言ってそのような性欲の発散を禁じているのである。

だから、性欲の意味とは、まずは、「我」にとっても社会の目にとっても、悪いものとして存在するのである。宗教においても、悪いもの、というだけではなく、その背後に悪魔が存在するという教えが多く存在するのではないだろうか。

悪いだけでなく、汚いものという見方も存在する。これは性器が排泄器の隣に併存していることにもよるだろう。そして、性器そのものも、人類のほとんどの美意識の中で、美しいものではなく、その反対のものとして見られているのである。このことにも、とても多くの議論が存在するはずなのだ。ほんとうに、性器は人間の持つ本来の美意識からは受け入れられないものなのか。そうではなく、人類がこれまで歩んできた、性に対する抑圧、性を悪いものとして見る見方などの歴史が人間達に、性器を美しくないとする美意識を育て上げてしまったのか、ということなのだ。ここには、考古学や民俗学をも引き入れた大きな問題が存在するのである。確かに、男根崇拝などが存在したのであるし、カジュラーホの遺跡も存在する。

このような議論は、まさしく、さておいてにして進むべきであろう。基本的には多くの人間、いかに性の解放が進んだとしても、多くの現代人も、性欲を悪いもの、汚れたものとして考えているのではないだろうか。人間にとっても、子孫を増やす、いやいや、可愛い子供達を生み出す欲望をである。このような性欲の否定的な面と肯定的な面を見分け、使い分けしている人間達を世間では利口とか、ものわかったとか、大人だとか言っているかもしれない。…それにしても、その否定的な面はとても大きな力で存在していることはまちがいないのである。

だから、とても多くの「我」は自分の性欲を否定的に、悪いもの、汚れたものと感じながら、自らの中に湧き上がってくる性欲とつきあっているとしていいであろう。もちろん、様々な考え方、生物学的知識や思想や、時には宗教によって性欲を肯定的に考える人々はいる。しかし、かと言って、それはけっして社会では見せてはならないもの、隠しておくべきものとして理解しているとしていいであろう。性についての話は、やはりごく親しい友達どうしだけで、ということになる。逆に言えば、猥談もできるから友達なのである。

しかし、かと言って、このような否定的な考え、そして性欲を否定的な意味としてとらえるとらえ方が、性欲を弱めている、抑圧しきっている、性欲をとても小さいものにしているかと言えば、また話は別になるだろう。このような悪いもの、汚らしいもの、隠しておくべきもの、という考え方が逆に性欲を高め、激しいものにしている面はとても多いのではないだろうか。

多くの「我」は自分の性欲を隠し、そのことによってその力を蓄積し、自らの中で高まり、とても強いドクドクとしたものに感じ、そして、愛し合う相手と、こっそりと暗闇で、二人だけで、ひっそりと、しかし、とても激しく愛し合い、発散させているのではないだろうか。そして、これこそ、人生の最高のすばらしさだと感じながら、しかし、その中には、自分の中に高まってきた激しい欲望を、悪魔のように感じ、実際、悪魔がいて薄気味悪い笑いを浮かべて力を貸しているかのように感じながら、それでも、この時ばかりは、この悪魔の力も時にはすばらしいものと感じながら、それ以上に、相手の愛しい顔を見ながら、地上で最高のものと感じながら、ということは、自分は悪魔の力に支配されているが、この自分の愛する相手は神様、天使のように感じ、合体し、抱きしめ合い、頂点に達するのではないだろうか。まさしく、悪魔と神の合体である。しかし、その合体から生まれてくる子は、まちがいなく神様のさずかりものなのである。

だから、神である相手がいない者の自慰は、まさしく悪魔の力に突き動かされて、しかしながら、その悪魔の力はとても強い力で我を快感に導いてくれるが、やはり、それは悪いことで、汚れたことだと思いながら、それでも、性欲の高まりとともに、それを繰り返しているのではないだろうか。いや、違っている、こんな自慰の時でも、思い浮かべる相手は神様のような、天使のような、美しい、汚れのない存在なのではないだろうか。でも、自慰も様々で、時には、悪魔のような相手を思い浮かべて、犯され、支配され、しかし、より純粋な性欲の高まりを感じ、より激しい快楽にひたるものもいるのではないだろうか。

まさしく、性欲はとても奥深い、しかも、社会の表面から隠された、しかし、その底辺で社会そのものを突き動かすような、しかも恐ろしい悪魔に似た力として存在しているのである。

これが性欲の意味であり、性欲の必要＝力＝意味には大きくこのような力が存在し、支配しているとしていいのではないだろうか。

ここで、性欲と言語の関係を見ておこう。なぜなら言語は意味の担い手であり、意味を固定し、強化する働きをし、また、記憶の貯蔵庫のような役割を果たしているのは、これまで見てきたところであるからである。

しかし、性欲を表現する言葉はなかなか見つからないのである。ここにも大きく、社会的な抑圧の力が見えるのではないだろうか。抑圧されているため、言語は発達していないのだ。言語は人と人との伝達、コミュニケーションのものである限り、これは当然のことであるとしていいであろう。

だから、多くは「我」の中の独り言になっている。でも、この独り言の中でも、「セックスしたい」までであって、露骨に性器を挿入することを自分に言い聞かせている「我」は少ないはずである。多くは「彼女を抱きしめたい」「彼に抱かれたい」までなのではないだろうか。〝抱く〟という言葉の中には、性的なものより、愛が大きな意味を持っているはずだからもあるだろう。

もちろん、隠語というのもある。しかし、これは文字の示すとおり隠された言葉なのだ。隠されているだけでなく、そのものズバリではなく、暗示的に示していることが多い、だから、子供達が聴いても、わからなかったり、違った意味にとらえられることにもなる。そのように作られているのである。ここにも性への抑圧が大きく見えているのである。ただ、この隠語を使う者達は、この隠れていること、暗示していることが面白いように友達どうし、親しい仲間どうし、ゲームをしているように話もするのである。ここには性が社会の裏側に隠されていることが、より性欲を大きくすることと一致もしているであろう。

㋒ 力

これまでもそれなりに、性欲の力というものを見てきたかもしれないが、性欲とは、食欲がほとんど満たされている現代人にとっては、もっとも強い力を持った欲望であることは確認しておかねばならない。そして、フロイトの説によれば、リビドーは人間を動かす根源的な力であるが、その主役は性欲なのである。彼の説をどう受け止めるかは、ここでは議論できないが、性欲は人間を動かすもっとも強い力、少なくともその一つであるし、それが人間の中で、たえず、とても強い力で働き続けていることは否定のできないことである。

しかし、一方、性欲がその大きな力が抑圧されている、しかも、その力にまさる力によって抑圧されていることも事実なのである。それが抑圧されて、夢や無意識に追いやられてしまっていると、フロイトも指摘しているのである。だから、社会を見まわしても、確かに、性が解放された現代社会では、それなりに性欲をそそりそうなポスターや写真は見かけるが、それでも性器やセックスのシーンは週刊誌や、そのような特別な写真集やDVDの中に閉じ込められているとしていいのである。そして、それらの特別な存在もボカシをかけて、直接は見えないように隠されているのである。つまり、社会の裏側に追いやられているのである。

また、この論文のテーマの一つでもある言語も、社会では、性的な言語は大きく追放されているのである。日常会話では、性的な言語を使ってはならないのである。これも特別な小説などの中に追いやられているとしていいのである。また、ほんとうに親しい友達どうしでの猥談に、つまり隠されて話されていることになる。ここでもフロイトは、この抑圧から、夢の中や精神を患っている人々の中で、性器に似た違った事物の映像が現れたり、音が似ている言語が様々な形で現れてくることを指摘している。フロイトの指摘は性的な言語を社会的に禁止しているだけでなく、「我」自身も、そのような言語の使用をかたく禁じていることを示しているのである。

社会的にだけでなく、「我」の中でも、性欲はとても大きく抑圧されているのである。性欲は勉強や仕事の邪魔なのである。性欲を感じていたら、勉強や仕事にならないのである。だから、多くの人々は、性欲を自らの意志によって感じないように、勉強や仕事に集中するのである。そして、余暇には、趣味やスポーツにはまり込んで、性欲を吹き飛ばしているのである。

多くの人々は、ほとんどの時間を性欲に向き合わないように生活を続けているのである。

そして、夜、床に入り、眠る前に、ほんの少し、エッチなことを思い浮かべて、眠りにつく者は多くいるはずである。

ただ、これも様々で、このエッチなことを思い浮かべながら自慰に至り、安らかな眠りにつく若者も多くいるであろう。また、若い夫婦はこの眠る前、独り者達がエッチなことを思い浮かべている時、お互いの眼を見つめ合い、子供がいる夫婦は、子供の寝顔を確認して、愛撫をはじめる者達もいるはずである。そして、エクスタシーに至り、満足して深い眠りに入り、幸せな眠りにつく者達も多いのである。

つまり、多くの人々は、生活の時間の中の眠る前にだけ性欲を許し、眠りについているのである。このことは性欲の発散が深い眠りを呼び込むことにもよるであろうが、日常生活では、ほとんどの時間を、性欲を許さない形で進めていることにもよるのである。もっと言えば、性欲に関わっていれば、勉強にも仕事にもならないし、また、家族の団欒をも壊してしまうことを、人々は知っているのである。

家族の団欒が出てきたので、ついでに言っておけば、幸せというもの、人々が幸せと感じる時間の中には、性欲はほとんど入っていないのである。家族がみんなで幸せを感じる時、性欲はその外へ押しやられているはずなのだ。考え方によれば、社会は幸せというものをそのような形で形造っているし、社会はそのように価値観を造り出しているとも考えられるのである。幸福と並んで、人類が歴史的に貴いもの、大切なものとして、価値観の上位に置いてきた、高貴という言葉にも性欲は入ってはならないものとして存在している。それだけでなく、例外的なものはあるが、神の多くも性的なものから遠い存在である。そして、東洋思想の最高の境地とも見ていい、仙境とは、性欲から遠いだけでなく、フロイトがリビドーとして広い、生命全体のエネルギーとしたものからも遠い境地を指しているとしていいであろう。そして、文化といわれるものの少なくとも表側には、性的なものは見当たらないのだ。

人類は徹底して性欲を追い出し、排除し続けてきたとしていいであろう。夫婦にとって家族にとって最も大切な、宝物である子供を生み出す唯一の手段であるのにである。また、子孫を増やし、民俗、人類を増やしていく大切な手段でもあるはずなのにである。このことは、今まで見てきた通り、人間の中のとても大きな力を持つ欲望で、これを自由にすれば、勉強や仕事もできない、従って社会も成り立たなくなってしまう、それだけ大きな力を持つ欲望であったからだと言えるだろう。

その大きさはそれだけの抑圧やタブーによって夢や無意識に追いやられた欲望が、力を持ち、時には人を病気に至らしめるという、フロイトの報告からもうかがえるのである。そして、病気に至らないとしても、また、夢や無意識のような場所で、つまり、社会の隅に裏側に追いやられた場所で、また家庭でも子供が寝静まって、多くは灯りを消した中で、その強い欲望を、ドロドロとしたまっ黒いもの、悪魔からの力のように感じながら、発散させているのである。罪や悪魔を感じていることは、自分の中の力を超えたもっと大きな、自分が制御できない力を感じているとも言えるだろう。抑圧していても、その力を大きさを今感じながら行為を続けているのである。

しかしながら、発散させ終わった後は、例え罪の意識、それに似たものを感じていた人達も、「ああ、良かった」「すばらしい」という言葉が出てくるのではないだろうか。ここには大きな快感があったのである。ほんとうに、人間が感じる最高の快感と言っていいものが存在し、今も続いているのである。やはりすばらしいのだ。気持ちいいのだ。例え、それが悪魔からのもの、罪悪であっても、自分にとってこれほどのものはないのだ。そして、夫婦や恋人どうしでは、この悪魔からの贈り物、罪なものを、一緒に犯し、助け合って、そして、このすばらしい快感を感じさせてくれた相手、その美しさ、すばらしさ、それにもかかわらず、この黒いドクドクとしたものを互いに受け入れあえたこと、しかも、誰も見ていない、秘密の暗い場所で分かち合えたことに、とても大きな愛しさが湧いてくることもあるのである。この快感、すばらしさは、二人だけのもの、二人しか知らないものなのである。二人だけのとてもすばらしいものを、二人だけの秘密で、しかも、社会の目の届かない、それを禁止している社会の力の届いていない隙のような場所で、二人で経験し、味わえたのである。社会の禁止している圧力も、こう見れば、性の快感に大きな力を与えているとも言えるのである。

激しい欲望を二人だけの秘密で、すばらしい快感を二人だけで、それを抑圧している社会の秘密の場所で、こっそりと、しかし、とても激しく、…二人の愛は深まっていくのである。

〇〇　〇〇

以上、必要＝力＝意味と欲望の関係を必要、そして意味、また力と分解した上で、その一語一語をある意味で、世間で使われている意味にとって、食欲と性欲を見てみたが、そこに見えてきたのは、特に性欲の場合、大きな抑圧がかかっていること、そして、食欲の場合も、様々な礼儀作法やマナー、そして食べる時間など、やはり性欲ほどではないにしろ、抑圧といっていいものが大きくかかっている。欲望が体の中に湧いてきても、「我」はまず、それらの抑圧を考慮に入れて行動しなければならないことが、見えてきたのであった。多くの科学が人間の行動の原点を欲望に置いているが、本論では、記憶というものを、そしてそれに伴う言語というものを考えていく中で、欲望にかわり、それをも含むものとして、必要＝力＝意味を持ち出して見てきたが、この必要＝力＝意味は、欲望を達成、成就するために、まずはこれらの抑圧を考慮に入れなければならない、考慮に入れて働いていることが見えてきたのであった。

だから、必要＝力＝意味の中で、食欲も性欲もとても大きな力を持って存在しているが、必要＝力＝意味としては、これらの抑圧もとても大きな力を持っているということなのである。だから、必要＝力＝意味の中は、欲望と抑圧の接点、いや、時には抑圧のかかった状況から欲望を達成するまでの長い道のりだということになる。長い道のりというのは、特に性欲の場合、欲望を感じ、達成しようとしても、社会的、家庭的抑圧の中で囲まれている「我」は、様々な配慮、そして、そのための様々な方法、時には、人の目をあざむく、少なくとも人の目を遮断する形をとってようやく目的にたどりつくということになる。食欲の場合も、金銭や時間や場所を考慮に入れ、またグルメなどの時は様々な資料を、情報を仕入れてからの道になるということである。

とはいえ、食欲も性欲も、必要＝力＝意味の中ではとても大きな力を持って存在していることは否定できないことなのだ。これだけの抑圧が存在していることが、そして、それらの抑圧をも押しのけて欲望が達成されることを見れば、逆に、その大きさが見えてくることにもなる。一方、社会や家庭が平和で、それらの欲望が見えない形になって進行していることは、社会全体に抑圧の網の目がしっかりはりめぐらされ、欲望を抑え込んでいることにもなる。

また、この二つの大きな欲望がぶつかり合うことも多くあることである。腹が減っているのに、セックスも、という時である。これは状況次第であるということであり、これは「我」がその状況を見て判断して決めることになる。その意味では社会的な抑圧とは大きく違う。多くは二つの欲望の大きな方の選択ということになるが、この中身もそれぞれであろう。長い間つきあっていて、今日はもしかして、ともなれば食欲などふっとんでしまって、ということにもなろうし、また逆に、二週間も会っていなかった若い夫婦が、でも、今日はグルメの店で、しかもなかなか予約のとれない店ともなれば、性欲は後まわし、ということになる。

ここは、大切なのは、「我」の判断、しかも相手の顔色をうかがいながら、また、状況を見ながらの判断、その上での選択の中にあり、その意味では、「我」の中に、その二つの欲望の選択の可能性が存在していることになる。

××　　××

以上、見てきた二つの欲望は生物学的な欲望、動物達も持っている、体の中から湧き出てくる欲望である。しかし、これから見ていく二つの欲望は、動物達には見当たらない、記憶とそれからの思考力が発達した人間だけのものである。

Ⓒ　金銭欲

「猫に小判」の諺の通り、動物達は金銭に欲望を覚えることはない。金銭欲は人間特有の、地球では人間だけが持つ欲望である。しかし、人間は、三、四才の頃から、遅くても、小学校に入る前には、金銭に対する欲望を持つ。お金があれば自分の欲しいものが、親に禁止をされなければ、買えることを知るからである。

金銭は、人間の歴史において生産力が発達し、市場経済がそれなりの成立をしてはじめて力を持つ。人間の歴史の中では、自給自足経済、物々交換の時代が長く続いていたとしていいであろう。もちろん、物々交換の中では、金や銀はそれなりの交換価値を持っていたはずである。しかも、これらの金属は腐食することなく、いつまでも保存されることによって、蓄積もされ、そのうち、あらゆる物に対する交換価値を獲得していき、今日の貨幣の地位を獲得していったとしていいであろう。この金銀に対して、紙幣が代替を務めていくには、印刷技術もさることながら、そのほとんど実質的価値を持たない印刷された紙の価値を保証する政治体制、権力が存在してはじめて、ということになる。

今日では、コンピューター機能が発達して、電子マネーというものが出てきている。紙幣はまだ札束の山を見て、すごい、と思うこともあったが、これは、パソコンやスマホの中の数字だけである。もちろん、これが出てくる前に、銀行の貯金の数字だけを見ての時代も長くあったのであるが、…

金銭には長い歴史があるということだ。そして、先に見た動物的欲望と根本的に違うのは、人間の記憶、そしてそれからの思考がその欲望を保証しているということである。それだけでなく、この金銭があれば、食欲のほとんどは満たされるし、性欲も、その欲望だけなら、先に見た社会の裏に隠れた場所で、…また、いい家に住み、すばらしい家具に囲まれて、現代では、すばらしい車に乗って、とあらゆる欲望が達成されるのだ。だから、金銭は全能なのだ。そう考えている人々も多い。

しかも、金銭は、その量を数字ではっきり示してくれる。食欲や性欲がどれだけ満たされ、どれだけすばらしかったかは、なかなか証明できない。食欲や性欲そのものでは、どれだけを量るものさしがないのである。しかし、金銭欲の場合は、しっかりとそれを数字で示してくれる。その数字が多くなれば、それだけ欲望が満たされたことを示してくれる。これはとてもわかり易いのである。

それだけでなく、食欲や性欲は腹がいっぱいになれば、また週に、年齢にあったおおよその回数をすれば、満たされて、これ以上いらなくなる。食欲の場合は食べすぎは禁物である。性欲もやりすぎは生命の危険につながる。しかし、金銭欲にはこんなことはない。貯めても貯めても、…無限なのだ。欲望の充足は数字が増えることにある。だから、この数字を増やすために食欲や性欲を抑制する者達も多くいる。

世の中には、この計量可能な、しかも無限の貯蔵を可能にする金銭の数字によって、必要＝力＝意味をしっかりと固め、体系化している者達もいる。つまり、自分の行動基盤を、一円でも余計に、貯えることに置いて、生活を続けるのだ。無駄遣いをしない、それだけでなく、一円でも余計に富＝金銭を貯えることの出来る仕事を選ぶ。仕事を選んだ上でも、より金銭を得るために日々努力を重ねる。このような人間は、あらゆる価値を金銭ではかる。実際、社会も、価値と言えば、このまま金銭で、として動いているとしていい。富とは金銭での数字のことなのだ。金銭で計れるはずのない芸術も、ピカソの絵が何十億、何百億で売れた。おお、すごい。小説も何万部売れた、社会ではこれが大きな基準なのだ。

金銭で一番買えないものは、愛であり、愛する者どうしの幸福であろう。これははっきりとは目に見えないのだ。せいぜい、相手の笑顔、そして、楽しそうな声、体の動きからしか見えないのだ。このような、目にははっきり見えないもの、数字で計れないものを、金銭欲で必要＝力＝意味を満たして体系化している者達は無視をしてしまう。見えない、計れないのだ。人間にとって一番大切なものなのにだ。

ここまで書いてきて思い浮かんでくるのは、企業の動きである。これまで、この論文では、人間の、個人の、「我」の動きだけ追ってきたが、ここで「我」の集団、人間達が集まって作り出している企業を見て見なければならない。なぜなら、多くの企業は、この金銭欲の「我」と同じ、それ以上に、もっと徹底した動きをしているからである。まさしく、資本主義社会では、企業とは利益追求をするものである。利益追求するから企業であるとなっているのである。

それだけでなく、一九七〇年代、八〇年代にかけてのケインズ主義の後退、一九八〇年代後半から九〇年代にかけてのソ連と東欧社会主義国の崩壊、それによるマルクス経済学の後退を受けて力を増してきた新自由主義は、国家の経済政策に大きく入り込むだけでなく、企業に入り込み、企業の精神ともなって、企業のすみずみにまで力を広げているとしていいはずである。企業では徹底した利益追求が行われ、組織のすみずみにまでそれがはりめぐらされているのである。今程見てきた金銭欲によって必要＝力＝意味を体系化している人間達と同じように、いや、それ以上に徹底して行われているのである。

こう書いてくると、「企業は利益追求するから企業で、何を言ってるの？」と聴こえてもくるが、確かにそのとおりである、とも言わなければならないかもしれない。しかし、それでも、企業にも、社員旅行や運動会などがあったし、忘年会、新年会、花見などの食事を共にする行事もあったのだ、と言えば、社員への愛？社員の幸福？…気持ち悪いとも返ってきそうである。

ただ、この論文としては、企業が利益を追求するのは分かりますが、その利益の第一は、いや利益以上に大切なのは企業の資本、資本が存在してはじめて利益が、…だから、資本主義というのでは、…もちろん、資本主義を肯定しているわけではないのですが…そして、資本で一番大切なのは社員一人一人のものづくりの能力、そしてやる気なのでは…と少しくらいは言いたいのです。

「我」に戻れば、金銭欲で、必要＝力＝意味を体系化している人々は、とても合理的に動けるはずなのである。今後、道に外れて見た企業が同じ動きをしているのを見てもわかるし、社会秩序に、大きく、金銭で計った網の目がはりめぐらされていることによって、矛盾なく動けるのである。それだけでなく、多くの価値観の中の様々な価値は唯一目に見える形では、この金銭によるしかないところがあるのである。先に見た愛や幸福は目に見えないのだ。まして数字では表せないのだ。愛や幸福だけでなく、芸術も数字で表せない、受けつけないから芸術なのである。また美も、けっして数字では表せないのである。ところが金銭はしっかりと数字で、いや数字そのものなのである。だから、合理的とか、数字に強い、数字が好きという人々はこの金銭欲の体系を受け入れ易いのである。もちろん、このような人々も、「守銭奴」とか「がめつい」とかという言葉が飛んでこないように気をつけながら動いている。このような言葉が飛んでくることはけっして合理的でなく、結局は金銭欲にとってマイナスになることを知っているのである。

ここで言っておきたいのは、このような金銭欲の大系を作り上げてしまえば、人間にとって大切な、愛や幸福や美や芸術はその中に入れなくなりますよ、ということなのである。

そして、ここで、本論として言っておきたいのは、ここには、言語の兄弟とも言える数字が、大きな力で人間を支配していることなのだ。

数字は合理的である、というよりも、合理性に数字は大きな力を与え、そのまま「我」の必要＝力＝意味を支配し、ということは「我」の行動を、そして「我」そのものを支配しているということなのだ。

そして、この合理性の大系には、愛や幸福、美や芸術はほとんど入れないのである。

ⓓ　名誉欲

名誉欲も人間特有のものであり、他の動物にはなかなか見られないものとしていいであろう。ただ、サルやライオンのように集団を作って生きている動物のボスにはこれに近いものが見られる。このボス達は大きな力を集団の中で持ち、ライオンは他の大人になったオスを追い出し、集団のメス全てを自分の性交の相手としている。

猿は他のオスの存在も認めているが、これらのオス達を自らの力で支配し続けている。

これから類推し、移行して考えると、名誉欲も、あるいはそれと並ぶ、いや、その上に存在する権力欲も、社会の多くの異性を自分のものにしたいという欲望の現れではないか、ということになってくる。確かに、ジンギスカンに代表される、昔の王達は、とても多くの女性を、自分の性的な相手として存在させるシステムを持っていたことが浮かんでくる。そして、人間のあらゆる行動の原点に、リビドー、性欲を見たフロイトの説について考えなければならない気持ちになる。

それでは、名誉欲は多くの他の異性を惹きつけ、そしてその果てには自分のものにしようという、性欲の転化したものなのだろうか、ということになる。しかし、このような他の異性を惹きつける動きとしては、もっと直接的な動きを人間はしている。化粧やおしゃれである。そして、これらの頂点には、映画やテレビや舞台に登場するスターの存在がある。しかし、スターが持つものは名誉とは言わないで、人気であろう。そして、お化粧やおしゃれを上手にできるからと言って、名誉なことだとはなかなか言わないだろう。お化粧やおしゃれに心を注いでいる若者達に、名誉という言葉を投げかければ、〝気持ち悪い〟と返ってくるのではないだろうか。

名誉には、やはり、尊敬という言葉がふさわしいだろう。自分を尊敬してくれる人間が多くいるということだ。自分の能力、自分の地位、自分の業績が、そして、自分の存在が認められ、尊敬されているということだ。

また、一方では、社会はこの名誉というものが発せられるシステムを持って続いてきたのだ。実際、古代から、王侯、貴族を先頭にして様々な身分制度があったのだ。ヒエラルキーという言葉も存在する。日本には士農工商という身分制度が存在した。また、一方には僧侶階級というものが存在した。そして、それだけでなく、貴族や武士階級の中にも、細かな上下関係が設定されていたのである。これらの身分制度は大きな力を持って人々を支配したのである。言葉遣いから始まり、礼儀、上位の人に対する下位の人間の身のこなし方、これらに反すれば、大きな罰が待っていた。

このような身分制度は、市民革命を経た現代社会では基本的に姿を消した。人間はみな自由平等になったのだ。すばらしいことだ。とはいえ、会社には係長、課長、部長、役員、取締役などの身分制度があり、それなりの言葉遣い、礼儀作法が要求されるし、給料も上がることもあって、社員の多くはこの地位の上へ行く努力をし、形式的にしかすぎないこともあるが、長たるものは部下から尊敬されている。会社だけでなく、市町村、県、国などの行政機関でも身分制度はしっかりとしている。学校でも、生徒達は先生を尊敬し、その上の校長先生には、…やはり、ここにも生徒を支配する力が存在しているとしていい。また、医者と弁護士と言われるくらいに特権階級的な身分とされる職業も存在する。

地位だけではなく、世の中には賞というものがある。すばらしい業績、すばらしい成績、すばらしいものを作り出した時、賞が与えられる。国は、名誉そのものを与えるように、いくつかの勲章を授与している。市や県でも、功労賞というものが用意されている。これらの勲章をもらうことは、そのまま名誉なことである。いや、スポーツにも賞がある。市や県の大会で、優勝すればすばらしいことであるし、三位以内でもたいへんなことである。名誉とまではいかなくても、自慢になるし、同じスポーツをしている人間からは〝スゲェ〟となる。いや、名誉とか尊敬という言葉を否定しているはずではないか、と思われる芸術にも多くの章が存在し、その作品や作家の価値を保障している。そして、芸術家と言われる人々は世の中では、尊敬されている。

社会は、金銭が行き渡る市場というシステムを作っているように、名誉に対しても、幾つものシステムを作り出している。そこには上下があり、そのシステムそのものにも上下がある。簡単なことを言えば、賞も市町村のものの上に県のものがあり、県のものの上に、国のものがあり、その上には世界でのものがある。この世界ののとしては、スポーツではオリンピック、学問の上では、ノーベル賞がある。企業の中の階級でも、大企業の階級が存在し、この下にも子会社や下請け企業の階級が存在するとしていいであろう。

ただ、これらは金銭欲で見た時のようには、社会の反感をほとんど買わない、オリンピックでの優勝やノーベル賞の受賞は世界中が拍手をする。

スポーツでは、国体はもちろん、県や市の大会での入賞も「おお！」とか「すげえ！」で迎えられる。学問の世界も、いや、会社の地位でもそうだ。

そこに次のことがあるのだ。スポーツの場合は特に、そのスポーツが大好きではまり込んで、日々努力して、技をみがき、体力強化して、そんな中での賞なのだ。そして、自分の技術の向上、努力の結果が賞なのだ。もちろん、各選手は次の大会の入賞を目指して頑張るが、それはあくまでも目標なのだ。つまり、ここには名誉欲などないのだ。

学問の上でも、毎日の研究が面白いのだ。毎日毎日新しい問題、いや、何年かかっても解けない大きな問題に向かって努力して、その努力にはまり込んで、賞などは結果なのだ。

会社の地位も多くは日々の難しい仕事、その一つ一つ、それだけでなく、各部署の困難な仕事を、部や課のため、会社のためを思ってやっていた結果のことが多いのだ。

ここまで来ると、名誉欲などないとは言わないが、かなり薄いもの、もしかしたら、昔の階級制度の名残り…まあ、まあ、

でも、今の社会にも確かに名誉欲はあるよな。議員さん達…？ まあ、まあ、会社の社長？ …人によりけり…ということに、…

ここに見えるのは、名誉欲は、多くの人々の必要＝力＝意味にはそれほどの力を与えてはいないことだ。それは先に見た金銭欲とは大きな違いであると言えるだろう。

この違いは、金銭欲の場合は、金銭はやはり、ほとんどの欲望の代替が可能であるのに対し、名誉はやはり、動物的欲望の代替にはならなくて、かなり遠い存在であることにあるとしていいであろう。しかし、一方では社会は名誉というものを人々に認めさせる様々な装置を生み出し保存しているとしていいのである。名誉市民や国民栄誉賞など、そのものずばりというものも存在するのである。

そして、もう一つ、この項で最初にちらりと見た、性欲との関係で言えば、つまり、多くの人々に賞賛されることは、そのまま、異性からの賞賛、そして性的な魅力を認められることになるのでは、という問いかけに関しては、ほんの少しだけ、スポーツの方ではそれがあるかもしれない、ということだ。スポーツ選手は、そして様々な大会で賞を取る、それが団体、そしてオリンピックともなると、それはすばらしい肉体的素質、運動神経、いや、ここまで進むと、知性や精神力まで必要なのだ。だから、このような人々はすばらしいＤＮＡを持っていることはまちがいないのだ。しかも、彼等の持っている肉体の美しさ、多くの異性の性欲を惹きつけていることはまちがいないことのはずなのだ。しかし、スポーツに惹きつけられ、これらのすばらしい選手を応援してい

る人々は、自らの中にこのような性欲はほとんど認めていないはずだ。確かにフロイト等の精神分析をすればまた別だろうが、そして、そのような分析からすれば、確かにここから出ているともされるかもしれないが、スポーツには、これらの性欲からとても遠い、それから出てきていたとしても、すごく発展して別の要素、人間を惹きつける要素も多く取り入れた、すばらしさ、美しさが存在するのではないだろうか。そして、スポーツの高度な技術を自らに取り入れる時、多くの動物的欲望を抑圧して、しかも、とても強い自分の意志で、しかも、とても難しいこの技を自分のものにしたいという強い欲望を持ってのぞんでいることは、少しはそのスポーツをやった人間はよくわかっているからである。

そして、最後にここでも言語の関係を認めておけば、様々な賞はやはり大きな力を持った言語であると言えるであろう。しかし、ここで見てきたように、それは「我」の必要＝力＝意味にそれほど大きな力を与えないが、社会はそのような言語に大きな力を与える装置を持っているということである。

ⓔ スポーツへの意欲

スポーツをしたいと思うのも、金銭欲や名誉欲と同じ、人間だけのものだろう。スポーツには細かなルールがあり、このルールを地球上の他の動物達は覚えられないのだ。そもそも、このルールを作り上げたのは人間なのだ。このルールを最初に作ったのはおそらく一人か数人だったのだろう。そして、長い年月の間に少しずつは変化してきているかもしれない。しかし、野球やサッカーやテニス、卓球と何千万人、何億万人の人々が、地球上でそれを楽しんでいるのである。

スポーツは緩い意味でまとめれば、遊びに入るかもしれない。遊びについても、ここでは見ていきたいところである。世間でスポーツを遊びと一緒に考えることがあるとすれば、それは生活のために働いたり勉強したりすることとは他のことだからである。つまり、遊びもスポーツも食欲が満たされてはじめて、食べることの心配がなくなってはじめてできるのである。その意味では、剰余価値を生み出すことのできる人間だけのものである。この剰余価値という面で見れば、同じ人間に生まれても、歴史の上では遊べるのは貴族や武士だけ、庶民の中で遊べるのは金持ちの商人だけの時代が長く存在したのだ。百姓や職人の多くは朝から晩まで、自らと家族の生活のために、眠る間、休む間も惜しんで働いていたのだ。

その意味では、遊びもスポーツも多くのほとんどの人々ができるようになったのは、資本主義が発達し、市民革命が起きてからだということになる。

遊びとスポーツの大きな違いは、遊びは主として、ダメなもの、してはいけないもの、少なくともしすぎてはいけないものと考えられている面があるが、スポーツは親達も子供に勧めて、頑張れとはげましまですることにあるのではないだろうか。つまり、社会ではスポーツは認められたものであり、遊びは、認められないで、社会の裏側に存在するもの、ということになるかもしれない。その認められない、裏側のものの代表、代名詞はギャンブルである。

本論としても、遊びもとても見たいのである。特に、今見たように、社会に認められない、裏側に追いやられているものともなれば、この先に見た性欲との類似を暗示してくるのだ。そして、この遊びの必要＝力＝意味の裏には、大きく抑圧された性欲が存在するのでは、とも見たくなるのだ。そして、フロイトの説、リビドーとの関係も見たくなってくるのである。

同じことは、スポーツにおいても、若者達の性欲、それだけでなく、闘争本能、そしてまた遊び心などを大きく吸い取り、安定した、明るい社会を作り出していることも多くの人々は認めるであろう。しかし、スポーツはすばらしいのだ。そんな見方をふっとばす、すばらしいものをも持っているのだ。スポーツをしている時の子供達の笑顔、ほんとうに楽しいのだ。そして、勝利したスポーツ選手のインタビューの時の表情、明るくて喜んでいるだけでなく、なかなか奥深いのだ。このあたりを見ていきたいのである。ただし、「我」の必要＝力＝意味として見ていきたいのである。

スポーツは多くの人々を惹きつけ続けている。はまり出すと、仕事や勉強を早めに切り上げて、練習に向かう。時には早朝練習、夜遅くの練習というのもある。また、スポーツの多くは対戦相手、ペア、チームメンバーを必要とする。このようなメンバーは、皆時間に遅れることなく、最後まで、離脱することなく、数時間の練習をこなす。

先にも見たとおり、スポーツは生計が立ってから、つまり、食べることの心配、生活の上での心配がない上でなされる。しかし、その心配は最低限に抑え込んで、仕事や勉強を絞り込んで、練習や試合に向かう人々も多くいる。そこには、仕事や勉強やは面白くない、スポーツや遊びは楽しい、という公理が存在する。この公理の上で、人々は自らの生活を、本論の上での、必要＝力＝意味を大きく、スポーツに向けて作り続けている。時には、とても過酷な練習にも耐えこなしていく。仕事や勉強では腹を立てる人々も、スポーツでは喜んで、頑張り続ける。

ここでは、なぜ、スポーツはそんなに楽しいのか、そして、人々を惹きつけ続けるのかは考えてみなければならない。楽しいこと、惹きつけ続けることが大きく、必要＝力＝意味に力を与え、その大きな部分を作り出しているのが見えているからである。

体を動かすことが、しかも激しく体を動かすことが楽しい、これはすぐに出てくる意見である。確かに、現代人は、仕事や勉強の時、じっと机に向かって、ということが多い。このことは確かに大きな意味を持っているだろう。スポーツは楽しい、面白い前に、健康にいいのだ。運動不足は、体の健康だけでなく、精神の健康にもよくない。スポーツは健康に良いのだ。健康のためにスポーツをやっているという人も多くいる。確かにそうである。仕事や勉強ではあまり体を動かさない現代人にはスポーツをすることは大切なことなのだ。肉体労働が激しく、厳しかった昔の人々や、また現代でも激しい肉体労働をしている人々は、スポーツはしていないのでは、…確かに、である。でも、昔の人々は、ともかくも、現代においては、肉体労働と言っても様々で、コンピューターソフトのついた機械に向かったり、同じ動作ばかりを繰り返さなければならない仕事や…少なくとも、全身を動かす仕事はなかなかないのだ。そして、とても多くの過去には肉体労働であったものが機械化されているのだ。全身を運動させることができる仕事など、ほとんど見つからないのだ。

確かに、こんなところに現代人を惹きつけているところがある。現代人は健康のためにスポーツをしている…

確かに、…しかし、それでは、

いや、現代人でも、健康のためだけでスポーツをしている人は稀だろう。健康のためだと思っていると、面白くない。スポーツをやっている人間達の多くは面白いのだ。楽しくてならないのだ。〝狂ってる〟とまで言われるほど、スポーツにはまり込んでいる人間は多いのだ。これは何によるのか。

スポーツは多くのルールを持っている。このルールが面白くさせている…?確かにそのような面もあるかもしれないが、ルールの多くはプレイヤー達の安全のためのものが多いのでは…?互いの身体が触れ合うことを禁じているルールは多くある。また、ネットをはさんで分かれて戦うスポーツも多い。野球のように、攻撃と、守備を裏と表で分けているスポーツもある。ネットをはさむスポーツではサーブとレシーブは、やはり裏と表のようになっている。また、ゲーム数やセット数も決まっている。また、対戦時間が決められているスポーツも多い。陸上競技では走る距離は決まっている。これらは、やはり、プレーする人間達の安全、やりすぎで体をこわさないように、様々な考慮がなされているとしていいであろう。もちろん、格闘技というものもあるが、これらも身体の接触についても細かなルールが決められ、選手達の安全を守っている。

スポーツのルールは面白くするためではないとしていいであろう。そのルールの中で様々にプレーすることが面白いのだ。時にはそのルールをうまい具合に利用して、勝利に導いた時、拍手が送られるのだ。

ただ、本論としては、これらのルールはほとんどが、きちんと文章化され、法律のように、プレイヤーの動きを拘束している、ここにも、文章、言語が大きな力で、「我」を支配していることは確認しておかねばならない。もちろん、これらのルールの文章を読んだりするプレイヤーは稀である。これらのルールのほとんどは、耳と目で覚えていくとしていいであろう。耳で覚えるルールは、言語で伝えられているが…

このような拘束が、面白さを生むことはほとんどないとしていいのだ。それでは何が面白いのか。そのルールに拘束された中で生み出されるプレーそのもの、プレーの中身であることになる。

スポーツにはまって面白い時、それは興奮している時であり、いわゆる〝血が騒いでいる〟時である。この興奮、〝血が騒ぐ〟は何が起きているのか、ということになる。この興奮、〝血が騒ぐ〟の時、実際、心臓は高鳴り、血液はドクドクと激しく流れ、呼吸も激しくなり、眼が輝き、…人間の本当の姿、いや、動物の本当の姿に戻った…と感じるのではないだろうか。

スポーツの楽しみの根源に、動物的本能、闘争本能、狩猟本能を当てはめてみる議論は多くあるだろうし、多くの人々も思っていることであろう。本能である。人間が本来持っている能力、それに欲望も大きくからんでいるのだ。サッカーやラグビーを見ていると、いや格闘技というものもあるし、ネットをはさんでする種目も、勝敗はある、…まずは闘争本能が大きく前に出てくる。考え方によれば、産業が発達し、ほとんどの人間がある程度豊かになり、また、世界の大部分からも戦争がなくなり、闘争がなくなった時、人間が本来持っている闘争本能を、先程見たルールによって安全性を保証した形でぶつけあうのがスポーツである、という議論も大きな正当性を持って見えてくる。このことは、人間には本来、闘争本能があることを認めた上で、スポーツがさかんに行われることは平和を象徴していることになる。このような議論は多くの人々も認めているし、ある意味、世の中、社会全体も、大筋を認めているとしていいであろう。また、勝敗よりも記録を重視する陸上や水泳、スキーやスケートなどは、動物的本能の発揮ともとれるであろう。

スポーツは確かに、人間が本来持っていて、しかし、平和な社会生活のためには、それを発揮してはならない能力を安全に、しかも、社会秩序を乱すことなく発揮する装置である面を大きく持っているのである。だから、現代人は、スポーツをやっている時、自分の持っている本来の姿に戻って、それを発揮して、楽しんでいることになる。そして、その本能を発揮することは、興奮することで、〝血が騒ぐ〟ことでもあるのだ。これらの興奮や〝血が騒ぐ〟に、どれだけ、どのようにフロイトの言う性欲やリビドーが入り込んでいるかは、興味のある議論になるはずである。

以上、本能からのスポーツの楽しさ、面白さの説明はなるほど、というものがあるはずである。しかし、これだけでは、興奮と、〝血が騒ぐ〟までしか説明できないはずである。スポーツにはそれ以上のことがあって、スポーツをする人間を惹きつけて、〝はまり込ませ〟て、〝寝ても覚めても〟にしてしまうものがある。それは技、技術の習得、その上での向上をめざすこと、技術の勉強、研究なのだ。

スポーツ選手はあるレベルに達すると、自分のフォームを気にしはじめる。ただ、走るだけに見える陸上競技のトラック種目も、先生や先輩に言われて、フォームを改造すると大きく記録が伸びることがある。野球のピッチャーも打者も、毎日、自らのフォームをチェックし、シーズンオフなどにはこのフォームを改造して、大きく伸びる選手もいる。テニスや卓球では、打球の速さだけでなく、回転は重要で、それによって大きく球道が変化し、相手が返しにくくなる。この球の回転をどうかけるか、そして、また、早い球をどう打つかは大きな技術、そのための練習が必要である。

スポーツは技術を習得するために練習が必要であり、そのことによって技術が日々、しかし、ほんの少しずつ向上する。これが楽しいのだ。いや、楽しいだけでなく、過酷な練習に耐え、体力のギリギリまで頑張り、習得し、向上して、次の大会で花開いた時、とても大きな喜びがやってくる。それまでの練習はけっして楽しいだけでなく、時には苦しみの連続である時もある。しかし、その成果はすばらしいのだ。もちろん、いつも成果が出るばかりではない。がっかりの時もある。まだ努力が足らない、いや、フォームがまちがっていた。練習の仕方も考えなければならない…もう、ここまで来れば、しっかりとはまり込んでしまっている。

スポーツは、練習と体力だけではないのだ。技術の研究、そのための情報、知識が必要なのだ。しかし、その技術を知っただけではだめで、それを〝モノ〟にしなければならない。つまり自分の体で覚えて、それを自分のフォームにしなければならない。そのための日々の練習なのだ。家に帰っても、素振りや、フォームを意識した体の動きをくり返す人々は多くいる。それだけでなく、体を動かさず、イメージ・トレーニングも大切なのだ。いや、まだまだ、最近では、ビデオやＤＶＤでプロの選手、その中でも自分のお気に入り、憧れの選手の試合をくり返し見てのイメージ・トレーニングに走る人々もとても多い。ここまで来れば、〝はまってしまって〟だけでなく、〝狂ってる〟になってしまう。楽しいや面白いを遠く超え出てしまっている。日々努力努力なのだ。寝ても覚めても、フォームのことを考えて…となっている人々も多くいる。

生活の全てが、つまり、必要＝力＝意味の全てがそちらに、つまり、スポーツに向けて作り上げられてしまっていることになる。ここには先程見た本能とは別のものが入ってきている。技術に対する知識だ。

以上、スポーツへの欲望を見てきたが、現代人の中においては、かなりの範囲に広がる欲望としていいであろう。ただ、この欲望は衣食住の必要が満たされてはじめて達成できるし、いや、欲望そのものも衣食住が満たされてはじめて芽生えてくるとしていいであろう。しかし、衣食住がある程度満たされている現代人はとても多いし、その上での欲望はとても強いものとして存在しているのである。

だから、スポーツへの欲望と必要＝力＝意味を見ると、すぐにこの衣食住への必要を満たすことが先に来る。つまり、スポーツするには、仕事や勉強をすばやく、手短かにすませてしまっておかねばならないのである。だから、遊びもそうであるが、スポーツをする時間を、生活の中で、どこに見つけるかが大きな問題になるのである。中学や高校の部活では、授業はきちんと受けて、放課後に部活、そして、宿題や学力向上の勉強は家に帰って、ということになる。企業に勤めているとなかなか難しい。土日でも、二日間全ては、…やはり、どこかで体を休めなければ、土曜日だけとか、それも、半日だけ、土日もするとなればやはり半日ずつ、ということがいいところで、ということになる。

だから、スポーツへの欲望と、必要＝力＝意味を見た時、まずは、この時間の確保が先決であることになる。この時間の確保は大きな問題で、働く者達には、たいへんなことなのである。ここにとても大きな力が働くことになる。欲望を達成するための、欲望とは違った思考が必要とされるのである。いや、忘れてはならない。コートや競技場の確保、予約が必要なのだ。これを忘れていてはスポーツはできない。中学や高校の部活では、ほぼ、場所は決まってきていて、こんな心配はないが、大人になって勤めていれば、場所の確保は必須である。

時間と場所が確保できた上で、はじめて、欲望を達成することができる。先に見た本能ならば、体力の発散、自分の持っている動物的本能を、練習や試合の中で燃焼させ、爆発させる。そして、闘争本能によって相手にぶつかっていく。面白く、〝血が燃える〟

そして、先に見た、技術の習得、向上に向けて努力するのである。今、課題にしていることを試すのである。

自分が目標にしているフォームに自分の体をそのように動かすことに専心するのである。なかなか、体は動いてくれない。それでも、少しはそれに近づく。これが喜びである。コーチや先輩、自分よりうまいと考えている人間が近くにいれば、見てもらい、直し、そうしながら前進していく者は多くいる。そうかと思うと、けっして人には習わない、習えない、ずっと自己流だけで、時には自己流にこだわる変わり者もいる。多くのプレイヤーとは違うフォームで、ずっとやり続けるのだ。それでも、このような者達も、向上していくし、人とは違った技術を獲得し、コーチなどに習っている人間達よりもより面白くはまっている。スポーツも様々なのだ。

グラウンドやコートに出れば、スポーツマンは何もかも忘れて、仕事も勉強も忘れて、ボールやゴールに向かい夢中になるのだ。プレイしている人間は現在だけで充実しているのだ。心配なことも、嫌なこともこの瞬間には消えている。一球一球、一つの体の動作一つ一つに向上を狙い、いや、それ以上に、勝敗に、記録に向かい、まさしく全力投球なのである。

いや、忘れてはいけないことがある。このような技術の向上の多くは、プレーをしている時ではなく、プレーを離れている時、夜眠る前にふと思いついたとか、憧れの選手のＤＶＤを見ていて、ふと悟ったように浮かんできたとか、プレーヤーどうしで食事をして話していたらとか、時には本を読んだりとか、によるアイデアが大きく占めて、これが、プレーの最中にどれだけ達成できるかなのだ。

時にはこのアイデアが間違っていたり、自分に合わない時もある。どれだけ頑張ってみても、ものにならない時もある。そんな時は、また、誰かに教えてもらったり、ＤＶＤを見直したり、ああ、そうだ、と新しいアイデアが浮かんだり…

つまり、スポーツに狂っている者達は、まさしく四六時中、仕事や勉強をなるべく早くすませるだけでなく、仕事や勉強の時も、頭はスポーツでいっぱいになっていたり、スポーツができない時は、家に帰っていても、食事やテレビを見ている時も、ずっと頭の中は…

つまり、必要＝力＝意味全体をスポーツに向けて形造っているのだ。

最後に、言語との関係を見ておこう。スポーツのルールはほとんどが、しっかり言語化されている。ここには憲法や法律と同じような言語の役割が存在する。言語の持つ固定性、決定性と言っていいものであり、この固定性、決定性は憲法や法律ならば全国民に、スポーツのルールならばプレーする人間全てに力を持って支配する。憲法や法律もルールであり、ルールはしっかり守らなければならないのだ。そして、それを参加者全員に伝えるために、言語が使われるのだ。言語が使われれば、参加者全員に同じ意味内容を持って伝わるのだ。それだけでなく、言語は一度書き表されたら、変化しないのだ。それに反し、世の中や世界、そしてスポーツではその試合毎、大会毎、様々なこと、時にはとんでもない、予想もしないことが起きるのだ。こんな時、審判やプレーヤーは、このルールに戻り、時にはルールを書いた文章まで引き出して、議論の末、判断が下されることもあるのだ。

逆に、このルールを逆手にとって、ギリギリのプレーを、観客を沸かせたり、仲間のプレーヤーの賞賛をあびる者達もいるのだ。

しかし、スポーツと言語のもっとも見ておかねばならないのは、先程見た技術の向上についでである。この技術の向上は、時には本、時には先輩、時には先生やコーチによって教えられる。これらは多くは言語で伝えられる。しかし、この言語で伝えられたことをすぐに技術の向上につなげられたら、スポーツとは言わないだろう。スポーツは試験の答案を書くのと同じになってしまうだろう。試験の答案は、伝えられた言語の理解だけしか、調べられないのだ。スポーツの技術は、この言語の理解の向こうに存在するのだ。スポーツの技術は、本や先輩やコーチに教えられた言語を理解することは、ただ、スタートなのだ。これからはじまるのだ。そこに、練習がはじまり、その言語が教えることの通りに体を動かすために練習はくり返され、時には過酷な練習にもなり、それでもなかなかものにはならなくて…、これがスポーツの真髄なのだ。

ただ、ここも、それほど簡単ではない。本やコーチの言っていることが理解できないこともあるのだ。そもそもが、スポーツの体の動きは、そんなに簡単に言語では表せないのだ。ようやく言語にしたとしても、人に伝える、特に初心者に伝えるのはなかなか難しいのだ。ということは、スポーツでは、言語の前に、体の動きが先行しているということなのだ。もっと言えば、言語で伝えられる体の動きは、基本的な動きだけなのだ。多くのプレーヤーはその基本の上で、自分の工夫で力量をつけてきているのだ。だから、プレーヤーの一人一人は個性的、というよりも、みんなそれぞれ、癖を持ってしまっているのだ。それでも、優れたコーチは、それらの癖の中で、あまりにもたいへんなものを、そして、直しやすいものを、ここをこのように直せば、もっと伸びる、とアドバイスできるのだ。このような時、コーチは言語をほとんど使わず、自分の体で見せて、そして、また、プレーヤーの体を動かさせて、教えていくのだ。ここにはもう言語は通じていないのだ。だから、スポーツは奥深く、難しく、その難しさを一つずつ克服していくことが、たまらなく、人々を惹きつけるのだ。そして、あるレベルに来れば、みんな自分の肉体、運動神経に合わせた個性的なプレーをしはじめるのだ。この個性的なプレーこそが面白いのだ。そして、試合では、個性的なプレーヤーどうしがぶつかるから、どう戦っていいのか、と考えて、その考えることそのことがまた面白い、いや、そんなことを言っていられない、まさに真剣に考えて、よりはまり込んでいくのだ。そして、勝てた時、負けた時、一試合、一試合、思考を働かせながら、しかし、それらは言語による思考ではなく、時には前の日、一語だけ考えて、「ボール！」とか「腰！」とか、「柔らかく！」とか自分に言いきかせながらプレーするプレーヤーも多いのだ。そして、この個性的なプレーヤー、そしてかなりのレベルのプレーヤー達も、時には、またすばらしいコーチ、上には上がいて、そのようなコーチにアドバイスや指導を受けて、時には、かなりの上達を見せるのだ。

プロの選手は全て個性的である。その個性的なプレーどうしがぶつかるから、見ていても面白いのだ。このようなすばらしい一流選手達にもしっかりとコーチはついているのだ。この時、どれだけ言語を使い、どのように教えるかは本論としても興味のあるところである。

ⓕ 必要＝力＝意味と芸術

言語を超えている。言語で表せないむこうに存在しているものとしては、芸術もそうであろうし、もちろん、詩や小説というのもある。しかし、これらは言語を使ってはいるが、これが表現しようとしているものは、言語ではなかなか表現できないものではないだろうか。少なくとも、日常生活で使われているコミュニケーションのための言語ではなかなか表せないもののはずである。

今まで見てきたように、日常生活は言語で埋め尽くされているとしていいのである。勉強はもちろんそうである。仕事もほとんどが言語化されている。言語化されていなければ、共同作業はできない。もちろん、昔の職人達の世界では、「見て覚えろ！」は常識であった。つまり、言語化できない、職人だけの技というものがあり、その技は、先輩や親方の仕事をしている姿を見て、それを自分の体に取り入れて自分のものにしていくことが求められたのだ。つまり、言語化できなかったのだ。その意味ではスポーツに似ていたのだ。ただ、これらの職人技は、現代ではほとんどが、コンピュータ化されてしまっている。コンピュータによって微妙な動きをする機械が、昔の職人達の技のほとんどを、若いコンピュータに通じた若い連中によって達成されている。それだけでなく、多くの企業では、生産過程を文章化して、Aが休んでもBが仕事ができる体制がとられている。職場では、言語がしっかりと、仕事上のコミュニケーションを完全化していると言っていいであろう。

いや、それでなくても、職場は昔から、コミュニケーションの場だったのだ。挨拶からはじまり、互いの仕事の状況を伝え合い、時には助け合い、世間話もしながら、仕事は進んだのだ。「見て覚えろ！」も言語を使わないコミュニケーションだったとも言えるだろう。

家庭生活もコミュニケーションの場である。しかし、ここでは互いの心と心が繋がっていることによって言語は省略されたり、その家だけの使われ方をしている。そして、また、互いの表情がそれらの言語を大きく補っている。

だから、芸術がそのむこうに存在するというのは、言語というよりもコミュニケーションと言った方が良いのでは…まあ、まあ、もう少し見ていこう。

つまり、ここでも繰り返すが、世界は言語で埋め尽くされているのだ。そして、この言語を使って人と人とはほとんどのコミュニケーションを行っているのだ。だから、この言語でコミュニケーションが行われている世界は人々にはよく理解のできた、明るい、明晰な世界なのだ。そもそも、理解とは、言語によって言い表せることができることだとも考えられているのだ。

このよくわかった、互いに理解のできた、明晰な、つまり互いに言語によるコミュニケーションが可能な世界の向こうに芸術が存在する…？ ええ？…まあ、まあ、

そんな世界がある？…芸術家だけの？…芸術家って天才だから…

フロイトの著作は無意識というものを見せてくれる。ユングはその中に元型というものを見る。この元型は健康な人が目が覚めている時は現れない。元型は夢や幻となって現れる。美しい白鳥となって現れたと思うと、次の瞬間は恐ろしい態になったり、また次の瞬間に美しい女神に、また次の瞬間には幼児に、という具合である。ユングはこれは全ての人間に生まれた時に既に与えられている、つまりアプリオリに与えられているものとする。

このような世界が存在するのだ。これをほとんどの人々は意識することなく、無意識のうちに、だから、人に伝えることもなく、コミュニケーションされることもなく、わからない、気づかれないものとして存在し続けるのである。明晰ではない、暗い、わからない世界が人間の意識の中に存在するということである。これらは、精神を患って精神科医に分析してもらって、はじめてそれと気づく。フロイトやユングの説は一世紀近く前のものであり、最近の精神科の現状ではかなり力を無くしたもの、昔のものとなっているとも聞こえてくる。そして、また、これらがそのまま、芸術につながる、芸術の源泉になっているというつもりはない。宗教には力を与えていそうであるが、芸術には、少なくともストレートにはつながっていないとしていいであろう。ここで言いたい

のは、人間の意識には言葉にならない、言語のむこうの、暗い、深い世界が存在するのでは、ということなのだ。

同じようなことは、この章の性欲のところでも見ているのである。ここでも、フロイトの説をとり上げ、この性欲を社会が抑圧している様子を見たのである。性的欲望は社会ではコミュニケーションしてはいけないもの、口に出してはいけないものになっているし、性器は他人には見せてはいけないもの、隠していなくてはならないものとなっているのである。そして、性欲は社会の裏側に追いやられ、人間の意識の裏側の暗い部分に押しやられていることを見たのである。ということは、多くの人々は、性欲を自分自身にも禁じていて、それを口に出すことだけでなく、向きあうことを禁じ、また感じたら、性器が排泄器の隣にあることもあって汚らしいもの、不潔なもののように思っているのである。そして、性によって交わることを、汚らしい女性器の中に、汚れた男性器が入ることだと思っている人々も少なからずいるのである。

性欲だけでなく、死についても、多くの社会はコミュニケーションを抑圧しているとしていいであろう。死を語ることは、死を呼ぶことととして、不吉なことととして、禁じているのである。その背後には、全ての人間が持っている死への恐怖が存在する。死は人間が持つ最大の恐怖である。その恐怖を人々は口に出してはいけないものとして、じっと自分の中に、心の中に閉じ込めたままに生き続けているのである。恐怖だけでなく、死は不可解なのである。誰も死を経験した者はいないのだ。死を知った時は死んでしまっているのだ。それだけでなく、死は不条理なのだ。意識は死とともに完全に消滅してしまうのである。物質には質量不変の法則が存在するのにである。だから、この質量不変の法則がこの完全に消滅してしまう意識にもあてはまるかのように、宗教は死後の世界を語り続けるのである。

意識は物質とは違うのである。ところが、言語はほとんどが物質についてのものなのである。物質については、人々は無限の名前を付けて見ているのである。いや、それだけではない。実際、意識の器官である五感が感じるのは、この物質だけなのである。それでも、時々は感情として、意識の在り方の強弱、様々な音色（このようにしか表現できないのだ）を人々は楽しい、うれしい、苦しい、恐ろしいなどと表現することもあるが、これは意識の在り方が物質に似た状態になり、それによって言語化できたのではないか、…もちろん、ここには議論は存在するし、して欲しいところである。勉強している時、仕事をしている時、人々は意識を通して、勉強をし、仕事をしているのに、その意識を忘れてしまっている、いや、その存在を感じることもなく、進めているのである。意識は存在するのに、ほとんど意識されることなく、感じられることなく、生活は進行しているのである。意識はとても不可解な存在なのである。この意識の構造を解明したのが、心理学、哲学、…ほんと？ どれだけ？ …まあまあ、…でも、多くの人々は心理学や哲学をやはり、暗いところに追いやって生き続けているのである。本論もほんの少しだけ、意識について、記憶と言語を通して見ているつもり…まあ、まあ…

スポーツで見た、〝言語を超えている〟から出発して、意識の構造の闇の部分と言っていいものを見てしまったが、全ての芸術が、そして芸術の中身全てがこのような世界のもの、このような世界からのものであると言うつもりはない。芸術は多種多様、様々なジャンル、様々なものが存在するのだ。そして、独創とか個性がとても重んじられる世界なのだ。とはいえ、偉大な芸術家、ゴッホやベートーヴェン、そしてドストエフスキーの作品を見たり、聴いたり、読んだりしているとこのような世界が浮かんでくるのではないだろうか。そしてまた、それを受け止めているのも、このような我々の中に存在する暗闇の世界なのではないだろうか。そして、このような暗闇の世界を感じ、このような世界で受け止めた時、「この芸術はすばらしい、すごい」という言葉がやってくるのではないだろうか。

もちろん、人間には、絵を描きたい、物語を作りたい、歌をうたいたい、という欲望は、かなり根源的なものとして存在するだろう。子供達も、黙って一生懸命絵を描いていたり、自分で作ったお話をお母さんに聴いてもらいたがったり、誰にも習わない歌を口ずさんでいたりする。だから、人間の中には、芸術、とまで言わなくても、絵や物語や音楽を作り出したい、そしてまた、他人の作ったそのような作品を楽しみたい心は本来的にあるとしていいであろう。子供達のテレビ番組も、歌や踊り、物語や絵画で埋め尽くされているのだ。しかし、これらは、やはり子供向けのもの、子供達の世界のものである。

世の中で芸術と言われるものは、これらの子供達へのものとは違っている。子供達の世界は明るくて、よくわかり、お兄さん、お姉さん達がちゃんと説明してくれる世界である。世の中で芸術と言われる世界は、これとは反対の世界である。子供達には見せられない、教えられない世界であるとも言える。言葉にならない、暗い、ある意味恐ろしい世界である。(〝言葉にならない〟を何回も使っているが、詩や小説は確かに言語による芸術である。しかし、それらを読んで感じたものを、読者はほとんど他人に伝えることができないのではないだろうか。すごい、すばらしい、時には暗くて恐ろしい、ぐらいなのではないのだろうか。もちろん、偉大な芸術、芸術家については説明書や評論は百とある。しかし、それらはやはり、その芸術そのものを伝えていないと言えば叱られるだろうか。その上、このように多くの説明や評論が存在することは、やはり、芸術そのものを伝えていないからだと言ったら…お許しのほど…)いや、ドストエフスキー自身も、自分の言葉にならないものを感じ、その言葉にならない部分をなんとか言葉にしようとしたのではないだろうか。彼の中には、つまり彼の意識の中には、明らかではない、言語にはならない、人に伝えることのできない、コミュニケーションのできない暗い闇の部分が大きな力を持って、彼を揺るがし続けていたはずなのだ。そして、彼の場合、意識と言ったが、彼が向かい合っている世界、この論文で言う世界＝意識が黒々として、力を持って彼を動かし続けていたのだ。実際、彼の住んでいたロシア、街並み、住居はこの暗闇の世界そのものであり、そして、接する多くの人々もこのような世界、住居からの暗さを心に、眼の輝きに表していたとしていいはずなのだ。彼はこの言葉にならない、理論で説明できない、恐ろしい、暗い、しかも揺れ動く力を持った世界＝意識を言語にしないでは、生き続けることができなかったのではないだろうか。

繰り返すが、右に見たような、言語にならない、暗い、時には恐ろしい世界、そして、それを感じる意識だけが芸術ではない。しかし、芸術が世界と、そしてその中のいろいろなものを対象として、その真実を伝えようとする時、その真実の中には、この世界の中の言語にならない暗い世界、また意識の中のそのようなものをやはりどこかに反映していなければならないはずなのである。セザンヌの静物画も、そこにセザンヌの意識からのこのような世界が、その対象の静物を見る眼の中を通して映し出されているから、それを見る者達の心を動かすのである。見る者達も心に同じような部分を持っているのである。一番極端な写真芸術においても、その被写体を映す写真家の心が、カメラを通して映し出され、それを見る者の心に…けっして言い過ぎではないはずである。

そして、ここでもう一つ言っておきたいことは、このような言語にならない、暗い部分は、社会の中ではけっして価値のあるものとはされず、時には汚いもの、避けるべきものとして扱われてはいるが、真実の人間の生き方、本来の人間の生き方の中ではとても大切であり、多くの人間達もそれを感じながら、しかし、人には伝えられず、じっと心に抱きしめながら生きているものであり、芸術を通してはじめて、それらが響き合うのではないだろうか。ということは、この言語にならない、暗い、人間社会の裏側に押しやられたもの、また、多くの人々もそれに向かい合っていない、フロイトの言うように無意識に追いやっているものが、いや、性欲だけでなく、死も、いやいや、もっと、人間の心の中に、魂と言われるもの、意識の底辺に、人々は日常生活では向きあおうとしない、ドロドロとしたクログロとした存在、そんな存在がとても大きな部分、芸術の、芸術への必要＝力＝意味を形造っているのではないか、とここでは言いたいのである。そして、…

いや、芸術に、言語は不要である。じっと感じるだけ…これくらいにしておこう。

2. 必要＝力＝意味の構造

必要＝力＝意味と欲望の関係を見てきたが、とても長くなってしまった。このことは、必要＝力＝意味が、欲望そのものからできていると言ってもいい、科学では欲望として扱われている人間の行動の原動力であり、しかも、それが記憶を伴い、生活の隅に細かく及んでいるからには、避けようのないことであったのである。

ただ、本論としては、この必要＝力＝意味を、欲望だけでは存在していないと主張してきたのである。実際、性欲を見たところでも、欲望を抑圧する社会の力が大きく、この必要＝力＝意味に力を与えていることを見なければならなかったのである。しかし、それも性欲という欲望との関係において見たのである。

ここでは、欲望の他に、どのようなものが必要＝力＝意味を形造っているのかを見なければならないのである。そのためには、ここではまず必要＝力＝意味の全体像を見る必要があるのである。そして、その上で、欲望以外のどんなものが、どのように、必要＝力＝意味を形造っているのか、そして、それらの欲望以外のものは、欲望とはどのような関係として存在しているのかを見ていかねばならないのである。というのは、科学では、人間の行動の原動力、この論文の必要＝力＝意味を全て欲望で説明しているのである。ということは、これらの欲望以外のものは欲望の変化したものとして説明されていくのである。この論文としては、変化を認めたとしても、そこには、欲望以上の力が、記憶の力を伴って入り込んでいるのでは、と見ていきたいのである。つまり、欲望以上の力が、記憶の背後にあり、大きな力として存在し、記憶の中に入り込み、人々を、「我」を動かし続けているのでは、と言いたいのである。

もっともわかり易い例をあげれば、赤穂浪士や特攻隊であろう。人間は命を懸けて行動してしまうのである。欲望以上の力は命をも捨てさせているのである。人間の歴史には、このような、欲望の根源である生命をも捨てた話がとても多く存在するのである。これらを見ていかねばならないのである。

必要＝力＝意味はまさしく科学における欲望なのである。それはもっと言えば、人間の生命体の維持、存続、発展の根源であり、本論ではこれによって人間の活動の全てを説明したいと思っている。その全ての中に欲望以外のものが入っていると主張しているのである。このことは、人間の認識機能を記憶、そして言語というものを入れて見ることから、必然的に見えてくるのである。

人間の意識、もっと正確には、認識機能の中には無限のと言っていい記憶が存在している。その記憶のとても多くは欲望と結びつき、しかも、とても大きな力を持っているのは、前のところでも見てきたところである。そして、それらの記憶に言語も結びついているのである。食欲も、〝カレーライス〟や〝うな丼〟はとても大きな力を持って、より食欲を大きくする。性欲も、恋人の名前やスターの名前はとても大きな力を持って我の中に住み続ける。何十年も前に別れた恋人の名前を抱きしめるように生きている人々も多くいる。ここに見えているのは言語が持つ力である。そして、ここで向き合わねばならないのは、言語そのものの力なのである。

性欲のところで見たが、性欲は抑圧されているのである。性欲を表現する言語を学校や会社では持ち出してはいけないのである。しかし、このような言語を持ち出すことを禁じているのも言語ではないか、ということである。

幼い子供に、人前で性器を見せてはいけないことを親達が教えるのは、ほとんど言語によってである。そのうち、「ダメ!」「恥ずかしいでしょ!」「笑われるわよ!」は大きな力を持って幼児に投げかけられる。子供が成長するにつれて、この抑圧は様々な形で教えられる。教えることは多くは言語によっているはずである。そして、この抑圧は法律にも明記されている。法律はとても大きな力を持った言語である。最近は、「セクハラ」はとても大きな力を社会に投げかけている。

いや、性欲に関してだけではない。生活全般に規則というものが存在するのだ。その〝きまり〟〝規則〟をしっかり幼児達は親に、そして保育園で、時には近所の大人達に教えられるのだ。食事の仕方、服装、保育園や幼稚園がはじまれば、その時間割、席、全てが規則なのだ。これらを子供達はとても強い力で教え込まれるのだ。「遅刻しちゃだめ!」「他の人の席に坐っちゃだめ」「食事の時はよそ見しないで食べるの!」「そんな服の着方だめじゃない！」などなど、そして、「きまりでしょ！」「きまりを守らなくちゃ！」と教え込まれるのである。

そのような〝きまり〟や〝規則〟は幼児達の中の必要＝力＝意味を大きく形造っていくのである。そして、これらの教えは大人になっても大きな力を「我」に与え続けるのである。いや、これらの〝きまり〟や〝規則〟は成長するにつれて、どんどん多くなり、生活のすみずみにまで至り、大きな力で人々を縛り付けていくのである。そして、このような〝きまり〟や〝規則〟に反すれば、親やまわりの大人達から叱られるし、友達からも注意されるのである。そして、その時、罰というものも教えられるのである。実際、子供達は様々な罰を受けて、成長していくのである。そして、世界のずっとむこうの警察や法律の存在を教えられていくのである。

これらの〝きまり〟や〝規則〟はほとんどが欲望を抑圧するためのものである。性欲や食欲だけでなく、子供の遊びたい気持ち、欲望も大きく抑圧されていく。食欲から見れば、「好きなものばかり食べてちゃだめよ！」「そんなにたくさん食べちゃだめでしょ！」「だーめ、食事の時間だけしか食べちゃいけないの！」遊びでは、「暗くなったら遊びはおしまい！」「そんな危ない遊びやめて！」小学生になると、「宿題していない子は遊んじゃだめ！」そして、遊びのルールや時間を細かく、親や先生達からだけでなく、友達や先輩からも教えられる。

性欲だけでなく、食欲も遊びの欲望もしっかりと抑えられ、家庭生活の、社会の規則の中に閉じ込められるのである。これらの根底には、しっかりと規則を守って、生活というもの、社会というものを教えていくことがある。そして、そのさらなる根底には、これらの規制を守ることによって勉強をしっかりし、仕事がきちんとできる人間へ、という教育の目的が存在しているのである。そして、また、この勉強や仕事ができることは、長い目で見た、しっかりと生活ができること、食費をちゃんと稼げて、結婚もできて、家族全員が食事ができて、…時には楽しく遊べ、旅行にも行けて…と、結局は長い目で見た欲望へ、もっと言えば生命維持、そして種族の繁栄という食欲、遊びの欲望、性欲の達成へと向かう道だとも言える。その意味では科学が人間の行動の根源を全て、欲望で説明することは正しいことになる。

〝きまり〟や〝規則〟だけでなく、小学校に入ると、算数、国語、社会、理科などの勉強が入ってくる。これらは、誰にとっても、しかも、永遠に正しいものとして教えられる。少なくとも、小学生にとっては、そう受け入れられる。そして、これらは学ばなければならないのだ。自分の中に取り入れていかねばならないのだ。この取り入れ方は評価され、点数で数えられる。しかも、この点数によって、生徒の一人一人が評価され、順番まで決められる時がある。少なくとも、一番や百点は高い評価を得て、他の生徒達からも賞賛される。その反対に、悪い点数や順位は、先生にも注意を受ける時もあるが、家ではかなり叱られ、圧力を受ける。

このようなシステムを学校は持っているのだ。このシステムをほとんどの生徒は逆らうことなく受け入れ、受け入れなければ叱られるのだ。

このことは、小学生の必要＝力＝意味の大きな部分を勉強、そして学校のシステムが形造ることを意味する。点数はお小遣いのお金と並んで、それ以上に、細かな指標を必要＝力＝意味に与える。

また、勉強の各学科の持つ理論は絶対に正しいものとして、生徒の中に入り込む。この理論に反することはまちがっているのである。算数の掛け算九九、理科での水は一〇〇度で沸騰し、0度で凍ることや、社会の都道府県や、世界の国々、そして国語の漢字などは生活に必要であろうし、実際彼等も生活の中で使い、便利であるとともに、絶対に正しいもの、そして、しっかりと身につけていなければならないものとして、ということは、必要＝力＝意味に大きな力、それだけでなく、大きな構成要素として受け入れていくのである。必要＝力＝意味に、ということは、小学生は学校でも家庭でも、近所で遊ぶ時にも、これらの学校で習ったことを、判断の基準、行動の基準として使いはじめるということである。

勉強の中に理論と知識が存在するのである。理論と知識は小学生の必要＝力＝意味を大きく形造っていくのである。

また、これらの理論や知識とは別に、義務とか責任というものも、学校で、教室で教えられる。宿題をするのは義務であるし、使った教室を、授業が終わったら掃除し帰るのも義務である。そして、教室の中でも、役や係というものが決まってくる。この係の仕事をするのは責任である。義務と責任はほとんど一緒にやってくるが、義務はほとんど言われた通りにしなければならないのに対し、責任の方は自分の考えで、自分の判断で、ということが入ってきて、遂行される。これらのことを、子供達はそれほど明確に考えてはいないが、なんとなく感じて、両方を遂行していくのではないだろうか。

ここまで見てくると、欲望は大きく意識の中の片隅に、そして、性欲に至っては裏側に押しやられているのが見えてきているはずである。食欲は三度の食事でほとんど満たされている。それでも、食堂やお菓子屋さん、レストランの前を通ると、急におなかが減って、そこに飾ってあるメニュー、商品に食欲を覚える。しかし、それは、お金を持っていないと買えないことを子供達は教えられている。そして、親達とレストランに入ってメニューを見て「これ食べたいな」と思っても、「だめ、それは高いんだから」と、お金との兼ね合いを教えられてしまう。また、欲しい遊び道具も、お金がなければ買えないことがわかってくる。このお金は自分の少ないおこづかいの中では…となって親の機嫌や、顔色をうかがったりもするが、この頃から金銭欲なども芽生えてくる。

そして、もっとわかってくることは、社会が金銭の網目が張りめぐらされた場所であることである。そして、この金銭の網目の中から、それと相談するようにして、自分の欲望が達成できることを理解してくるのである。欲望はこの網目の片隅に追いやられてしまうのである。そして、欲望を達成するためには、この金銭との関係と上手に取り組まなければならないことを覚えていくのである。「無駄遣いはしてはいけない」親達にも教えられるが、自分にも子供達は言い聞かせるのである。そして、自分の欲しい高価なものを買うために、せっせと貯金ということもはじめるのである。ここまで来ると欲望を抑える、もう禁欲と言っていいものが、大きな力を持って必要＝力＝意味を形造ってしまうのである。

同じような網目は、時間にも張りめぐらされている。多くの人々は、時間は細かく区切られ、その一つ一つに従わねばならない力がかかって、それに従って生きている。この時間の網目の多くは金銭との兼ね合い、いや計算によって形造られている。まさに、〝時は金なり〟である。この網目の三分の一は仕事や勉強、また三分の一近くは睡眠、のこりの三分の一は食事と憩いになっているのが普通である。しかし、睡眠も食事も憩いも多くの人々は仕事や勉強のためと考えている。仕事は直接金銭に、勉強は将来の金銭に、と多くの人々は考えている。とすれば時間の網目も金銭の網目によって張りめぐらされていることになる。

以上見たように、人間はそのほとんどを、社会の決めた秩序、〝きまり〟や〝規則〟からはじまって、マナーや慣習、そして、学校や会社の時間割に従って生きているのだ。そして、これらを金銭の網目が裏打ちしているとしてもいいであろう。だから、動物的欲望は大きく姿を消して、金銭欲がそれに代わっていると見てもいいことになる。そして、金銭はあらゆる、少なくともほとんどの欲望をかなえてくれる。というよりも、これがなければ生きてはいけない。その意味では、科学が人間の行動の根源を欲望としているのはやはり正しいことになる。しかし、本論では、金銭欲は動物的欲望とは大きく違い、そこには本論のテーマである記憶や、その上に組み立てられた知識や理論の力が大きく働いていることを言いたいのである。まさしく、〝猫に小判〟であるのに、小判を求めるのは、記憶とその上に組み立てられた思考によると言いたいのだ。

いや、それだけではない。社会の秩序やマナーや慣習、道徳などは、この金銭欲をも大きく抑圧、制限しているのだ。そして、金銭欲に走る者達を、〝がめつい〟や〝金の亡者〟として社会の批判、非難の的にしているのだ。

ただ、ここでもう一つ見ておかねばならないのは理性というものである。この理性というものが、必要＝力＝意味の頂点に立って、全体を支配しているのではないか、ということを見ていかねばならないのである。

理性は、世の中でもよく使われている。〝理性的〟とは、感情を乱さないで、落ち着いていて、冷静な判断をすることだとしていいであろう。人間は目の前の出来事や、自分の中の欲望によって大きく心が動く。時にはその動いた心によって取り乱すこともある。しかし、〝理性的〟と言われる人々は、このような感情を表面に出さないのである。

ヘーゲルの『精神現象学』では、感性の次に悟性があって、これは感性が受け止めたものを直接的に判断していく機能とされている。その上に来る理性はこの悟性の判断の上での矛盾を解決していく能力とされているとしていいであろう。このことは今程見た、世の中の〝理性的〟と相通ずるところがあるとしていいはずである。つまり、世の中の〝理性的〟も欲望や出来事からの強い力、取り乱すような問題、矛盾を解決していくことだからである。

ただ、ここではもう少し、違った意味で使っていきたい。世の中では冷静で感情を表に出さないことだけでなく、細かな様々なことに緻密な計算や判断する人間を理性的と言い、また、そのように頭を働かせることを理性を働かすと言っているのではないだろうか。欲望や感情を抑えるだけでなく、これらの欲望や感情をも自らの計算の中に入れて、そして先に見た、金銭や時間の網の目をしっかりと張りめぐらし、細かなところまで計算に入れて、自分の全体をこの理性と言っていいものが支配している人間も多くいるのではないだろうか。そして、これらの人々は金銭だけでなく、人生の目標や理想というものを持っていることも多いのだ。このような人々は全てをこの目標や理想の下で、自分全体を欲望や感情、そして金銭や時間の網の目、また細かなところでは口のき方や動作の一つ一つまでをも、計算、いや思考、考慮に入れ生活を送っているのである。いやいや、このような特別な人々だけでなく、大なり小なり、多くの人々は自分の全体を仕切る、支配する考え、その体系は持っているのだ。それが強く支配しているか、弱く支配していて、それとは違ったものが出てしまうかはあるだろうが、人間にはそれなりに、と言っておかねばならないが、全体を取り仕切る思考の体系は存在するとしていいはずである。つまり、必要＝力＝意味全体を取り仕切る、支配する思考体系である。

もちろん、ここまで見ると、思想、イデオロギー、信条、信仰というものが見えてくる。信仰ともなると、国家や民族全体が同じ価値体系、思考体系を持っていたのである。そして、ヘーゲルの『精神現象学』が理性の上に精神、絶対精神を置いているのも納得できるのである。この絶対精神には理想や目標だけでなく、ヘーゲルの時代はキリスト教の教えが存在していたはずなのだ。宗教が人々を支配していた時代は、必要＝力＝意味の隅々まで、宗教の教えが、信仰が支配していたのである。つまり、人々の必要＝力＝意味を大きく、いや、ほとんど完全に宗教が形造っていたのである。「神は死んだ」の現代に住む人間はこのような自分の存在を隅々まで支配してくれる宗教を持たない、なくしてしまい、理性によって自分で考えなければならないのである。宗教は反対に、神の教え、教典というものがあり、そして指導者、僧侶、神父という人々が細かなところまで、指導、教えてくれたのである。〝教える〟とは先にも見たとおり、言葉によってである。しかも、宗教の場合は、人間を隅々まで支配する膨大な言葉によってである。「はじめに言葉ありき」であったのだ。しかも、この言葉は、人間の全てを支配する。しかも、国民全体、民族全体、信仰する者全体を支配する、とても大きな力であったのだ。まさしく、神の力であったのである。

「神は死んだ」の現代では、人々は自らの判断で、自らの力で必要＝力＝意味を形造らなければならない。もちろん現代においても、親からの教え、学校での教育などが存在する。しかし、それらを通して、自らの理性を基本的には自らの手で形造っていかねばならないのだ。この理性を形造ることは、大人になっていくこと、また人間形成とか言われ、多くの人々はそれほど意識はしていないが、知らず知らずに造り出していくのである。というのは、現代人が生きる社会には、先に見た金銭の網の目、時間の網の目が張りめぐらされ、（いや、それだけでなく、学校や会社に行けば地位や役職の網の目が、また細かな規則が、いやいや社会全体がしっかりとした規則の網の目を持っているのだ。）その網の目に従い、うまく、無駄なく生活していかねばならないからである。そしてまた、自分の言葉や行動に矛盾なく、人々に信用されるように生きていかねばならないのである。そのために自らも合理的、整合性を持った、矛盾のない、理性というものを造り上げて、必要＝力＝意味を支配していかねばならないのである。

ただ、この理性だけでは、それは自らの生活に、つまり必要＝力＝意味に整合性、合理性を与えるだけなのである。人々はそれだけでなく、その上に、理想や目標、人生の生きがいなどを求めるのである。そして、この理想や目標は、必要＝力＝意味を支配する理性により大きな力、そして整合性、合理性を与えるのである。

そして、この理性の上には、社会の中にいまだに存在している宗教や、それに対抗するように存在するイデオロギー、思想が存在しているのである。理性もある程度の力を持って必要＝力＝意味全体を支配しているが、これらの宗教、特に現代に合わせて現れ出た新宗教と言われるものや、イデオロギー、思想などというものは、個人が造り上げた理性の支配を簡単に超え出る大きな力を持って人々を支配することを待ち構えているのである。それらは大きな力強い体系を持っており、個人が自らの理性によって判断する同じことを何倍もの力で決定し、人々を支配するのである。そして、それ以上に、個人の理性が支配する必要＝力＝意味を否定し、まちがったものとし、それに代わって大きな力の必要＝力＝意味を植えつけようとするのである。これらの宗教、思想、イデオロギーは、大きな力を持つ、人々を惹きつける理想をかかげているのである。そして、時には、その理想は社会の、現在の社会の在り方では実現できないものとして、社会の持つ、金銭の網の目、時間の網の目、そして社会の持つ地位や役職をつくり出している規則をも否定する内容を人々に教えるのである。そして、これらの網の目が矛盾を持ち、まちがっていて、決して理想などと言えるものではないことを教えるのである。

ただ、これらの中で最も強い力を持っていたマルクス主義、社会主義、共産主義は、一九九〇年前後、ソ連邦と東欧共産主義国の崩壊によって大きく力を失っていく。二十一世紀の現在、少なくとも先進資本主義国で大きな力を持った思想やイデオロギーは見当たらない。わずかに新宗教や昔からまだ残っている宗教がそれなりの力で持ってそれなりの広まりを見せている。多くの人々は、自らの造り上げた理性、その多くはそれほど完全ではないが、それによってその時々の判断をして日々を過ごしているだろう。ただ、このような人々にも、ヨーロッパの難民政策や、東日本大震災の後の日本、いや全世界からの援助の動きには、まだまだ人々の根底には、人間愛、ヒューマニズムというものが、それほどの力はもたないが、そして、人々もそれほど意識はしていないが、存在し続けているのでは、と思えてくるのである。

ただ、このような自らが造り上げた理性、それにより日々判断しながら生活を造る人々が大多数を占めるむこうに、とても強い力を持った宗教、イスラム過激派のテロリズムが見え隠れしているのである。ここには、人間愛、ヒューマニズムを超えた、とても大きな神の力が見えているのである。

以上見てきたことで、ここには、とても大切な、大きな意味を持った結論が浮かんでくるのである。言語と、それを積み重ねて生まれる理論が、人間にとても大きな力を持って働き続けているということである。つまり、理性、そして、その上に積み上げられた思想、信仰が、科学が人間の原動力とする欲望を抑えて、人間全体にとても大きな力を持っているということである。

言語、そして、それが積み重ねられて生まれた理論が力を持っているということなのだ。これは、人間の中の欲望を抑え、その欲望よりはるかな力を持っているということなのだ。欲望だけではない。欲望を持って向き合った現象によって様々に起きてくる感情をも、大きく抑え、それ以上の力を持っているのである。

この大きな力は、現代人ではほぼ理性と呼んでいいであろう。

この理性は社会が持っている網の目のように張りめぐらされた秩序、価値観と、人間の「我」の中の欲望や感情の中に入り、その関係を合理的に、整合性のあるものにしているのである。

もっと言えば、この理性は必要＝力＝意味の中に入り込んで、人間が様々な行動に際して判断する時の最高の力になっているのである。

この章の先のところで見た、様々な欲望、その欲望も大きく言語と結びついていたのを見たが、そして、それらの欲望が社会的力を計算に入れ、「我」の中に取り入れているのは理性であるということである。

そして、欲望が言語と結びついている時、その言語より、より大きな力の言語と理論によって抑圧しているのが理性なのである。

もう少し、必要＝力＝意味の中に入り込んで、具体的に見ていこう。

ただ、その前に、言語や論理がどのように、どのような力を持っているかは少し見ておかねばならないだろう。言語が力を持っているのは、先に見たとおり、幼い子供が小さい時から、親を中心とした大人達、そして近所の友達や先輩から、様々なことを言語によって教えられることからも理解できる。この中には強い命令形もあり、従わねば罰や様々な危険が及ぶことも教えられていく。これらはとても大きな力である。そして、これらの言語の多くは簡略化され、数個の単語だけになっていることが多い。このことは記憶されやすいように、そして記憶の中に入り込んで、それが必要な時に力を発揮できるように作られていることによるとしていいであろう。「頑張れ！」や「努力！」「注意！」「危険！」は単語一つだけだが、その都度何度も場面によって使われる。「人は右、車は左」「青は進め！　赤は止まれ！」など、交通ルールであるが、生活の一番基礎でもある。これらは社会で生きていくための、社会の規則、秩序を教えているとしていいであろう。また、「宿題は忘れるな！」「よそみするな！」は学校での授業を受けるための基本である。まだまだある。「人の家に黙って入ってはだめよ！」「人の顔をじろじろ見ちゃだめ！」いやいや、忘れてはならない、「いただきます！」「ごちそうさま！」「約束は守れ！」「時間に遅れるな！」…

これらの言語、「我」に力を与える言語のとても多くは、社会の持つ規則、秩序を教えていることになる。ということは、社会の持つ力を「我」に伝えていることになる。ここに見えているのは、社会の持っている力である。それを言語が「我」に教えているのである。これは言語の持つコミュニケーションの機能が、社会の持つ力を「我」に伝え、力を与えているとしていいであろう。それだけでなく、このことは見落としてはいけないだろう。本論で最初に見た、記憶と言語の結びつきである。そして、結びついた時、言語は記憶を固定する力を持っているのである。言語が記憶を固定することによって、その言語が引き出されることによってその記憶の持つ現象や意味が何度も「我」に甦るのである。これらは今程見た、社会的標語やスローガンだけでなく、自らの信条を述べたことわざや警句や、祈りの言葉などの形で、「我」に大きな力を与え続けているはずなのである。これらの多くはとても深い、多くの大きな意味を短い言葉に纏めた形で存在するのである。「なむあみだぶつ」や「アーメン」に至っては、そのむこうに宗教の持つ全ての意味が存在し、「我」の全体に、ということはここで見ている必要＝力＝意味の全てに浸透した力を持っているのである。いや、それだけでなく、尊敬する人、愛する人、恋する人の固有名詞がとても大きな意味を持ち、それを「我」は何度も引き出し、表象を浮かべ、その表象からやってくる力、やはり意味と言わねばならないもの、しかし、言語で表せない意味を感じ、噛みしめて生き続けているのである。つまり、短い固有名詞だけによって表される意味を伝えてくるのである。いや、人物の固有名詞だけでなく、芸術の作品名、コマーシャルに現れる企業名や商品名も、とても大きな意味を固定して、「我」にその都度、力を与え続けているはずである。

同じことは理論にも生じている。理論は言語によって、言語の中の単語をひとまとめにした文、その文を積み重ねた文章からできている。そして、理論とは誰もが認めるものであり、永遠ではなくても、長い時間正しいものとして受け止められている。つまり、理論には根拠がある。正しいことの証明が存在しているのである。もちろん、理論どうしの闘い、論争というものもあり、多くの人々に正しいと思われていた理論がまちがっていたことが証明され、否定されることもある。それにしても、多くの人々、いや、ほとんどの人々は、様々な理論を正しいものとして使い、それを頼りにしている。また、これらの理論をそのまま、つまり様々なまま、整理もしないで、その時々、その場面場面で思い浮かんでくるとおり述べ、まちがっていることをよく指摘される者もいれば、自らの持つ理論を、整然と一つの体系として持ち、他人がそれはまちがっているのでは、と指摘すれば、それを逆に反論して打ち負かして、自論の正しさを証明して見せる者もいる。いずれにしろ、理論は一般にここまで言語として見てきた、特にその中のいくつかの単語の集まったものよりも、強い力を持ったものとして存在している。

ここには理論の持つ根拠、正しさの証明の力が存在するのである。ということは、人間社会では、まちがったことを許さない、正しいことだけを認めるという秩序、規則が存在するということである。もっと言えば、まちがっていることを押し進めれば、そのまちがい、矛盾が、仕事や様々な社会の活動を混乱におとしいれ、社会が混乱してしまうのである。それでは、人々は生活していけないし、社会が保たれなくなってしまうのである。

これは言語の持つ、とても大きな力である。その力の源は社会に存在するとしても、その力は「我」に伝えられ、時には、というよりも「我」は意識はしていないが、平常の生活でも大きな力で在り続け、そして、それが必要な場面では、「我」もそれを引き出し、時には議論にも用いられたりもするのである。ということは、この理論も記憶と結びついて、意識の中に大きな力を持ちながら、存在し続けるのである。いや、この理論の方は言語よりもより強い力で、しかもより長く意識の中に存在し続けるのだ。

このことは、言語が「我」に入る時、それを受け入れるだけのことがほとんどであるのに対し、理論の方は、まずはそれを理解し、そしてそれだけでなく、自らで組み立て、それを完成に導いて自分のものにするのである。ここには、意識の働き全体の機能を支えている脳の働き、それも大きな思考の働きがあるのである。この時、脳は大きく働いているのである。ただ、本論はこの思考からはまだまだ遠いのである。しかし、その遠さから、ここでは見ておく必要があるのである。

その遠さから見ると、思考とは、本論のこの段階からは、単語を一つ一つ積み重ね、文を積み重ねていくことである。単語はほとんどが脳の中に記憶として保存されていて、先にも見たとおり、それ自身力を持っている。もっとわかり易い言い方をすれば、意味という力を持って存在している。この単語どうしを積み重ねた時、より大きな意味、「我」にとって力を持った意味に変わるのである。いや、それだけでなく、その単語を積み重ねていく作業、働きそのものが、大きな力を生み出していっているはずなのである。つまり、言語の力として見たものがほとんど受け身だったのに、こちらの思考は能動的、主体的なのである。この時、思考する時、「我」は自分の中の記憶の中に単語、そしてその集まりである言語を引き出してきて、自らがこれから作り出そうとする論理のぼんやりとした、陰のような存在を気にかけながら、積み上げげながら、作業するのである。この時、意識の中に、大きな力、論理を造り上げようという必要＝力＝意味が存在し、それをまた意識の中に存在する単語と、その集まりの言語を対象とした対象＝意識を形造っているのである。これらは、しかも、全て「我」の意識の中で起きているのである。

意識の動きの中には瞬間的で、「我」にとっても無意識や無意識に近いものも多くある。しかし、ここで見ている思考は、「我」はそこに注意を向けて、集中して、「我」の自覚の中で、運動させているのである。自らの中の対象、そのほとんどは記憶の中に存在する言語であるが、これらを幾つか集めて文に、その文をまた幾つか集めて文章にしなければならないのである。しかも、これらは整合的でなければならないのだ。先に見た、社会が持つ秩序、規則と、そしてまた、その社会からの力で組み立てられた自らの中の規則、理論と整合的でなければならないのだ。これらのことを照らし合わせながら、思考は進むのである。（このあたりは、思考を遠くから見ている本論の段階では、推論的に進むしかないことを許していただきたい。）ゆっくりと落ち着いて、慎重に、である。ただ、思考も、過去の蓄積、経験、公式のようなものを持っているので、年齢を重ね、思考を重ね、それを積み上げている人々はかなりのスピードでかなりの難しい理論を組み立ててしまう。そうは言ってもこのような人々も、新しい問題に出会った時、やはりなかなか進まない時もある。こんな時、使われるのが、言語を、記憶の蓄積の外へ出すこと、意識の外へ出すことなのだ。つまり、紙に文字として、自らの思考を目に見える対象として造り出し、その上で思考を進めていくのだ。このような難問を文字によって思考を進めていく時、多くの人々は、指先に力を入れて、いや、それだけでなく、全身をその文字、文章に集中させながら思考を進めるのである。意識の中に大きな力がゆっくり動いているのだ。でも、多くの人々は文字にすることもなく、時には何日間も、いや、何か月も、また、人生の問題ともなると何年もかけ、考え続けることになる。

ここには、意識、心、精神と言われるものの中で、とても大きな、力を持った動きが存在していることになる。これらの力は、幼少の時はほとんど存在していなくて、弱いものである。だから、親を中心とした様々な大人達、そして絵本やテレビの番組などから、小学校に入れば、先生達の意見を受け入れていく。そして、これらの意見、理論によって子供は少しずつ成長し、自らの思考力を蓄え、育てていく。この段階で、既に、欲望や感情を支配する力が育ってきているとしていいであろう。そして、このような思考の力が育ってきた時、まわりの人々はその人間を「大人になったな」と評価する。ただ、今見ていたような「我」の内部で、「我」の内部の言語でそれらを自らの意志で積み上げていくことが起きるのは、早くて中学生の二、三年、通常は高校に入る頃からではないだろうか。この頃は性欲がとても大きな力を持つ時代でもある。これらを抑圧するためにも、とても大きな力が必要であるとも考えられる。食欲もとても大きくなるし、好奇心もとても大きくなる時代である。このような欲望を抑圧するためには、ほんとうに大きな力を必要とするのだ。しかし、多くの人々の中ではこれらの欲望を抑圧することは大切なことであることは分かっているが、これらを抑圧するために思考を形造っているという自覚は弱いはずである。この時代はそのような形ではなく、人生の目標、理想を求める時代でもあるのだ。思考の方はこちらの方とともに形成されていくとしていいであろう。この形成のため、先輩や先生や、書物に、その材料や形成の仕方を学ぶ者も多い。しかし、それらを受け入れる時は、自らの中に取り入れ、自らの思考によって、しかも力を持った思考によって取り入れ、自らの思考体系を形造っていくのである。このような思考の形成は、自らの意識の中に、食い込むような形で築き上げられるのである。そして、このような力が、必要＝力＝意味を大きく支配し、というよりも、必要＝力＝意味を形造ってしまう。これらは様々な欲望より大きな力として、「我」の中に君臨する。欲望はこの思考の体系、理性の下で支配される。また、様々な出来事から起こる感情も、この理性の下に支配される。そして、また、日常生活で起こる様々な問題に対する判断も、この思考の体系に照らし合わせる、伺いをたてる、支配の声を待つことが起きてくる。

このような理性、というよりも、もっと、この論文で言う、必要＝力＝意味を支配する力はおおよそ、成人の頃に完成するとしていいであろう。こう考える方が正確、実情に近いであろう。つまり、必要＝力＝意味を統一した、全体として整合性を持った力が出来上がるのである。そして、理性とは言ったが、世の中に、理性的と言われる人間はかなり少ないのである。また、このような力を意識的に整合的に整理している人間もやはり少ないのである。ただ、宗教やイデオロギーが浸透している人々は、それらの思想の持つ一貫性、整合性によって、力強く整理した形で必要＝力＝意味を支配し、生活の上でも、人生の歩みにおいて、また様々な場面でも、矛盾のない一貫性整合性を持って生き続けることになる。一方、これらの人々は、人生や社会の出来事を彼等が信じている思想によって、他の人々には強引とか独善的と思われる形で解釈し、対応することになることも時にはある。他方、そのような思想を持ち合わせない人々は、この必要＝力＝意味を支配する力がそれほど強くなかったり、その都度、その場面で様々な、一貫性とは言えない態度や対応をとってしまう。「あいつは変わっとる」とか「頑固な奴や」とか「感情にすぐおぼれる」とか様々に言われる者も出てくる。しかし、おおよその人は、自らの中の支配する力を、社会の持つ秩序、規則を考慮する方向に向け、また目新しい、どう対処すればいいのかという局面に出会った時、様々に考え、ということはその問題の中身を、今までの経験や知識に照らし合わせ、なるべく波立たぬように、ということは社会の秩序に従う形で解決しようとする。そして、このような人々を世の中では常識的という。

こう見てくると、理性と名付けて追ってきたこの必要＝力＝意味全体を支配する力は、理性とはかなり遠い、人間がそれぞれに持つ、様々な性格というものによってそれぞれに異なる力とも見えてくる。というよりも、この必要＝力＝意味の全体を支配する力が大きく人々の性格を形造っているのでは、とも言える。そして、理性とはほど遠い力ではないかとも言わねばならなくなる。

ただ、そうは言っても、必要＝力＝意味全体を支配する力が存在することだけは確かであり、しかも、この力の構造は、「我」の中ではそれなりの理論によって、というよりも、「我」の理論によって形造られていることだけは、おおよそ正しいとしていいであろう。ただ、この理論も、世の中での、あるいは学問上の理論とはほど遠いものも多く、他人から見れば、一貫性にも欠けるし、矛盾したものに見える、しかし、「我」の中では、それぞれの人生の中での経験や知識、その中で、強い力でやってきたもの、それが大きな力で「我」の中に残ったものを核にした、それなりの整合性を持った、というよりも「我」の中では整合性を持った、とはいえ、その整合性もそれほど意識されることもない、しかし、そんな意識されない時は、なおのこと大きな力として、必要＝力＝意味を支配し続ける存在であると言えるのではないだろうか。

3．必要＝力＝意味と対象＝意識

以上、長々と必要＝力＝意味を見てきたが、この必要＝力＝意味は、これだけでは意識の片側であり、そのもう一方に、それに向かい合う対象を必要とする。これは必要＝力＝意味が、科学で言うところの欲望にあたり、その欲望が対象を必要とするのと同じことである。また、真理を求める哲学では、このような欲望は消し去られ、意識は主観と客観に分けられている。

ただ、本論では、このような対象に向かう意識を対象＝意識として見てきた。これは意識の構造を考えた上で、対象に向かっている意識全体を、構造として表現したものである。「我」が一つの対象に向かい合っている時、その時、意識として向かい合っていて、その意識構造を表しているということである。意識ということは、「我」はこの対象に向かい合っていることを知っているということである。そして、本論では、この知っていることは記憶に残って保存されていく、として見てきているのである。そして、それだけでなく、この対象＝意識を取り囲んで、世界＝意識が存在すると考えているのである。というのは、「我」は対象に向かい合い、勉強や仕事やスポーツに集中していても、「我」は自分が世界のどこにいて、市のどこに、そして、学校や工場やクラブのどこにいて、それでいて、教科書や機械やボールに集中していることを記憶の中でとらえている、知っている、少なくとも記憶の中に保存しながら、生活を進めていると見ているからである。それだけでなく、この対象＝意識と世界＝意識の間には幾つもの層があることを先に見ておいたのである。もう一度、それを、テニスボールに集中している対象＝意識を例に見てみれば、黄色のボールに対象＝意識が形造られているが、それが対戦相手が誰でゲームカウントがどれだけで、という記憶が取り囲み、その外には今日は休日で、○○クラブでテニスをしているのだ、という記憶、意識が取り囲み、その外には自分は○○市の△△町のどこに住み、こんな職業で生きているという記憶、意識が取り囲み、その外には…となるのである。このような見方は、これまでの哲学書の意識とはかなりかけ離れているのである。意識の定義もさることながら、これは意識を無限のと言っていい記憶の蓄積の場と見ている本論独自のものである。今程見た、テニスの黄色のボールに集中している対象＝意識だけでも、このボールがどれだけの弾力性を持って、どれだけの重さであるか、そして、これが缶をあけてどれだけ使われているか、だから、どのような性質を持っているか、またそれに対して自分のラケットは…また、相手のサーブの速さ、回転、どこによく打ってくるか…などなど、だからスポーツは面白いのである。また、世界＝意識も無限なのである。自分が何市のどこに住み、自分の家から会社への道、その道のどこに信号機があり、どんな店があり…なのだ。それ以上に、自分の家族、友人、仕事仲間…いや、自分の好きなアイドル、選手、みんな無限の知識、記憶で満たされている。

そして、この無限の知識、記憶で満たされ、埋められた世界＝意識の中から、「我」はその都度、その時その時、対象＝意識を形造って生活をしているのである。テニスで見れば、黄色のボール、ボールの回転、弾道、バウンドした場所、そのバウンドの様子、…これらは意識が集中している、焦点になっている対象＝意識である。その間に「我」の体はラケットを持ちながら、そのボールに合わせて、つまり集中された対象＝意識とともに動いているのである。つまり、見ている対象だけでなく、その見ていることが体全体を動かしているのである。だから意識であり、対象＝意識なのである。同じことは勉強、読書をしている時も起きている。「我」が対象＝意識を集中させているのは、一個一個の文字、その連続した流れ、文、文章である。しかし、この時「我」の体は自分の部屋の机に向かい、読書のための姿勢を保ち続けているのである。いや、読書の場合はそれだけではない。「我」の脳の中には、小説ならば、主人公のイメージ、場面、主人公が話している相手などなどが次から次へと浮かんでくるのである。同じようなこと、似たことはテニスでも起きている。ボールを追いながら、相手の技術、ボールの癖、風、コートサーフェスの状態など…ただ、この時はそれらはちらつくだけで、やはりボールに集中しているとして良い。脳の中が動くのは、相手がサーブの構えに入った時である。「我」はもちろん、相手のサーブする姿勢に対象＝意識を形造っている、時には相手の眼付き、また、時にはトスをあげる手の指先などに対象＝意識を集中させる者もいる。しかし、この時一番働いているのは、脳の中なのである。相手がどのようなサーブを打ってくるのか、フラットかドライブかスライスか、そして、そのサーブのそれぞれの相手のボールの癖、特徴、そのためにはカウント、いや、その前に、ファーストサーブかセカンドサーブか…等々、頭の中はすばやく動いている。この間、体は、じっとレシーブの構えを保っている。

対象＝意識は次から次へと動いているのである。そして、この時、肉体も脳の中も、その対象の動きに合わせて、次から次へと動いているのである。真理を求める哲学者が、その第一歩として、目の前の事物をじっと見、そこから現象とその本質を見極めようとするのとは、大きく違っているのである。この時、哲学者はじっとしていて、次から次へはないし、彼の肉体や脳の中の動きは止まっている。いや、無になっているのである。真理を、絶対的真理を求めるためにはそうでなくてはならないのであろう。

この次から次へとを指令しているのが、必要＝力＝意味ではないか、ということなのだ。

テニスから見ていけば、黄色のボールに集中している時は、「このボールを見なければならない」という必要＝力＝意味が働き、そして、そのボールの回転を見ている時には、「このボールの回転を見なければならない」が働き、次にこのボールの回転を予測するために、記憶の中の過去の相手のボールの癖に対象＝意識を形造った時は、「このボールがどのように変化するかを考えなければならない」という必要＝力＝意味が、…という具合に次から次へと対応しているということである。そして、これらの次から次へを被うように、「このボールは相手のバックへ強い、回転のかかったボールを返さなければならない」という層があり、また、その上には、「ここは相手のサーブで、今、サーティ・フォーティだから、このポイントをものにしたい」という層があり、そのまた上には、「今、ゲームポイントは4―4だから、このゲームを取れば、だから、このポイントはとても大事で」…という層が、そのまた上には、「今日はあいつに勝たないと、先週はアホな負け方をしたからな…」と層が重なっているのである。

次から次へと、という対象＝意識に対応している必要＝力＝意味を見たが、すぐに層というものが見えてきてしまった。しかも、今見た層は対象＝意識のところでは見なかったものだ。この上の層として見た必要＝力＝意味が働いている時、対象＝意識はやはり黄色のボールの瞬間毎の、いや、そのボールの動きにじっと集中しているはずなのである。ただ、この必要＝力＝意味の上の層に対応しては、このポイントのボールの流れ全体に形造られた対象＝意識が見られるし、その上にはゲーム全体の流れに形造られた対象＝意識も見えてこないわけではない。ポイントを取りたいという必要＝力＝意味に対応する対象＝意識はこのポイントの間ずっと次から次が動いて、ボールが着地した場所への対象＝意識、そしてそれがはね返ってきた時のボールへの対象＝意識、そして、この時ちらりと見えたのは相手の動きで、これにも対象＝意識が、…またボールを打った瞬間にはこのボールに対する大きな集中力、ラケットの動き、つまり体全体の動きが伴い、打った後はそのボールを追ってと、次から次へはめまぐるしく動きまわり、その間に体も脳も働いて、という具合になるのである、…

この次から次へを大きな力で支配しているのは、そしてずっと支配しているのは、上の上の層に存在する「この勝負に勝ちたい」という必要＝力＝意味であろう。これは、決して生物学的欲望そのものではないが、説明の仕方によっては、生物の持っている闘争本能の変形だとも考えられる欲望である。これはとても強くなって、試合の間、ずっと大きな力で働いているとしていいであろう。そして、この力が一ゲーム一ゲーム、そしてまた、一ポイント毎、それだけでなく、ボールを追い、ボールを打ち、それをまた追い、という瞬間毎の指令塔になっているのである。その指令塔からは次から次へと指令が飛び、ボール、その回転、スピード、バウンド、それだけでなく、相手の動き、相手の表情、そして、相手の過去の対決からの記憶へと、つまり脳の中へと、対象＝意識は忙しく飛びまわっているのである。そして、また、その対象＝意識はボールやプレーの相手や、時には脳の中への対象だけでなく、その動きに伴い、体全体が自然に動いているのである。まさしく、意識なのである。「我」の全体が、この対象＝意識として動き続けているのである。だから、スポーツは面白いのである。同じことは生活の中で、仕事の時も、勉強の時も、他の遊びの時も、ずっと動き続けているのである。車を運転している時も、対向車、歩行者、前を行く車のスピード、信号、そして、信号待ちの時は、「ええと、今日の仕事は…」とか、「これから、家へ帰って」とか「今日はどこの店へ…」とか、脳の中へも行き、また信号が青になったら、対象＝意識を次々へと移動し、スピードメーターも見て、標識も見たり、その間、体は、腕はハンドルを回転させ、足はアクセルとブレーキを交互に踏んで、しかし、それほど、これは忙しいというほどでもないのである。そして、ここで忘れてはいけないのは、この車の運転している時の大きな必要＝力＝意味は、「会社に間に合うように行かねばならない」「やっと家に帰れる。気を緩めないで、安全運転で」とかであり、感情も大きく入っているのが見えてくる。

哲学者が、主観、客観として、絶対的真理を求めるためじっと対象に向かい合っているのと大きく違っているのである。一般人の生活は次から次へと、とてもめまぐるしく変化しているのである。絶対的真理などからはとても遠いのである。

そして、ここで言いたいのは、この次から次への間、たえず必要＝力＝意味が働いているが、この必要＝力＝意味には、記憶が、知識が、思考が恒にからみあっているということなのだ。テニスボールのスピード、回転、弾道には複雑な物理学的な知識もからんだ知識が存在しているし、対戦相手の表情、フォーム、動き、そのスピード、打ち出すボール、そのスピードにはいくつもの記憶と、それらに関連する知識が存在し、それらが次から次へとプレーとともに、ボールの動きとともにやってきているのである。このような記憶、知識の引き出し、それに伴う思考が存在するから、スポーツはまた一層面白いのである。

同じことは勉強や仕事でも起きている。教科書に向かっていると、次から次へと文字を追い、文、文章、頁、そして問題へ思考、頭の中へ対象を造り、つまり、対象＝意識を形造り、それを動かし、…と続く。仕事でも、図面を見て機会に向かい、加工すべき部品をセットし、スイッチを押し、機械が動き出し、部品へ削り出しの刃が近付き、切削がはじまり、その削られていく様子を見て…となる。ただ、これらの勉強でも仕事でも体はほとんど動いていない。だから面白くないのだろう。対象＝意識は次から次へと動いているのにだ。その間に記憶は働き続けている。勉強は文字一個一個が記憶によるし、それらが連なった文章を理解できるのも、それを理解するだけの知識、記憶が働いているからである。仕事でも、図面、加工すべき部品、そして機械に対する理解、その理解を基礎づける知識。それをまた基礎づけているのが記憶であるということなのだ。そして、この次から次へとに対応する、記憶、知識を引き出し、思考し、勉強を進め、仕事を進めているのは、本論ではやはり、必要＝力＝意味であるとして見たいのである。つまり、この必要＝力＝意味の中には無限の記憶、知識、そして思考が存在するとしたいのである。そして、これらの無限の記憶、知識、それからの思考はまた、向き合った対象へ向かって引き出され、働いているのである。もっと言えば、必要＝力＝意味が対象に向かい、つまり、対象＝意識を形造り、記憶、知識が引き出され、思考が働き続けているのである。これが対象＝意識と必要＝力＝意味の構造なのである。対象＝意識が次から次へと移り変わると同時に、必要＝力＝意味も次々と記憶や知識を引き出し、思考を続けているのである。また、対象＝意識の次々への変化は、テニスや車の運転の時は対象の次から次への変化であるのに対し、勉強や仕事では、それほど対象は変化することなく、あまり変化のない、文字の列や、削り出されていく部品の様子をじっと見ている、対象に向かわせているのは、やはり必要＝力＝意味からの力が主であるということになるだろう。その力は、「この問題を解かねばならない」「宿題を終わらせておかねばならない」とか「この部品を仕上げておかなければならない」「この図面は午前中に仕上げておかねばならない」というより上の層の必要＝力＝意味が存在するのである。そして、その上には、「勉強をしっかりして、将来ちゃんと就職して…」とか、「オマンマを、そして、家族のために、仕事はせんと…」という科学での欲望に近いものが見えてくるのである。

以上見ていると、日常生活の中では、対象＝意識はめまぐるしく動いている。そして、それを動かしているのは、必要＝力＝意味であり、その対象＝意識の動きに応じて、次から次へと記憶や知識を送り込み、また思考し、対象に対応し、そしてまた、体もそれに合わせて動かし、生活が進んでいる、進めているとしていいであろう。この時、スポーツや運転の時のように次から次へと対象が動いている場合は、その対象に合わせて、必要＝力＝意味もそれに応じて、記憶、知識などの情報を出し、その上で思考し、体を動かし、という具合になり、対象が動かない勉強や仕事ではまずは必要＝力＝意味が働いて、その対象を順に追っていったり、次から次へと手順を進めていったりという具合になっているとしていいであろう。これをもって、対象が動いている方を受動的、対象が動かず、必要＝力＝意味の働きで順にというのを能動的と言ってしまえばまちがいになってしまう。世の中では、勉強や仕事は受動的、運転はともかく、遊びやスポーツは能動的と考えている人々は多いはずである。この能動的、受動的は、このような対象に接した、次から次へと動く対象に直接関わる対象＝意識と必要＝力＝意味の関係ではなく、先に見た、もう少し上の層のレベルでのことになるということである。世の中では、対象が次から次へと変わる方が、つまり、スポーツや遊び、また舞台や映画などの方が面白いとなり、仕事や勉強などのように動かない方がつまらない、面白くないという方が多そうである。しかし、これも程度の問題、状況しだいで、事故や災害ともなると、対象の動きは恐怖となるのである。

ここでは、生活の中では、対象＝意識とそれに応じた必要＝力＝意味は次から次へと変化し、動いていることが多いことを確認しておこう。例え、対象が一番動かなく見える勉強や読書でも、次から次へと文字は、文は、頁は問題や章やテーマは変化しているということも、もう一度確認しておこう。そして、その対象の動きに合わせ、記憶、知識が引き出され、思考が働き、そしてそれらに伴い肉体が動いていることも確認しておこう。

そして、ここで、もう一歩踏み込んでおかねばならないのである。この時の思考や肉体の動きへまでは本論ではなかなか遠いのであるが、引き出される記憶と知識についてもう少し見ておく必要があるのである。この引き出される過程、そして、何によって引き出されるのか、この〝よって〟とは、いわゆる目的や意志やによるのか、そうではなく、肉体や脳の中の働きによるのか、その時によるのか、…様々に見ていかねばならないはずなのである。

テニスボールが近付いてきて、そのボールの回転に対象＝意識を形造った瞬間を見てみよう。よく見ることができるように、相手のセカンド・サーブのボールの回転に集中している時としてみよう。ファースト・サーブではボールの回転よりも、そのスピードやコースに意識は集中され、ボールの回転には集中されないし、速くて見えないことも多いのだ。それなりにテニスをしているプレイヤーはセカンド・サーブは多くはボールを自分の頭上にトスして、ラケットを体の後ろに構え、下からこすり上げて回転をかける、ドライブサーブを打ってくる。レシーブをする方は、このボールの回転の前に、サーバーがサーブを打つフォームを見ている。その体の動きを見ていれば、相手のサーブの弾道、速さ、回転がおおよそ、見当がつくからである。だから、飛んでくるサーブの回転を見ていても、この相手のサーブを打った時のフォーム、いや、それだけでなく、ラケットとボールの接触の仕方、いわゆる薄めに当たったか、厚めに当たったか、それを見ていた、つまり、その時の記憶を確かめるように、その回転を見ていることになる。そして、また、その回転を見るのは、ボールが落ちてバウンドしてからの弾道を予測するためでもある。

いや、まだここに見ておかねばならないことがある。ボールの回転と弾道、そしてバウンドした時のコースに対する物理学的知識である。ボールの回転はコース、弾道を変化させるという知識である。もちろん、ここでは物理学的な回転の速度、ボールのスピード、そしてそれらによる変化を正確に計算する方程式は登場しない。そんな計算よりも、プレイヤーが持っている今までの経験が大きな判断の材料になっている。この経験による知識があるから、ボールの回転を見るのであって、それによってボールのその後のたどる弾道、コースが予測できるのである。また、このような計算に近い、しかし、そのおおよそは経験による予測だけでなく、これも経験からのものであるが、相手のサーブ、セカンド・サーブの癖についての知識も頭をよぎるのである。これはクラブの中で何度も闘ったことのある相手にだけであるが、相手のボールの癖はやはり予測に大きな要素を提供しているのである。ボールがバウンドして手許に来てから右や左に変化して、ミスショットを誘うことがあるのである。

ここで、整理しておけば、ボールの回転に対象＝意識を形造るのは、そのボールの弾道を予測するためなのである。コースを予測しよう、しなければならない、という必要＝力＝意味が働いていることになる。ただ、このボールの弾道の予測は、ボールの回転だけではだめで、相手がサーブを打った時のラケットとボールの当たり具合、その時の音、そして、ラケットを離れてこちらへやってくるスピード、そして、それからボールの取る弾道、それが近付いてきてボールの回転がよく見えるようになってからの回転と、ずっと対象＝意識が形造られ、次から次へと移動しているのである。ボールの回転に対象＝意識を形造った後も、その後のボールの着地までのボールの弾道、そしてバウンド、バウンドした場所のグラウンド状態、それから、こちらにやってくるボールの弾道、その変化、これらにずっと対象＝意識は形造られているのである。これらの対象＝意識はボールを打つ瞬間までのボールへの予測という必要＝力＝意味がずっと働いているとしていいであろう。そして、その後ろには、ラケットでボールをしっかりと、スイートスポットへ当てて打ち返したいという必要＝力＝意味が存在しているのである。これらの必要＝力＝意味に対して、今見たような次から次へのボールへの対象＝意識が形造られ続けていたことになる。しかし、ここではその瞬間毎の次から次へを大切にして見ていきたいのである。この瞬間毎の一個のボールに対する対象＝意識の変化、そして、その変化に伴う、記憶、知識、経験の瞬間毎の閃き、これらは、必要＝力＝意味と対象＝意識のとても大切な関係を見えるようにしてくれているのである。なぜなら、対象＝意識と必要＝力＝意味を結びつけているのは、これらの記憶、知識、経験なのではないか、ということなのである。ボールの回転とその後の変化に対する物理的な知識、そして相手のボールの癖などの記憶、知識、経験がボールの弾道を予測したい、という必要＝力＝意味に、ボールの回転に対する対象＝意識を形造らせているのが見えてきているのである。これらの記憶、知識、経験はボールの弾道の変化を予測したいという必要＝力＝意味の中から湧き出てきているのでは、と言いたいのである。

しかも、このボールの弾道を予測するにはボールの回転だけではだめで、ボールのスピード、相手のラケットから打ち出されて、ラケットを離れてここまでやってきた弾道、そして風、また相手の癖など、そして、この後、このボールが自分に近づいてきて着地するまでの弾道、そしてバウンド、バウンドしたボールがこちらに近づいてくる弾道、それが手許に来て…とこれらの一連の次から次への対象＝意識の移動は全て同じボールの弾道の予測のため、そして、その後ろに控えるボールをしっかりとらえ、ラケットで相手のコートへ、バックへ打ち返そうという必要＝力＝意味のそれであるということなのだ。つまり、相手のセカンド・サーブの弾道を予測して、それを相手の苦手なバックへ思い切ったリターンを返そうという必要＝力＝意味が、これらの次から次への対象＝意識を形造っているということなのである。ここで確認しておくべきことは、必要＝力＝意味が対象＝意識を形造っているということなのだ。そしてまた、ここで大切なのは、単にボールに対象＝意識が形造られているわけではない、ということなのだ。ここでは、打ち返すべく、ボールの弾道の予測のために必要な、ボールのスピード、こちらへ近づいてくるボールの弾道、回転に対する必要＝力＝意味が形造られているということなのだ。まさしく、すばらしい、力のこもったリターンを返そうという必要＝力＝意味の必要が働いているということだ。いや、必要だけでなく、力を見れば、「我」の中に、すばらしい、相手の苦手なところへ、力のこもったリターンを返そうという、大きな力が働いているし、意味には、そのリターンがこのゲームの中で持つ意味、大切さ、いや、その前に、このポイントを取るための重要な意味が存在しているということなのである。そして、このような必要＝力＝意味が対象＝意識を次から次へと形造っているのである。そして、また、この対象＝意識の中の対象から、その意味をも取り入れているのである。ボールの回転だけに限れば、その回転がボールの弾道に大きな意味、力を持っていることを知っていて読み取っているのである。

そして、ここで見えてきていること、それから考えなければならないこととは、ずっとこの同じ必要＝力＝意味に対して次から次への対象＝意識の変化、しかし、ただ一個のボールへ同じ対象＝意識が形造られていることなのだ。だが、その一個のボールの様々な在り方に対象＝意識が形造られているということなのだ。このことは、一個の対象＝意識だけでは一つの必要＝力＝意味を満足することができないことがあることを示していることになる。一つの必要＝力＝意味のためにいくつもの対象＝意識が形造られていることを意味している。今の場合は、ボールの手許に来てからの弾道の予測のために、相手のラケットを離れて自分の手許に来るまでの次から次の対象＝意識の変化の一つ一つが必要であることになる。

同じことは読書でも起きている。文字、文章を理解するために、次から次へと文字は追い続けられているのである。このことは拡大すれば、一つの小説や評論や論文を理解するために、文字→文→文章、段落→節→章→という広がりも見えてくる。同じことは料理を作る時の次から次へ、仕事の段取りの次から次へ、と見えてくるし、テニスに戻れば、ポイント→ゲーム→試合という広がりも見えてくる。テニスの場合はこの間、「このゲームをものにしたい」「この試合に勝ちたい」という大きな必要＝力＝意味の下に次から次へ、が展開していることになる。

ここで、先に見た、同一性直観、差異性直観をこのテニスの場面に当てはめてみよう。テニスボールはずっと同一性として追いかけられているだろう。しかも、これに対しては、まだ、いつ、ニューボールとして、缶から取り出されたボールであるか、は多くのプレーヤーの中の記憶に残っているはずである。試合をはじめる前に取り出されたか、三日前に取り出されて、どれだけ使われたかは、ボールの表面や重さに微妙な差異性が生じるのを知っているのである。ただ、多くのクラブでの試合は同じボールは同じ試合で使われ続ける。つまり同一性が保たれている。試合が続けば少しずつボールは…ここまで気にするプレーヤーはほとんどいない。というのは、試合中は、ボールは打たれ続け、この先に打ったボールはほぼ同一性を保っているからである。このようなボールの新しさ、古さについての対象＝意識はほんの瞬間で消えている。

セカンド・サーブのレシーブの次から次へとを見ていくと、…いや、ボールの回転に対象＝意識が形造られている時に限って見てみよう。このボールの回転に対象＝意識を形造るのは、基本的には差異性を求めている、確かめている、としていいであろう。つまり、いつもの相手のサーブの回転とどう違うかである。いや、また、先程のセカンド・サーブの時とどう違うか、違っているかどうかだけでなく、どれだけ違っているか、ほとんど違わないのか、大きく違っているのか、ああ、これだけなのか、なのだ。これは、先程も見た、ボールの打つ瞬間までの弾道の予測に大きな要素となるからである。これは、ほんの瞬間、一秒間の何分の一の瞬間であるが、プレーヤーは閃くように確かめるのである。同じことは、相手のラケットが球を打った瞬間、その場所、音、ラケットを離れて飛んでくる弾道、スピード、バウンド、その場所、バウンドの仕方、手許へのスピード、そして手許での変化、…と差異性を確かめ続けていることになる。いや、それだけではだめである。プレーヤーはこの瞬間毎の対象＝意識と同時に、打たれた球全体の動き、スピードを見て、それの差異性を確かめているのだ。今度のボールは先程のボールとどう違うか、また、いつもの相手のセカンド・サーブとどう違うか、これらを見届けなければならないのだ。

そして、ここに見えてきているのは、相手のセカンド・サーブの癖、その弾道、スピード、そんなものが、そうはっきりしたものではなく、なんとなく、レシーブをする「我」の中に浮かんでいるのでは、ということなのだ。これは、相手が、サーブの構え、そして、トスをあげようとしている時、なんとなく浮かんでいるのではないだろうか。プレーヤーによっては、かなりはっきりと浮かべている者もいるであろう。予測しているのである。このなんとなく浮かんでいる、プレーヤーによってははっきりと浮かべている相手のセカンド・サーブの弾道のイメージは、同一性直観、そして、差異性直観のところで見た、型紙のようなものにあたるであろう。相手のサーブに対する同一性直観の基本になる、そして、それから離れた差異性直観の根拠となる、しかし、けっしてそれほどはっきりしない、多くはなんとなく浮かんでいる型紙のようなものが存在しているのでは、ということなのだ。そして、今、プレーヤーは、相手のサーブの構え、トスをする相手に対象＝意識を形造っているが、先程も見たとおり、相手の打ったボールが手許に来るまでは、次から次へと対象＝意識を移しながら、ずっと相手の打ったセカンド・サーブの弾道を予測したい、しなければならない、という必要＝力＝意味が大きく働いているのである。この必要＝力＝意味に対応して、この相手がサーブの構えをしている時、そしてトスをあげようとしている時、相手のサーブの弾道の型紙のようなイメージが浮かんでいるのである。この型紙のようなものは、先にも見たとおり、認識というものを見ていく時、やはり大切なものなのであろう。そして、この型紙のようなものは、弾道だけでなく、ボールの回転、速さなども入っているであろう。また、この型紙のようなものに対して、意識的に相手のサーブを思い浮かべようとしているプレーヤーは対象＝意識を形造っているということになるだろう。その時は、相手のサーブの構えやトスの動きは対象として、対象＝意識として薄れているとしていいであろう。また、一方、なんとなく相手のサーブの弾道が浮かんでいるプレーヤーの中では、この相手のサーブの弾道の型紙のようなものは薄れたままで、目の前の相手の動きが主であるとしていいであろう。

しかし、ボールが相手のラケットから離れた瞬間、意識的に思い浮かべていたプレーヤーからも、型紙のようなもののイメージはほとんど消え去ってしまっているとしていいであろう。しかし、それはどこかに残っているのであって、なぜなら、相手のサーブが飛んできている間、「おお、今度は遅いな」とか、「今日、あいつは調子いいな」とか、様々な差異性や同一性の判断をプレーヤーはする、いや、単に浮かんでくるだけかもしれないが、…確かに、同一性や差異性の根拠になる型紙のようなものが、意識のどこかに存在しているはずなのである。

これは確かに先に同一性直観と差異性直観を見た時の同一性と差異性の根拠となる型紙のような記憶としていいであろう。しかし、この根拠となる型紙のような記憶はそこでも見たように、けっして一定のものではなく、まして普遍的などと言えるものでなく、ぼんやりとしていて、時には消えてしまっていることもあり、けっして明瞭なものとは言えないものである。

また、一つの代表するある時の記憶でもなく、それを見た過去からの記憶の積み重ねの平均的なものでもない。なんとなく、それらしいものであるとして見ていたのである。

相手がサーブの構えに入った時思い浮かべる弾道も、けっしてはっきりしたものではなく、なんとなくのものであり、いつの試合のどんな場面のものというものではなく、今まで戦ってきた時の記憶の積み重なった、その中から、なんとなく浮かんでいる代物であることが多いはずである。はっきりと、きちんと思い浮かべる、そのように意識を集中させるプレーヤーもいないではないだろうが、稀である。そして、こんなプレーヤーも相手のボールがラケットを離れてしまった瞬間にはそのようなイメージは消えてしまっているはずである。そして、その前のポイントでとても強烈なインパクトのあるサーブが来た時は、その前まで浮かべていたイメージは大きく崩れ、そのインパクトのあった前のサーブが前面に大きく浮かんだりするはずなのである。つまり、この同一性の根拠となるイメージも、その時々で変わっているということである。逆に相手が調子が悪そうであれば、その調子の悪さを取り入れたイメージが浮かんでいるのである。

これらのイメージが浮かんでいる時、そのイメージには対象＝意識が形造られているとしていいであろう。しかし、それは、相手のサーブを構える様子、トスを上げる動作を見ながらである。ということは、脳の中に浮かべたイメージに対象＝意識が形造られながら、相手のサーブをする動作へも対象＝意識が形造られているのである。ただ、この時相手のサーブに入る姿の対象＝意識はかなり薄れているであろう。この〝ながら〟はスポーツではつきもので、時々浮かんでくる記憶やイメージは全て、〝ながら〟のはずである。この〝ながら〟は対象＝意識が二つになっていることを示しているとしていいであろう。もちろん、どちらかが主で、従という関係は存在するであろうが、でも対象＝意識は重なっているのである。スポーツだけでなく、日常生活ではこの〝ながら〟は多く発生しているはずである。運転している時、目の前の道路の様子は対象＝意識を形造りながら、頭の中で、たいへんな仕事のことを考えていて、〝危ない〟になることもあるのである。仕事や勉強をしていながら、…いろんなことが…まあ、まあ、

そして、〝ながら〟とともに次から次へも忙しく動くのもスポーツなのである。この〝ながら〟も次から次へも、今見てきたテニスの相手のセカンド・サーブを受けるシーンでは、相手のサーブの弾道を予測しようという必要＝力＝意味から発生してきていることなのである。そして、相手のサーブをする姿や、その後のボールの速さ、回転、近づく弾道に対象＝意識が形造られているが、全て、手許にまで来るボール、それが手許に来てからの変化を予測するためのものであるということである。そして、その対象＝意識の裏には、今までの相手のサーブを受けた記憶の積み重ねから、湧き出てくるイメージが存在しているということである。その差異性と同一性をまた感じながら、計りながら、計算しながら、しかし、ほとんど無意識のうちに体は動いて、リターンの姿勢

になっているということである。

これらのイメージは、スポーツだけでなく、勉強や仕事の時も浮かんでいるのである。先生の話を聴きながら、図形やその話の内容のイメージを浮かべながら授業を受けていることも多いはずである。ただ、このイメージを助けるために、それらを黒板に図形として描いてくれるのも先生である。この時、〝ながら〟は消えて、黒板だけが対象＝意識になる…仕事の時は、完成品のイメージを浮かべながら、加工を進める職人は多いはずである。そして、このイメージからはずれると、つまり差異性が働く、〝チクショウ〟になるのである。

そして、このイメージは、同一性直観と差異性直観の根拠にもなりうるものなのである。しかし、テニスのシーンでは、このイメージはそれほど一定していなくて、時には消えたりもするし、場面によっては変化もするものなのである。個物の同一性の根拠となるものを本質として考えるとしても、そのようなものからはなかなか遠いものなのである。

このようなイメージの変化は生活の中では多々起きていることである。テニスのサーブという動いているものを例に挙げて見てしまったが、料理などの出来上がってしまった、もう動かないものを見ても、これらの変化は見えてくる。カレーライスを見ても、一週間に一回とか、月に二、三回作る、お母さんの作るカレーでさえも、その時、その時によって変化するのである。新聞の料理欄を見て作ったりすれば大きく違っている。そして、お店で食べるカレーライスは、店が変われば大きく変化する。これらは対象＝意識の中の対象の変化であるが、それにつれて、カレーライスという言語によるイメージはその都度、変化するということである。しかし、それでも、〇〇のお店のカレーともなると、かなり固定したものになる、ということである。それは、その店のカレーライスは、一つの商品として固定したものとして存在していることによるであろう。

ここに見えてきているのは、これらのイメージが変化したり固定したりするのは、対象＝意識の中の対象が固定しているか、変化しているかによるのでは、ということなのである。そもそも、これらのイメージを浮かべることは、それほど生活の中では重要なことではなく、生活の進行に伴って、それを浮かべたり、浮かべなかったり、ずっと固定して浮かべたり、変化させて浮かべたりしているということである。そして、これらの背後には多く、必要＝力＝意味が存在しているのである。カレーライスのイメージが固定していないのは、カレーライスを食べる「我」自身がそのイメージをしっかり固定させる必要がないからであるとしていいのである。というのは、カレーライスはいろいろ様々なものがあっていいし、また、それらの様々なものを食べてみたいし、お母さんが今まで作ったことのないようなカレーを作ってくれたらいいし、また新しいお店で食べられたら…という必要＝力＝意味が働いているのである。一方、カレーライスの好きな「我」は〇〇の店のカレーライス、そのメニューの中の一つの大好きなもののイメージははっきりとしっかりとしたイメージで覚えているが、それがカレーライスの全てではないことを知っている。かと言って、それらの他のカレーライスを代表するイメージを浮かべろと言われても、なかなかはっきりしない。〇〇の店のカレーライスが邪魔してしまうのである。この「我」の中では、カレーライスは〇〇の店のカレーライスがカレーライスのイメージになってしまっているのである。この裏には、この「我」の〇〇の店のカレーライスへの強い思い、必要＝力＝意味が存在しているのである。

ここまで、同一性直観、差異性直観を見、それを裏付ける表象、イメージを追ってきたが、これらは大きく必要＝力＝意味に左右されていることが見えてきているのである。同一性、差異性を決定するのも必要＝力＝意味であり、また同一性と差異性を保証しているイメージ、表象も、必要＝力＝意味によって大きく変化しているのである。

今まで、次から次へと、また、ころころと変化するイメージ、表象ばかりを見てきたが、一方では、これらのイメージをしっかり固定させている、固定しなければならない場所、時もある。仕事の多くではこれらのイメージは固定されたまま進行していく。

現代の工場の生産過程では、これらのイメージはしっかりと固定されたものになっているのである。ここには同じ商品を大量に、しかも、差異性の許されないものとして作るという大きな前提が支配しているのである。だから、ここにはイメージを固定する図面というものが大きな力で存在しているのである。徹底した同一性が追求されているのである。つまり、工場内では不良品を出さないというとても大きな力の必要＝力＝意味が存在し、支配しているということなのである。いや、これらの工場では、働く人々に、これらのイメージを思い浮かべることそのものを禁止しているとしていいであろう。というのは、これらのイメージは、つまり、人間の脳の中に浮かべるイメージは、はっきりしないし、けっして固定したものではないからである。工場の中では、「しっかりと図面を見ろ！」となっているのである。ということは、目の前の図面をしっかりと見て、脳の中のあいまいなイメージを使ってはいけないということなのである。

図面はしっかりと固定した、しかも誰が見ても同じもの、同一性を保証しているのである。多くの現代の工場では、徹底した同一性が追求され、差異性は許されないのである。

以上見てきたように同一性と差異性を決定しているのは必要＝力＝意味であるということである。この決定する過程では、科学における欲望では説明できない、本論が必要＝力＝意味として、その欲望に替えて使った、様々な要素が入ってきているのである。その多くは欲望を抑える義務とか責任など、社会的力が入り込んでいるのである。また、人間社会では努力というものが大きく尊重され、必要なものともされているが、このことは目の前の欲望を諦めて、苦しい、つまり生物学的欲望に反することをして、将来のより大きな欲望を得ようとすることなのである。勉強や仕事はほとんどこのような構造を持っているのである。また、大好きなスポーツと言っても技術の向上や、体力をつけるためには、苦しい練習やトレーニングを積まなければならないのである。これらが、やはり大きく同一性と差異性を決定しているのである。

しかし、これだけでなく、この同一性と差異性を決定している同一性直観や差異性直観の決定の根拠になっている、先に同一性直観と差異性直観を見た時に見えてきた型紙のようなもの、それをここでは、表象やイメージとも呼んで使ってきたが、そして、先の章でもこの章でもこのような、型紙のようなもの、表象やイメージと言われるものもほとんど見えてこない、少なくとも意識されないで同一性や差異性が決定されることを見てきたが、これらの型紙のようなもの、イメージ、表象自身が、必要＝力＝意味によって大きく変わるということなのである。

この型紙のようなもの、表象、イメージは、同一性を決定するものであり、ということは、それらのそれぞれの存在がそれであることを決定する、ということは本質を決定する、保証するものであると言ってもいいのである。だから、これを本質直観と名付けてもいいのであるが、今まで見てきたとおり、その時々、場合場合によって、ということは、そこに大きく必要＝力＝意味が働いているのであるが、大きく変化したり、消えたりもするものなのである。本質というものが、普遍性につながるもの、どんな時にも変わらないもの、真理への道の一歩とするならば、ほど遠いものなのである。

もちろん、ここまで見てきているのは、日常生活、多くの人々の中での生活、いわゆる庶民の生活の中の出来事である。そもそも、真理などという言葉からほど遠い、本質など考える暇のない、しかし、それでいながら生活のためにはそんなことよりずっと大切なことをしなければならないと生きている人々の同一性と差異性を見ているのである。そんな中でのそれらを決定する要素として、型紙のようなもの、表象、イメージを見てきているのである。そして、ここでは生活からの必要＝力＝意味が大きな力を持っているのである。そして、ここで忘れてならないのは、これも先に見たように、このようにあいまいで、変わり易い、時には消えてしまう、型紙のようなもの、表象、イメージに代わって大きく使われるのが、言語であるということである。〝大きく〟使われると言ったが、多く、大きな力を持って、しかも確固たるものとして使われている、ということである。特に名詞や固有名詞は個物の替わりに、固有名詞は人物の同一性を示すものとして大きな力を持って、名詞は様々な物品の類的同一性を示すものとして、便利なものとして、日常茶飯、使われているのである。名詞や固有名詞が個物や物品の、そして人物の、型紙のようなもの、表象、イメージを浮かべさせることも多くあるが、日常会話や様々な場面では、名詞や固有名詞が浮かんだ途端に型紙のようなもの、表象、イメージは消えてしまい、会話や場面が進んでいってしまっているはずである。これも時によりけり、場面によりけりであろうが、そして、個人個人によって違うであろうが、このようなことが多く生じているはずである。

これをもう一度、必要＝力＝意味を押し当てて見てみれば、型紙のようなもの、表象、イメージよりは言語の方が使いやすいのである。まず、思い浮かべるのに言語の方が瞬間にやってきて、時間が短いのである。生活の中では、時間は大切な要素なのである。しかも、言語の方は変わらないもの、はっきりしているもの、なのである。しかも、家族と、社会と共有できるものなのである。これはとても便利なものなのである。他人に、型紙のようなもの、表象、イメージは伝えることができないが、言語は伝えることができるのである。生活をしていく上では、そして社会生活の上では、必要不可欠なものとして存在しているのである。

プラトンのイデアや哲学での本質直観を日常生活では、特に庶民の生活では、言語が代替していると言ったら叱られるだろうか。

ここでもう少しまとめておけば、必要＝力＝意味が生活の中では、「我」の中に存在し、それが対象＝意識を形造り、その対象＝意識の中の対象に対して同一性と差異性を決定しているのも、必要＝力＝意味であるということなのである。それだけでなく、同一性と差異性の決定の根拠と考えられる、本論での型紙のようなもの、表象、イメージをも必要＝力＝意味が大きく支配しているのを見てきたのである。そして、この型紙のようなもの、表象、イメージと呼んできたものは、同一性を決定する、つまり、その一つ一つの存在がそれであることを決定する根拠である限りは、哲学での本質、プラトンのイデアをも思い起こさせるものではあるが、これまで見てきたように、これらのものは、はっきりしないもの、ぼんやり浮かんでいるもの、時には、いや、かなり変化するもの、時には消えてしまっているもの、それ以上に、日常生活ではほとんど、少なくとも意識的には使われることもないものとして見えてきているのである。だから、哲学の本質やプラトンのイデアとはほど遠いものであり、それらがそうでなければならないとされる普遍的、永遠に変わらないものからはほど遠いものである、ということである。このことは、本論がそれらを見てきたのは、そもそも哲学や、絶対的真理から程遠い、また、この論文でも何度か見てきた、フッサールの現象学的還元から遠く離れた、日々の生活に追われた、時間があれば、真理を求めるよりも、遊びやスポーツを楽しみたい、それ以上に家族が少しでも幸せになるよう努力している、いわゆる庶民の生活だけを見てきたからであると言えるであろう。ただ、本論としては、哲学の本質、プラトンのイデアの替わりに、代替物として使われているのが、言語なのではないか、ということなのである。言語は、変化のないもの、少なくともある程度の長さの時代はほとんど変化のないものとして、しかも、その言語を使っている人々には共通のものとして存在しているということなのである。そして、人々は言語を、型紙のようなもの、表象、イメージの替わりに、それらを思い浮かべることもなく、日常生活に便利に使っているということなのである。型紙のようなもの、表象、イメージを浮かべる前に、さっと言語は出てくるのである。そして、変化がないのである。はっきりしているのである。人々に伝えられるのである。共通の言語を使っている人々はみな理解できるのである。日常生活の中では、便利であり、それだけでなく、必要不可欠のものなのである。ということは、ここに大きく必要＝力＝意味が働いているということなのである。（そんなことを言えば、必要＝力＝意味のとても多くの部分が言語でできているのである。これも見ていかねばならないのだ）そして、これは型紙のようなもの、表象、イメージの替わり、代替物として言語を使う、必要＝力＝意味であるが、これもまだまだ見なければならないのであるが、対象＝意識の対象の多くも言語からできているのである。これは先に少しは見たが、まだまだ見なければならないだろう。

こう見てくると、人間は必要＝力＝意味によって対象＝意識を形造り、そして形造った対象＝意識の中の対象の同一性と差異性の判断も、そして、それを根拠づける型紙のようなもの、表象、イメージも必要＝力＝意味によって形造っていることが見えてくるのである。

しかし、いつもそうであると言ってはいけないはずである。必要＝力＝意味は、勉強の時や仕事の時、そして、スポーツをしている時はしっかりと大きな力で働いているが、散歩や旅行に出かける時、また、ぼんやりしている時は、この必要＝力＝意味はかなり弱くなっているはずである。そもそも、〝ぼんやり〟とは必要＝力＝意味がとても弱く、対象＝意識もはっきりと形造っていない状態を言うはずなのだ。そして、散歩や旅行に出かける大きな目的は、この必要＝力＝意味を緩くして、休ませ、対象＝意識も、それほどしっかり形造らないで、足や、電車の走行につれて順番に見えてくるそのままを見ていくことなのだ。というよりも、先にも何度も見たように、世界＝意識と対象＝意識が重なるように、世界そのものを見て感じているのである。そして、こんな時にも、美しい花や、珍しいもの、昨日までそこになかったもの、そして、すばらしい夕陽や海や山が見えてきた時、ふと心が動いて、対象＝意識を形造って、ずっと見ていることもあるのだ。こんな時、ほとんど必要＝力＝意味は休んだままである。また、世の中には偶然というものがあり、事故や事件や、災害はむこうからやってくるものなのだ。こんな時、「我」は、やってきた対象に対象＝意識を形造り、その後、その対象にどう対応するか、対処するかのために、必要＝力＝意味を形造りはじめることになることもあるということだ。だから、恒に、人間の認識機能、意識には、その中心に必要＝力＝意味が働いていて、という公式はたててはならないであろう。とはいえ、仕事や勉強やスポーツでは、強い形で必要＝力＝意味が働いているとしていいのである。これらはまた、必要＝力＝意味が強く働く場であるとも言えるはずである。そして、人間の生活は、これらの勉強や仕事やスポーツを中心に進んでいるとしていいのである。

また、ここでほとんど述べなかった遊びというものがあるが、これは、多くは対象＝意識が次から次へと変わり、同一性と差異性もころころ変わり、必要＝力＝意味は少なくとも勉強や仕事の時とは大きく違い、時にはこれも次から次へと、細かな所で変化し、しかし、その根本では楽しみたい、夢中になりたい、という形を取り、そして勉強や仕事は忘れたいと思い、そのような必要＝力＝意味とまったく違った必要＝力＝意味を形造りながら進んでいくとしていいであろう。

以上、必要＝力＝意味からの対象＝意識、そして、その対象＝意識の中の対象に対する同一性直観、差異性直観を見て、その中の、その直観の根拠となるものの〝型紙のようなもの〟表象、イメージというものを見てきた。そこには全て、対象＝意識を形造るのも、つまり世界＝意識の中から、対象を選びとって対象＝意識とするのも、大きく必要＝力＝意味が関わっていること、また、この対象＝意識の中の対象が過去に出会ったものであるかどうか、その同一性と差異性を決定するのも、必要＝力＝意味に大きく負っていることを見てきたのである。そして、その同一性と差異性の決定の根拠として使われる、記憶の中に残っている〝型紙のようなもの〟表象、イメージそのものも、必要＝力＝意味によってその時々、変化することを見たのである。

そして、この〝型紙のようなもの〟表象、イメージは、事物の同一性の根拠となるものであるならば、つまり、事物がそれである、そのことそのものであることを示すものならば、本質というもの、ここでは目に見える形の、五感で感じられる形の〝型紙のようなもの〟表象、イメージとして見てきているのであるから、本質直観としてもいいのではないかとも思えてくるのである。しかし、ここまで見てきたとおり、この〝型紙のようなもの〟表象、イメージは、その時々、場面場面で大きく変化してしまい、時にはほとんど消えてしまっていることもあるのである。本質直観たるものは、少なくとも哲学や認識論で見ていく上では、事物の根拠、変わらぬ普遍的なもの、真理につながるもののはずなのに、ここまで見たものは、そんなものではない、ころころ変わる、時には消えてしまっているものなのである。

ここのところは、本論としては、もう少し踏み込んでおかねばならないところのはずである。ここまでしてきた議論が、問われなければならないところでもあるのである。

本論は、言語と記憶から、認識、そして意識の構造を見てきているのである。それは確かに、哲学論文、認識論のはずである。しかし、多くの哲学、そして認識論が真理、絶対的真理を求めているが、本論はけっして、少なくとも、それを第一の目標とはしていないのである。言語と記憶とともに生活を続けている人々の意識の構造、認識の構造をまずは見てみたいのである。そして、彼等はけっして、絶対的真理を求めていないし、哲学もしていないのである。彼等の多くは日々の生活に追われ、勉強や仕事に多くの時間を費やしているのである。時間ができたら、スポーツをしたり、趣味や自分の好きな遊びをしたり、時には旅行をしたり、仕事や勉強の疲れを癒しているのである。絶対的真理や哲学には興味を持たないのである。だから、絶対的真理への道や哲学の道の第一歩である、本質、そして本質直観など求めようと思ったことはないのである。だから、このような人々の意識や認識の構造を見ようとしている本論が見てしまうのは、つまり、本質らしい、本質でなければならないものも、絶対的真理を求める人々や哲学者の前に見えてくる本質や本質直観からはほど遠いものなのである。

本論のこれまでの見方からすれば、この絶対的真理を求めようとする人々や哲学者の中には、絶対的真理を求めようとする、永遠の真理を求めようとする、とても強い必要＝力＝意味が存在するのである。この必要＝力＝意味はこれまでは科学の欲望にあたると説明してきたが、絶対的真理を求めようとする欲望、永遠の真理を求めようとする欲望とはどのような欲望なのか、少なくとも生物学的欲望からはなかなか説明できない、なかなか遠い欲望となってしまうのである。哲学者の中でも、絶対的真理をではなく、人間の生きる理想として、バッカス祭におけるディオニソス文化や、彼の著作の中でツァラトゥストラを描いて見せたニーチェは、このような絶対的真理を求める人々、哲学者の中に、多くの世俗的欲望が存在することを示して見せるのである。また、人間の全ての活動の根源をリビドー、つまり性的なエネルギー、またはその変形と見るフロイトの説では、これらの真理を得ようとすることも性的エネルギーの変形になってしまうであろう。ただ、そうは言っても、人類の歴史では、哲学者だけでなく、多くの科学者、そしてもっと広くは学問する人々は、なんらかの形で真理を求めようとした、この論文における、そのような必要＝力＝意味を持っていたとしていいのである。また、人類はこのような人々の功績をたたえてきたのである。このたたえてきたことは、これまでの学者という人々の必要＝力＝意味に大きな力を与えてきたはずである。実際、ノーベル賞は多くの科学者のとても大きな目標になっているのである。そしてまた、そのような賞によってたたえることの根源には、少なくとも科学が人類の富の拡大にとても大きな力を与えてきたという事実が存在するのである。特に、近代の資本主義のめざましい発展と、その富の莫大な産出には、科学はとても大きな力を与えてきたのである。そしてまた、現代、というよりも最近では、コンピューターのめざましい発展は、多くの人々を魅了し続けているはずである。ここには多くの人々を科学者になりたいという、とても大きな必要＝力＝意味を形造らせる要素、要因が存在しているのである。

とはいえ、ここで問題にしている、本論が直面している本質を求めるという必要＝力＝意味はやはり、哲学、そして認識論に向き合う学者達だけのものであろう。このような人々の必要＝力＝意味を、この構造を解析して見せることは、ここでの大きな仕事のはずである。しかし、それはとても大きな仕事であり、また、様々な議論の上になされなければならない仕事のはずである。

だが、ここでは絶対的真理を求める人々や哲学者達と、本論で見ている多くの人々とは、必要＝力＝意味が大きく違っているということを確認しておこう。そして、多くの人々の中には絶対的真理を、永遠の真理を求めようという必要＝力＝意味など存在しないのである。また、これも、ここまで見てきたことであるが、必要＝力＝意味によっては、同一性直観の根拠となる〝型紙のようなもの〟表象、イメージも大きく違ってくるのである。そして、この〝型紙のようなもの〟表象、イメージが絶対的真理を求める、哲学の前に現れる本質に近いのでは、として見たが、それらを求めようとする必要＝力＝意味が多くの人々の中には存在しないのである。絶対的真理を求めようとはしない必要＝力＝意味が形造る対象＝意識、その対象＝意識の中の対象の中には、絶対的真理、永遠の真理を求めようとするとても強い必要＝力＝意味が、その真理を得るべく対象＝意識を形造り、その対象の中から見出そうとする本質などは見出せないのは当たり前なのである。これまで見てきたところでは、対象＝意識も、この対象の同一性、差異性も、そして今直面しているその同一性の根拠となる〝型紙のようなもの〟表象、イメージ、ここではもっと本質に近いものも、大きく必要＝力＝意味によって違ってきていることを見てきたのである。つまり、真理を求めようとする心、気持ち、意志のないところに、その第一歩である事物の本質も、違った形で現れる、様々なその時その時の変化を持ったもの、時には消えてしまうこともあるものとして存在するということなのである。

それでは、真理を、絶対的真理、永遠の真理を求める者、哲学者達には事物はどのように現れ、そこに本質はどのように見えているのか、つまり、そのような人々は、まず、本論での必要＝力＝意味をどのように作り、そして、この作られた必要＝力＝意味がどのように対象＝意識を形造り、この中で向き合われた対象はどのように現れ、そこに本質がどのように現れてくるかは、見ていかねばならないのである。

必要＝力＝意味は、先にも見たとおり、絶対的真理を求めよう、永遠真理を求めようという、大きな意図で埋められているとしていいであろう。この意図は、彼の必要＝力＝意味全体を支配しているとしていいであろう。この真理を求めようとする者は、全ての先に、この真理を求めなければならない、なぜなら、この絶対的真理を求めないで何をしたとしても、それらはまちがっているかもしれない、という危惧が存在しているのである。だから、まず第一に、絶対的真理を求めなければならないのである。

このことを完全に実行したのが、近代哲学の始祖とされるデカルトである。この世界の中で、絶対に疑いえないものが存在するのか、つまり絶対的真理が存在するのか、と彼は問い、全てのものを疑う、懐疑を始めるのである。そして、数十年捜し求め続け、ついに、「我思う故に我在り」という絶対的真理に到達したのである。近代哲学は、このデカルトの絶対的真理から出発しているのである。

「我思う故に我在り」の絶対的真理の構造は、世界の事物のあらゆることを疑ったとしても、その疑っている自分が存在していることだけは、絶対に疑い得ない、ということである。まさしく、疑っている自分が存在することだけは、ほんとうに疑い得ないのである。この絶対的真理から、近代哲学のほとんどは出発しているとされるのである。

だから、このデカルトの絶対的真理までの道のりを見ていると、先程から問題にしてきていた、多くの人々が日常性の中で本質らしいものとして見てきた〝型紙のようなもの〟表象、イメージなどは、デカルトが疑わしいものとして、そこに絶対的真理が存在しないとしたものであって、近代哲学では疑わしいものであって、本質などは問題以外なのである。まずは、日常性の様々な出来事、仕事や勉強の中の出来事、ましてやテニス、スポーツ、遊びは、そんな中に本質を求めるなんて、絶対的真理を求める以前の問題外のことなのである。このように見てしまえば、ほとんどの人々の日常生活は、完全に否定されてしまうことになる。

デカルトの哲学は、その後の哲学者に引き継がれ、近代哲学と言われるもののほとんどは、このデカルトの哲学を基礎として、その上に構築されたとしていいであろう。二十世紀最大の哲学者としていいフッサールも、このデカルトの「我思う故に我在り」の上に彼の哲学を築いたとしていいであろう。彼の提示する現象学的還元は、「我思う故に我在り」の意識全体への拡大、徹底化であるとしていいであろう。拡大とは、デカルトの場合、「我思う」はこの世に絶対的に疑い得ないものは存在するのだろうかと「思う」ことであったのに対し、これをフッサールは、思うこと全体、いや、見ること聴くこと、五感でとらえること全体としていくのである。というのは、我が思っていること、見ていることを、「我」は知っているのである。この知っていることは「我思う故に我在り」と同じ構造で、「思っている我」「見ている我」の存在を絶対的真理、疑い得ないものとして保証するのである。この「我が思っていることを知っている」「我が見ていることを知っている」ことを、つまり、自らのなしていることを対象とし、自らのなしていることをふり返ること、反省している構造を意識ととらえていくのである。そして、この反省によって、「我思う」に向き合うこと、ここでは拡大された意味での「我思う」に向きあう、つまり反省としてとらえることを現象学的還元とするのである。そして、現象学的還元をなされたもの、とらえられたものは、「我思う故に我在り」と同じ絶対的真理の構造を持つものとされるのである。

そして、フッサールは、それまでの全ての科学や心理学をも、この現象学的還元がなされていないものとして、絶対的真理としては受け入れられないもの、否定されるもの、見直さなければならないものとして退けるのである。このことからすれば、今まで見てきた〝型紙のようなもの〟表象、イメージとしてきたものは、まったくのお笑い種になってしまうのである。もちろん、本論とても、絶対的真理を求めて議論を進めているのではない。記憶というものを見ることによって、人間の意識の中の、そして認識の中の、暗闇のようになっている部分、その意識の持ち主である「我」でさえもよくわからない、はっきりしない、ずっと分からないままになっている部分が少しでも分かればと思って議論を進めてきているのである。人間の意識の中には、「我」の分からない部分がとても多くあり、時には、自分の思うようにはならない、感情とか心とかというものも存在する。それらを見ようとしているのである。そして、その意識の中には、無限と言っていい記憶、そして言語が存在しているのである。例を挙げれば、一つの記憶が夜眠れなくもさせるし、一つの言葉が、大きく「我」を動かすこともあるのだ。そして、この「我」は自分の意識の中もよくわからない、自分の思うままにならないが、それでも、そんな自分の中の意識以上にもっと知りたいのは、自分の愛する者の心なのだ。恋人の心を知りたい、それでも分からないから恋なのだ。いや、それ以上にとも言えるのは、子供の心、存在なのだ。目が離せないのだ。そして、家族、これらの心は知りたくても、なかなか分からない。なぜなら、その心を持っているそれぞれも、そんなに自分のことが分かっているわけでなく、そして、時と場合によって、またころころ変わるのだ。このようなつかみようのないものであるから、なお一層、知りたいのだ。絶対的真理の数百倍、いや、フッサールの絶対的真理を求めた以上に知りたいかもしれないのだ。

ここまで見てくると、〝型紙のようなもの〟表象、イメージを本質、そして普遍的なものと比べる、並べて見てみようとしたことそのものがまちがいだったことになる。結論として言えることは、哲学する人々の必要＝力＝意味と、ここで見ている多くの人々の必要＝力＝意味とは大きくかけ離れている。それ故に、それが作り出す対象＝意識も大きく違っている。多くの人々は、生活の中で、この必要＝力＝意味により次から次へと対象＝

意識も変化し続けているのだ。一方、哲学する人々は永遠の真理、絶対的真理を求めて、じっと…何に？精神…？いや、存在に向き合っているのだ。この存在もなかなか、…世界、宇宙を含めた全体の存在、…いや、いや、フッサールの影響を受けたハイデガーの世界＝内＝存在は、フッサールの現象学的還元を行った上での、意識存在のはずなのだ。しかし、この意識そのものも、世界に向き合った意識でもあるわけである…まあ、まあ、…

ただ、ここで少しだけ言っておきたいのは、本論で、同一性直観を見て、その中に、根拠となるものとして、型紙のようなもの、表象、イメージが浮かんできたが、それは記憶の中をたどって見えてきたのである。記憶の中、ということは、意識の中をさぐり、たどり着いたということである。そして、この意識の中を見ることは、フッサールの現象学的還元と、それだけを見れば同じであるということなのである。そんな中から、〝型紙のようなもの〟表象、イメージが浮かんできたということなのである。そして、それが本質らしきものと思わせたのである。ほんの少しだけ、現象学的還元に似ていて、その分だけ…

そして、もう一つ、ここで言っておきたいのは、フッサールの現象学的還元も、意識を対象としている限り、記憶によってそれが成立しているということである。意識を対象とすることは、現在の瞬間のほんの少し前の意識であれ、それを対象とすることができるのは、その少し前の意識が記憶として存在していることによるのである。このことは、デカルトの「我思う故に我在り」にも言えるのである。デカルトは「我思う」を、彼の場合は数十年疑い続けたことを内容としてその中に入れていたのであるが、それを記憶していて、それを対象化した時、そこに対象化された「我在り」を見つけ出したのである。フッサールも、デカルトも、記憶についてはほとんど論じていないが、両者とも記憶という機能が働いて、哲学上の、絶対的真理の道を見つけ出したのである。そして、多くの人々は記憶とは当てにならないもの、忘れたり、思い違いをするものだ、と思っているのである。ただ、フッサールの現象学的還元は、瞬間的過去と言っていいような記憶によっているのである。デカルトも、少なくとも、彼がこの大真理を発見する瞬間的過去にも「我思う」をしていたことは、まちがいのないことなのである。

しかし、瞬間的過去の意識とはいえ、意識の中の隅々までを見ることはとてもたいへんな作業なはずである。フッサールの現象学の難しさも、ここから多く来ているはずである。というのは、瞬間的過去とはいえ、意識の中は、まず対象として見ていたもの、しかし、それだけでなく、そのまわりも目に入っているし、自分が世界のどこにいて、どうしてここにいて、ということを知っていながら対象を見ているし、また、対象そのものも、その対象がなぜそこに存在し、どんな名前で、どのように使われ…、つまり、この論文で見た了解性というものが働いているし、対象に向かうことは、この論文では対象＝意識としているが、それを取り囲む世界＝意識が存在していることも見てきたのである。そして、その世界＝意識の中には無限のと言っていい記憶が了解性として存在していることも見てきたのである。それらの記憶の多くはけっして絶対的ではない…

参考文献

デカルト著
『方法序説』小場瀬卓三訳　角川書店　一九五三年
『省察』三木清訳　岩波書店　一九四九年

エドムント・フッサール著
『イデーン』渡辺二郎訳　みすず書房　一九七九年
『現象学の理念』立松弘孝訳　みすず書房　一九六五年
『デカルト的省察』浜渦辰二訳　岩波書店　二〇〇一年
『内的時間意識の現象学』立松弘孝訳　みすず書房　一九六七年

メルロー・ポンティ著
『眼と精神』滝浦静雄・木田元訳　みすず書房　一九六六年
『行動の構造』滝浦静雄・木田元訳　みすず書房　一九六四年
『知覚の現象学』竹内芳郎・小木貞孝訳　みすず書房　一九六七年

アリストテレス著
『形而上学』出隆訳　岩波書店　一九五九年

カント著
『純粋理性批判』高峯一愚訳　河出書房新社　一九六五年

ヘーゲル著
『精神現象学』樫山欽四郎訳　河出書房新社　一九六六年
『哲学史』藤田健治訳　岩波書店　一九五六年
『大論理学』武市健人訳　岩波書店　二〇〇二年

ハイデッガー著
『有と時』辻村公一訳　河出書房新社　一九六七年
『同一性と差異性』大江精四郎訳　理想社　一九六一年

サルトル著
『存在と無』松浪信三郎訳　人文書院　一九五六年

キルケゴール著
『不安の概念』斎藤信治訳　岩波書店　一九五一年
『死に至る病』斎藤信治訳　岩波書店　一九五七年

ニーチェ著
『悲劇の誕生』西尾幹二訳　中央公論社　一九六六年
『権力への意志』原佑訳　理想社　一九八〇年
『ツァラトゥストラ』手塚富雄訳　中央公論社　一九六六年

カール・マルクス著
『資本論』長谷部文雄訳　河出書房新社　一九六四年
『ドイツイデオロギー』古在由重訳　岩波書店　一九五六年
『経済学哲学草稿』城塚登・田中吉六訳　岩波書店　一九六四年

ホルクハイマー、アドルノ著
『啓蒙の弁証法』徳永恂訳　岩波書店　二〇〇七年

アドルノ著
『否定弁証法』木田元・徳永恂、渡辺祐郎・三島憲一・須田朗・宮武昭訳　作品社　一九九六年

フロイト著
『精神分析学入門』懸田克躬訳　中央公論社　一九七八年
『夢判断』高橋義孝訳　新潮社　一九六九年
『日常生活の精神病理学』懸田克躬他訳　人文書院　一九七〇年
『自我論・不安本能論』井村恒郎・小比木啓吾他訳　人文書院　一九七〇年

CG・ユング著
『分析心理学』小川捷之訳　みすず書房　一九七六年
『自我と無意識』松代洋一・渡辺学訳　思索社　一九八四年
『元型論』林道義訳　紀伊國屋書店　一九八二年
『続・元型論』林道義訳　紀伊國屋書店　一九八三年

アンリ・ベルグソン著
『物質と記憶』田島節夫訳　白水社　一九九九年
エンゲルス著
『家族・私有財産・国家の起源』戸原四郎訳　岩波書店　一九六〇年
『自然弁証法』菅原仰・寺沢恒信訳　大月書店　一九五三年
ケインズ著
『雇用・利子および貨幣の一般理論』塩野谷祐一訳　東洋経済新報社　一九八三年
ソシュール著
『言語学序説』山内貴美夫訳　勁草書房　一九七一年
『一般言語学講義』小林英夫訳　岩波書店　一九四〇年
ミシェル・フーコー著
『言葉と物』渡辺一民・佐々木明訳　新潮社　一九七四年
N・チョムスキー著
『言語と精神』川本茂雄訳　河出書房新社　一九八〇年
エリック・R・カンデル編
『カンデル神経科学』金澤一郎・宮下保司　日本語版監修メディカル・サイエンス・インターナショナル　二〇一四年

ラリー・R・スクワイア
エリック・R・カンデル　著
『記憶のしくみ』小西史朗・桐野豊監修　講談社　二〇一三年
G・ムーナン著
『ソシュール　構造主義の原点』福井芳男・伊藤晃・丸山圭三郎訳　大修館書店　一九七〇年
アラン・クルーズ著
『言語における意味』片岡宏仁訳　東京電機大学出版局　二〇一二年
立川健二・山田広昭著
『現代言語論　ソシュール フロイト ウィトゲンシュタイン』新曜社　一九九〇年
ヴィゴツキー著
『思考と言語』柴田義松訳　新読書社　二〇〇一年

■著者紹介

深井　了（ふかい　りょう）

1948年　富山県生まれ

1972年　東京大学文学部卒業

著書

『末期資本主義と〈帝国〉の構造』秋山書店、2010年

『非実態経済資金と新世界恐慌』秋山書店、2011年

『“悪魔の手”が世界経済を支配する』秋山書店、2012年

『『一般理論』と剰余価値理論』翔雲社、2015年

『認識と記憶の構造』近代文藝社、2015年

『記憶と、その力』 翔雲社、2018年

言語と意味と記憶

2020年11月28日　第1刷発行

著　者　深井　了　© Ryo Hukai, 2020

発行者　池上　淳

発行所　株式会社 **翔雲社**

〒252-0333　神奈川県相模原市南区東大沼2-21-4

TEL　042-765-6463（代）／FAX　042-701-8611

振替口座　00200-6-28265／ISBN　978-4-434-27676-7 C0010

URL　http://www.shounsha.com／E-mail　info@shounsha.com

発売元　株式会社　星雲社（共同出版社・流通責任出版社）

〒112-0005　東京都文京区水道1-3-30　TEL　03-3868-3275／FAX　03-3868-6588

印刷・製本　モリモト印刷株式会社　Printed in Japan